Dicionário Mítico-Etimológico da Mitologia e da Religião Romana

Dados Internacionais de Catalogação na Publicação (CIP)
(Câmara Brasileira do Livro, SP, Brasil)

Brandão, Junito, 1924-

Dicionário mítico-etimológico da mitologia e da religião romana / Junito de Souza Brandão. – Petrópolis, RJ: Vozes, 1993.

ISBN 85-326-0955-4

1. Mitologia romana – Dicionários 2. Roma – Religião – Dicionários I. Título.

93-0717 CDD-292.0703

Índices para catálogo sistemático:

1. Mitologia romana : Dicionários 292.0703
2. Religião romana : Dicionários 292.0703

Junito de Souza Brandão

Sala de Pesquisa Augusto Magne SJ, PUC-RJ e UERJ
Rio de Janeiro, 1993

Dicionário Mítico-Etimológico da Mitologia e da Religião Romana

VOZES
Petrópolis
1993

Em co-edição com

Edunb
Editora Universidade de Brasília

Rua Frei Luís, 100
25689-900 Petrópolis, RJ
Brasil

Projeto Gráfico
Daniel Sant'Anna

ISBN 85.326.0955-4

Indústria e Comércio de Cosméticos NATURA(São Paulo) patrocinou a Bibliografia deste *Dicionário*. O autor agradece penhoradamente ao Conselho de Administração de tão próspera Indústria.

A Universidade Gama Filho, de que o Autor é Pesquisador, cooperou decisivamente para que este *Dicionário* viesse a lume. Nosso público testemunho de gratidão.

Magister, Mestre: ao Professor Doutor A. Ribeiro Netto, a homenagem do autor.

A Editora Universidade de Brasília, instituída pela Lei nº 3.998, de 15 de dezembro de 1961, tem como objetivo "editar obras científicas, técnicas e culturais de nível universitário".

Introdução

O *Dicionário Mítico-Etimológico da Mitologia e da Religião Romana* (DIMER) é, a nosso ver, complemento necessário aos dois volumes do *Dicionário Mítico-Etimológico da Mitologia Grega* (DIMEG). Petrópolis, Vozes, 1991-1992. Procuramos, assim, fazer um balanço, embora incompleto, somos o primeiro a reconhecê-lo, da mitologia e da religião clássica (e por que não também popular?) greco-latina. No DIMER o método e a técnica de elaboração dos verbetes foram os mesmos que se usaram no DIMEG: primeiro, a etimologia do teônimo ou fenômeno religioso mencionados e, em seguida, o mito ou o rito que tenta traduzi-los ou sacralizá-los. Só, então, quando imprescindível, se faz uma interpretação simbólica. Esta restrição, quanto ao aspecto simbólico, explica-se pelas características fundamentais da religião dos descendentes de Rômulo: prática, realista, imediatista, antiantropomórfica, ametafísica – e há de se ver por quê – orientou-se pelo rito, que lhe dava, de pronto, resposta às necessidades, privações e angústias, sem escalar montanhas nas asas da poesia e do mito, como o fez a plástica e inspirada religião da Hélade.

A "história" da religião romana costuma ser dividida por alguns teóricos em quatro grandes etapas: a dos invasores indo-europeus itálicos, futuros latinos, que desceram das regiões transalpinas e se miscigenaram com as populações neolíticas, denominadas "autóctones"; a faceta etrusca, com as importantes e positivas influências dos ritos tirrenos sobre a crença primitiva dos romanos, possivelmente a partir do século VII a.C.; o avassalador influxo helênico, cognominado sincretismo grecolatino, ao longo dos séculos IV-III a.C., embora este se tenha iniciado bem antes; e, por fim, a presença na Itália, e depois particularmente em Roma, de várias divindades orientais, sobretudo a partir do século I a.C., se bem que algumas já houvesem penetrado na *Urbs* desde a segunda metade do século terceiro, como é o caso da deusa Cibele.

Esta divisão, todavia somente pode ser aceita *lato sensu.* É, sem dúvida, temerário datar um fenômeno religioso, cujas fronteiras são extremamente sensíveis e movediças. Um culto, uma divindade, tomados de empréstimo e já atuantes num local ou numa dada população, podem, não raro, ser agasalhados pelo povo, pelos doutos ou pelo Estado muitos séculos depois. É o fenômeno típico, na Hélade, com relação ao deus Dioniso, que já aparece no micênio de Pilos, no século XIV a.C., e só é adotado oficialmente na pólis de Atenas lá pelo século VII a.C. Homero (séc. IX-VIII a.C.), com sua profusão de deuses, não lhe atribui a menor importância (*Il.*, VI, 132), emprestando-lhe até mesmo uma atitude um tanto caricata. Com o epíteto de Baco, o grande deus do êxtase e do entusiasmo, tão importante para o povo, surge na poesia grega só no século V a.C., na tragédia sofocleana *Édipo Rei,* 211. Entre os romanos, Apolo, o exegeta nacional da Hélade, já estava presente na Itália desde o século V a.C., mas só se projetou com sua indumentária solar no século I a.C., à época do imperador Augusto, como paraninfo da *Gens Iulia.*

Feitas sucintamente estas necessárias e imprescindíveis observações e restrições ao balizamento da formação da heterogênea mitologia e religião romana, procuraremos, ainda que de maneira sumária, porque os verbetes explicarão sua própria origem e procedência, registrar algumas divindades oriundas das fontes supracitadas e explicar determinados fatos sociais e políticos a elas concernentes.

Do mundo indo-europeu os itálicos trouxeram deuses não antropomorfizados, uma autêntica pletora de abstrações. Era um animismo dinâmico, que se poderia, talvez, denominar "antropopsíquico", na expressão de Jean Bayet, *Histoire Politique et Psychologique de la Religion Romaine*. Paris, Payot, 1957, p.11, obra que estamos seguindo de perto, traduzindo-lhe até mesmo vários conceitos. Esta religião primitiva se impôs, a princípio, com seu pragmatismo histórico e absoluta indiferença pela genealogia divina. *Iuppiter*, Júpiter, não tem forma, porque é a luz que brilha nos raios e nos relâmpagos; *Diana*, Diana, o lado feminino do grande deus, é, por isso mesmo, *Diuiana,* a luminosa, a divina; *Vesta*, Vesta, era o fogo sagrado e perpétuo da cidade, que ardia, em seus primórdios, num pequeno "santuário", reprodução das antigas cabanas indo-européias.

Não se pode duvidar de que a religião romana oferece à análise uma multiplicidade de dados de aspecto muitíssimo arcaico. O culto e a magia das pedras remontam a um antigo estado indo-europeu: as denominadas "pedras de raio" (*Iuppiter Lapis)* que se empunhavam para fazer os juramentos; as da chuva *(Lapis Manalis)*; a da fixação dos limites, sobretudo no campo *(Terminus)*; o culto das árvores, do fogo procriador e oracular; a zoolatria ou crenças nos deuses-animais-totens; o uso do crânio como troféu, ex-voto ou símbolo da permanência do morto, assim como as máscaras ou efígies dos ancestrais, ciosamente conservadas nas famílias aristocráticas.

Se ao casal indo-europeu *Iuppiter – Diana* somarmos a profusão de *numina* (v. Nume) e de outras abstrações, havidas como divindades respeitabilíssimas, ter-se-á a herança original indo-européia da crença itálica. Não existiam templos. O lar dos deuses no animismo é a natureza com seus bosques, fontes e florestas, daí a sacralidade de determinadas árvores, como o carvalho e a figueira, e de certo animais, como a loba e o picanço, ave tida como oracular (v. Pico).

É sob este prisma que o romano se mostra sumamente conservador, mas esse apego ao passado talvez seja mais uma precaução de ordem política e psicológica do que uma convicção voltada para o sagrado. Os latinos, na realidade, salvaguardaram sua personalidade ao longo de múltiplas peregrinações no seio de populações alógenas, passando, como se verá, pela experiência etrusca, pela esmagadora influência cultural grega e pela mística oriental. A obstinação com os mesmos gestos arquctípicos assegurou-lhes a originalidade ritual no decurso dos séculos, durante os quais Roma continou a assimilar novos cultos e ideologias diferentes. Agasalhava o alheio, que lhe interessava, sem alterar o que lhe fosse peculiar. A excepcional duração deste processo pressupõe, de um lado, a solidez inicial da essência litúrgica, e de outro, a primazia do rito, que se manteve, em princípio, inalterável, mesmo atravessando variadas mutações conceituais.

A partir do século VII a.C., o rito itálico beneficiou-se de um encontro, deveras salutar, com a religião etrusca. Organicamente, diz Jean Bayet, *op. cit.*, p. 33, "A religião latina preservou seus quadros sacerdotais, as cerimônias ancestrais, seus deuses (com alguns empréstimos) e sua psicologia nas relações entre os homens e as divindades". A influência tirrena refletiu-se de maneira decisiva nos calendários de ordem religiosa, na interpretação de determinados fenômenos naturais e cósmicos, na *procuratio*, isto é, nos sacrifícios expiatórios, na observação dos prodígios, na aruspicina (v.) e em outros ângulos de menor importância. Cada uma destas influências, todavia, é demarcada por uma fronteira muito tênue entre o ancestral latino e a nova aquisição, por vezes hipotética. É muito difícil modificar uma religião, sobretudo em se tratando de um povo que se revelou tenaz em seu arcaísmo, no transcurso de suas migrações. O que se observa na contribuição etrusca, inegavelmente séria, tanto política, quanto religiosa, não foi o estrangulamento de uma cultura, mas a multiplicação de contatos e de trocas entre dois povos muito diferentes. A melhor prova de tal fato está na língua latina, que permaneceu propriamente intata em seu vocabulário, ao qual foi acrescentado apenas um pequeno número de palavras tirrenas, não raro como intermediárias entre o grego e a língua de Cícero. Estamos, não há dúvida, pondera Bayet, diante da aplicação particular de um fenômeno geral na pátria de Vergílio: permeabilidade rápida de uma comunidade itálica à ação – por coabitação ou irradiação de cultura – de uma raça heterogênea, por certo não indo-européia, mas aberta às heranças orientais e helênicas, e suficientemente poderosa para impor-se aos itálicos, a despeito da diferença de língua. A religião ancestral dos latinos, no entanto, apesar dos empréstimos, continuou seu roteiro pragmático e conservador.

Os encontros diretos e indiretos com a plástica religião da Hélade foram, todavia, bem mais decisivos. Os deuses gregos penetraram na cidade tiberina por etapas e em circunstâncias diversas. Entre as divindades mais antigas não se detectam duas que tenham sido introduzidas de maneira idêntica. Ingressaram através do culto público ou privado; foram abrigadas fora ou dentro do recinto sagrado da *Urbs*; chegaram de maneira imprevista ou após longas jornadas em terra e no mar.

O processo de adoção de deuses estrangeiros, em Roma, diga-se de passagem, jamais foi uniforme, como aconteceria numa evolução linear. O perfilhamento se realizou e se concretizou entre os quirites em planos diversificados, em dosagem e velocidade desiguais. Os aristocratas e plebeus nem sempre cultuaram os mesmos deuses e estes tampouco recebiam tratamento análogo.

Decorridos séculos de influência grega e mesmo depois que o helenismo, em seu conjunto, dominou as consciências, a religião romana, mesmo assim, manteve as características específicas de um conservadorismo singular, permitindo contrapor latinidade à grecidade.

Outra observação importante é que, à época do impropriamente denominado "sincretismo pleno" dos séculos III-II a.C., quando Roma se apossou da Magna Grécia (272 a.C.) e da Hélade continental (146 a.C.), os mitos de algumas divindades gregas e de certos heróis, transportados para a *Urbs*, perderam sua indumentária poética, tornado-se pobres e raquíticos. Não que os mitos deixassem de existir, mas a proverbial tradição itálica promoveu a dessacralização de vários dentre eles, transformando-os em suporte de sua pseudo-história nacional. Seria bastante citar, entre vários outros, o deus Ares-Marte, Afrodite-Vênus, Enéias, Iulo ou Ascânio, como aconteceu, em termos romanos, com Rômulo e Remo. Segundo a opinião de Mircea Eliade *(História das crenças e das idéias religiosas.* Tomo I, Vol. I. Tradução de Roberto Cortes de Lacerda. Rio de Janeiro, Zahar Editores, 1979, p. 126): "É muito provável que a lembrança de certo número de personagens e acontecimentos históricos, já modificados pelos impulsos da memória coletiva, tenham sido interpretados e organizados de acordo com uma concepção historiográfica particular".

O comedimento mítico latino, todavia, persiste por todo o período de helenização e de representações antropomórficas, mesmo em se tratando de deuses plenamente aceitos em Roma. Os mitos de Hércules e dos Dioscuros Castor e Pólux são reduzidos a quase nada; Apolo e Diana surgem como protetores e intercessores da *Urbs*, sem nenhuma referência mais profunda a seus engalanados fastos helênicos, segundo nos é dado observar no *Carmen Saeculare* de Horácio. Um mitologema, concretamente assimilado da Grécia, podia ter sua acepção alterada, sem que os descendentes de Rômulo se dessem conta da transformação. Deméter (Ceres) eleusina, transplantada para o cerimonial das Cerealia (v. Festas),teve sua função modificada, uma vez que estas celebrações visavam ao crescimento do trigo e não ao plantio e germinação da semente, como acontecia na Hélade. Outra diferença que separa gregos e latinos são os auspícios, os prodígios e, em geral, as demais formas oraculares. Os sinais eram os mesmos e compreendidos como mensagem divina, mas o desenvolvimento psicológico e religioso tornou-se muito distinto. Enquanto os helenos esforçavam-se por desvendar o futuro, considerado, em dependência da época, como fatal, os quirites perseguiam a sorte. Os primeiros empenhavam-se em desvelar o vir-a-ser remoto, os segundos, o futuro próximo e imediato. Os gregos curvaram-se à *Moira*, os romanos porfiavam em descobrir desvios e saídas entre os fios do *Fatum* (v. Fado).

A adoção de deuses gregos em Roma, é mister que se repita e enfatize, efetuou-se em datas e condições distintas. A dominação etrusca entre os séculos VII-VI a.C., aproximadamente, já havia familiarizado na *Urbs* um bom número deles.

O culto de alguns, desde então, se estabelecera em outras cidades latinas, quer por mediação tirrena, quer por imigração de famílias, instalação de comerciantes, bem assim pelas múltiplas oportunidades de tratados devidos a guerras e conquistas. Os Dioscuros Castor e Pólux foram "atraídos" a Roma em 499 a.C., mercê de um voto do ditador M. Emílio, vencedor da batalha do Lago Regilo. Popularizados com o epíteto de *Castores*, converteram-se em patronos da aristrocrática e poderosa cavalaria romana, sendo homenageados com um templo em pleno Fórum. *Hermes*, o Mercúrio dos latinos, já estava na cidade tiberina, desde 495 a.C. Deus de feição popular, seu santuário erguia-se fora do *Pomerium*, como era de praxe, em se tratando de uma divindade dos comerciantes. *Héracles*, em latim Hércules, era conhecido dos tuscos desde o século VI a.C., sob a forma *Hercle*, e parece que surgiu na Cidade, vindo da Itália do Sul, mais precisamente de Crotona, Locres ou Possidônia, e foi nacionalizado lá pelo ano 399 a.C. *Apolo*, deus que afugenta a peste, surgiu em 431 a.C. *Asclépio*, o Esculápio dos romanos, emigrou de Epidauro para Roma, em 293 a.C., para ajudar o pai Apolo na difícil tarefa de curar e pôr cobro às epidemias.

A lista poderia ampliar-se bem mais com a história pessoal de cada um dos deuses gregos importados pelos latinos, que, sob muitos aspectos, os assimilaram, fundindo-os com suas próprias divindades, as mais das vezes com traços e características semelhantes.

A título apenas de exemplo, sem pretensão alguma de organizar um catálogo, poder-se-iam alinhar os seguintes empréstimos e "assimilações" feitas pelos gregos aos quirites, incluindo-se alguns epítetos mais comuns com que eram nomeados os deuses da Hélade e de Roma:

Afrodite (Citeréia, Cípria, Cípris)	Vênus (Libitina)
Apolo (Hélio, Febo, Lóxias, Pítio, Xanto)	Apolo
Ares	Marte, Mavorte
Ártemis (Hécate, Silene)	Diana
Asclépio	Esculápio
Atená (Palas)	Minerva
Crono	Saturno
Deméter	Ceres
Dioniso (Baco)	Liber (Baco)
Erínias (Aleto, Tisífone, Megera)	Fúrias (Aleto, Tisífone, Megera)
Eros	Cupido
Géia	Terra
Hades (Plutão)	Dite (Plutão)
Hebe	Juventude
Hefesto	Vulcano

Hera	Juno, Lucina
Héracles (Alcides)	Hércules (Alcides)
Hermes (Cilênio, Trismegisto)	Mercúrio (Cilênio, Trismegisto)
Héstia	Vesta
Leto	Latona
Moira	Fado
Perséfone, Core	Prosérpina
Posídon	Netuno
Queres	Parcas: Nona, Décima, Morta e Cloto, Láquesis, Átropos
Réia	Cibele, Ops
Tânato	Morte
Úrano	Céu

De qualquer forma, seria laborar em equívoco, afirmando que os deuses da pátria de Píndaro só penetraram em definitivo em Roma com a anexação da Magna Grécia no século III a.C. e da própria Hélade um século depois. De ambas vieram, isto sim, algumas outras divindades, que ainda não se haviam aclimatado em terras latinas, mas, particularmente, "com asas ligeiras", as artes e as letras, consoante Horácio, *Epist.*, 2, 156-157:

Graecia capta, ferum uictorem cepit et artes
intulit agresti Latio.

– A Grécia vencida venceu o feroz vencedor
e introduziu as artes no Lácio inculto.

A partir dos fins do século II a.C., mercê dos contatos permanentes dos romanos com seus novos domínios, os reinos greco-orientais da Macedônia, Síria, Mísia, Egito, os deuses do Levante chegaram oficialmente a Roma com seu culto e ritual exóticos, seus mistérios e exaltação da sexualidade: Cibele, Agdístis, Átis, Adônis, Ísis, Osíris, Mâ, Serápis, Mitra... Alguns já se haviam adaptado ao solo latino, como Cibele e Átis, mas foi a partir do século I a.C. que muitos dentres eles receberam o passaporte de entrada e permanência na Capital do Império. Respondiam, em parte, às inquietações dos homens e à exaltada sensibilidade feminina da época, aos quais não mais satisfaziam as práticas austeras do ritual romano. Houve reações das autoridades, algumas sérias e drásticas. Os altares construídos no Capitólio para "esses estrangeiros" foram demolidos por ordem do Senado em 59 a.C., medida extrema que foi retomada em 58, 53, 50 e 48 a.C., mas, à sanha de destruir corria paralelo o empenho dos devotos em reerguê-los. A decisão iconoclasta era, segundo todas as evidências, de ordem política. Invocavam-se, como sempre, em tais circunstâncias, a segurança do Estado e as ameaças a *uirtus romana*.

Se os triúnviros Otaviano, o futuro Augusto, Marco Antônio e Lépido, em 43 a.C., autorizaram a construção oficial de um templo a Ísis, dez anos mais tarde a propaganda de Otaviano contra Marco Antônio, senhor do Egito e amante de Cléopatra, levou-o, em nome e defesa do *mos maiorum*, dos "hábitos dos antepassados", a denunciar como inimigos públicos todos os deuses do Nilo. Em 28 a.C. proibiu que possuíssem santuários no interior do *Pomerium*. Era a reação nacionalista contra a influência de divindades de "certos povos" vencidos.

Interdições, demolições de santuários, decretos e cárcere não costumam ser muitos eficazes em tais casos. A crença e a fé não residem em edifícios e calendários, mas no templo interno de cada um.

O fato é que, não demorou muito e várias divindades romanas dos velhos tempos, cultuadas segundo o já desgastado *mos maiorum*, tiveram seu prestígio abalado pelos apaixonantes deuses orientais, que passaram a conviver de modo pacífico com seus confrades itálicos, etruscos e gregos.

É comum, aliás, em todas as culturas, diga-se, de caminho, a busca ansiosa de novos deuses e de novos cultos, via de regra, exóticos, e que tocam mais a sensibilidade do que a razão. O surgimento de uma multiplicidade de seitas sói acompanhar momentos de grandes crises sociais, políticas e econômicas. A opulência, sem uma sólida formação religiosa, e seus contrários, a fome, o medo, a insegurança, a recessão, a violência e, não raro, a incultura e a desorientação, sem falar na neurose, refugiam-se no bojo de rituais e de deuses mais sensíveis, que muito prometem, sem grandes exigências de ordem ética.

Em meio a tantos distúrbios e incoerências religiosas, o caminho, de alguma forma, estava aplainado para que do Oriente viesse o grande escândalo da Cruz. Roma foi catarsizada pelo sangue dos *mártyres*, as testemunhas do Calvário. Mitra, o Sol invicto, deixou de brilhar e o *Christus inuictus*, com a luz que não se apaga, espancou as trevas.

A *Urbs*, é verdade, abriu suas portas, em princípio, a toda sorte de deuses forasteiros, mas soube manter, no curso de onze a doze séculos, o essencial de seu culto, graças a uma obstinada tradição de cerimônias e ritos de base. Ancorada em hábitos seculares, permitiu, no entanto, que se multiplicassem as variantes de um sentimento religioso até o triunfo do Cristianismo.

No fundo, a religião latina resultou de um embate entre duas atitudes: de um lado, o animismo indo-europeu, de outro, a exigência helênica da presença de divindades geradoras, ou seja, de um antropomorfismo. A mentalidade romana, entretanto, se nos apresenta antiantropormórfica, antimítica e ametafísica. É bem possível que os itálicos, inconscientemente, vissem na antropomorfização uma atitude narcísica, pois nada é mais grato ao homem do que sua própria imagem. A antropomorfização e a mitização tardias, quando Roma foi tomada culturalmente de assalto pela Hélade, foram, na realidade, artificiais, sem muito interesse religioso. Talvez mais um esforço literário de Plutarco, Varão, Tito Lívio e Ovídio, para citar os principais, do que uma conscientização religiosa. Pertinaz e aferrado a seus *numina*, o ritual romano, ao longo de tantas peregrinações e vicissitudes no tempo e no espaço, manteve um obstinado conservadorismo.

A tão decantada tolerância dos senhores do mundo para com os deuses importados e assimilados não traduz benevolência, mas utilidade e precaução. Não se trata de guerrear e destronar os imortais adversários, como o fez Xerxes, quando invandiu Atenas no século V a.C., mas de politicamente captar-lhes a benevolência e engajá-los a serviço de Roma.

O interesse do Império levou os descendentes de Rômulo a nacionalizarem as divindades dos povos vencidos, assegurando-lhes o ritual de origem, mas sob a proteção e vigilância sacerdotal. Os sacerdotes, no entanto, eram homens simultaneamente políticos e, nestas condições, o problema da fé não era levado em consideração. Não há dúvida de que a religião romana, antes, com Augusto e depois de Augusto, foi de compasso mecânico, em que a liturgia suplantava a fé. O importante era a marca política e a regularidade do ritual. Vale dizer, o divino converteu-se num instrumento poderoso e útil, não apenas de segurança do Estado, mas também de tranqüilidade individual, desde o útero materno ao útero de Prosérpina.

Com efeito, a religião romana é de tal modo mecânica e meticulosa, como se estampou, em parte, no verbete *Indígetes* e em vários outros, que, desde o seio materno, e depois, em cada momento e etapa da vida, o cidadão possui um *numen* (v. Nume) ou um deus que o protege e defende. E, de modo idêntico, após a morte, sob a forma de Lêmures, Manes, Lares ou Penates, os ancestrais, agora "divinizados", retornavam ao menos anualmente, para atormentar ou ajudar suas respectivas famílias e o próprio Estado, em dependência das homenagens que lhes prestavam os parentes e as autoridades. Fevereiro, mês frio e brumoso, era o escolhido para um breve regresso dos mortos a esta vida. Vinham averiguar *in loco* se não haviam sido esquecidos pelos vivos: afinal, os mortos, nas trevas, viviam em função da memória dos que ainda estavam na luz. Isto explica por que se mostravam tão agressivos e exigentes, quando de sua anábase ao nível telúrico.

Vejamos, mais de perto, se bem que resumidamente, pois o todo está explicado nos verbetes apropriados, a preocupação e a vigilância de divindades especializadas no cuidado com os vivos. O deus *Consívio* patrocinava a concepção; *Prorsa* ou *Prosa* era invocada com muita insistência, para que o feto viesse à luz em linha reta, isto é, "de cabeça"e, para tanto, insistia-se com outra divindade, antônima da primeira, *Anteuersa* ou *Posuersa*, para assistir as parturientes, quando o nascituro se encaminhava de modo contrário, pelos pés. Nascida a criança, *Cunina* postava-se ao lado do berço, para evitar qualquer surpresa; *Estatana* ajudava-a a ficar em pé; *Levana* levantava-a, quando caía; *Ossipaga* fortificava-lhe os ossos, para que andasse com desenvoltura e firmeza; *Vaticano* ensinava-lhe as primeiras palavras, bem como a pronunciá-las corretamente; *Abeona* lhe guiava os primeiros passos fora do lar; *Adeona* se encarregava de trazê-la de volta a casa; *Potina* cuidava para que aprendesse a beber. *Iterduca* orientava o já então jovem em viagens mais longas e *Domiduca* o reconduzia ao seio da família. *Ésculo* ou *Argentário* guardava-lhe as moedas.

Ao casar-se, o jovem cercava-se de uma constelação de divindades, entre elas, *Virginiense, Súbigo, Prema* e *Pertunda*, que deveriam ajudá-lo na delicada tarefa de fazer da noiva uma mulher. Constituído o novo lar, tinha-se *Jano* para guardar as portas e *Carna* ou *Cárdea* para cuidar dos gonzos. Se a residência se localizasse em rua íngreme, ao descê-la ou subi-la, era prudente solicitar os préstimos de *Clivícola.* Além destes e de muitos outros, a família, bem como o Estado, dispunham da proteção permanente de seus ancestrais divinizados, os deuses *Lares, Penates* e *Manes*, desde que se lhes tributassem as honras e homenagens a que faziam jus.

A vida humana, no dia-a-dia, necessita de amparo, ajuda e proteção. Os romanos possuíam-nos, invocando *Ana Perena*, deusa do ano, considerado na sua duração e perpétua renovação; *Anona*, que presidia a colheita; *Angerona,* que conjurava os malefícios e sofrimentos; *Bom Evento*, que concedia bom êxito nos empreendimentos; *Fauna*, prodigalizadora de felicidades às mulheres... Para a prosperidade das searas o adubo perene eram ainda as divindades: *Fauno, Flora, Bubona, Épona, Fonte, Segesta, Robigo, Lacturno* et alii, todos comentados em seus respectivos verbetes. Por certo, um número tão extenso de "protetores" residia no inconsciente de cada um, pois que, se tivesse de invocá-los a todos, o cidadão romano viveria apenas em função dos deuses e terminaria neurótico! Trata-se, no fundo, de uma religião cronométrica, que busca sacralizar o quotidiano e quotidianizar o sagrado.

Em conclusão, o romano invocava os deuses não propriamente para honrá-los, mas para conciliá-los e captar-lhes a benevolência; não para obedecer-lhes à vontade, mas para fazer deles um instrumento útil de sua prosperidade pessoal, familiar e estatal.

De qualquer forma, como acentua Jean Bayet, a partir da anexação do Oriente, os latinos, lançando um olhar para seu passado religioso, tiveram, sem dúvida, a impressão de que mereciam governar o mundo, ao menos por terem agasalhado o culto de todas as nações conquistadas. Os deuses alógenos e distantes, uma vez romanizados, respaldavam com sua influência a estabilidade do imenso Império.

Deuses e ritual indo-europeus, etruscos, gregos e orientais, uns mais, outros menos aclimatados em Roma; uns prestigiados pela aristocracia, outros, pelo povo; uns longevos, outros esquecidos e suplantados por divindades mais poderosas e cultos mais dinâmicos, eis o que se vai passar em revista neste *Dicionário.*

Fechando a Introdução, desejamos dar público testemunho de reconhecimento a quantos colaboraram para que o *Dicionário Mítico-Etimológico da Mitologia e da Religião Romana* (DIMER) pudesse vir a lume. Dentre os grandes credores merecem especial menção o Vice-Reitor Acadêmico da Universidade Gama Filho, Dr. Manuel J. G. Tubino, bem como a Diretora do Departamento de Letras da mesma instituição, Profª Mestre Lúcia Helena da Silva Pereira, os quais, por sua visão acadêmica, nos ajudaram, com anuência da alta Direção da UGF, a tornar possível o DIMER. O Autor sente-se honrado em ser um dos pesquisadores da Universidade em pauta.

NATURA, Indústria e Comércio de Cosméticos (S. Paulo), na pessoa de seu Presidente do Conselho de Administração, Antônio Luiz da Cunha Seabra, e com apoio de Lúcia Helena Rios Seabra, cooperou decisivamente para que este filho caçula contemplasse a luz.

Os Drs. Eduardo Nélson Corrêa de Azevedo, enciclopédia de saber e disponibilidade, e Heraldo José Abreu Leitão, como sempre, nos asseguraram, com proficiências e probidade, sua generosa colaboração. As Prof[as] Doutoranda Dina Maria Martins Ferreira, Léa Bentes Cardozo, Márcia Trigueiro Mendes e Marieta Lucília de Almeida encarregaram-se da datilografia. Para a revisão dos originais e provas contamos com o auxílio indispensável dos Profs. Dr. Amós Coelho da Silva, Francisco Carneiro, Antonio Mattoso Salgado, Lara Valentina da Costa e Maria Helena Rangel Geordane.

Fr. Neylor Tonin é sempre presença obrigatória numa listagem de gratidão. O Autor lhe deve a aquisição dos oito densos volumes dos *Grammatici Latini.*

Nossos reconhecimentos ficariam, *de iure et de facto*, incompletos, se não os estendêssemos a Vera R. L. Lopes, que, embora em S. Paulo, manteve cerrada vigilância sobre o andamento de cada um dos verbetes do *Dicionário*. Removeu dificuldades de toda ordem, particularmente de cunho financeiro e bibliográfico, e soube incentivar o pesquisador neste longo, mas prazeroso trajeto pela mitologia e religião dos romanos.

Abreviaturas dos dicionários

DEB – *Dicionário Enciclopédico da Bíblia.* A. Van Den Born et alii. Petrópolis, Editora Vozes, 1977.

DEL – *Dictionnaire Étymologique de la Langue Française.* O. Bloch W. v. Wartburg. Paris, PUF, 1949.

DELG – *Dictionnaire Étymologique de la Langue Grecque.* (2 vols.). P. Chantraine, Paris, Klincksieck, 1983.

DELL – *Dicionário Etimológico da Língua Latina.* (4 vols. A-CR). Augusto Magne. S. J. Rio de Janeiro, I.N.L., 1952-1961.

DELP – *Dicionário Etimológico da Língua Portuguesa.* (3 vols.). José Pedro Machado. Lisboa. Editorial Confluência, 1952-1956.

DEMG – *Dictionnaire Étymologique de la Mythologie Gréco-Romaine.* Albert Carnoy. Louvain, Éditions Universitas, 1976.

DENP – *Dictionnaire Étymologique de Noms Grecs de Plantes.* Albert Carnoy, Louvain, Éditions Universitas, 1979.

DIAG – *Dictionnaire des antiquetés grecques et romaines.* (10 vols.). Ch. Daremberg et E. Saglio. Paris, Hachette, 1873-1919.

DIB – *Dictionnaire de Biographie, Mythologie, Géographie Anciennes.* M. N. Theil. Paris, Firmin Didot, 1865.

DIGRA – *Dictionnaire des Racines des Langues Européennes.* R. Grandsaignes d'Hauterive. Paris, Larousse, 1949.

DIELL – *Dictionnaire Étymologique de la Langue Latine.* Alfred Ernout-Antoine Meillet. Paris, Klincksieck, 1985.

DIEP – *Dicionário Etimológico da Língua Portuguesa.* Tomos I e II (Nomes Próprios). Antenor Nascentes. Rio de Janeiro. Liv. Francisco Alves, 1932-1952.

DIEVI – *Dizionario Etimologico di Vocaboli Italiani derivati dal Greco.* A. Amati – P.E. Guarnerio. Milano, F. Vallardi, s/d.

DIFOM – *Standard Dictionary of Folklore, Mythology and Legend.* Funk and Wagnall's. New York, Maria Leach, 1950.

DIGF – *Dictionnaire Grec-Français*. A Bailly, Paris, Hachette, 1950.

DILAC – *Dictionnaire Latin-Français des Auteurs Chrétiens*. Albert Blaise. Strasbourg, Librairie des Méridiens, 1954.

DIMEG – *Dicionário Mítico-Etimológico da Mitologia Grega.* (2 vols.). Junito Brandão. Petrópolis, Ed. Vozes, 1991-1992.

DIMG – *Dictionnaire de la Mythologie Grecque et Romaine*. Pierre Grimal. Paris, PUF, 1951.

DIMIC – *Diccionário de la Mitología Clásica* (2 vols.). C. Falcón Martínez et alii. Madrid, Alianza Editorial, 1986.

DIMIL – *Dizionario de Miti, Leggende Costumi Greco-Romani*. G. Stano. Torino, Società Editrice Internazionale, 1950.

DIMYL – *Dictionnaire des Mythes Littéraires*. Pierre Brunel et alii. Paris, Éditions du Rocher, 1988.

DIN – *Le Dictionnaire Infernal*. J. Auguste-Simon Collin. Paris, P. Mongie, 1826.

DIS – *Dictionnaire des Symboles*. J. Chevalier-A. Gheerbrant. Paris, Éditions Robert Laffont et Éditions Jupiter, 1982.

DISIM – *Diccionario de Símbolos y Mitos*. J. A. Pérez-Rioja. Madrid, Ed. Tecnos, 1988.

DIUMI – *Dizionario Universale de Mitologia.* Giuseppina Secchi Mestica. Rusconi, Milano, 1990.

ETER – *Études sur les Termes de Couleur dans la Langue Latine*. Jacques André. Paris, Klincksieck, 1949.

EWG – *Etymologisches Wörterbuch des Griechischen.* W. Hofmann. München, 1950.

GEW – *Griechisches Etymologisches Wörterbuch* (3 vols.). Hjalmar Frisk. Heidelberg, Carl Winters, 1958.

GLOM – *Glossarium mediae et infimae latinitatis.* Du Cange. Paris, Geuthner, 1942.

IEW – *Indogermanisches Etymologisches Wörterbuch.* Julius Pokorny. Bern, A. Francke, 1959.

LEBEL – *Lexique des Termes de Botanique en Latin.* Jacques André, Paris, Klincksieck, 1956.

LEN – *Lexicon Nominum Virorum et Mulierum*. Caroli Egger. Romae, Societas Libraria "Studium", MCMLVII.

LEW – *Lateinisches Etymologisches Wörterbuch* (2 vols.). Alois Walde – J. B. Hofmann. Heidelberg, Carl Winters, 1938.

NID – *The New Internacional Dictionary of New Testament Theology.* (4 vols.). G. H. Boobyer et alii. Michigan, The Zondervan Corporation, 1978.

OCLAD – *Oxford Classical Dictionary* – H. J. Rose – Oxford, Oxford University Press, 1967.

REW – *Romanisches Etymologisches Wörterbuch.* W. Meyer – Lübke. Heidelberg, Carl Winters, 1935.

VOCAM – *Le Vocabulaire des Animaux Marins en Latin Classique*. E. Saint-Denis. Paris, Klincksieck, 1947.

VOI – *Le Vocabulaire des Instituitions Indo-Européennes* (2 vols.). Émile Benveniste. Paris, Les Éditions de Minuit, 1969.

Bibliografia básica

Os autores latinos mais citados, como Varrão, Tito Lívio, Vergílio, Ovídio e outros, têm suas obras registradas nos verbetes em que são mencionados.

ANDRÉ, Jacques. *Les noms d'oiseaux en latin.* Paris, Klincksieck, 1976.
— *Étude sur les termes de couleur dans la langue latine.*

ASSA, J. *Les Grandes Dames Romaines.* Paris, Éditions du Seuil, s/d.

AYMARD, A.-AUBOYDER, J. *Roma e seu Império.* S. Paulo, Difusora Européia do Livro, 1956.

BAILEY, Cyril. *Religion in Virgil.* London, Oxford University Press, 1935.

BAYET, J. *Histoire Politique et Psychologique de la Religion Romaine.* Paris. Payot, 1957.

BERNAND, André. *Sorciers Grecs.* Paris, Fayard, 1991.

BOTELHO, João Bosco. *Medicina e Religião.* S. Paulo, Dist. Nobel, 1991.

BOYANCÉ, P. *Études sur la Religion Romaine.* Rome, École Française de Rome, 1972.

CARCOPINO. J. *La vie quotidienne à Rome à l'apogée de l'Empire.* Paris, Hachette, 1939.

CARDOSO, Ciro Flamarion. *A Cidade-Estado Antiga.* S. Paulo, Editora Ática, 1985.

COLLART, M. *La Nécromancie dans l'Antiquité.* Thèse de l'Université de Liège, 1950.

COSERIU, Eugenio. *El Llamado Latín Vulgar.* Montevideo,1954.

COULANGES, Fustel. *A Cidade Antiga.* Tradução de Fernando de Aguiar. Lisboa, Livraria Clássica Editora, 1971.

CUMONT, Franz. *Les Religions orientales dans le paganisme romain.* Paris, Geuthner, 1929.

DAUZAT, A. *Les Noms de Personnes.* Paris, Delagrave, 1950.

DIEHL, Ernst. *Vulgärlateinische Inschriften.* Bonn, A. Marcus und E. Weber's-Verlag, 1910.

DUMÉZIL, Georges. *Les dieux des indo-européens.* Paris, PUF, 1952.

ELIA, Sílvio. *Preparação à Lingüística Românica.* 2ª ed. Rio de Janeiro, Ao Livro Técnico, 1988.

ELIADE, Mircea. *História das crenças e das idéias religiosas.* Tomo II, Vol. I. Tradução de R. Cortes de Lacerda. Rio de Janeiro, Zahar Editores, 1979.

ERNOUT, Alfred. *Aspects du Vocabulaire Latin.* Paris, Klincksieck, 1954.
— *Recueil des Textes Latins Archaïques.* Paris, Klincksieck, 1947.
— *Philologica.* Paris, Klincksieck, 1946.

GAGÉ, J. *Recherches sur les Jeux Séculaires.* Paris, Les Belles Lettres, 1934.

GRENIER, Albert. *Les Religions Étrusque et Romaine.* Paris, PUF, 1948.

GRIMAL, Pierre. *La vie à Rome dans l'Antiquité.* Paris, PUF, 1953.

HACQUARD, G. et alii, *Guide Romain Antique.* Paris, Hachette, 1952.

HAUDRY, Jean. *La Religion Cosmique des Indo-Européens.* Paris, Les Belles Lettres, 1987.

HOMO, Léon. *L'Italie Primitive et les débuts de l'Imperialisme Romain.* Paris, Albin Michel, 1953.

JANNACCONE, Silvia. *Recherches sur les éléments grecs du vocabulaire latin de l'empire.* Paris, Honoré Champion Éditeur, 1950.

JOBBÉ-DUVAL, E. *Les Morts malfaisants, "laruae, lemures", d'après le droit et les croyances populaires des Romains.* Paris, Les Belles Lettres, 1924.

JOHNSON, Lee Edwin. *Latin Words of common english.* New York, D. C. Heath and Company, 1931.

KEIL, H. *Grammatici Latini* (8 vols.). Hildesheim, Georg Olms Verlag, 1981.

KELLER, Werner. *Les Étrusques.* Traduit de l'allemand par Guy Ballangé. Paris, Fayard, 1976.

KIRK, G. S. *Myth. Its meaning and functions in Ancient and other cultures.* London, Cambridge University Press, 1970.

LE GALL, J. L. *La Religion Romaine d'Époque de Caton l'Ancien au Règne de l'Empereur Commode.* Paris, Les Belles Lettres, 1977.

LOWE, J. E. *Magic in Greek and Latin Literature.* London, Oxford, 1929.

LYNDSAY, W. M. *Sexti Pompei Festi. De uerborum significatu quae supersunt cum Pauli epitome.* Leipzig, Teubner, 1913.

MARROU, Henri-Irénée. *Histoire de l'education dans Antiquité.* Paris, Éditions du Seuil, 1965.

MAURER, J. Theodoro Henrique. *O problema do latim vulgar.* Rio de Janeiro, Ao Livro Técnico, 1977.

MEILLET, A. *De quelques innovations de la déclinaison latine.* Paris, Klincksieck, 1906.
— *Esquisse d'une histoire de la langue latine.* Paris, Hachette, 1948.

MOMMSEN, Th. *Res Gestae diui Augusti.* Berolini, Apud Weidemannos, MDCCCXV.

NICOLET, Claude. *Rome et la Conquête du monde méditerranéen.* Paris, PUF, 1979.

PAGE, T. E. et alii. *Marcus P. Cato, on Agriculture – Marcus T. Varro, on Agriculture.* London, Harvard University Press, 1934.
— *Remains of Old Latin* (4 vols.). London, Harvard University Press, 1935.

PALLOTTINO, M. *La Civilisation Étrusque.* Paris, Payot, 1949.

PAOLI, Ugo Enrico. *Altri studi di Diritto Greco e Romano.* Milano, La Goliardica, 1976.

PARACELSO, A. F. T. *Libro de las Ninfas, los Silfos, los Pigmeos, las Salamandras y los demás Espiritus.* Barcelona, Ediciones Obelisco, 1983.

PARATORE, Ettore. *História de Literatura Latina.* Tradução de Manuel Losa, S. J. Lisboa, Fundação Calouste Gulbenkian, 1983.

PIGANIOL, André. *Recherches sur les Jeux Romains*. Strasbourg, L. Istra, 1949.

— *Histoire de Rome*. Paris, PUF, 1969.

ROCHA PEREIRA, Maria Helena. *Estudos da História da Cultura Clássica, II volume. Cultura Romana*. Lisboa, Fundação Calouste Gulbenkian, 1982.

SCULLARD, H. H. *Festivals and Ceremonies of the Roman Republic*. London, Thames and Hudson, 1981.

SILVA NETO, Serafim. *História do Latim Vulgar*. Rio de Janeiro, Ao Livro Técnico, 1977.

SLOTTY, Friedrich. *Vulgärlateinisches Ürbunsbuch*. Bonn. A. Marcus un E. Weber's-Verlag, 1918.

— *Lateinische Altchristliche Inschriften*. Bonn, A. Marcus und E. Weber's-Verlag, 1913.

TUBINO, M. J. Gomes, *Esporte e Cultura Física*. S. Paulo, Ibrasa. 1992.

VERNIERI, Y. *Symboles et Mythes dans la pensée de Plutarque*. Paris, Les Belles Lettres, 1977.

A

ABEONA

Abeōna, *Abeona*, é um teônimo formado pelo prevérbio *ab,* que marca "o ponto de partida", daí "afastando-se de, a partir de, desde, de", a que corresponde o grego ἀπό (apó), o indo-iraniano *ápa-*, o gótico *af*, o alemão *ab*, o inglês *of,* "de", e, pelo verbo *ire*, "ir, caminhar, andar", presente *eo*, "vou". *Eo* provém da forma temática **eyo,* enquanto as antigas formas atemáticas **ei/i* permanecem em *is, it...*, "vais, ele vai". *Abire, abeo* significa "ir-se, ir-se embora, partir de".

Abeona, "a que faz sair", é, pois, a deusa que "ensinava a criança a andar e lhe conduzia os primeiros passos fora de casa". A divindade em pauta faz parte dos *di indigetes* (v.), isto é, "dos deuses nacionais", tipicamente romanos, por oposição "aos adotados recentemente".

ABORÍGENES

Aborigines, *aborígenes*, é vocábulo deduzido da locução *ab origine*, "desde a origem", isto é, seriam os autóctones, os primeiros habitantes do Lácio e da Itália Central, segundo o testemunho de Catão, Salústio e Tito Lívio. O emprego do termo, porém, como nome próprio, pelos antigos historiadores latinos supracitados, permite suspeitar que se trata do epíteto de um povo, deformado pela etimologia popular, *DELL.*, p. 24sq.

Militam, no entanto, a favor da etimologia tradicional, entre outras, certas formações análogas como *amanuensis,* de *a manu*, "amanuense, escriba, secretário", e *pedeplana*, "terrenos planos", de *pede plano*, "ao rés do chão".

Os reis míticos, Latino, Pico, Saturno e Fauno, teriam sido os primeiros a governar os aborígenes.

ACA LARÊNCIA

Acca Larentia, Aca Larência. Acca é um termo onomatopaico da linguagem infantil para designar "mamãe", como o sânscrito *akkā* e o grego ἀκκώ (akkó), "mulher careteira, que espanta as crianças". *Larentia* é um derivado de *Lar, Laris,* e no plural Lares, -um, -ium, "espíritos tutelares", tidos como "almas dos mortos", encarregados de proteger as casas a cidade e as ruas (v. Lar). É bem possível que *Acca Larentia,* talvez um deusa dos mortos, provenha do etrusco, *DIELL.*, p. 341sq.

Transformado em nome próprio, passou a designar, na mitologia, a esposa do pastor Fástulo (v.) e mãe de criação de Rômulo e Remo (v.). Deu à luz doze filhos, com os quais fazia, de contínuo, sacrifício para a fertilidade dos campos. Com o falecimento de um deles, Rômulo ocupou-lhe o posto e fundou o colégio dos doze Irmãos Arvais (v.). Em honra de tão piedosa mulher celebravam-se as festas denominadas *Accalia* ou *Larentalia,* "Acálias ou Larentálias", como está em Ovídio, *Fast.*, 3,57. A finalidade de tais solenidades era provocar a fertilidade das mulheres e dos campos.

Uma variante bastante evemerizada explica de maneira bem diferente o mito de uma segunda Aca Larência. No reino de Rômulo, ou, segundo outros, de Anco Márcio, durante uma festa, o sacerdote que guardava o templo de Hércules desafiou o herói para um jogo de dados, estabelecendo-se que o vencido ofereceria ao parceiro um jantar e a mulher mais bela, sensual e elegante de Roma.

Derrotado pelo filho de Alcmena, o sacerdote cumpriu ambas as promessas: além de um lauto banquete, entregou ao herói a jovem Aca Larência, lindíssima cortesã romana. Ao deixá-la, para voltar a seus "trabalhos", Hércules aconselhou-a a entregar-se ao primeiro homem que encontrasse. Aca assim o fez, casando-se logo depois com o varão que o fado lhe destinara pelos lábios de seu ex-amante. Tratava-se de Tarúcio, riquíssimo cidadão etrusco, proprietário das melhores glebas que circundavam Roma. Morto prematuramente o marido, Aca, antes de falecer, legou todos os seus bens ao povo romano.

O mito, nesta variante, foi habilmente construído, para que os romanos se apossassem de vastos latifúndios, há muito reinvindicados pelo Estado.

Aca, já muito idosa, desapareceu misteriosamente, bem perto do Velabro (mercado de azeite e comestíveis), junto ao túmulo, onde repousava a esposa do pastor Fáustulo.

ACASO

Fors, Acaso. Enquanto nome comum, é usado apenas no nominativo singular *fors* e no ablativo *forte*; os outros casos são fornecidos por *Fortuna.* Como nome próprio, acoplado a *Fortuna, Fors Fortuna* emprega-se em todos os casos do singular. *Fors* provém de um antigo **fortis*, mas se desconhece uma etimologia, convincente. A aproximação com o verbo *ferre*, "trazer, levar, suportar", carece de base, embora propicie vários elos pseudo-etimológicos e efeitos estilísticos, como aparece na comédia de Terêncio, *Phorm.*, 136-137:

Nescio hercle; unum hoc scio:
Quod fors feret, feremus aequo animo.

– Nada sei, por Hércules! Sei apenas uma coisa:
o que o acaso nos proporcionar, suportá-lo-emos de bom grado.

Fors, o *Acaso*, é o princípio masculino da *Sorte* (boa ou má), formando com *Fortuna* um par, uma dupla que se integra e se complementa. Os dois, o macho e a fêmea, se conjugam na fórmula *Fors Fortuna*, "Acaso-Fortuna", que se fecham numa sizígia, para designar uma única divindade, expressando um como que "andrógino total".

Não se trata de *Fatum*, Fado (v.), "da decisão irrevogável e inexorável tecida pelas Parcas", mas de algo que o ser humano pode conseguir, alcançar e realizar por decisão dos deuses. O que prevalece é, certamente, a conduta de cada um, como se verá em *Fortuna* (v.). O caráter de ambigüidade de *fors* (sorte boa ou má) é claramente observado nos advérbios por ele formados: *forsan, forsitan, fortasse,* "talvez, possivelmente, provavelmente".

ACATES

Achates, *Acates,* é antropônimo grego Ἀχάτης (Akhátes), cujo significado é "pedra preciosa". Por influência de ἀγαθή (agathé), "boa", nos deu *ágata,* pedra preciosa, com betas brancas. Talvez o nome próprio se origine da denominação da pedra, em grego ἀχάτης (akhátes), variedade de calcedônio, "acates, ágata", já documentado na *VC.*, III, c. 19, fl. 35a: "o acate faz fugir as peçonhas e apaga a sede", *DIMEG.,* s.u.

Herói troiano, matou, segundo a tradição, a Protesilau, o primeiro aqueu a pisar o solo da Tróada.

Quando Enéias (v.) partiu de Ílion incendiada para fundar o *genus latinum,* a raça latina, o império romano, Acates foi, sem dúvida, um de seus mais fiéis e dedicados companheiros, *En,* 1, 174sqq.

ÁCIS

Acis, *Ácis,* é antropônimo grego Ἆκις (Âkis), que, com mudança de acento, seria o mesmo que ἀκίς (akís), "objeto ponteagudo, penetrante, agulha", cuja origem é ἀκ- (ak-), do indo-europeu **ak,* "ponta", *DELG.,* p. 43. Ácis seria um rio "impetuoso, violento".

Deus do rio homônimo, perto do monte Etna, na Sicília, Ácis era filho da divindade itálica Fauno (v.) e da ninfa Simétis. Apaixonado pela ninfa Galatéia, despertou o ódio e inveja do Ciclope Polifemo, que igualmente a amava, há muito tempo, e não era correspondido. Enlouquecido pelo ciúme, o violento Ciclope esmagou o rival com um pedaço de rochedo. Ácis, todavia, foi metamorfoseado em rio, segundo o longo relato de Ovídio, *Met.*, 13, 750-897.

ÁCRON

Acron, *Ácron,* consoante Carnoy, *DEMEG.*, p. 12, talvez esteja relacionado com o adjetivo *acer, acris, acre,* "agudo, penetrante", daí "vivo, malicioso, violento". O adjetivo em pauta é um derivado do verbo *acere*, "ser azedo, picante", cuja raiz é *ac-*, "ponta", fartamente representada nos idiomas indo-europeus, como no grego ὀξύς (oksýs), "agudo", sânscrito *ácri-*, "ângulo", *DELL.*, p. 42sqq.

Rei da cidade sabina de Cenina, foi o primeiro a iniciar as hostilidades contra Rômulo, por causa do rapto das sabinas. Desafiado pelo rei latino para um combate singular, foi vencido e morto. Rômulo arrancou-lhe a armadura e consagrou-a, no Capitólio, a Júpiter Ferétrio. Daí o hábito de se oferecerem a Júpiter *opima spolia* (ricos espólios de guerra) pelos generais vencedores, Tit. Liv. *Ab Urb. cond.*, 1, 10, 6.

ADEONA

Adeōna, *Adeona,* como Abeona (v.), é um teônimo formado pelo prevérbio *ad-* que traduz "o conceito de aproximação no tempo e no espaço, princípio de ação", daí "em direção a, para". Como prevérbio, *ad-* se encontra ainda no céltico (*ad-*), no germânico, gótico (*at*) e no frígio grego (αδ = *ad*). O segundo elemento é o verbo *ire*, presente *eo* "ir, caminhar, andar" (v. Abeona), donde o verbo *adire*, "caminhar em direção a".

Adeona, "a que faz voltar" é, por conseguinte, a deusa, cuja missão era guiar os passos da criança de retorno ao lar.

A divindade faz parte igualmente dos *di indigetes* (v. Abeona).

AIO LOCÚCIO

Aius Locutius, *Aio Locúcio*, é um pleonasmo, uma vez que se trata de um nome que expressa duas vezes a idéia de "falar" contida nos verbos *aio*, defectivo, "digo sim, afirmo", e o depoente *loqui*, presente *loquor*, "falar, dizer, falo, digo". *Aio* representa um antigo **ag-yo,* que se pode observar em *ad-agium*, "adágio, provérbio"; *loquor* não possui etimologia clara e convincente, *LEW., p. 821.* Aio Locúcio é, pois, "o que falou repetidamente".

Deus misterioso, Aio Locúcio revelou mais de uma vez aos romanos a iminente invasão dos gauleses, em 390 a.C. Ninguém lhe deu a menor atenção. Após a expulsão dos inimigos, que, de fato, haviam invadido e saqueado Roma, o ditador Camilo, sentindo-se culpado por não ter ouvido a insistente voz divina, mandou erguer um santuário a Aio Locúcio, ao norte do monte Palatino. De lá partira a advertência do deus.

ALBÚNEA

Albunea, *Albúnea*, cuja etimologia se desconhece, é uma deusa ou ninfa que habitava uma fonte homônima, perto da quinta do poeta Horácio (*Od.*, 1,7,12). Era cultuada na cidade de Tíbur. Outros afirmam ter sido Albúnea, "a décima" Sibila, conforme diz Lactâncio, 1,6,12. Vergílio, na *Eneida*, 7,82-84, celebra a ninfa como uma fonte sussurante de odor pestilento.

AMATA

Amata, *Amata*, ao que tudo indica, é o feminino personificado do particípio passado *amatus, -a, -um,* do verbo *amare*, "amar", donde Amata é a "amada". *Amare*, "amar", é, segundo Magne, *DELL.*, I, p. 262, "termo geral, empregado em todas as acepções do verbo 'amar', com valor transitivo ou absoluto". Aplica-se aos deuses, a pessoas e coisas. Traduz as conotações dos verbos gregos φιλεῖν (philein) e ἔρασθαι (érasthai), isto é, "estimar, querer bem" e "amar, desejar intensamente". O gramático Nônio, 421,28, distingue *amare* de *diligere*: *amare uim habet maiorem; diligere est leuius amare* – amar possuir uma força maior, querer bem é amar menos intensamente. A origem de *amare* é, quiçá, a onomatopéia infantil relativa à mãe, *amma*, ou, consoante Ernout-Meillet, *DIELL.*, p. 29, talvez se trate de um termo popular expressivo, que se poderia aproximar de *amma*, "mãe, mamãe", e de *amita*, "tia paterna".

Esposa de Latino (v.), rei dos aborígenes (v.), e mãe de Lavínia (v.), Amata, entre tantos pretendentes à mão da filha, prometeu-a em casamento a Turno (v.), rei dos rútulos. Latino, todavia, tendo consultado o oráculo de seu pai Fauno, recebeu ordens de não casar a princesa com nenhum aborígene, porque viria de fora um genro que cumularia de glória o povo latino, como relata Vergílio, *En.*, 7,82-101.

Juno, a inimiga figadal de Enéias, por ser troiano e filho de Vênus, pressentindo o perigo iminente de um consórcio troiano-latino, o que resultaria no triunfo de Vênus e na fundação de uma nova Tróia, enviou a Amata a Fúria Aleto, que transtornou o juízo da esposa do filho de Fauno. Louca, como uma bacante, a rainha, tendo procurado, em vão, abalar o ânimo do esposo, convocou todas as mulheres aborígenes, para que a ajudassem a impedir núpcias tão funestas. O fado, todavia, decidira o contrário. A luta final entre Turno e Enéias (v.), que mata ao rei dos rútulos, traduz não apenas a posse de Lavínia, mas igualmente de toda a Itália, segundo acentua Vergílio, *En.*, 12,936-937.

Julgando que o rei dos rútulos, o Heitor da *Eneida*, já havia sido derrotado e morto, Amata se enforca, a mais hedionda das mortes na mentalidade romana (*En.*, 12, 601-603):

Multaque per maestum demens effata furorem
purpureos moritura manu discindit amictus
et nodum informis leti trabe nectit ab alta.

– E dizendo mil coisas, transtornada por um sinistro furor,
decidida a morrer, rasga com as próprias mãos as vestes purpúreas
e numa trave alta ata o laço de uma morte ignóbil.

Acrescente-se que Amata é igualmente o nome que recebia, em Roma, a Vestal, no momento em que era consagrada ao serviço de Vesta (v.) pelo Pontífice Máximo (v.).

AMÚLIO

Amulius, Amúlio, não possui, até o momento, etimologia conhecida.

Filho de Procas (v.) ou de Aventino, Amúlio teria sido o décimo quinto rei de Alba. Possuía apenas um irmão, Numitor (v.).

Procas, antes de falecer, dividiu sua herança em duas partes: os tesouros, que eram muitos, e o reino. Numitor ficou com o governo e Amúlio com a incalculável riqueza paterna. Apoiado no ouro, o ambicioso Amúlio destronou o irmão e tornou-se herdeiro único.

Com receio de que um dia os filhos varões de Numitor pudessem vingar a afronta perpetrada contra o pai, o tirano mandou matá-los e enclausurou a única sobrinha, Réia Sílvia (v.), no templo das Vestais, para que não se casasse e desse à luz futuros pretendentes ao trono.

Todas estas precauções foram baldadas: o deus Marte uniu-se à Vestal e fê-la mãe dos gêmeos Rômulo e Remo, que acabaram por assassinar Amúlio e recolocar o avô no trono de Alba.

ANA PERENA

Anna Perenna, *Ana Perena*, é um pleonasmo, que, *lato sensu*, significa "o ano anual, o ano completo". Com efeito, *Anna* provém do verbo *annare,* "passar o ano", que só ocorre em Macróbio, 1,12,6, exatamente com referência a *Anna Perenna. Annare*, "passar o ano", provém de *annus*, "ano, colheita anual". *Perennis,* igualmente, provém de *per*, "através de, durante", e *annus*, "ano", e significa, à letra, "anual", como atesta Cícero, *N.* D., 2,21: *stellarum perennes cursus atque perpetui*, "os cursos anuais e perpétuos das estrelas". O adjetivo tomou, depois, acepção de "perene, perpétuo, eterno", como escreve Horácio, *Od.*, 3,30,1:

exegi monumentum aere perennius, "terminei um monumento mais duradouro que o bronze". *Annus* deve ser aproximado de osco *akenei*, "in anno", no ano; umbro *acnu*, "annos", os anos; *per-akni*, "perennis", que dura todo o ano, que dura sempre. Os antigos relacionavam erroneamente o vocábulo com o masc. *anus*, "círculo", grafado, às vezes, por isso mesmo, *annus*, segundo explica Varrão, *L.1.*,6,8. Ana Perena era deusa do ano considerado em seu curso normal e sua volta perpétua e, por isso mesmo, sua festa se celebrava nos *idus* de março, isto é, no dia 15, porque março era o primeiro mês do ano antigo, que possuía um caráter alegre e licencioso, típico das comemorações do *ano novo*. Seria ela portanto a "deusa do ano", considerado na sua duração e perpétua renovação. Não é, por outra razão, que Ovídio, *Fast.*, 3,146, 532sq., a identificava com a lua, "porque esta enche o ano com seus meses". Como *perennis* dizia-se especialmente de "rios e nascentes", a etimologia popular derivava o nome da deusa de *amnis perennis*, "caudal perene".

Antiga divindade romana, foi venerada primeiramente em Laurento, cidade do Lácio, e depois emigrou para Roma, onde possuía um bosque sagrado, junto ao rio Tibre, na Via Flamínia. Como a deusa era representada ou imaginada sob a forma de uma anciã, se aventou a possibilidade de *Anna* ser um hipocorístico (a geminação consonantal é própria dos hipocorísticos) de *anus*, "velha".

Quando a plebe, descontente com os patrícios, se retirou para o monte Aventino, Ana Perena, percebendo que as provisões dos amotinados eram insuficientes, preparava-lhes diariamente bolos, para que não morressem de fome. É bem possível que a plebe tenha adotado como sua essa divindade "não genuína" – seu local de culto estava localizado fora dos muros da cidade – para confrontá-la com os deuses tradicionais romanos, que protegiam os patrícios. Com o triunfo da plebe, o culto de Ana Perena tornou-se oficial.

Mais tarde, uma tradição que tomou corpo a partir do mito de Enéias, fez de Ana a irmã e confidente de Dido. Após o suicídio desta última, por ter sido abandonada por Enéias (*En.*, 4,642-692), o reino de Cartago foi invadido por Jarbas, antigo e magoado pretendente da princesa fenícia. Coagida a fugir, Ana refugiou-se na corte do rei da ilha de Mélita, hoje Malta, mas Pigmalião, rei da Síria, pressionou o hospitaleiro soberano para que lhe entregasse a irmã de Dido. Obrigada a exilar-se novamente, seu barco foi lançado por uma tempestade às costas do Lácio, precisamente junto à cidade de Laurento, onde reinava Enéias. O herói passeava pelas praias de sua capital, quando seu fiel amigo Acates reconheceu que a náufraga era Ana. O filho de Vênus, chorando, a acolheu e lamentou o triste destino de Dido. A permanência da princesa cartaginesa no palácio, todavia, provocou os ciúmes de Lavínia, preocupada com uma testemunha viva de um passado de que certamente o esposo se lembrava com saudade e tristeza. Avisada em sonhos para que tomasse cuidado com as perigosas ciladas que lhe armava a rainha de Laurento, Ana, novamente e agora em plena noite, abandonou mais um palácio. Caminhando errante, encontrou o deus do rio vizinho, Numício, que a atraiu para seu leito nas profundezas das águas e fez da mesma sua esposa. Os soldados de Enéias foram ao encalço da fugitiva e, seguindo-lhe as pegadas, observaram que as mesmas terminavam à entrada do rio. Quando decidiam sobre o que deveriam fazer, surgiu das águas um fantasma que lhes revelou ter sido Ana metamorfoseada em ninfa, como o nome de *Perena*, o que significaria a *imortal*.

Felizes e jubilosos, os servidores de Enéias espalharam-se pelos campos e comemoraram tão auspicioso acontecimento. Tal fato deu origem à celebração anual das festas de Ana Perena, a nova imortal.

Segundo uma variante, Ana, já muito idosa, foi escolhida por Marte como intermediária entre ele e Minerva, que, embora amada pelo deus da guerra, fugia-lhe, por ser virgem e celibatária. Sabendo ser impossível dobrar a resistência da deusa, Ana resolveu divertir-se às custas do apaixonado filho de Júpiter. Começou por mentir-lhe, afirmando que Minerva já estava cedendo; aumentava-lhe todos os dias as esperanças e acabou por marcar um encontro noturno em nome da deusa da sabedoria. Quando o deus foi introduzido na câmara nupcial, Ana desvelou o rosto e Marte compreendeu que havia sido enganado. A falsa Minerva aproveitou a ocasião para motejar do poderoso deus da guerra em termos fortemente licenciosos. Isto explicaria as canções obscenas entoadas nas festas de Ana Perena.

Seria conveniente lembrar que as *obscena,* os ditos, cantos e gestos "obscenos", possuíam para os antigos não apenas um sentido apotropaico, mas visavam igualmente a provocar a fertilidade, o que está muito de acordo com uma divindade do "ano novo".

ANGERONA

Angerōna, *Angerona*, é certamente um empréstimo ao etrusco *Ancaru*, cujo sentido exato se ignora.

Antiga divindade benéfica, protegia a cidade de Roma. Era representada com a boca bem fechada e um dedo atravessado nos lábios, à maneira de quem impõe silêncio, como atesta Plínio, 3,64: *ore obligato obsignatoque simulacrum habet*, "sua estátua a representava com a boca fechada e lábios comprimidos". O gesto de Angerona era interpretado como um apelo ao silêncio para conjurar os malefícios e sofrimentos, o que propiciou a respeito do teônimo etimologias de cunho popular, que são verdadeiros trocadilhos: *quod angores atque sollicitudines animorum porpitiata depellat*, "para que, propícia, afaste as angústias e preocupações das almas", ou, ainda, numa confusão com o verbo *angere*, (que se pensava ser a base do substantivo *angina*, quando este é um empréstimo ao grego ἀγχόνη (ankhóne), com apofonia normal de *o* interior em *i*), "apertar, oprimir, atormentar": *quod P.R. morbo, qui angina dicitur, praemisso uoto, sit liberatus,* "para que o Povo Romano, feito um voto, seja liberado da doença, que se denomina angina".

As festas de Angerona, *Angeronalia*, celebravam-se no dia 21 de dezembro, solstício do inverno, o que explica estar a deusa possivelmente relacionada com o sol.

ANGÍCIA

Angitia, Angícia, é aproximada, ao menos em etimologia popular, do verbo *angere*, "comprimir, apertar, oprimir", talvez porque a deusa "liberava os homens de certas doenças que os oprimam". O verbo em pauta possui correspondência exata com o grego ἄγχειν (ánkhein), "apertar, comprimir"; irlandês *cum-ung* e galês *yng*, "estreito"; alemão *Angst*, "ânsia, angústia".

Divindade venerada pelos marsos, povo do Lácio, possuía um santuário num bosque, perto do lago Fúcino. Conhecedora de certas poções e fórmulas de encantamento, estava relacionada, de algum modo, com a medicina. Vergílio, na *Eneida*, 7,759-760, falando do sacerdote Umbro, que, ferido pela lança troiana, não pôde curar-se nem mesmo com as ervas dos montes marsos, acrescenta que a morte do sacerdote foi chorada pelos bosques de Angícia e as vítreas águas do lago Fúcino:

Te nemus Angitiae, uitrea te Fucinus unda,
te liquidi fleuere lacus.

– O bosque de Angícia, a água cristalina do Fúcino
e os límpidos lagos lamentaram tua morte.

ANONA

Annōna, *Anona,* como *Anna Perenna* (v.), provém de *annus*, "ano, colheita". O sufixo é o mesmo que aparece em *Abeona, Adeona* (v.).

Anona era a deusa que presidia à colheita anual, substituindo, a pouco e pouco, a antiga deusa *Anna Perenna* (v.), que acabou por confundir-se com *Anna*, irmã de Dido. Perdendo o caráter de nome próprio, passou a significar simplesmente "colheita" e, em particular, "colheita do trigo", e também "carestia", criando-se, até mesmo, o *curator annonae*, "o encarregado da colheita anual do trigo, da anona", e outras magistraturas incumbidas deste mister. *Anonário* em nossa língua é tudo que se refere a mantimentos.

ANQUÊMOLO

Anchemŏlus, *Anquêmolo*, é antropônimo sem etimologia definida. O grego possui ἀγχίμολος (ankhímolos), "que se avizinha, que combate de perto", mas uma aproximação seria difícil.

Vergílio, na *Eneida,* 10, 388-389, fala do guerreiro Anquêmolo, que ousou manchar pelo incesto o leito de sua madrasta. Neste passo, o incestuoso é morto pelo filho de Evandro, o herói Palante, que lutava ao lado de Enéias:

Hinc Sthenium petit et Rhoeti de gente uetusta
Anchemlum thalamos ausum incestare nouercae

– Em seguida (Palante) ataca Estênio e Anquêmolo, da antiga
família de Reto, que ousou profanar o leito da madrasta.

Filho de Reto, rei de Marrúbio, cidade dos marsos, na Itália central, Anquêmolo profanou o tálamo paterno, unindo-se à madrasta Caspéria. Reto tentou matar o filho criminoso, mas este fugiu e foi acolhido por Dauno (v.), pai do grande herói Turno.

Anquêmolo lutou bravamente contra Enéias, mas foi morto por Palante, aliado do filho de Vênus.

ANQUISES

Anchisa ou *Anchises*, em grego Ἀγχίσης (Ankhíses), *Anquises,* não possui etimologia conhecida. A aproximação que Carnoy, *DEMG.*, p. 20, tenta fazer com o indo-europeu **ank,* "curvar", porque Zeus aleijara o herói, e com o latim *ancus*, "que não pode estender o braço", e também "manco", não é convincente.

Anquises é um herói muito importante para o mito latino. Tal relevância não se deve apenas ao fato de ter sido o pai de Enéias, o *pius Aeneas*, que há de fundar "a cidade", introduzir "seus deuses" no Lácio, donde procedem "a raça latina, os pais albanos e os muros da altiva Roma", mas igualmente por ter sido a bússula do herói, enquanto esteve a seu lado nesta vida, e, já na outra, por tê-lo orientado e descortinado o futuro e a grandeza sem fim do império romano, esteado na *Gens Iulia*, na Família dos Júlios.

Filho de Cápis, que aparece na *Ilíada*, XX, 239, como ancestral de Enéias, e da troiana Temiste, Anquises se casara com a mortal Eriópis, de quem tivera várias filhas, dentre as quais Hipodamia (v. Enéias).

Um dia em que o herói pastoreava seus rebanhos no monte Ida, Afrodite o viu e desejou amá-lo. Para tanto apresentou-se ao filho de Cápis sob forma hierofânica, isto é, disfarçada na filha de Otreu, rei da Frígia, simulando ter sido raptada por Hermes e conduzida para onde se encontrava o pastor. Mais tarde, já grávida, e ainda sob disfarce, a deusa se identificou, mas proibiu terminantemente ao amante revelar, fosse a quem fosse, que o nascituro era filho de uma deusa, sob pena de ser fulminado por Zeus.

Certa feita, porém, bêbado, Anquises vangloriou-se de seus amores com Afrodite, cujo fruto era Enéias. O pai dos deuses e dos homens lançou contra o indiscreto um raio, e, por interferência da deusa do amor, apenas o cegou, segundo o frag. 344 de Sófocles, além de torná-lo coxo e paralisar-lhe um dos braços.

Quando Zeus, para compensar o rapto de Ganimedes, presenteou a Trós, herói epônimo da raça troiana, com vários garanhões de sangue divino, Anquises conseguiu secretamente que suas éguas fossem cobertas por eles, obtendo, assim, seis cavalos, dois dos quais foram oferecidos a Enéias.

Após a queda de Tróia, a custo o filho de Afrodite retirou seu velho pai da cidade em ruínas, salvando-o do incêndio e do massacre nas mãos dos aqueus. Levou-o como seu companheiro e verdadeira bússola na longa e penosa viagem em direção à Itália. O local, onde faleceu o velho patriarca, no decorrer da peregrinação de Enéias, é, consoante Vergílio, na *Eneida*, 3,707-711, a ilha de Sicília, perto do porto de Drépano:

Hinc Drepani me portus et inlaetabilis ora
accipit. Hic pelagi tot tempestatibus actus
heu, genitorem, omnis curae casusque leuamen,
amitto Anchisen. Hic me, pater optime, fessum
deseris, heu, tantis nequiquam erepte periclis.

– Dali arribo ao porto de Drépano, uma praia de tristes
recordações. Ali, ai de mim, batido por tantas tempestades
perdi Anquises, meu pai, alívio de tantos cuidados e desgraças.
Ali, excelente pai, tu me deixas, cansado, tu a quem em vão salvei de tantos perigos!

No canto quinto do poema, quando em seu périplo em demanda da Itália, Enéias chegou pela segunda vez à mesma ilha, mandou celebrar solenes jogos fúnebres (v.) em memória do pai (*En.*, 5, 105sqq.). Era uma preparação com vistas à indispensável catábase do herói, para, nos Campos Elísios, entrevistar-se com ele e preparar-se iniciaticamente para tantas lutas e fadigas que teria ainda pela frente, até plantar a nova Tróia "latina".

Diga-se, de passagem, que esses jogos fúnebres se repetiram historicamente em Roma, até a época imperial, com o nome de *Jogos Troianos.*

O grande encontro de Enéias com Anquises não foram os prodígios vistos durante as celebrações dos jogos na Sicília, mas quando o herói desceu aos Infernos (v.), no sexto canto da *Eneida*. Após mostrar ao filho os futuros heróis da futura Roma, que aguardavam nos Campos Elísios o momento de retornar a esta vida, através do processo reencarnatório, o patriarca troiano traçou para Enéias a missão suprema da futura Roma, cotejando-a com a Grécia:

Excudent alii spirantia mollius aera
(credo equidem), uiuos ducent de marmore uoltus,
Orabunt causas melius, caelique meatus
describent radio et surgentia sidera dicent:
tu regere imperio populos, Romane, memento
(hae tibi erunt artes), pacisque imponere morem,
parcere subiectis et debellare superbos. (*En.*, 6, 847-853).

– Outros, eu o creio, saberão com mais arte dar vida ao bronze
ou fazer surgir do mármore figuras vivas; pleitearão melhor as causas
e calcularão os movimentos do céu e o surgir dos astros,
Tu, romano, lembra-te de que nasceste para governar o mundo.
Estas serão as tuas artes: impor a paz, poupar os vencidos e esmagar os soberbos.

APOLO

Apollo, Apolo, em grego Ἀπόλλων (Apóllon), Apolo, não possui, até o momento, etimologia satisfatória, como se mostrou no *Dicionário Mítico-Etimológico da Mitologia Grega*, Vol. I (s.u.Apolo). O latim *Apollo, -inis* é um empréstimo antigo ao grego Ἀπόλλων (Apóllon), certamente através do etrusco *Aplu, Apulu*, *DIELL.*, p. 40.

Evidentemente não teria sentido expor aqui o longo mito e atribuições do deus na Hélade, uma vez que se está tratando de mitologia latina: o Apolo grego foi amplamente estudado e analisado em *Mitologia Grega*, Vol. II, p. 83sqq., e em nosso recente *Dicionário Mítico-Etimológico* supracitado.

De outro lado, seria necessário acentuar que o deus não teve em Roma a projeção que desfrutou na Hélade: não foi um legalista, um "exegeta nacional", como o denominava Platão; seus Oráculos (exceto a Sibila de Cumas, cujo renome se restringe propriamente ao canto sexto da *Eneida*) contianuaram a ser consultados na Grécia. Acrescente-se, além do mais, que a mântica, em Roma, envolvendo a inspiração direta de um deus, era olhada com suspeição, porque escapava ao controle do Estado. Não possuiu igualmente, em Roma, as rédeas da religião, porque o império romano não era uma rede de *póleis*, de cidades-estados, com os mesmos deuses, cuja unidade religiosa Apolo procurou manter a ferro e fogo, mas um mundo multifacetado cultural e religiosamente falando. A Hélade, ao revés, era um universo com uma cultura e religião não raro milenares, bem superiores em sua estrutura e mensagem à nascente civilização do Lácio.

Além do mais, as *póleis* gregas, fincadas na África, Europa e Ásia Menor, eram resultantes de migrações de povos helênicos, que levavam para suas novas pátrias a mesma religião, os mesmos deuses, a mesma língua e, grosso modo, os mesmo hábitos.

Não se tornava, portanto, muito difícil para Apolo controlar essa unidade na diversidade. O mundo romano, ao contrário, foi conquistado à ponta de lança por um povo sem uma cultura ainda bem organizada e sedimentada. Vencia pelas armas, mas era, não raro, vencido pela civilização dos derrotados.

Quinto Horácio Flaco, *Epist.*, 2,1,157, viu bem o fenômeno relativamente à conquistada Grécia:

Graecia capta ferum uictorem cepit et artes
intulit agresti Latio

– A Grécia vencida levou de vencida o feroz vencedor
e introduziu as artes no Lácio inculto.

Talvez o poeta pudesse acrescentar *et artes deosque*, não apenas as artes, mas também seus deuses. E Apolo é um dentre muitos outros.

Acrescente-se, por fim, que o romano, utilitarista, político astuto e sábio colonizador, governava os países conquistados com muita habilidade e prudência, inclusive no que tange à religião: assimilava o que, por ventura, lhe fosse conveniente, mas não impunha seus deuses e seus ritos, outorgando aos vencidos uma total liberdade de crença e culto. Casos típicos foram o Egito, a Grécia e a Judéia.

Apolo foi introduzido em Roma e na Itália central em época relativamente antiga. Por ocasião da epidemia que assolou Roma, em 433 a.C., os latinos construíram-lhe um templo *extra muros*, "fora dos muros", como era de praxe, em se tratando de um deus estrangeiro. O edifício denominava-se *Apollinare*, vale dizer, local consagrado a Apolo, no Capitólio.

Durante as Guerras Púnicas, em agradecimento pela "cooperação" do deus, instituíram-se em sua honra os *Ludi Apollinares*, Jogos em homenagem a Apolo (v. Jogos), celebrados de 6 a 13 de julho, sob a responsabilidade do pretor urbano. Finalmente, o imperador Augusto, que sempre prestou ao deus de Delfos um culto especial, por ser o protetor da *Gens Iulia*, atribuindo-lhe até mesmo a vitória na batalha naval de Ácio contra Marco Antônio, em 31 a.C., mandou erigir-lhe, no ano 28 a.C., um templo magnífico no Palatino, dessa feita, dentro dos muros da cidade. Propércio (50-15 a.C.) dedicou a sexta *Elegia* do livro quarto não somente à vitória de Ácio, mas sobretudo à inauguração do templo do deus. Vamos transcrever apenas o início das palavras de Apolo e Augusto, maneira sutil com que o poeta presta sua entusiástica homenagem ao imperador (*Eleg.*, 4,6, 37-40):

Mox ait: O longa mundi seruator ab Alba,
Auguste, Hectoreis cognite maior auis,
uince mari: iam terra tua est; tibi militat arcus
et fauet ex umeris hoc onus omne meis.

– Em seguida falou (Apolo): ó filho de Alba Longa, Augusto,
salvador do mundo, tu que te revelaste maior
que teus ancestrais troianos, triunfa no mar: a terra
já te pertence. Por ti combate meu arco e todo este
fardo que carrego nos ombros é para te ajudar.

Tinha razão Augusto em considerar Apolo um dos mais fervorosos patronos do império: afinal a *Gens Iulia*, a Família Júlia, tinha suas raízes na linhagem de Príamo e ninguém mais troiano que Apolo e Vênus (a Afrodite grega), mãe de Enéias, como se pode observar em toda a *Ilíada*.

Na *Eneida*, o deus da mântica aparece sobretudo com seus oráculos em três momentos importantes do poema: no canto terceiro, 90-101, quando, invocado e consultado por Enéias, na ilha de Delos, Apolo manda que os troianos, que vagueiam há tanto tempo no mar, procurem retornar "à madre antiga" – *Antiquam exquirite matrem* (*En.*, 3, 96), "buscai a mãe antiga". O deus se referia à Itália, porque, segundo uma variante, Dárdano, originário da Itália central, emigrou para a Ásia Menor e fundou Tróia, berço da raça troiana. Anquises interpretou mal o oráculo e as naus de Enéias singraram em direção a Creta. No mesmo canto terceiro, 374-462, Apolo volta a falar através do inspirado Heleno e lhes restabelece a rota: após inúmeros sofrimentos e perigos, os troianos chegarão "à madre antiga". Finalmente no canto sexto,

77-82, o mais belo e majestoso do poema, a Sibila de Cumas (v.), sacudida pela possessão divina, se predispõe a descer com o herói ao Averno.

Não há dúvida, segundo afirma a Drª Maria Helena da Rocha Pereira, *Estudos de História da Cultura Clássica*, Vol. II, *Cultura Romana*, Lisboa, Fundação Calouste Gulbenkian, p. 261, "que a ação da *Eneida* é indubitavelmente conduzida pelos deuses, sobretudo Júpiter, Juno, Vênus, Apolo".

No mito latino, Apolo é filho de Júpiter (v.) e Latona (v.), mas o local de nascimento com suas peripécias, bem como todos os epítetos, funções e gestas do grande deus asiático, aclimatado na Hélade, continuam "gregos". Apenas uma pequena variante latina, repetida por Suetônio (*Aug*., 94), certamente engendrada para estimular a vaidade imperial, relata que a mãe de Augusto, Ácia, tendo dormido no templo de Apolo, concebeu o filho por obra do deus.

A grande homenagem literária a Apolo e a sua irmã Diana foi prestada pelo poeta Quinto Horácio Flaco em seu famoso *Carmen Saeculare*, "Canto Secular", por ocasião dos *Jogos Seculares*, mandados celebrar pelo imperador Augusto, no ano 17 a.C. (v. Jogos).

A abertura solene do *hino* não deixa dúvidas a esse respeito (*Carm. Saec*., 1-4):

Phoebe siluarumque potens Diana,
lucidum caeli decus, o colendi
semper et culti, date quae precamur
tempore sacro

– Febo, e tu, senhora das florestas, Diana,
ornamento luminoso do céu, vós sempre adoráveis
e sempre adorados, concedei-nos o que deprecamos
na data sagrada.

ARUSPICINA

Haruspicina, *aruspicina,* é o feminino do adjetivo *(haruspicinus, -a, -um)* substantivado, como já se encontra em Cícero, *Diu*., 2,23,50. Trata-se de um derivado de *haruspex, -icis,* "arúspice", que é, possivelmente, um composto híbrido etrusco-latino, formado por *haru-*, "tripa, intestino dos animais, vísceras", termo que poderia, talvez, se aproximar de *hernia,* "hérnia", *hira*, "intestino", sânscrito *hirá,* "veia", *híraḥ,* "ligadura". A etimologia que explicaria *haru-* pelo assírio *har-*, "fígado", é admitida por alguns em função da semelhança entre a aruspicina etrusca e babilônica. O segundo elemento do hibridismo é a raiz *-spex,* do verbo *specere, *spicere*, "ver, olhar, observar" (v. Auspício), donde "arúspice" é o que examina as entranhas das vítimas, especialmente o fígado, com finalidades divinatórias e "aruspicina" é a arte, a ciência dos arúspices. A interpretação dos sinais inscritos nas entranhas das vítimas pressupunha a correspondência entre três pontos de referência: o divino, o cósmico e o humano. As peculiaridades das diferentes regiões do órgão indicavam a decisão dos deuses, isto é, prediziam o desenrolar iminente dos acontecimentos.

Em 1877, foi encontrado em Placência, cidade da Gália Cisalpina, o modelo de bronze do fígado de um carneiro. O exemplar, que deve datar do séc. III ou II a.C., contém certo número de riscos traçados a buril e os nomes de quarenta divindades, estampando destarte a estrutura do mundo e a distribuição do panteão.

Este processo mântico em Roma pertencia a especialistas, os arúspices, recrutados particularmente na Etrúria, em conseqüência da reputação dos tuscos quanto ao conhecimento e dedicação a esta ciência.

Estes arúspices devem ter aparecido em Roma lá pelo séc. VII a.C. juntamente com os primeiros reis toscanos. Eram eles os verdadeiros depositários da ciência e das práticas religiosas dos etruscos, que, ao contrário dos romanos, possuíam verdadeira fascinação pela arte divinatória, através da qual previam o futuro, interpretando os fenômenos presentes. Detentores da *diuinatio*, da técnica da adivinhação, os arúspices exploravam três domínios diferentes, cujo suporte eram os livros sagrados dos etruscos, divididos igualmente em três categorias: *libri haruspicini,* livros que tratam do exame das vísceras, particularmente do fígado dos animais; *libri fulgurales*, livros relativos aos relâmpagos e aos raios, e *libri rituales*, estudo dos ritos. Estes últimos, na realidade, a par das *ostentaria*, quer dizer, tratados sobre o método de interpretação e purgação dos prodígios, continham em seu bojo os *libri fatales*, ou livros sobre o destino e a morte, bem como uma coletânea do direito civil e religioso dos tuscos.

Cícero, *Diu.,* 2,26, ainda nos fala dessa tríplice divisão dos livros sagrados, manipulados pelos arúspices: *sed quoniam de extis et fulguribus satis est disputatum, ostenta restant ut tota haruspicina sit petractata* – mas, já que se discorreu o bastante acerca das *vísceras* e dos *relâmpagos*, resta-nos falar sobre os prodígios, para se ter uma visão completa da aruspicina.

A grafia portuguesa *arúspice*, *aruspicina* é correta, já que o *h* inicial de *haru-* é muitas vezes omitido, conforme Ernout-Meillet, *DIELL.*, P. 289.

ARVAIS (Irmãos)

Aruales, Arvais, é o plural do adjetivo *arualis,* derivado de *aruum*, "campo lavrado", e usado tão-somente na expressão *Fratres Aruales*, Irmãos Arvais. *Aruum* e *aruales* provêm do verbo *arare*, "lavrar, cultivar, arar". Da forma **ara-* da raiz origina-se o armênio *arawr,* "arado", a que correspondem o latim *aratrum*; grego ἄροτρον (árotron); céltico *arathar*; lituano *árklas,* todos com a mesma acepção, *DIELL.*, p. 48.

M. Terêncio Varrão (116-27a.C.), *L.1.*, 5,85, define-lhes a função como *qui sacra publica faciunt propterea ut fruges ferant arua,* – aqueles que fazem sacrifícios públicos, a fim de que os campos produzam os frutos. Na realidade, exorcizavam com ritos mágicos, além do solo, os rebanhos e a cidade.

Os Arvais eram um *collegium*, uma corporação de doze sacerdotes, instituídos, segundo o mito, pelo rei Rômulo, em memória de sua mãe adotiva Aca Larência (v.), que, possuindo doze filhos, realizava com eles sacrifícios para a fertilidade dos campos. No mês de maio, coroados de espigas e ostentando as ínfulas, símbolos de sua dignidade, os Arvais ofereciam sacrifícios a Ceres, identificada por alguns com *Tellus Mater* "Mãe Terra", *Ops*, Ops (v.), "Abundância", *Consiuia*, Consívia (v.), e *Dea Dia*, Deusa Dia (v.), todas, em princípio, deusas da vegetação. Entre outras cerimônias estes sacerdotes executavam uma dança ritual, acompanhada de cantos, no interior do templo da deusa. Essas fórmulas ou "cantos", denominados *carmina*, nominativo plural neutro de *carmen*, *-inis*, palavra que expressa, em seu sentido primitivo, um fórmula ritmada de caráter mágico, visavam certamente a conjurar os deuses, para que protegessem a lavoura e prodigalizassem uma colheita abundante.

Ettore Paratore, *Storia della Letteratura Latina*. Firenze, Sansoni Editore, 1983, p. 14, faz uma síntese da história dos cânticos dos Irmãos Arvais: "As atas das cerimônias dos Arvais (culto de origem campestre, como diz o nome, celebrado por doze sacerdotes) e restauradas por Augusto com todas as formas arcaicas de suas origens, foram descobertas, em bases e tábuas de mármore, sucessiva e fragmentariamente, desde 1570 até hoje. O cântico ritual, escrito num latim difícil de se entender, e anterior ao fenômeno do rotacismo (passagem do *s>r*), foi encontrado como o possuímos, numa tábua de mármore do ano 218, século III p.C., quer dizer, quando não mais era compreendido nem mesmo pelos sacerdotes que o entoavam". Aliás esses *Cantica* já não o eram, desde a época clássica (séc. I, a.C.).

ASCÂNIO ou IULO

Ascanius uel ***Iulus***, *Ascânio* ou *Iulo*. Ascânio não possui, até o momento, etimologia confiável. Carnoy, *DEMG*., p. 27, registrando a incindência do antropônimo entre os topônimos e as designações de rios e ribeiros na Anatólia, levanta a hipótese de que o nome do filho de Enéias poderia originar-se do indo-europeu **osko-* "freixo". C. Falcón Martínez, *DIMIC*., p. 90, reafirmando que *Ascânio* é atestado como topônimo e nome de rio na Ásia Menor e no Egeu, aproxima-o do frígio *Ascenez* ou *As-khniz* (filho de *As*), já que *As* era o deus mais importante da Frígia. No tocante a *Iulus*, Iulo, é, ao que parece, uma forma refeita, por etimologia popular, sobre *Ilus*, Ilo (ancestral de Príamo e de Enéias), fundador de Ílion ou Tróia, como aliás acentua Vergílio, *En*., 1,267-268:

At puer Ascanius, cui nunc cognomen Iulo
additur (Ilus erat, dum res stetit Ilia regno)

– Mas o pequeno Ascânio, a quem agora se acrescenta o cognome
de Iulo (era Ilo, enquanto permaneceu de pé o reino de Ílion).

Com *Iulus* se relacionou *Iulius*, "nomen" da famosa *Gens Iulia*, a Família Júlia, à qual pertenciam Caius *Iulius* Caesar, Caio *Júlio* César, e seu sobrinho e filho adotivo, Caius *Iulius* Caesar (Octauianus) Augustus, Caio *Júlio* César (Otaviano) Agusto, o primeiro e grande imperador de Roma. *Iulius*, Júlio, na realidade, é um "nome" famoso, pois que procede etimologicamente de **Iou-il*, primeiro elemento do nome composto *Iuppiter*, *Iouis*, "pai, deus do dia luminoso, da claridade, do brilho", ou seja, *Iou*> *Iu*, donde *Iu-lius*, "Júlio", é o "luminoso", *DIELL.*, p. 329. Relacionando seu nome "*Iulius*", Júlio, com *Iulus*, Iulo, César, hábil e politicamente, se dizia um descendente de Iulo, donde de Enéias e, sendo este filho de Vênus, a Família Júlia (César, Augusto) possuía em suas veias sangue divino...

Para um poema engajado como a *Eneida*, nada mais apropriado para divinizar o imperador (Augusto) que fazê-lo proceder de uma deusa imortal.

Diga-se, aliás, de passagem, que a "luminosidade celestial" dos Júlios ficou atestada miticamente pelo meteoro que apareceu nos céus de Roma durante sete dias ou apenas no sétimo, após a morte de César. Horácio, *Od.*, 1,12,46-48, parece fazer alusão ao fato:

micat inter omnis
Iulium sidus, uelut inter ignis
luna minores.

- Resplandece entre todas
a estrela de Júlio (César), como a lua
entre astros menores.

Também Vergílio, *Buc.*, 9, 46-47, faz referência ao "astro" e a uma ancestral de César, Dione, mãe de Vênus:

Daphni, quid antiquos signorum suspicis ortus?
Ecce Dionaei processit Caesaris astrum

– Dáfnis, por que contemplas o nascimento de antigas constelações?
Eis que surgiu a estrela de César, descendente de Dione.

Filho de Enéias e da princesa troiana Creúsa, Ascânio ou Iulo, pelo lado materno, é neto de Príamo e, pelo paterno, o é de Afrodite. Uma variante bem mais tardia dá-lhe por mãe a Lavínia, filha do rei Latino e de Amata (v.).

O mito, em sua redação mais antiga, relata a fuga precipitada de Enéias de Tróia incendiada pelos aqueus: seguiam-no seu pai Anquises, a esposa Creúsa e o filho Ascânio. Enéias, desejando perpetuar sua descendência, enviou o filho para a Propôntida, onde mais tarde reinou, até que, em companhia de Astíanax ou Escamândrio, filho de Heitor e Andrômaca, retornou a Tróia e reconstruiu a fortaleza. Uma variante, no entanto, assevera que Ascânio acompanhou o pai até a Itália, mas, já muito idoso, Enéias regressou com o filho à Tróada, reergueu Ílion e ali reinou até morrer, quando então o neto de Afrodite assumiu as rédeas do governo.

A tradição mais conhecida e apreciada é a que foi imortalizada por Vergílio na *Eneida*, convertendo-se Enéias e Ascânio num mito autenticamente romano. No canto quinto o já pré-adolescente Iulo participa dos jogos fúnebres em memória de Anquises numa festejada prova eqüestre em que indo e vindo, alternando fugas e investidas, os jovens cavaleiros simulavam uma verdadeira batalha. Esta modalidade de disputa permaneceu em Roma, como tradição nacional, até pelo menos a época do imperador Cláudio, segundo Tácito, *An.*, 11,11. Curioso, diga-se, de caminho, é que o poeta, embora qualifique o filho de Enéias de "o belo Iulo, que antes da idade, possui espírito e prudência viril" (*En.*, 9,310-311), Apolo não permite ao promissor neto de Vênus mais que um primeiro e vitorioso ensaio de guerra (*En.*, 9,590-644), conquanto lhe prometa que *sic itur ad astra* (*En.*, 9,641), que "assim se chega até os astros".

Muito querido pelo pai, esperança dos troianos fugitivos da pátria, Iulo era alvo do extremo carinho de sua avó, a deusa *Vênus* (já estamos no mito latino). Após a morte ou, mais precisamente, o desaparecimento de Enéias durante uma tempestade, Ascânio assumiu o trono de Lavínio, cidade fundada por seu pai, e o governo sobre os troianos e latinos. Foi durante sua permanência nesta cidade que houve uma violenta revolta dos etruscos: Ascânio os venceu às margens do rio Numício, no Lácio. Trinta anos após a inauguração de Lavínio, Iulo fundou Alba Longa, a metrópole de Roma e capital do primitivo Lácio. Os latinos, no entanto, revoltaram-se contra o neto de Vênus. É que Lavínia, estando grávida por ocasião da morte de Enéias e temendo que o rei e enteado lhe matasse o filho, fugiu para a floresta. Refugiando-se depois junto a um pastor, chamado Tirro ou Tirreno, deu à luz Sílvio. O pastor excitou novamente os latinos contra o rei, mas Vênus, atenta, sempre lhe deu a vitória. Após a morte de Ascânio, Sílvio (v.) sucedeu-lhe no trono de Alba Longa.

O poeta maior de Roma, em sua *Eneida*,1,267-288, pelos lábios do próprio Júpiter, nos dá uma sintese admirável do destino que aguardava Roma. Vale a pena transcrever esta passagem inspirada do poeta de Mântua, não só pela beleza de sua poesia e presença marcante de Iulo no texto, mas ainda pelo vaticínio de Júpiter. Afinal Roma, de fato, continua e se perpetuou nas nações de língua latina:

At puer Ascanius, cui nunc cognomen Iulo
additur (Ilus erat, dum res stetit Ilia regno),
triginta magnos uoluendis mensibus orbis
imperio explebit, regnumque ab sede Lauini
trasferet, et logam multa ui muniet Albam.
Hic iam ter centum totos regnabitur annos
gente sub Hectorea, donec regina sacerdos
Marte grauis geminam partu dabit Ilia prolem.
Inde lupae fuluo nutricis tegmine laetus
Romulus excipiet gentem et Mauortia condet
moenia Romanosque suo de nomine dicet.
His ego nec metas rerum nec tempora pono:
imperium sine fine dedi. Quin aspera Iuno,
quae mare nunc terrasque metu caelumque fatigat,
consilia in melius referet, mecumque fouebit
Romanos, rerum dominos gentemque togatam.
Sic placitum. Veniet lustris labentibus aetas
cum domus Assaraci Phthiam clarasque Mycenas
seruitio premet ac uictis dominabitur Argis.

Nascetur pulchra Troianus origine Caesar,
imperium Oceano, famam qui terminet astris,
Iulius, a magno demissum nomem Iulo.

– Mas o pequeno Ascânio, a quem agora se acrescenta o cognome
de Iulo (era Ilo, enquanto permaneceu de pé o reino de Ílion),
após cumprir trinta longos anos de reinado, trasladará
a sede do governo de Lavínio para dentro das muralhas de Alba Longa.
Ali já terá reinado trezentos anos a raça de Heitor,
até que uma real sacerdotisa, Ília (Réia Sílvia), grávida de Marte,
dê à luz dois gêmeos. Então Rômulo, ostentando orgulhoso a fulva
pele de loba nutriz, receberá o governo da nação, que, de seu nome,
se chamará romana, e erguerá as muralhas de Marte.
A esse povo não demarco limites de poder nem de duração:
concedi-lhe um império sem fim. Ainda mais: a implacável
Juno, que, no momento, persegue pelo terror mar, céus e terra,
mudará para melhor seus desígnios, protegerá comigo os romanos,
senhores do mundo, gente togada: assim me aprouve.
Virá, no decurso dos anos, uma época em que a casa de Assáraco (Ascânio)
reduzirá à escravidão Ftia e a famosa Micenas e dominará
Argos vencida. Nascerá César, rebento de bela estirpe troiana,
cujo império terá por limite o Oceano e cujo renome tocará as estrelas:
Júlio (certamente *Augusto*), este nome provém do grande Iulo.

De qualquer forma, Ascânio, "o filho de deuses e futuro pai de deuses", como lhe chama Apolo (*En.*, 9,642), bem como Lavínia (e é pelos dois que Enéias luta), aparecem na *Eneida* vagamente delineados, como se a criança e a mulher, exceto Dido, por outras razões, fossem algo sem importância nas gestas dos heróis. Luta-se por eles, mas não é necessário focalizá-los com nitidez.

AUCNO ou OCNO

Aucnus, *Aucno,* ou ***Ocnus***, *Ocno*. Trata-se da mesma personagem, mercê da evolução de *au>o*. Tal fato proporcionou não apenas uma duplicidade e variante no mito, mas uma identificação etimológica de *Ocnus* com o grego ὄκνος (óknos), cuja acepção primeira é "dúvida, timidez, medo" e, em sentido translato, "vagar, preguiça, indolência", donde Ocno é "o indolente", embora em Vergílio, segundo se mostrará, não apareça com esta conotação. Semelhante identificação acabou por transformar Ocno numa personagem alegórica, personificando a inércia e o sensualismo. Quando a *Aucnus*, Aucno, é aproximado por Carnoy, *DEMG.*, p. 30, citando a Hesíquio, do estrusco *aukelos*, "aurora", donde Aucno, "herói etrusco", significaria "o brilhante".

Filho do deus Fauno ou do deus-rio Tibre e da adivinha Manto, filha de Tirésias ou de Héracles, o herói é natural da Perúsia, cidade estrusca da Itália. A fim de não provocar os ciúmes do irmão Aulestes, que havia fundado a cidade, transpôs os Apeninos e ergueu Felsina, importante centro etrusco, depois denominada *Bononia*, atual Bolonha. Vergílio, *En.*, 10, 198-201, atribui a fundação de seu berço natal, "a etrusca Mântua", a Ocno, que deu à nova cidade o nome de sua própria mãe "Manto":

Ille etiam patriis agmen ciet Ocnus ab oris,
fatidicae Mantus et Tusci filius amnis,
qui muros matrisque dedit tibi, Mantua, nomen,
Mantua, diues auis, sed non genus omnibus unum.

Também Ocno (aliado de Enéias) traz das regiões pátrias
um esquadrão, aquele filho da profetisa Manto e do rio Tibre,
ele que te deu, Mântua, as muralhas e o nome de sua mãe:
Mântua, ilustre pelos antepassados, mas nem todos da mesma origem.

Na literatura, no mito e mesmo na arte latina, todavia, Ocno é, ao menos após Vergílio, apresentado não como um "herói etrusco", aliado de Enéias, mas como um *piger*, "um indolente", que vive trançando uma corda, que um burro devora, como diz Plínio, 35,2,40: *Et piger, qui appellatur Ocnus, spartum torquens, quod asellus arrodit* – E o indolente, que se chama Ocno, torce uma corda, que um burrinho masca.

Propércio em uma de suas *Elegias*, 4,3,21-22, em que Aretusa, lamentando a ausência de seu bem-amado Licotas, deseja que os arquitetos da guerra sofram o destino de Ocno, condenado a trançar uma corda, que é roída por um burro, repete o suplício do *piger Ocnus*:

Occidat, immerita qui carpsit ab arbore uallum
et struxit querulas rauca per ossa tubas,
dignior obliquo funem qui torqueat Ocno
aeternusque tuam pascat, aselle, famem!

Morra aquele que mutila a floresta inocente
para construir paliçadas e o que faz de ossos
roufenhos roucas trombetas, este, mais
que Ocno, seria digno de um trabalho oblíquo
e mereceria, ó burrinho, trançar a corda
e alimentar para sempre a tua fome!

Por esta passagem do poeta já se pode concluir que o antigo "herói etrusco" está na outra vida, condenado a um vão labor. E foi sob este prisma que a personagem se desenvolveu no mito.

Ocno teria chegado ao estado de indolência absoluta por desânimo. Era um homem honesto e laborioso, mas tudo quanto conseguia com seu penoso trabalho a mulher o consumia prodigamente. Desse modo passou ele a personificar a *inércia e o sensualismo*, como se mostrou e se comentou em *Mitologia Grega*, Vol. II, p. 244. No mito em geral, Ocno é apresentado *trançando* uma *corda* que um *burro* devora. No lindíssimo mitologema de *Eros* e *Psiquê*, de Lúcio Apuleio, igualmente analisado em *Mitologia Grega*, Vol. II, p. 209-251, o indolente e sensual camponês já está no Hades, onde arrasta, num vaivém ininterrupto, "num trabalho oblíquo", um burro que transporta *achas*, que vão caindo à medida em que o asno se movimenta. É inútil pegá-las (mas Ocno tem que fazê-lo), porque, quando o animal reinicia a caminhada, elas voltam a cair. O castigo do camponês, portanto, como o das Danaides, que tentam, no Hades, encher um barril sem fundo, é um eterno recomeçar. Ocno foi condenado a semelhante suplício por sua extrema preguiça e exasperada luxúria, uma vez que tanto o *trançar* como a *corda* e o *asno*, que a devora, são símbolos fálicos, mas inúteis e falhos, no caso em pauta: o burro é *estéril*, a acha *cai* e a corda é *roída*.

Johann Jakob Bachofen em *Versuch über die Gräber-symbolik der Alten* (Ensaio sobre o simbolismo dos túmulos na antiguidade), ao decodificar Ocno, limitou-se a fazê-lo em relação ao ato de *trançar* e a alguns outros pormenores, mas deixou de lado a presença tão importante do "burriqueiro coxo", como é chamado o sofredor no mito de Eros e Psiqué. O estudioso suíço apresenta duas personagens diferentes: a primeira é o penitente do Hades e a segunda, certamente por ter, após a reencarnação, se iniciado nos Mistérios de Elêusis, o Ocno redimido. Isto explica as duas gravuras principais, bem contrastantes, estampando o camponês no Columbário da Porta Latina, objeto do estudo de Bachofen.

AUGÚRIO

Augurium, *augúrio*, provém do verbo *augere*, "aumentar, fazer crescer, elevar em honra, glorificar", daí *augurium*, augúrio, cujo sentido inicial, segundo Magne, *DELL.*, p. 105, teria sido "acréscimo concedido pelos deuses a um empreendimento", donde presságio favorável. *Augeo* origina-se, mediante o sufixo verbal *-eo*, de um tema, *aug-*, presente no gótico *aukan*, aumentar; indo-iraniano *ója-*, força; sânscrito *ugrá-*, forte. A variante **weg-* da mesma raiz existe no sânscrito *va'ja*, força; gótico *wokrs*, produto, interesse; inglês *work*, alemão *Werk*, trabalho, obra. Raiz idêntica encontra-se no grego αὐξάνειν (auksánein), aumentar. Como termo religioso, *augere* surge numa prece registrada por Tito Lívio, *Ab Urb. cond.*, 29,27: *diui diuaeque, quae in meo imperio gesta sunt, ea bonis auctibus auxitis* – Ó deuses e deusas, quanto se fez no meu império aumentai-o com bons aumentos. Derivado ainda, entre muito outros, do verbo em pauta é o adjetivo *augustus, -a, -um*, "consagrado por áugures, iniciado com bons agouros", cujo masculino, a partir do ano 27 a.C., foi empregado para nomear o primeiro imperador romano *Augustus*, Augusto, "o consagrado, o sublime".

Augur, -uris, "áugure", plural *Augures*, "áugures", instituídos, segundo consta, pelo rei Numa Pompílio ou pelo próprio Rômulo, eram sacerdotes-magistrados e membros de um *collegium,* "colégio, corporação religiosa", cujo importantíssimo dever consistia em dar presságios, convertendo-se em verdadeiros intérpretes da vontade divina.

Para obter o agouro favorável ou desfavorável, consoante as disposições dos deuses, os áugures dividiam em duas partes iguais um espaço na terra, correspondente a outro imaginário na abóbada celeste: é o que, na linguagem augural, se denomina *templum*, "templo", espaço quadrado, delimitado no céu com a respectiva projeção na terra, donde o verbo *contemplari* ou *contemplare*, "contemplar, olhar atentamente para (o céu)". O espaço telúrico era cortado ao meio por uma linha, começando do oriente para o ocidente. Em seguida, cada uma dessas seções era dividida em duas outras partes iguais por uma segunda linha, partindo-se do norte para o sul e perpendicular à primeira. O áugure postava-se na interseção das duas linhas, voltando-se para o sul, de modo a ter o oriente à esquerda e o ocidente à direita, no denominado rito etrusco-romano. Se os sinais esperados viesem da esquerda (*sinistra*) para a direita (*dextera* ou *dextra*), bom agouro; se, ao contrário, eram sinistros, desfavoráveis. No rito grego, o sacerdote orientava-se pelo norte, tendo o oriente à direita, donde favorável era o que procedia da direita para a esquerda.

A princípio três, depois nove e por fim quinze, os áugures tinham por missão aplicar as tradições da ciência divinatória particularmente segundo alguns sinais e a observação do vôo das aves no interior do *templum*, demarcado no céu e na terra com a ajuda de um bastão recurvado, *lituus*, que se tornou a insígnia destes sacerdotes.

Como os "flâmines maiores" (v. Flâmine), os áugures, ao menos até a queda da realeza, séc. VI a.C., eram superiores aos pontífices. Formavam um autêntico e respeitabilíssimo "colégio de teólogos", encarregado de manter todas as normas relativas ao exame e interpretação dos sinais e manifestações naturais concernentes aos auspícios (v.).

A observação augural possuía um âmbito muito amplo e vital para a mentalidade romana. Analisava e interpretava *auspicia caelestia*, "manifestações celestes", sobretudo os raios e relâmpagos que iluminavam os céus de Roma e os meteoritos que lhe caíam no solo; *auspicia ex auibus,* "presságios provindos das aves", como o vôo, canto, gritos e movimentos das mesmas; *auspicia ex tripudiis*, "agouros emanados de certos movimentos das galinhas e frangos sagrados", quando comiam com tal avidez, que deixavam cair os grãos, segundo informa Cícero, *Diu.,* 2,72; *auspicia pedestria*, "predições de certos pedestres", a saber, comportamento e movimentações de quadrúpedes e répteis e, finalmente, *auspicia ex diris*, "auspícios de mau agouro", isto é, incidentes fortuitos ocorridos durante a auspicina.

A arte de interpretar sinais tão complexos, com o fito de verificar o desígnio dos deuses, gozou de excepcional importância, especialmente na capital do império. Nenhum ato público poderia realizar-se *nisi aues addixissent*, "a não ser com a anuência das aves". Assim, o colégio dos áugures adquiriu tão grande prestígio, que nada se resolvia em Roma, quer na paz, quer na guerra, sem consulta prévia a esses intérpretes da vontade dos imortais.

Diga-se, por fim, que as formas dissimiladas da época imperial, *agurium, agustus*, são respectivamente as fontes de "agoiro", com metátese do *i,* e, com alternância *-oi*>*-ou*, "agouro", e de "agosto", mês assim chamado em homenagem ao imperador Augusto. O verbo "inaugurar, iniciar com bons presságios" é mero latinismo.

AURORA

Aurora, *Aurora*. Os antigos latinos relacionavam *aurora* com *aurum*, "ouro", em razão do "colorido áureo" do céu que antecede o nascimento do sol. Varrão, *L.l.*, 7,83, é bem explícito a este respeito: *aurora dicitur ante solis ortum, ab eo quod ab igni solis tum aureo aer aurescit* – denomina-se aurora o momento que antecede o nascimento do sol, por isso que então o céu brilha com uma chama dourada. Na realidade, *aurora* provém da raiz **awes*, brilhar; o grego eólico tem a forma αὔ(σ)ως (aú(s)os), aurora, sânscrito *uṣáḥ* com o mesmo sentido; o latim poderia originar-se de uma base **ausos+a> aurora*; alemão *Ost*, leste, onde nasce a luz. Personificada, a deusa Aurora era adorada pela maioria dos povos indo-europeus.

Jovem esfusiantemente bela, de dedos cor-de-rosa e pálpebras de neve, estava encarregada de abrir todas as manhãs as portas do céu para o carro do Sol.

Os latinos não introduziram inovação alguma no mito grego de *Eos*, "Aurora", na língua de Vergílio. Ovídio nas *Metamorfoses*, 7,703sqq., relata a longa história de amor da deusa dedirróseo com Céfalo. Mas esta não foi a única afeição da anunciadora da luz do Sol. Aurora entregou-se a outros heróis, mas, por castigo de Vênus (v.) sempre foi uma frustrada e insatisfeita. É que tendo se enamorado de Marte, amante da mãe de Cupido (v.), esta jamais lhe perdoou a ofensa e fê-la apaixonar-se seguidamente por várias personagens, que jamais lhe satisfizeram o apetite erótico. Após Céfalo, ou mesmo antes deste, raptou o Gigante Oríon e o levou para a ilha de Delos. O parceiro infiel, todavia, foi morto por Ártemis, porque tentara violentar a virgem hiperbórea Ópis, que fazia parte do cortejo da deusa da caça. Arrebatou, por fim, o belo Titono e fugiu com ele para a Etiópia. Loucamente apaixonada pelo marido, suplicou a Júpiter que o tornasse imortal, mas se esqueceu de pedir o mesmo a juventude eterna. Desse modo, Titono envelheceu de tal maneira, que perdeu a aparência humana, transformando-se numa cigarra dessecada.

Os poetas retratavam Aurora coberta com um peplo de açafrão, levando em uma das mãos a urna com o rocio matinal e com a outra a tocha com que descerrava as pálpebras do dia.

Para o mito de *Eos* e seu desdobramento e simbologia, veja-se o *Dicionário Mítico-Etimológico da Mitologia Grega*, Vol. I (s.u Eos.)

AUSPÍCIO

Auspicium, *auspício,* é um composto de *auis*, "ave, pássaro". No umbro tem-se a forma correspondente *auif*= latim *auis* no acusativo plural; védico *váya-*; grego οἰωνός (oionós), grande ave, auspício; αἰετός (aietós), águia, ave por antonomásia; armênio *haw*, ave. O segundo elemento do composto origina-se do verbo *specere*, presente *specio*, "avistar, ver, olhar". Nos compostos aparece *spicio*, donde se pode deduzir um infinitivo **spicere*, com o mesmo sentido de "observar, olhar, ver". A *specio* corresponde a raiz *-spex*, usada como segundo elemento nos compostos conservados na linguagem religiosa, como *auspex, auspicis,* "áuspice"; *haruspex*, *haruspícis*, arúspece (v.). *Auspicium*, "auspício", é, por conseguinte, a observação do vôo, dos movimentos, canto ou modo de comer das aves e "áuspice" é o que examina o vôo, movimentos e canto das mesmas.

Augurium, "augúrio (v.)", como ensina Augusto Magne, *DELL.*, p. 106, é termo muito mais compreensivo que *auspicium*, "auspício", restrito à observação das aves. No entanto, a identidade fonética da sílaba inicial *au*, bem como o fato de o presságio mais simples de tomar e o mais difundido ser o vôo das aves, provocaram algumas confusões de significado, embora parciais, entre *augur, augurium* (áugure, augúrio), *auspex, auspicium* (áuspice, auspício). Observe-se, todavia, que jamais se deu a *auspex* o valor de *augur,* que era um sacerdote-magistrado, como se frisou, membro de um colégio, cujas funções, segundo se descreveu, obedeciam a determinados ritos, como "a construção do templo espacial e telúrico", bem assim a postura do consulente em provocar a manifestação do divino.

Acrescente-se ao que foi dito que *auspicium*, "auspício", pode referir-se tanto ao ato de tomar auspícios, como ao próprio "auspício", isto é, sinal positivo ou negativo pela observação do vôo das aves: se voassem da esquerda para a direita era índice de bom presságio, mas se da direita para a esquerda, o agouro era nefasto. Isto no rito etrusco-romano (v. Augúrio); no rito grego levava-se em consideração o oposto.

Na época de Cícero (séc. I a.C.) o auspício já não se praticava e é por isso que dali em diante, e talvez já anteriormente, o vocábulo se aplica a qualquer espécie de presságio, como atesta o mesmo Cícero, em *DIU.*, 2,43: *fulmen, quod optumum auspicium habemus, si sinistrum fuit* – o raio é um excelente presságio, se proveio da esquerda.

AVERNO

Auernus, *Averno*, segundo a etimologia popular, absurda por sinal, proviria do grego ἄορνος (áornos), isto é, ἀ- (a-), *não*, e ὀρν- (orn-), de ὄρνις (órnis), *ave*, quer dizer, *Averno* significaria o lago onde "não havia aves", por causa das exalações mefíticas de suas águas.

O poeta Tito Lucrécio Caro (provavelmente 99-55 a.C.) em seu grandioso poema *De rerum natura*, "Da natureza", 6, 740-741, repete a etimologia popular:

Principio, quod Auerna uocantur nomine, id ab re
impositum est, quia sunt auibus contraria cunctis.

– Em primeiro lugar, são eles (certos lagos) designados com o nome
de Avernos pelo fato de serem funestos a todas as aves.

A etimologia do vocábulo é desconhecida até o momento.

Histórica e geograficamente, *Auernus*, o Lago Averno, está situado perto de Nápoles, e o famoso antro da Sibila de Cumas foi escavado e identificado pelos arqueólogos nas margens do mesmo. Por suas "exalações mefíticas", Averno (ou no plural *Auerna, -orum*, Avernos) acabou sendo identificado com os próprios *Infernos* e o antro da Sibila como uma das entradas para o reino de Dite, o Plutão dos gregos. Vergílio, na *Eneida*, 6, 124-129, nos mostra o Averno como sinônimo perfeito do reino dos mortos:

Talibus orabat dictis arasque tenebat,
cum sic orsa loqui uates: Sate sanguine diuom,
Tros Anchisiade, facilis descensus Auerno:
noctes atque dies patet atri ianua Ditis;
sed reuocare gradum superasque euadere ad auras,
hoc opus, hic labor est.

– Com tais palavras suplicava Enéias e tocava os altares,
quando a profetisa começou a falar: troiano, filho de Anquises,
oriundo de sangue divino, é fácil a descida ao Averno,
a porta do negro Dite está aberta noite e dia, mas retornar
e sair para as auras superiores, eis a dificuldade, esta é a prova.

B

BACO E AS BACANAIS

Bacchus, *Baco*, é mera transliteração do grego Βάκχος (Bákkhos). Este, como o verbo grego correspondente βακχεύεσθαι (bakkheúesthai) e o latino *bacchari*, "estar fora de si", derivado de *Bacchus*, pode ser empregado, sobretudo na poesia, com a acepção passiva de "o que está agitado, em estado de embriaguez e exaltação, possuído do êxtase e do entusiasmo, do estro". Baco, segundo se mostrou no *DIMEG.*, Vol. I, p. 151, não possui etimologia definida: talvez se trate de um empréstimo ao trácio. Acrescente-se, além do mais, que *Bákkhos,* Baco, é epíteto "recente" de Διόνυσος (Diónysos), Dioniso, e aparece, na poesia, pela primeira vez em Sófocles, *Édipo Rei*, 211. No que tange a *Diónysos*, o latim também o transliterou em *Dionysus*, Dioniso, que já está abonado na engraçadíssima comédia *Stichus* (Éstico), 661, de Plauto.

No tocante ao mito, epítetos, "gestas" e atribuições do deus, bastaria repetir o que se disse a respeito de Apolo: tudo continua grego, apenas com alguns nomes latinos. Em Roma, aliás, diferentemente da Grécia, Baco não foi muito cultuado, convertendo-se mais num símbolo do próprio vinho e da inspiração poética, do "estro", provocado pelo néctar sagrado do deus. A respeito de Dioniso ou Baco, na Hélade, fizemos um longo estudo em *Mitologia Grega*, Vol. II, p. 113-140, e no *DIMEG.*, Vol. I, p. 285sqq.

No mito latino, o deus do vinho, do êxtase e do entusiasmo era filho de Júpiter e Sêmele. As desventuras da mãe de Baco, por desejar ver o amante divino sob forma epifânica, isto é, "tal como era", foram prolixamente narradas por Ovídio, *Met.*, 3,253-315.

O deus da Hélade, tão logo foi assimilado no sincretismo grego-romano, suplantou amplamente o *Liber* (v.) *Pater*, o Pai Liber dos latinos, assumindo-lhe as características de protetor das videiras e prodigalizador da vegetação.

Desde o segundo século a.C., os denominados *Mistérios Dionisíacos,* herdados da Grécia, mas reinterpretados de maneira pouco litúrgica por uma população rude e pragmatista, penetraram na Itália central e sobretudo meridional. As orgias báquicas, que visavam a liberar e transformar o homem, converteram-se com o nome de *Bacchanalia,* "Bacanais", em orgias sexuais, intemperança, depravação e até homicídios, segundo informa Tito Lívio, *Ab. Urb. cond.*, 39,9-18.

O culto dionisíaco, que atingira seu clímax no séc. V a.C., em Atenas, difundiu-se muito, a partir da época helenística, séc. IV a.C., no mundo mediterrâneo, atingindo todo o sul da Itália grecizada. Com a dominação romana da Magna Grécia – como era denominada a Itália meridional –, sobretudo após a queda do Tarento, em 273 a.C., as associações esotéricas dos *mŷstai,* dos iniciados dionisíacos, acantonaram-se particularmente na Campânia. Um certo adivinho e sacerdote grego desta última região teria propagado os mistérios báquicos na Etrúria, de onde atingiram Roma, conforme assegura o mesmo Tito Lívio: *Ex Etruria ea mali labes mox Romam penetrauit* – da Etrúria esse labéu ignóbil rapidamente penetrou em Roma.

As orgias báquicas celebravam-se à noite, num bosque consagrado a *Stimula,* Estímula, do verbo *stimulare,* "agrilhoar, picar, excitar, provocar a volúpia", como diz S. Agostinho, *DE Ciu. Dei,* 4,11,16, nome que parece ser um epíteto de Sêmele, mãe de Dioniso. A princípio, só respeitáveis matronas podiam participar das iniciações e "receber Baco", mas o cerimonial foi reformulado por *Ania Paculla,* Ânia Pacula, sacerdotisa da Campânia e, como Dioniso é um deus da "liberação", os homens foram admitidos às iniciações e as torpezas, de que tanto fala Tito Lívio, se generalizaram. *Bacchanalia uiuere,* "viver as Bacanais", como se verá numa citação de Juvenal, passou a ser sinônimo de levar uma vida depravada.

Um escândalo de caráter privado acabou revelando todas as abominações que envergonhavam o verdadeiro culto a Baco, muito mal compreendido e certamente por isso mesmo deturpado pelos romanos.

O jovem de família nobre, P. Ebúcio, órfão de pai, desde menino, passou a viver sob os cuidados de Durônia, sua mãe, e do padrasto, T. Semprônio Rútilo. Este, *alieni appetens,* "desejoso do alheio", para apossar-se da fortuna do enteado, herdeiro único dos bens paternos, planejou, com o respaldo da esposa, livrar-se do jovem ou submetê-lo inteiramente à sua vontade. Para tanto fez que Durônia convencesse o filho a iniciar-se nos mistérios báquicos. Ebúcio revelou a Híspala Fecênia, uma liberta a quem muito amava, os projetos maternos, arquitetados por Rútilo. Conhecedora de quanto se passava nos bosques de Estímula, Híspala alertou o namorado para os perigos a que estava sujeito. Assustado, Ebúcio denunciou a um dos cônsules do ano de 186 a.C., Espúrio Postúmio, não apenas o plano diabólico do padrasto, mas também os crimes e as torpezas que envolviam as iniciações noturnas de Baco. Postúmio e seu colega de magistratura, Quinto Márcio, após uma sigilosa investigação, concluíram que o fato era bem mais sério do que imaginavam, revelando o inquérito as proporções do culto e seu caráter orgiástico. Os prosélitos, talvez mais de sete mil, não só em Roma, mas em várias regiões da Itália do Sul, eram acusados de crimes diversos e de atos abomináveis: praticavam a pederastia, que os romanos, à época, consideravam uma infâmia; prestavam juramento de nada revelar; envolviam-se em orgias heterossexuais; planejavam extorsões e homicídios, a fim de conseguir a posse de bens e riquezas alheias e tinham por hábito dar "um fim horrível" àqueles que se recusassem a participar de seus crimes, extorsões e depravações. Todos os ritos eram celebrados no mais absoluto segredo. Tito Lívio, *op. cit.*, 39,13,12, acrescenta que os homens, como alucinados, agitando o corpo, proferiam palavras proféticas; as mulheres com os cabelos desgrenhados, à maneira das Bacantes, corriam até o rio Tibre, agitando tochas ardentes que mergulhavam nas águas e retiravam-nas em chamas, pois o enxofre vivo estava misturado com a cal.

As assustadoras conclusões da devassa foram comunicadas ao Senado, que tomou providências enérgicas, pois sempre temeu as associações secretas (v. Cibele), por escaparem ao controle do Estado. Os quatro chefes da seita, Marco e G. Atínio, L. Opitérnio, M. Casínio e mais de sete mil adeptos, de ambos os sexos, praticantes das orgias báquicas em toda a Itália, apesar de ferrenha oposição encontrada na Magna Grécia e sobretudo em Tarento, sofreram dois tipos de castigo: os que houvessem cometido algum crime foram condenados à morte e os demais metidos na prisão.

Abra-se um parêntese para se dizer que o romano sempre foi muito tolerante com a religião dos vencidos e, por isso mesmo, permitiu que deuses de todos os matizes penetrassem em Roma e em toda a Itália. Era, no entanto, prudente e cauteloso com associações secretas e oráculos, por temor de conspirações que pudessem ameaçar a segurança do Estado. Nos demais casos, possuía sempre um Pilatos para lavar as mãos em público...

A. Aymard e J. Auboyer, II, *Roma e seu Império*, tradução de Pedro Moacyr Campos, S. Paulo, Difusão Européia do Livro, 1956, p. 203, afirmam que, acerca do escândalo dos Bacanais, "muitos pontos obscuros subsistem ainda, apesar do esforço dos historiadores, mas cujas conexões não o impedem de continuar a ser, antes de tudo, uma questão religiosa". Estamos de acordo quando à primeira assertiva; no tocante à segunda, os historiadores das religiões acreditam tratar-se mais de um caso político. Talvez fosse mais exato dizer "de um problema político-religioso".

O Senado, todavia, não parou por aí: no mesmo ano de 186 a.C. promulgou o célebre *Senatus Consultum de Bacchanalibus*, "Decreto do Senado acerca das Bacanais". Diga-se, de saída, que este documento não chegou até nós, mais sim a "Carta" de Quinto Márcio e Espúrio Postúmio, cônsules em 186 a.C., aos habitantes dos territórios teuranos, de *Bruttium*, Brútio, região meridional da Itália, talvez localizada no golfo de Tarento, cidade esta que opôs feroz resistência ao processo das Bacanais, conforme já se observou. A missiva possuía, portanto, endereço certo. O texto gravado numa tábua de bronze chegou felizmente até nós. Foi descoberta em 1640, em *Bruttium*. Encontra-se, atualmente, no Museu de Viena.

Segundo Alfred Ernout, *Recueil de Textes Latins Archaïques*. Paris, Klincksieck, 1947, p. 60, a inscrição em pauta "tem a vantagem de ser datada e localizada, mas é mister lembrar que não se trata do texto original romano (provindo do Senado), mas da carta enviada pelos cônsules a respeito do *Decreto do Senado* e gravada nos domínios teuranos por alguém pouco instruído em latim. A incompetência do gravador, no entanto, observada na ortografia e nas lacunas por ele deixadas, é uma garantia de que o mesmo transcreveu com exatidão quase mecânica o exemplar que lhe foi enviado. Pode-se portanto julgar que a inscrição espelha o autêntico latim oficial de Roma no ano 568 de sua fundação", isto é, em 186 a.C.

O processo das Bacanais tem sido interpretado de maneira um tanto ou quanto exagerada. Tem-se generalizado muito acerca das medidas realmente drásticas tomadas pelas autoridades romanas. O texto da carta dos cônsules Quinto Márcio e Espúrio Postúmio, documento que revela com exatidão as providências e a decisão do Senado, não afirmam em momento algum que este haja proibido *in totum* "as iniciações báquicas". A ação enérgica dos Senadores consistiu em coibir os abusos, podando as Bacanais de seus excessos, disciplinando-as, regulamentando-as, reduzindo-lhes o número de participantes, reformulando-lhes o ritual. A. Aymard e J. Auboyer, *op. cit.*, p. 204sq., são bem claros a este respeito: "o Senado não ousou absolutamente interditar a prática dos ritos dionisíacos aos fiéis que pretextavam estar obrigados a esses ritos por um voto pessoal. Autorizou tais práticas a pequenos grupos, de dois homens e três mulheres, no máximo, sem organização nem juramento recíprocos, com obrigação de se darem a conhecer às autoridades e de obterem seu consentimento regular".

A real situação em que se encontra o latim (o grego está muito pior!) em nossas Universidades, mormente nas particulares, é lamentável. A língua de Cícero faz jus, nestas últimas, *a três ou seis longos meses de estudo!* Há, porém, os que ainda se interessam pela cultura clássica em suas diversas facetas. Em homenagem a estes heróis e, para que o verberte ficasse mais completo, resolvemos transcrever a missiva consular em sua forma original e apresentar uma tradução da mesma. Alfred Ernout, *op, cit.* p. 67sq., fez da *Carta* o que chamou *Traduction*. Não se trata de tradução para o francês, mas de uma transposição do texto original para um latim mais escorreito, mais "atual" e em que as abreviaturas aparecem em sua forma plena. Vale a pena ler os dois.

A tradução que estampamos é quanto possível literal, mas tivemos algumas dificuldades na interpretação de certas passagens, apesar da lima do Dr. Eduardo Nélson Corrêa de Azevedo.

[Q.] Marcius L. f., S. Postumius L. f. cos. senatum consoluerunt n. Octob. apud aedem / Duelonai. sc. arf. M. Claudi M. f., L. Valeri P. f., Q. Minuci C. f.

De Bacanalibus quei foideratei / esent, ita exdeicendum censuere:

"Neiquis eorum Bacanal habuise uelet. sei ques / esent, quei sibei deicerent necesus ese Bacanal habere, eeis utei ad pr. urbanum/ Roman uenirent, deque eeis rebus, ubei eorum uer [b]a audita esent, utei senatus / noster decerneret, dum ne minus senator[i]bus C adesent [quom e] a res cosoloretur. / Bacas uir nequis adiese uelet ceiuis Romanus neue nominus Latini neue socium / quisquam, nisei pr. urbanum adiesent, isque [d] e senatuos sententiad, dum ne / minus senatoribus C adesent quom ea res cosoleretur, iousiset. ce[n]suere./

Sacerdos ne quis uir eset. magister neque uir neque mulier quisquam eset, / neue pecuniam quisquam eorum comoine [mh] abuise ue [l] et, neue magistratum, / neue pro magistratu [d] neque uirum [neque mul] ierem quisquam fecise uelet, / neue post hac inter sed conioura [se neu] e comuouise neue conspodise, / neue conpromisise uelet, neue quisquam fidem inter sed dedise uelet. / sacra in oquoltod ne quisquam fecise uelet, neue in poplicod neue in / preivatod neue exstrad urbem sacra quisquam fecise uelet, nisei / pr. urbanum adieset, isque de senatuos sententiad, dum ne minus / senatoribus C adesent quom ea res cosoleretur, iousiset, censuere. /

Homines plous V oinuorsei uirei atque mulieres sacra ne quisquam / fecise uelet, neue inter ibei uirei plous duobus, mulieribus plous tribus / arfuise uelent, nisei de pr. urbani senatuosque sententiad, utei suprad / scriptum est.

Haice utei in couentionid exdeicatis ne minus trinum / noundinum, senatuosque sententiam, utei scientes esetis, eorum / setentia ita fuit : sei ques esent, quei aruorsum ead fecisent quam suprad / scriptum est, eeis rem caputalem faciendam censuere ; atque utei / hoce in tabolam ahenam inceideretis, ita senatus aiquom censuit, uteique eam figier ioubeatis, ubei facilumed gno scier potisit; atque/ utei ea Bacanalia, sei qua sunt, exstrad quam sei quid ibei sacri est, / ita utei suprad scriptum est, in diebus X quibus uobeis tabelai datai / erunt, faciatis utei dismota sient. In agro Teurano."

– Os cônsules Quinto Márcio, filho de Lúcio, e Espúrio Postúmio, filho de Lúcio, consultaram o Senado no dia 7 de outubro, no templo de Belona. Participaram da redação Marco Cláudio, filho de Marco, Lúcio Valério, filho de Públio, e Quinto Minúcio, filho de Caio.

Com respeito às orgias de Baco, fizeram aprovar-se a seguinte proclamação, a ser expedida a todos aqueles que estiverem ligados aos romanos por meio de tratados.

"A ninguém será permitido manter santuários de Baco. Aqueles que alegarem a necessidade de mantê-los deverão comparecer perante o pretor urbano em Roma; e o nosso Senado, depois de ouvi-los, decidirá sobre sua pretensão, desde que com a presença mínima de 100 senadores. A ninguém, seja ele cidadão romano, pessoa de nome latino ou aliado, será permitido comparecer às reuniões das bacantes, exceto se com a prévia anuência do pretor urbano, aprovada em resolução do Senado, também proferida com o *quorum* mínimo de 100 senadores." Resolução aprovada.

" Nenhum homem poderá ser sacerdote de Baco. Nenhum homem ou mulher poderá ser mestre gestor de finanças ou em tal qualidade instituir um fundo comum; nem será lícito a quem quer que seja investir a outrem – seja varão ou mulher – como mestre gestor, vice-mestre ou mestra, ou fazer juramentos, votos, promessas ou preitos de fé. Ninguém poderá promover cerimônias secretas, quer em função pública quer em caráter particular, nem realizar cerimônias fora dos limites da cidade, a não ser mediante prévio entendimento com o pretor urbano e autorização do Senado, tomada com o *quorum* não inferior a 100 senadores". Resolução aprovada.

"A ninguém, em grupo de mais de cinco pessoas, entre homens e mulheres, se permitirá promover cerimônias, e estas só poderão ser presenciadas por não mais de dois homens e três mulheres, desde que mediante anuência do pretor urbano e ouvido o Senado, conforme acima se especifica".

Devereis divulgar estas ordens em reuniões públicas por período não inferior a 27 dias, tendo-se presente a resolução do Senado, no sentido de que "quem infringir as disposições ora enumeradas deverá ser processado, ficando sujeito à pena capital. O Senado julgou ainda ser de toda conveniência que mandeis gravar esta proclamação em placa de bronze, a ser exposta onde melhor se possa ler; e que, decorridos dez dias do recebimento desta resolução, devereis fechar os santuários de Baco porventura existentes, conforme acima se expõe, exceto se envolverem algum aspecto sagrado". Nos domínios dos teuranos.

Pelo que se pode observar, a resolução do Senado, atestada na carta aos habitantes do *ager Teuranus* não suprime as *Bacanais*, mas coloca-as, se bem que reduzidas e desbastadas, sob a tutela do Estado. Para todas as proibições contidas no documento há sempre uma porta que se abre com uma "chave condicional" denominada *nisei, exstrad quam,* isto é, "desde que, a não ser que, exceto se", que se repetem cinco vezes no texto. Tudo é defeso, *a não ser que* o Senado o permita... Tem-se a impressão de que, temendo "religiosa e politicamente" a ira e a vingança do deus, os romanos, tão hábeis políticos quanto supersticiosos, fizeram com Baco um acordo de cavalheiros.

Plauto, *Aul.*, 408, e *Mil. Glor.*, 856 e 858, refere-se às Bacanais como tradução de baderna e bebedeira. Bem mais tarde, o satírico mordaz, Décimo Júnio Juvenal (cerca de 50-60 a 135-140 p.C.), inconformado com os τάφοι κεκονιαμένοι (táphoi kekoniaménoi), *sepulcra dealbata* (Mt 23,27), "os sepulcros caiados" de sua época, investiu contra aqueles que, fingindo-se proceder como os intocáveis Catões e Fúrios, *Bacchanalia uiuunt* (*Sat.*, 2,3), isto é, comportam-se como os antigos freqüentadores e iniciados nas orgias de Baco. Isto quer dizer que realmente as Bacanais, já envelhecidas, deixaram de existir, convertendo-se simplesmente em sinônimo de uma vida dissoluta? Absolutamente. Manifestações religiosas não se suprimem com decretos, a fio de espada e policialescamente.

Tornando-se impossível manter uma persistente vigilância sobre os adpetos das iniciações dionisíacas, o *Senatus Consultum de Bacchanalibus* aos poucos caiu em desuso e nos fins da República celebravam-se os mistérios báquicos em muitas casas de Pompéia e em várias outras regiões do Sul da Itália. Mais uma vez Baco e suas Bacantes vingavam-se dos Penteus, dessa feita, romanos.

BELONA

Bellōna, *Belona*, é um derivado de *bellum*, "guerra", vocábulo mais geral e expressivo que *proelium* e *pugna*, "batalha, luta", embora *bellum*, na poesia, ocorra com o sentido estrito de "luta, combate". É desconhecida a origem de *bellum*, cuja forma primitiva é *duellum*, como patenteia a locução *domi duellique*, "na paz e na guerra". Diga-se, de caminho, que o latim medieval adotou *duellum* com a acepção de combate singular, justa, donde o nosso "duelo", luta entre dois, para o que muito contribuiu a etimologia popular, que viu em *duellum* a coincidência formal com *duo*, "dois".

Duellōna ou Bellōna, *Belona*, é a deusa da guerra. Na *Eneida*, 8, 677-704, ao descrever a batalha de Ácio entre Otávio, o futuro Augusto, e Marco Antônio e Cleópatra, Vergílio retrata o primeiro como a civilização e os segundos como a barbárie. Transferindo a oposição para o mundo divino, o poeta de Mântua coteja os deuses teriomórficos egípcios com os já bastante antropomorfizados dos latinos:

> – Os monstruosos deuses do Nilo e o ladrador Anúbis
> lutam contra Netuno, Vênus e Minerva. No meio do combate,
> Mavorte, cinzelado em ferro, arde em cólera; as terríveis Fúrias descem
> do éter. A Discórdia, com o manto despedaçado, caminha
> jubilosa: segue-a *Belona*, armada com o açoite cruento.

Simples abstração, a princípio, a deusa da guerra acabou antropomorfizada, empunhando um açoite, lança ou tocha e, não raro, era apresentada com escudo e capacete. Irmã ou esposa de Marte (v.), cujo carro conduzia, foi, de certa forma, assimilada a Enio (v. *Dicionário Mítico-Etimológico,* Vol. I, s.u.), a terrível deusa pré-helênica, que fazia parte do sangrento cortejo de Ares.

Ao que parece, Belona é uma antiga divindade sabina que se chamava primitivamente Nério (v.), cujo culto teria sido introduzido em Roma pela *Gens Claudia*, isto é, pela Família dos Cláudios, de origem sabina, à qual pertencia *Nero*. Acrescente-se, de passagem, que o nome da deusa e do imperador provém da raiz indo-européia **ner*, "forte, viril".

Belona-Nério possuía um templo no Campo de Marte, onde os senadores aguardavam os generais vencedores de uma grande batalha ou guerra e recebiam embaixadores estrangeiros, cuja entrada no recinto da cidade de Roma era proibida. No templo da deusa se faziam igualmente as declarações de guerra.

Conquanto antigo e usual, o vocábulo *bellum* (exceto em formações eruditas como belicoso, belicosidade) não passou às línguas românicas, que o substituíram por um termo de origem germânica, a que se prendem o verbo alemão *wirren*, "confundir, enredar", e o substantivo inglês *war*, guerra. *REW*., 9524a, p. 796.

BIANOR

Bianor, Bianor, em grego Βιάνωρ, -ορος (Biánor, -oros), foi simplesmente transliterado em latim sob a forma *Bianor, -oris.* Trata-se de um composto de βία (bía), "força física, violência", e de ἀνήρ (anér), "homem viril, corajoso", donde significar o antropônimo "homem destemido, violento".

Há, no mito, duas personagens homônimas, mas inteiramente diferentes. Na Grécia, Bianor foi um Centauro, morto por Teseu com um tronco de carvalho, segundo Ovídio, *Met.*, 12,344-349. No mito latino, o herói aparece como filho do rio Tibre e da ninfa Manto. Teria sido ele o fundador de uma cidade a que deu o nome de Mântua, em homenagem à própria mãe, confundindo-se, destarte com Aucno (v.).

Vergílio, na *Écloga* 9,59-60, cuja paisagem ideal é mantuana, fala do sepulcro de Bianor:

Hinc adeo media est nobis uia; namque sepulcrum
incipit apparere Bianoris.

– Eis que já estamos a meio caminho,
começa a aparecer o sepulcro de Bianor.

BOA DEUSA

Bona Dea, *Boa Deusa. Bona,* é o feminino de *bonus*, cuja forma primeira é *duenos, duonus*, atestados na época arcaica, como no *Vaso de Duenos*. São obscuras, segundo Magne, *DELL.*, p. 254sq., as afinidades indo-européias. O que se pode tentar é a explicação do elemento radical **du-*. Levando-se, todavia, em consideração o fato de o comparativo *melior* estar correlacionado com o advérbio grego μάλα (mála), "muito", e o superlativo *optimus* com o latim *opes*, "posses", e atendendo-se ao aspecto de "utilidade, valor eficiente", que possui *bonus*, talvez se possa aproximá-lo do gótico *taujan*, "fazer"; *tewa*, "ordem"; do grego δύναμις (dýnamis), "força", e quiçá do védico *duna-*, "homenagem", em sentido religioso. De qualquer forma, a acepção primitiva de *bonus* avizinha-se à de "valente", como está atestada em Cícero, *Ad Fam.*, 11,9,1: *multae et bonae et firmae... legiones* – são muitas e não apenas valentes mas também poderosas as legiões. Só em sentido translato é que *bonus* passou a significar "bom". *Dea* é o feminino de *deus*, que provém foneticamente de *deiuos> *dei(u) os> deus,* tanto quanto *dea* se origina de *deiua> deua >dea*, com o significado respectivamente de "o céu luminoso", "a luminosa". Observe-se que *dea* é refeita sobre *deus*, porquanto a forma antiga e foneticamente correta é *diua*, mantida na poesia como substantivo ou como epíteto.

Boa Deusa é uma antiga divindade romana, cujo culto era celebrado exclusivamente por mulheres, sendo vetada com todo rigor a simples presença de homens. As cerimônias oficiais realizavam-se à noite, nos inícios de dezembro, na residência do primeiro magistrado de Roma, com a participação das Vestais, o que conferia à solenidade uma atmosfera de pureza.

A casa era decorada com flores e plantas, excluído o mirto, por motivos que logo se explicarão. O culto à Boa Deusa visava à fertilidade e adquiriu tão grande interesse e prestígio junto aos romanos, que se ergueu mais tarde um santuário a tão importante divindade no monte Aventino, onde, num bosque sagrado, lá existente, se celebravam anualmente os mistérios da *Bona Dea*. Este santuário transformou-se, *mutatis mutandis,* numa espécie de *telestérion* do templo de Deméter e Perséfone, em Elêusis, com a diferença de que no primeiro a presença e a participação dos homens eram expressamente proibidas.

O arrebatado e descomedido Hércules (v.), que jamais aceitou quaisquer imposições, impedido de assistir aos mistérios do Aventino, vingou-se, usando das mesmas armas: instituiu em sua própria honra, na *Ara Maxima*, no imenso altar, que lhe fora consagrado por Evandro (v.), entre os montes Palatino e Aventino, determinadas cerimônias secretas a que somente homens tinham acesso. Sexto Propércio, com algumas variantes, consagra quase toda uma *elegia* (4,9) a este acontecimento.

Na tentativa de explicar determinadas particularidades muito singulares de seu culto, os mitógrafos relatam que a Boa Deusa, na realidade, chamada Fauna (v.), era filha de Fauno, que, apaixonado por ela, tentou violentá-la. A jovem, modelo de castidade e pureza, mesmo embriagada, conseguiu fugir-lhe aos abraços. Furioso, o deus espancou-a até o sangue com varas de mirto, fato que impedia o uso deste arbusto no culto de *Bona Dea*. Por fim, transfomando-se em serpente, o libidinoso logrou unir-se à filha. Atesta uma variante que a deusa era esposa de Fauno: tratava-se de mulher virtuosa, casta e excelente dona-de-casa. Tendo, porém, certa feita, encontrado um jarro de vinho, bebeu até embriagar-se por completo. Indignado, o marido flagelou-a com varas de mirto, mas, com tal violência, que lhe provocou a morte. Envergonhado e cheio de remorsos pela brutalidade praticada, concedeu-lhe honras divinas.

No tocante à tão decantada pureza das cerimônias em honra da senhora do Aventino, nem sempre prevaleceu a pudicícia. Já no ano 62 a.C., em plena efervescência republicana, o dissoluto Públio Clódio Pulcro, disfarçado em mulher, penetrou na casa de César, então Pontífice Máximo, e onde se celebravam os mistérios da deusa. Certamente o caudilho não desejava assistir à cerimônia sagrada, mas assistir sobretudo a esposa do Pontífice. Foi um escândalo e, apesar de ser absolvido no processo por sacrilégio contra ele movido, o depravado Clódio se exilou e César se divorciou da esposa Pompéia.

À época imperial, os mistérios da *Bona Dea* converteram-se, ao que parece, em autênticas bacanais. Sob o pretexto de celebrar a protetora da fertilidade, mulheres romanas davam livre curso à sua desenfreada luxúria. Os bosques noturnos do Aventino transformaram-se em lupanar.

O satírico ferino, verdadeiro Catão da época imperial, Décimo Júnio Juvenal (cerca de 50-60 a 135-140 p.C.), descontados seus exageros retóricos, nos legou um quadro sórdido das depravações praticadas em sua época, nos mistérios da *Bona Dea*: (*Sat.*,6,314-334):

Nota bonae secreta deae, cum tibia lumbos
incitat et cornu pariter uinoque feruntur
attonitae crinemque rotant ululantque Priapi
maenades...

– É conhecido o que se passa nos mistérios da Boa Deusa,
quando a flauta acicata os rins e, sob o efeito da trombeta
e do vinho, as Mênades de Priapo, fora de si, sacodem a cabeleira
e vociferam...

Mais abaixo (6,327-334), o poeta acrescenta:

Tunc prurigo morae impatiens, tum femina simplex,
ac pariter toto repetitus clamor ab antro
"iam fas est, admitte uiros"! Si dormit adulter,
illa iubet sumpto iuuenem properare cuculo;
si nil est, seruis incurritur; apstuleris spem
seruorum, ueniet conductus aquarius; hic si
quaeritur et desunt homines, mora nulla per ipsam,
quo minus imposito clunem summittat asello.

– A excitação, porém, não admite delongas; é a fêmea na sua totalidade.
Um grito reboa e se prolonga pela gruta inteira:
"agora é permitido, deixai entrar os homens!"
Se o amante está dormindo, ordena-se-lhe tomar o manto
e vir imediatamente; se não existe amante, agarra-se aos escravos;
se não há esperança de escravos, virá, ajustado o preço,
o aguadeiro; se este não é encontrado e faltam homens,
não há por que retardar mais, ela se deixa possuir por um jumento.

Juvenal, todavia, como se fora "o grito extremo da alma itálica, ligado ao ideal da antiga sobriedade e honestidade", formula um voto nostálgico (6,335-336):

Atque utinam ritus ueteres et publica saltem
his intacta malis agerentur sacra!

– Oxalá os ritos antigos e o culto público
se celebrassem isentos, ao menos, de semelhantes infâmias!

BOM EVENTO

Bonus Euentus, *Bom Evento*. Para a etimologia de *bonus* v. Boa Deusa. *Euentus, Evento*, provém do verbo *euenire*, "vir de, sair", e, em sentido moral, "resultar", como define Cícero, ***Inu.***, 1,28,42: *euentus est alicuius exitus negotii* – *evento* é o desfecho de alguma coisa. *Euenire* é um composto de *uenire*, cujo *u* inicial tem por base um antigo g^w, osco *kumbened*, "foi conveniente", umbro *benust*, "terá vindo", grego βαίνω (baíno), "venho", e, com o tema completo *$*g^w en$-*, *$*g^w em$-*,

$*g^w a$-, tem-se o gótico *giman*, inglês antigo *cuman*, "vir", sânscrito *gácchati*, "ele vem". *Bom Evento* é, pois, a divindade que concede bom êxito em algum empreendimento. Antigo deus itálico, os camponeses invocavam-no como protetor das boas colheitas. Suas atribuições, em seguida, se ampliaram e Bom Evento passou a proteger todas as iniciativas, sem perder, no entanto, sua característica de deus que vela pelas plantações e prodigaliza fartas searas.

Como Triptólemo (v. *DIMEG.*, s.u.), instituidor da agricultura, o deus romano era representado como um jovem herói sobre um carro alado, conduzido por dragões. Segurava com a mão direita um cântaro e com a esquerda um feixe de espigas, ambos símbolos de fecundidade.

Bom Evento possuía um templo no Campo de Marte e uma estátua no Capitólio, ao lado da de *Bona Fortuna* (v. Fortuna).

BUBONA

Bubōna, *Bubona*, é um derivado de *bos, bouis*, masc. e fem., "boi, vaca". O cotejo com os nomes do "boi" em outras línguas indo-européias mostra que *bos* representa um antigo $*g^w ous$ que normalmente daria no latim de Roma **uōs*. O *b*- inicial, que pressupõe um tratamento dialetal $g^w > b$, é osco-umbro ou provém de outro falar rústico. O nominativo *bos* foi deduzido de um acusativo *bouem*, análogo ao umbro *bum=bouem*, que corresponde ao védico *gám*, antigo saxão *kō*, alemão *Kuh*, "vaca". De outro lado, a declinação jamais se fixou de maneira rigorosa: o dativo e o ablativo plurais podem ser *bobus* ou *bubus* e um nominativo *bouis*, deduzido do acusativo *bouem*, sempre existiu ao lado de *bos*. Os derivados são em *bou-* ou *bu* (*b*), como *boarius* em *Forum boarium*, feira de bois, *bubulcus*, boeiro, vaqueiro. O vocábulo indo-europeu correspondente a *bos* designava, a princípio, a espécie bovina, sem referência ao sexo. Assim, quando se queria demarcá-lo, usava-se, por vezes, um adjetivo feminino para "vaca" e o substantivo *mas*, "macho", para o "boi": *bos forda*, "vaca prenhe", como está em Varrão, *L.l.*, 6,15, *bos mas*, "boi (macho)". Como o gado se constituía principalmente de vacas, *bos* passou a significar "vaca", não apenas no germânico, como o já citado *Kuh*, inglês *cow*, mas também no irlandês *bó*, letão *gùovs*, armênio *kov*. Em latim, a importância tomada por *vacca*, "vaca", provocou uma evolução diferente nas línguas românicas, *DELL.*, p. 262sq. De qualquer forma *bos*, no latim clássico, podia designar a espécie, o "boi" e a "vaca", como está em Vergílio, *Buc.*, 1,9-10:

Ille meas errare boues, ut cernis, et ipsum
ludere quae uellem calamo permisit agresti.

– Ele (Augusto) permitiu que meu rebanho bovino pastasse
em liberdade, como vês, e que eu próprio modulasse, em tosca flauta,
a canção que me aprouvesse.

Bubona era uma divindade importante para os camponeses romanos, pois competia-lhe a guarda e a fertilidade do rebanho bovino, tanto quanto *Epona* (v.), Épona, protegia cavalos e burros.

BULA

Bulla, ***Bula*** (Bola). Embora não designe teônimo algum, o vocábulo em pauta é muito importante para a religião romana, merecendo, por isto mesmo, ser registrado no *Dicionário*. *Bulla* é "a bolha de ar que se forma na superfície da água"; por extensão, expressa qualquer objeto arredondado: bola, cabeça de prego, botão e, particularmente, "a *bula* ou pequena bola de ouro ou de couro" que os jovens romanos, de acordo com suas posses, traziam ao pescoço e cujo uso era, segundo se crê, de origem etrusca, Magne, *DELL.*, p. 302. Trata-se, etimologicamente, de palavra expressiva, que recorda termos indicativos de uma protuberância arredondada, como o grego βολβός (bolbós), "cebola", bulbo; lituano *bulbe*, "batata"; sânscrito *bulih*, "nádegas femininas ou vulva". Mais tarde passou a designar o selo arredondado que pende de documentos oficiais e, em seguida, o próprio documento, como "bula papal", bem assim "impresso que acompanha um medicamento com informações acerca de sua composição e posologia". Diga-se, de caminho, que, do verbo *bullare*, "ferver, encher-se de bolhas", derivado de *bulla*, nos vieram com o prefixo *re-* o verbo *rebolar, rebolear*, "fazer movimentos rotativos", e o deverbal *rebolo*, bem como de *bullire*, "ferver, estar em ebulição, mexer-se", temos "bolir, rebolir, reboliço".

A *bulla* que os meninos e meninas romanos traziam ao pescoço era confeccionada normalmente de duas chapas côncavas de ouro para os ricos e de couro para os pobres. Possuía, as mais das vezes, uma forma arredondada, mas é encontrada igualmente com feitio de coração e meia-lua. Os meninos usavam-na até mais ou menos 17 anos, quando atingiam a maioridade. Depositavam então diante do deus Lar (v.) de casa sua *bula* e a toga pretexta, que era substituída pela toga viril. As meninas retiravam-na tão-somente ao se casar. Podiam consagrá-la também, conforme se vê pelas inscrições, a outras divindades como, por exemplo, Juno, Hércules.

Se a *bulla* estava cheia de amuletos, é sinal de que funcionava como um apotropismo, vale dizer, conjurava muitos perigos, sobretudo o mau olhado. Não é em vão que ela poderia figurar também sobre a fronte de animais de estimação, segundo se documenta em Ovídio, *Met.*, 10,114sq.

Se, de outro lado, o jovem romano, ao despir a toga pretexta para vestir a viril, que o elevava de *puer*, "menino", à categoria de *adulescens*, "adolescente", retirava também a *bulla* e "recebia um nome", tudo leva a crer que este *nome*n, secreto até o momento, estava ciosamente guardado na *bulla*. O nome que se dava então em público era outro, de caráter gentílico, familiar, que lhe permitia inscrever-se em sua tribo e exercer os direitos de *ciuis*, de cidadão. O "nome secreto" e agora revelado ao "adolescente" continuará "secreto" para sempre na memória do novo *ciuis romanus*, do cidadão romano. Com a menina acontecia o mesmo, ao contrair núpcias.

O erudito Luís da Câmara Cascudo em *Anúbis e Outros Ensaios*, Rio de Janeiro, Achiamé, 1983, 2ª ed., p. 113sq., sem se aprofundar no assunto, faz alusão ao fato: "A nómina resulta da crença no poder do nome, o qual se traz escrito em uma bolsinha ao pescoço".

A respeito da importância, do poder e do tabu do *nome* fizemos uma longa explanação em *Mitologia Grega*, Vol. III, p. 31-33. Vale a pena, todavia, repetir um parágrafo do que se disse na obra citada, p.31-32: "O nome é a essência da coisa, do objeto denominado. Sua exclusão extingue a coisa. Nada pode existir sem nome, porque o nome é a forma e a substância vital. No plano utilitário as coisas só existem pelo nome (...) Conhecer o nome de alguém, usá-lo, é dispor da pessoa, participando-lhe da vida mais íntima".

C

CACA

Caca, *Caca*, para cuja etimologia v. Caco, era uma antiga deusa romana, certamente do fogo. Passava por ser irmã do monstruoso e facínora Caco, a quem traiu, revelando a Hércules o local exato onde o irmão escondera o rebanho furtado ao filho de Alcmena. Como recompensa, Caca foi honrada com um culto, ardendo em sua homenagem uma chama perpétua, como se fazia em relação a Vesta, com a qual, aliás, acabou por confundir-se.

CACO

Cacus, *Caco*. Julius Pokorny, *IEW.*, 522, julga que o antropônimo talvez se origine do indo-europeu **kak-*, "expelir, esguichar", e Stoltenberg, *Etrusk. Spr.*, 16, opina tratar-se de uma raiz etrusca *cac*, "inflamar". É bem possível que Caco, tido por filho de Vulcano, seja um antigo deus do fogo ou quiçá um simples *numen* (v.), um herói local de Roma, ligado ao mito de Hércules. Possuía, consoante os mitólogos, três cabeças e lançava chamas pelas três bocas.

O mito deste monstro, segundo uns herói, ou simples pastor, consoante outros, é bastante complexo, mercê das variantes que apresenta. Considerado como filho de Vulcano, Caco era um gigante que habitava uma gruta profunda no monte Aventino. Quando Hércules, vindo do Mediterrâneo ocidental, passou pelo Lácio com o rebanho de Gerião (v. *Mitologia Grega,* Vol. III, p.110sqq.), resolveu permanecer alguns dias na Itália. Fatigado por tão longa viagem, deixou os animais em liberdade a pastar no mesmo local onde se construiria mais tarde o *Forum Boarium* (Feira de bois) e foi repousar às margens do rio Tibre. Aproveitando-se do sono do herói, o gigante furtou-lhe quatro bois e quatro vacas.

Para despistar o itinerário seguido, Caco arrastou-os pela cauda, mas os animais começaram a mugir, provocando um grande tumulto no rebanho. Despertado e como fora de si, o que é próprio do herói, sobretudo em se tratando de Hércules, este rapidamente localizou a caverna do astuto e audacioso ladrão e, após uma luta violenta, o matou. Relatam outros que o roubo praticado pelo gigante fora denunciado ao herói pela irmã do larápio, Caca (v.). Segundo a versão vergiliana, Caco barricou a entrada da gruta com enormes rochedos, para impedir qualquer ação de Hércules, mas o filho de Alcmena escalou a colina sob a qual se localizava a caverna, abriu-lhe o teto, solidamente guarnecido de penhascos, e liquidou o monstruoso filho de Vulcano. Em reconhecimento por tão grande vitória, Hércules sacrificou solenemente um boi a seu pai, *Iuppiter Inuentor*, "Júpiter, o Descobridor".

O idoso Evandro, que reinava em Palanteu, cidade do monte Palatino, englobada posteriormente na Roma de Rômulo, consoante Vergílio, *En.*, 8,54, agradeceu efusivamente ao filho de Júpiter o ter libertado sua cidade de tão grande e violento gatuno, prognosticando-lhe a apoteose. Uma interpretação um pouco diferente assevera que Caco era um robusto pastor do monte Palatino. Como furtasse continuamente o rebanho do rei Evandro, este, ao saber da morte do bandido, mandou construir um altar dedicado a Hércules, em cuja honra fazia sacrifícios e celebrava festas anuais.

Um relato bem tardio do mitologema substitui o filho tricéfalo do deus do fogo romano por um salteador e malfeitor perigoso, chamado *Garanus*, Gárano, ou *Recaranus*, Recárano, que exerce, todavia, o mesmo papel que Caco.

Caio Júlio Solino, misto de geógrafo e historiador romano do séc. III p.C., introduz no mito uma variante curiosa: Caco teria sido um companheiro do rei Mársias, o qual o enviou da Frígia para invadir a Itália. Aconselhado por seu soberano a conquistar, para tão grande empresa, o apoio do rei etrusco Tárcon, este o encarcerou. Tendo conseguido libertar-se, regressou à Frígia e, em companhia de Mársias, ocupou a Campânia. Tendo por base estratégica a cidade de Vulturno, atacou uma colina de Roma, onde se estabelecera a colônia arcádia. Unindo-se a Tárcon, Hércules derrotou os invasores.

Também o historiador grego Diodoro Sículo, séc.I a.C., em sua *Biblioteca Histórica*, 4,21, lembra um certo Κακίος (Kakíos), em latim *Cacius*, Cácio, homem vigoroso e destemido, que viveu no monte Palatino e hospedou prazerosamente a Hércules, quando este passou pela Itália. O nome de *Cacius*, Cácio, foi dado a uma encosta do Palatino: são as denominadas *Scalae Caci*, "os Degraus de Cácio".

Vergílio, na *Eneida*, 8,190-267, narra a longa história de crimes e a morte horrível de Caco nos braços possantes de Hércules, que lhe fez saltar os olhos das órbitas e cerrou-lhe a garganta seca de sangue:

Hic Cacum in tenebris incendia uana uomentem
corripti in nodum complexus et angit inhaerens
elisos oculos et siccum sanguine guttur (*En.*, 8,259-261)

– Hércules, tendo cingido entre os braços, como se fora um nó,
a Caco, que inutilmente vomita chamas nas trevas,
apertando-o, faz-lhe saltar os olhos e secar nas fauces o sangue.

CAIETA

Caieta ou *Caiete, Caieta*, não possui, até o momento, etimologia definida. Carnoy, *DEMG.*, p. 36, aventa a hipótese (já que se trata do nome de uma personagem e de uma cidade do Lácio, num "promontório") de que talvez o antropônimo possua a mesma raiz que *cauus*, "cavado, côncavo, oco", e *cauerna*, "cavidade, abertura, fenda, caverna", grego καιετός (kaietós), "oco, côncavo", donde Caieta seria "a cidade das fendas, cavernas", fundada em honra da personagem Caieta, que ali fora sepultada. A hipótese de Carnoy é pouco provável.

Caieta foi a ama de Enéias ou de Ascânio ou ainda de Creúsa, esposa de Enéias e que pereceu no incêndio de Tróia. A velha e fiel ama acompanhou o herói troiano em demanda da Itália, mas faleceu na costa sul do Lácio, onde foi sepultada e ali mesmo, em sua honra, se fundou a cidade de Caieta. Vergílio, na *Eneida*, 7,1-4, celebra a fama da heroína que glorificou com seu sepulcro e seu nome as praias da Hespéria:

Tu quoque litoribus nostris, Aeneia nutrix,
aeternam moriens famam, Caieta, dedisti;
et nunc seruat honos sedem tuum ossaque nomen
Hesperia in magna, si qua est ea gloria, signant.

– Tu igualmente, Caieta, ama de Enéias, com tua morte
deste fama eterna às nossas praias, e ainda agora
a veneração devida à tua memória protege o lugar;
teu sepulcro, se isto é glória, assinala na grande Hésperia o teu nome.

Uma versão diferente conta que a cidade recebeu o nome de Caieta, porque, neste lugar, a velha ama salvou a frota do herói Enéias ameaçada por um incêndio.

Uma variante curiosa relata que o nome de Caieta estava relacionado com o de Eetes, pai de Medéia, o qual viera até a costa do Lácio à procura da filha, que fugiu da Cólquida em companhia de Jasão (v. *DIMEG.*, s.u. Argonautas). Neste caso o primeiro nome da cidade teria sido Eetes e só mais tarde Caieta.

CAMENAS

Camenae, *Camenas*. Os antigos relacionavam erradamente o termo com o neutro *carmen*, "fórmula ritmada, fórmula mágica, poema, canto", pelo fato, como se verá, da identificação das *Camenas* com as *Musas*. Diga-se logo que a etimologia de *Camenae* é discutida. Segundo alguns gramáticos latinos como Festo, 38 p. 145a; 59,5,s.u. *dusmo*, p. 177a, e Varrão, *L.l.*, 7,27, a forma primitiva teria sido *Casmenae*, o que, segundo Ernout-Meillet, *DIELL.*, p.90, deixaria inexplicável o *a* de *Camenae*. Há os que tentam explicar o vocábulo pelo grego siciliano Κασμέναι (Kasménai), que procederia de um primitivo *Καδμέναι (*Kadménai). Outros, por fim, julgam tratar-se de nome etrusco (o que é mais provável), como Macróbio, *Somnium Scipionis*, 2,3,4: *Etrusci Musas... Camenas... dixerunt* – os etruscos chamaram as *Musas* de *Camenas*.

As Camenas, tidas como inspiradoras dos poetas, eram ninfas das nascentes e das fontes – fonte do estro, que brota do inconsciente, "de baixo para cima". Possuíam, em Roma, um santuário num bosque sagrado, perto da *Porta Capena* (palavra etrusca), ao sul do monte Célio, não muito distante de outro santuário consagrado à também ninfa Egéria (v.).

Os primeiros poetas latinos, Lívio Andronico e Cneu Névio, identificaram as Camenas com as Musas, mas Quinto Ênio e seus sucessores preferiram o nome grego Μοῦσαι (Mûsai), em latim *Musae*, Musas. Lívio Andronico, com efeito, inicia sua Odisséia com o verso:

Virum mihi, Camena, insece uersutum

– Conta-me, Camena, o varão astuto.

Névio, em seu epitáfio, invoca as ninfas das nascentes e fontes:

Inmortalis mortalis si foret fas flere,
Flerent diuae Camenae Naeuium poetam.

– Se fosse lícito aos imortais chorar os mortais,
as divinas Camenas chorariam o poeta Névio.

Ênio aposentou por algum tempo as Camenas e inspirou-se nas Musas:

Musae, quae pedibus magnum pulsatis Olympum.

– Musas, que dançais no vasto Olimpo.

As Camenas, todavia, retornaram na época imperial, quando *Musa* se trivializou (*DELL.*, p.7).

CAMERTE

Camers, *-etis, Camerte*, segundo Carnoy, *DEMG.*, p. 36, talvez se pudesse explicar pela raiz **kam*, "curvar", relacionando-se, neste caso, com o latim *camurus*, "dobrado para dentro", que, possivelmente, se prende a *camera*, "câmara, teto arqueado". De qualquer forma se trataria de um derivado de palavra dialetal, uma vez que a legítima forma latina é *camera*, ao passo que *camurus*, *camerus* e *camer*, "arqueado, dobrado", são formas dialetais, *DELL.*, p.19. Camerte viria a ser, então, "o giboso, o corcunda".

Filho de Volcente, o mais rico dos habitantes da Ausônia, o mítico Camerte reinava na cidade de Amiclas, fundada pelos dórios e situada entre Caieta e Tarracina.

Amiclas era denominada "a silenciosa", porque nenhum de seus habitantes anunciou a chegada dos inimigos que viriam para invadi-la: tantos foram os falsos boatos a esse respeito, que as autoridades proibiram os cidadãos de falar sobre o assunto. Um dia o inimigo realmente chegou e, como ninguém ousasse mencioná-lo, a cidade foi tomada, como se expressa Lucílio: *scio Amyclas tacendo perisse*, – sei que Amiclas pereceu por ter-se calado. Relata-se que a cidade lacônia do Lácio desapareceu na época clássica, por causa de uma invasão de serpentes.

Vergílio, na *Eneida.*, 10,561-564, menciona Camerte, Volcente e a silenciosa Amiclas:

Protinus Antaeum et Lucam, prima agmina Turni,
persequitur fortemque Numam fuluomque Camertem,
magnanimo Volcente satum, ditissimus agri
qui fuit Ausonidum et tacitis regnauit Amyclis.

– Ato contínuo (Enéias) persegue a Anteu e Lucas, vanguardeiros
de Turno, e o forte Numa e o louro Camerte, filho
do denodado Volcente, que foi o mais rico do território dos ausônios
e que reinou na silenciosa Amiclas.

CÂMESES

Cameses, *Câmeses,* segundo Carnoy, *DEMG.*, p. 36, talvez proceda, como Camerte (v.), da raiz **kam*, "curvar", e significaria "o giboso, o corcunda".

Câmeses, segundo uma versão bastante obscura de Plutarco, *Questões Romanas*, 22, foi um antigo rei do Lácio, quando lá chegou o deus Jano (v.), exilado da Tessália. Câmeses não apenas acolheu cordialmente o deus, mas ainda dividiu com ele o poder. Morto Câmeses, Jano assumiu sozinho o trono do Lácio.

CAMILA

Camilla, *camila*, é o feminino de *camillus, camilo. Camillus*, camilo, é definido pelo gramático Festo, 38,8, p. 145a, como *proprie appellatur puer ingenuus*, quer dizer, "camilo é a denominação própria de um menino de condição livre, bem-nascido", donde *camillus,* já abonado na literatura desde Marco Pacúvio (cerca de 220-130 a.C.), e *camilla* designavam, entre os romanos, meninos e meninas de famílias nobres, os quais serviam nos sacrifícios e, as mais das vezes, acompanhavam respectivamente o *flamen dialis* e a *flaminica dialis*, ou seja, o sacerdote e a sacerdotisa de Júpiter. Do ponto de vista etimológico, Varrão, *L.l.*, 7,34, afirma que *camillus* está relacionado com o grego κασμῖλος (kasmîlos), de καδμῖλος (kadmîlos), que era, nos mistérios da Samotrácia, *quidam administer diis magnis*, "uma espécie de auxiliar dos grandes deuses", e correspondia aos jovens que serviam nas cabírias, isto é, nas solenidades dos Cabiros (v. *DIMEG.*, s.u.), em Tebas. Consoante Sérvio, *En.*, 11,588, a palavra existia em etrusco para onde teria vindo do Oriente. Com a mesma evolução que se postula para *Cadmillus> Casmillus> *Cammillus> Camillus* se apresenta *Cadmilla> Casmilla> *Cammilla> Camilla*, observando-se que a evolução *cadcas-* é grega, mas poderá ser latina ou quiçá etrusca: a que se observa em *cas-> *camm-> cam-*. Em síntese, segundo o *DIELL.*, p. 90, o nome comum e, em seguida, próprio, *Camilla*, "Camila", mercê da acentuação breve da vogal inicial e das variações de forma, certamente possui origem etrusca, com o sentido de "menina de nascimento livre e nobre".

O mito de Camila é, indubitavelmente, uma ampliação rica e poética de Vergílio, que deve ter tido como fonte de inspiração não apenas contos folclóricos latinos, mas também o mitologema de Harpálice (v. *DIMEG.*, s.u.).

Era filha do rei dos volscos, Métabo (v.), de origem etrusca e residente em Priverno. Com a morte da esposa Casmila, o soberano, arrogante e repressor, foi banido por uma revolta de seus súditos e fugiu, levando consigo a recém-nascida Camila. Perseguido por seus próprios soldados, viu-se repentinamente retido pelas águas caudalosas do riacho Amaseno. Para salvar a filha, amarrou-a a uma grande lança, a única arma com que escapara, e lançou-a à outra margem, prometendo à deusa Diana consagrar-lhe a filha, se esta escapasse ilesa. Atravessou, em seguida, a nado o ribeiro e reencontrou a menina sã e salva. Embrenhou-se com ela nos bosques vizinhos, ensinando-lhe, mais tarde, a caçar, a lutar e defender-se. Camila, apesar de muito bela, converteu-se, na solidão, numa jovem guerreira, selvagem e aguerrida, como se fora uma Amazona. Tal comportamento, aliás, não provoca surpresa alguma, em se tratando de uma donzela consagrada a Diana (v.).

Vergílio, na *Eneida*, 11,535-594, relata amplamente o mito de Camila e seu destino fatal na luta cruenta entre os rútulos de Turno e os troianos de Enéias. Com efeito, a filha de Métabo, com o respaldo de sua protetora, a irascível Diana, tornara-se uma guerreira tão valorosa, que os volscos fizeram da jovem querida da deusa dos bosques a sua rainha. Foi com o título de soberana dos volscos que Camila se aliou a Turno e passou a comandar-lhe a cavalaria na guerra contra os invasores troianos (*En.*, 11,498-521). Turno admirava-lhe tanto a fidelidade e o destemor, que a chamou de "honra da Itália" (*En.*, 11,508-510):

O decus Italiae uirgo, quas dicere grates
quasue referre parem? Sed nunc, est omnia quando
iste animus supra, mecum partire laborem.

– Ó virgem, honra da Itália, que agradecimentos,
que prêmios te poderia conceder? Mas, neste momento,
já que teu ânimo é sobranceiro a todos os perigos,
divide comigo o trabalho.

Camila era realmente a honra e a glória da Itália: com as armas que lhe dera sua protetora divina brilha qual nova Mirina (v. *Mitologia Grega*, Vol. I, p.327-328) entre suas companheiras e os heróis latinos na luta contra Enéias (*En.*, 11,648-652):

At medias inter caedes exsultat Amazon
unum exserta latus pugnae, pharetrata Camilla,
et nunc lenta manu spargens hastilia denset
nunc ualidam dextra rapit indefessa bipennem;
aureus ex umero sonat arcus et arma Dianae.

– Mas, no meio da carnificina, campeia ufana a amazona
Camila, armada de aljava, com um seio nu para o combate,
ora arremessando uma saraivada de flexíveis setas,
ora vibra com a infatigável destra a vigorosa machadinha:
reboam-lhe ao ombro o arco de ouro e as armas de Diana.

Após muitas gestas gloriosas, a rainha dos volscos, assim quis o destino, é mortalmente ferida pelo etrusco Arrunte. A heroína "cai desmaiada: fecham-se-lhe os olhos frios para a morte" (*En.*, 11,818-819).

A deusa Diana, todavia, que conhecia por antecipação o triste desfecho que o fado reservara à sua protegida, já enviara a ninfa Ópis com uma flecha fatal, que liquidou o fugitivo Arrunte (*En.*, 11, 858-867).

A morte da grande heroína, "honra da Itália", prenuncia a derrota de Turno e a posse de Lavínia (v.) pelo troiano Enéias.

CANENTE

Canens, *-entis*, *Canente*, é uma forma personificada do particípio presente do verbo *canere*, "cantar", donde Canente é "a que canta, a canora, a melodiosa". Em umbro aparece, com a mesma raiz, *kanetu=canito*, imperativo, "canta"; irlandês *canim*, "eu canto", *cechan*, "eu cantei". Fora do ítalo-céltico, só existem formas nominais como o alemão *Hahn,* "galo"; grego ἠϊ–κανός (eï-kanós), literalmente "que canta cedo, galo", além do verbo καναχεῖν (kanakheîn), "fazer ruído, ressoar". Ao grupo pertence ainda o latim *carmen*, que está por **can-men*, "fórmula ritmada, fórmula mágica", daí "canto, poesia". *Canere* é termo da língua augural e mágica, cujas fórmulas são melopéias postas em ritmo, como *uati-cinium*, "predição", oráculo, vaticínio (em forma de verso), *incantatio, incantamentum*, "encantação, encatamento". A raiz do verbo em pauta, na forma *-cen*, *-cinis*, constitui o segundo elemento de compostos nominais a que correspondem, entre outros, abstratos em *-cinium*, tais como *tibicen*, "tocador de flauta", *tubĭcen*, "tocador de trombeta", o já citado *uaticinium,* "vaticínio", *tirocinium*, termo da gíria militar e que significa literalmente "toque ou sinal para recrutas", *DELL.*, p. 47-48.

O mito de amor e de infortúnio de Canente, de sua louca paixão pelo rei Pico, que também a amava profundamente, é relatado de maneira encantadora e dramática por Ovídio, *Met.*, 14,320-434. Canente era uma ninfa do Lácio e personifica o *canto*, conforme se mostrou acima. De esfusiante beleza, era cantora de extrema versatilidade, capaz de nivelar-se a Orfeu (*Met.*, 14,337-340):

Rara quidem facie, sed rarior arte canendi,
Unde Canens dicta est; siluas et saxa mouere
Et mulcere feras et flumina longa morari
Ore suo uolucresque uagas retinere solebat.

– Era de rara beleza, mas de uma habilidade ainda mais singular
na arte de cantar, donde seu nome de Canente.
Com sua voz era capaz de pôr em movimento árvores e rochedos,
açaimar os animais selvagens, sofrear os rios em seus
longos cursos e imobilizar os pássaros errantes.

Tão logo entrou na puberdade, foi assediada por um enxame de pretendentes, mas, desde menina, seu coração batia no mesmo ritmo que o do jovem rei Pico, belo como Páris e correto como Heitor. Foi um casamento com as bênçãos de Vênus e a anuência de Juno.

Certa feita, porém, no decurso de uma caçada ao javali nas campinas e bosques de Laurento, Circe que colhia ervas para suas bruxarias, viu o príncipe, e, de imediato, apaixonou-se por ele (*Met.*, 14,350-351):

Obstipuit; cecidere manu, quas legerat, herbae
Flammaque per totas uisa est errare medullas.

– (Circe) ficou paralisada: caíram-lhe das mãos as ervas que colhera
e pareceu-lhe que uma chama lhe percorria todas as entranhas.

Para separar o jovem rei da comitiva, a maga transformou-o em javali, com fito de logo depois, uma vez sozinho, reintegrá-lo em sua forma de o mais belo herói da Itália. Livre do séquito real, Circe metamorfoseou-o novamente em homem e declarou-lhe franca, mas humildemente, seu amor irresistível, implorando-lhe que a aceitasse por mulher. Pico, irritado e saudoso da única mulher que realmente amava, respondeu-lhe com altivez (*Met.*, 14,378-381).

Et: quaecumque es, ait, non sum tuus; altera captum
Me tenet et teneat per longum, comprecor, aeuum.
Nec Venere externa socialia foedera laedam,
Dum mihi Ianigenam seruabunt fata Canentem.

– Quem quer que sejas, disse ele, não sou teu; uma outra
me cativou e peço aos deuses que me cative por longos anos.
Não profanarei com um amor ilícito a fidelidade conjugal,
enquanto o destino me preservar Canente, filha de Jano.

E mais uma vez, como Ulisses, o rei do Lácio preferiu o amor de uma simples mortal à enfadonha imortalidade do desamor.

Repelida por um mortal, a imortal Circe, a bruxa transformadora, sentiu-se profundamente humilhada e metamorfoseou o rei em picanço, a ave profética (v. Pico).

A desventurada e inconsolável Canente, filha do deus Jano e da ninfa Venília (v.), como se fora uma Mênade, errou durante seis dias e seis noites em busca de seu grande amor. Sem comer e sem beber, caiu exausta às margens do rio Tibre e com voz débil cantou, como o cisne, sua última canção. Era de amor (*Met.*, 14,430):

Carmina iam moriens canit exequialia cygnus

– Morrendo, entoou uma canção como o canto fúnebre do cisne.

A dor devorou-lhe as entranhas e seu corpo, a pouco e pouco, foi se dissolvendo e se dissipou no ar como uma fumaça leve e fugaz. Também por amor se chega aos astros!

As Camenas (v.), em memória da filha de Venília, denominaram Canente o local onde a heroína se deixou consumir de amor.

CÁPIS

Capys, *Cápis*, consoante Ernout-Meillet, *DIELL.*, p.99, provavelmente, como já acentuava Sérvio, *En.*, 10, 145, é o nome etrusco do "falcão", que designaria também, como o latim *falco*, *-onis*, falcão, "os homens que possuem os dedos do pé recurvos". S. Isidoro, *Or.*, 12,7,57, dá-lhe o mesmo significado, mas atribui o vocábulo não à língua etrusca, mas à *Itala lingua*, à língua itálica, possivelmente em virtude de confusão com *capus* ou *capo*, *-onis*, "galo castrado, capão". Walde-Hofmann, *LEW.*, I, p. 164, admitem a possibilidade de parentesco do estrusco **kap-* com o indo-europeu **gap-*, "agarrar", de que procederia o verbo *capere*: a palavra significaria, pois, "o que agarra, o que empolga", sendo evolução semântica posterior o significado de "quem tem dedos recurvos". Os já citados Ernout-Meillet, *DIELL.*, p.99, no entanto, julgam que *Capys* é simplesmente uma helenização de *Capus*, epônimo da cidade de *Capua*, como *Mantus* o é de *Mantua*. De qualquer forma, ao menos em etimologia popular, Cápis é "o que prende, agarra como o falcão".

Na *Ilíada*, XX, 239, Κάπυς (Kápys), Cápis, tem por pai a Assáraco. Tendo-se casado com Temiste, o filho de Assáraco foi pai de Ilo e Anquises, donde avô de Enéias. Variantes posteriores, todavia, atribuem ao filho de Anquises um companheiro com o nome de Cápis, o qual teria fundado, na Campânia, a cidade de Cápua, como atesta Vergílio na *Eneida*, 10, 143-145:

Adfuit et Mnestheus, quem pulsi pristina Turni
aggere moerorum sublimem gloria tollit
et Capys: hinc nomen Campanae ducitur urbi.

– Estavam presentes não apenas Mnesteu a quem ilustrara
glória sublime por ter, na véspera, expulso Turno do recinto
dos muros, mas também Cápis, que deu nome a uma cidade da Campânia.

Outras versões afiançam que Cápua foi fundada por um dos filhos de Enéias, Romo, que deu à cidade o nome de seu bisavô Cápis, que teria fundado, quando de sua viagem para a Itália, a cidade de Cáfias, na Arcádia. Afirma-se ainda que Cápua não teria sido obra do troiano Cápis, mas de um samnita homônimo.

Cápua é certamente um termo etrusco, ligado talvez, por etimologia popular, ao nome do falcão.

CARMENTA

Carmenta, *Carmenta*, ou *Carmentis* (*Verg.*, *En.*, 8, 336), *Carmenta* talvez possua origem etrusca, mas foi muito cedo relacionada pela etimologia popular com *carmen*, "fórmula ritmada, fórmula mágica e oracular, daí canto, poesia" (v. Canente).

No mito latino Carmenta é a mãe do rei grego Evandro (v.), que, expulso da Arcádia, buscou asilo no Ocidente, trazendo a rainha em sua companhia. Segundo algumas versões mais antigas, a velha soberana era uma ninfa, filha do deus-rio Ládon e chamava-se, na Grécia, Nicóstrata, Têmis ou ainda Timandra ou Telpusa (*En.*, 8, 333-336). Em Roma recebeu o epíteto de Tibúrtis, que faz lembrar a denominação do rio Tibre, fixando-se-lhe depois, em definitivo, o nome de Carmenta, graças a seus dons divinatórios, uma vez que a etimologia popular a faz provir de *Carens mente*, referência ao transe das pitonisas antes de proferirem seus oráculos, ou de *carmen*, alusão ao canto ou fórmula mágica. Foi, aliás, mercê de seus dons proféticos, que a "pítia da Arcádia" escolheu, no monte Palatino, "o local feliz", onde Evandro fundou a cidade de Palanteu, antes do soerguimento de Roma por Rômulo, como atesta Vergílio na *Eneida,* 8,51-54:

Arcades his oris, genus a Pallante profectum,
qui regem Euandrum comites, qui signa secuti
delegere locum et posuere in montibus urbem
Pallantis proaui de nomine Pallanteum.

– Os árcades, descendentes de Palante, tendo acompanhado
o rei Evandro e a seus estandartes, escolheram nestas regiões
um local e fundaram nos montes uma cidade e do nome
de seu antepassado Palante chamaram-na Palanteu.

Quando Hércules, procendente do Mediterrâneo ocidental, passou pelo Lácio com o rebanho de Gerião (v. Caco), Carmenta profetizou-lhe quanto o aguardava ainda em sua longa iniciação. Falecida aos cento e dez anos, foi sepultada pelo filho no sopé do monte Palatino, não muito distante da Porta Carmental, assim denominada em memória da inspirada do deus Apolo.

Relata uma variante que a pitonisa da Arcádia não era a mãe, mas esposa de Evandro. Tendo se recusado a comparecer ao sacrifício que Hércules ofereceu a seu pai Júpiter, quando da inauguração da *Ara Maxima* (Altar Máximo), o herói, irritado, proibiu que doravante mulheres participassem de seu culto (v. Boa Deusa).

Elevada mais tarde à categoria de deusa, *Arcadia dea*, deusa da Arcádia (*Ov.*, *Fast.*, 1,462), era honrada como profetisa no monte Palatino, estendendo sua ação benéfica como divindade das fontes e dos nascimentos. Em honra da nova deusa celebravam-se as *Carmentalia*, as festas Carmentálias, no dia 11 de janeiro (Varr. *L.l.*, 6, 3, 54). Curioso é que *Carmenta*, enquanto pressagiadora e protetora dos nascimentos, se duplicou nas *Carmentes*, as duas "Carmentes", isto é, *Prorsa* (*Prosa, Porrima* ou *Anteuorta*) e *Postuersa*, quer dizer, "que vai em linha reta, que nasce pela cabeça" e que "que nasce ao contrário, pelos pés", segundo atesta Varrão, em Aulo Gélio, 16,16: *Arae statutae sunt Romae duabus Carmentibus, quarum una Postuerta nominata est, Prosa altera, a recti peruersique partus et potestate et nomine* – Erigiram-se em Roma altares às duas Carmentes: uma delas se chamou *Postuerta*; a outra *Prosa*, epítetos oriundos não apenas da cincunstância, mas também do nome do parto normal ou anormal. Invocava-se uma ou outra de acordo com as necessidades. A festa das duas Carmentes comemorava-se no dia 15 de janeiro (*Ov. Fast.*, 1, 617).

Diga-se, de passagem, que do nome da deusa protetora "dos partos normais", *Prorsa* ou *Prosa*, nos veio *prosa*, "escrita em linha reta", diferente de *uersus, verso*, escrita que "vai e volta, quebrada, tortuosa", diferença que já era bem observada pelos escritores pós-clássicos, como Quintiliano e Apuleio, *Flor.*, 18, p. 32, 1: *Ac iam et prorsa et uorsa facundia ueneratus sum* – E com eloqüência já supliquei em prosa e verso.

CARNA

Carna, *Carna,* segundo A. Magne, *DELL.*, p. 146, proviria de *caro*, *carnis*, "pedaço, porção de carne, carne", e o teônimo significaria "a divindade protetora dos órgãos do corpo", como está em Ovídio, *Fast.*, 6, 101sq. Ernout-Meillet, todavia, em edição mais recente do *DIELL.*, p. 101sq., opinam que se trata possivelmente de palavra etrusca e que a relação etimológica com *cardo*, *-inis*, "gonzo, coiceira, dobradiça", é devida, talvez, à etimologia popular. De qualquer forma, uma das funções principais da deusa era afastar todos os malefícios, quando se abriam as portas das casas, donde "a protetora dos gonzos". A forma *Cardea*, que aparece em S. Agostinho, *Ciu. Dei*, 4, 8; Tertuliano, *Idol.*, 15, deve ser resultante de analogia com *cardo*.

Carna era uma ninfa que vivia num bosque sagrado, *Lucus Helerni*, Bosque de Helerno, às margens do rio Tibre, no mesmo local onde se ergueria a futura Roma (Ov. *Fast.*, 6, 105). Até a época do imperador Augusto ainda se faziam sacrifícios à ninfa "Crana", como lhe chama Ovídio (*Fast.*, 6, 107). Virgem, como a jovem Camila, dedicou-se à caça nos bosques e montanhas. Assediada constantemente por inúmeros pretendentes, atraía-os para os altos montes e desaparecia instantaneamente, tornando-se inútil procurá-la. Um dia, porém, em que a deusa procurava esconder-se, Jano a viu, e, de imediato, se apaixonou por ela. A ninfa usou da mesma tática que empregava com seus admiradores, mas o deus, possuidor de duas faces contrapostas, facilmente a descobriu escondida atrás de um rochedo. Prendeu-a em seus braços e a violentou. Para compensá-la, concedeu-lhe poder ilimitado sobre os gonzos das portas de todas as casas romanas. Como insígnia de tão grande autoridade entregou-lhe um florido espinheiro branco, que possuía a faculdade mágica de afastar das portas, ao serem abertas, todos os malefícios.

Carna possuía outra missão muito importante: afugentar dos berços das crianças os vampiros que vinham sugar-lhes o sangue, quando deixadas sozinhas. Ovídio, *Fastos*, 6, 107sqq., relata qua a ninfa salvou com seus sortilégios a um filho do rei Procas, quando os vampiros já haviam se precipitado sobre o corpo do pequenino herdeiro do trono de Alba Longa.

No dia 1 de junho celebravam-se em Roma festas em honra de Carna: durante a solenidade só se podiam comer trutas e favas.

CASAMENTO

O casamento, na antiga família indo-européia, era uma união sagrada, através da qual se estruturava a sociedade. Por ser um rito de caráter religioso (e até nossos dias), vamos primeiro pesquisar-lhe a terminologia e a funcionalidade e, em seguida, faremos uma síntese do casamento romano.

Consoante Émile Benveniste, *VOI*, 1, p. 239, não existe, *stricto sensu*, um termo indo-europeu que designe *casamento*. Em relação à língua grega, como assinala o grande filólogo, Aristóteles, *Política*, 1, 3, 2, é taxativo: ἀνώνυμος ἡ γυναικὸς καὶ ἀνδρὸς σύζευξις (anónymos he guynaikòs kaì andròs sýdzeuksis) – a união do homem e da mulher não possui nome. Com efeito, continua Benveniste, as expressões hodiernas para *casamento* são criações recentes e secundárias, como o francês *mariage*, o alemão *Ehe*, o russo *brak*. Nas línguas indo-européias, num estágio mais antigo, os elementos são mais precisos, embora diversificados, pois atestam uma nomenclatura diferente e lingüisticamente independente em cada língua, não apenas do ponto de vista do léxico, mas também da morfologia. Esses dados se alteram, além do mais, quando se trata do homem ou da mulher: para aquele os termos são verbais, para esta, nominais.

Para dizer que o homem se casa, o indo-europeu emprega a raiz **wedh*, "conduzir", e mais especificamente "conduzir a mulher para casa", como evidenciam, por exemplo, o céltico *dy-weddio*, casar; lituano *vedù, vèsti*, casar, conduzir; avéstico *vadayeiti*, ele conduz, ele se casa; grego ἕδνα (hédna), à letra, "presentes do noivo ao pai da noiva, a fim de levá-la para casa" e depois "presentes de casamento". E mesmo quando as línguas indo-européias substituíram a noção de *conduzir*, o novo verbo manteve o valor de "levar a mulher para casa, desposá-la", como o latim *ducere*, na expressão *uxorem ducere*, "conduzir a mulher, casar-se com ela", e o grego γαμεῖν (gameîn), cujo sentido na voz ativa é igualmente "levar a mulher, casar-se", e, na voz média, com referência à mulher, "é dar-se em casamento", como aparece em época tardia com o denominativo γαμίζειν (gamídzein), cujo sentido exato é "dar a filha em casamento", como está em Lucas, 17, 27.

De outro lado, como o casamento era "uma função do homem", o grego e o latim enfatizam o papel do pai da noiva e, na falta deste, o do irmão: o pai é o senhor da família e, portanto, o detentor do poder de *dar* a filha em casamento, como aparece, no séc. V a.C., nas *Leis de Gortina*, próspera cidade da ilha de Creta: πατρὸς δόντος ἕ ἀδελπιõ (patròs dóntos è adelpiõ) – dando-a (a filha) o pai ou o irmão. *Dar*, em grego δοῦναι (dûnai), latim *dare*, eslavo *ostudati*, sânscrito *prada-*, é o verbo apropriado para ritual tão solene. A constância de expressão idêntica permite detectar hábitos herdados de um passado comum e de uma estrutura familiar análoga em que "o homem *conduzia* para sua casa a jovem que lhe fora *dada* pelo pai da mesma".

Se, ao revés, se pesquisarem termos relativos ao *casamento,* do ponto de vista da mulher, não se encontrará verbo que o expresse. É possível citar-se (e apenas no latim) o verbo *nubere*, mas este significa, ao que parece, etimologicamente, "cobrir-se com um véu", rito que faz parte da cerimônia nupcial, mas não exprime a idéia de casamento em si, como atesta a expressão *nubere marito*, "cobrir-se com um véu com vistas ao marido". Observe-se, de caminho, que *nubere*, no latim clássico, se constrói com dativo: "cobrir-se com um véu para outrem". Uma passagem de Plauto, na *Aulularia*, 478-491, é bem elucidativa a respeito da dicotomia semântica *ducere uxorem* e *nubere.*

MEGADORUS (Megadoro):

Nam meo quidem animo si idem faciant ceteri
Opulentiores pauperiorum filias
Ut indotatas ducant uxores domum...
Namque hoc qui dicat: "Quo illae nubent diuites
Dotatae, si istud ius pauperibus ponitur?"
Quo lubeant nubant, dum dos ne fiat comes.

– Pois, segundo minha opinião, se os outros ricos fizessem o mesmo,
a saber, se se casassem (= conduzissem para casa como esposas),
embora sem dote, as filhas dos mais pobres...
Alguém, no entanto, poderia dizer: com quem se casariam
as ricas, que possuem dote, se se estabelece este direito para os pobres?
Quem se casem com quem o desejarem, desde que o dote não as acompanhe.

Está bem claro no texto a oposição *ducere uxorem domum*, "conduzir a mulher para casa", casar, e *nubere*, "cobrir-se com um véu para outrem", e, só *lato sensu*, casar-se. Diga-se, além do mais, que *nubere* é verbo poético, empregado usualmente no particípio *nupta*, "dada em casamento pelo pai", e na locução *nuptum dare,* "dar a filha em casamento", quer dizer, empregam-se as formas verbais que colocam a mulher como *objeto* e não como *sujeito*. Não se pode, ainda segundo Benveniste, usar o verbo *maritare,* "dar em casamento", para a função desempenhada pela mulher no casamento: é que *maritare* na voz ativa significa "unir, entrelaçar" e como verbo intransitivo aplica-se mais ao homem do que à mulher. A ausência de um verbo próprio deixa claro que a mulher *não se casa*, mas é *casada*. A noiva não realiza um ato, ela muda de condição.

O vocábulo latino *matrimonium* (que não é analógico de *patrimonium*, pois este possui sentido muito diferente) patenteia um ângulo assaz importante da antiga estrutura da família indo-européia, que o latim, conservador por excelência, manteve com o sentido pleno: para o pai, *dare filiam in matrimonium*, dar a filha em casamento; para o noivo, *alicuius filiam ducere in matrimonium*, conduzir a filha de alguém para se unir a ela; para a jovem, *ire in matrimonium*, ir para unir-se ao marido. À letra, *matrimonium* significa "condição legal de *mater*, de mãe", donde *matrimonium* especifica a nova condição a que ascende a mulher: a de *mater familias*, a de mãe de família. Daí se pode concluir que o casamento traduz para a mulher não um ato, mas uma destinação: ela é dada e conduzida com vistas ao *matrimonium, in matrimonium*, isto é, para ser mãe de família.

Dada esta idéia geral da terminologia e do destino da mulher no casamento, far-se-á uma pequena explanação do "rito matrimonial" em Roma.

Existiam dois tipos de casamento no tradicionalista mundo romano: *Confarreatio* e *Coemptio*. *Confarreatio* é formado de *cum*, com, em conjunto, e o neutro *far, farris*, frumento, trigo candial, donde *farreum* (subentendido *libum*) era "um bolo de farinha", usado nos sacrifícios e sobretudo por ocasião do casamento, oportunidade em que era oferecido "um bolo" perante o Pontífice Máximo e o Flâmine de Júpiter, que presidiam à cerimônia. Por extensão, *confarreatio*, confarreação, passou a ser a forma solene, "religiosa" do casamento em Roma. *Far, farris*, corresponde exatamente e com o mesmo sentido de "trigo candial", ao osco e falisco *far* e umbro *far*. No antigo islandês a forma é *barr*, cereais, inglês antigo *bere*, cevada (cf. *beer*, cerveja, cuja essência é a cevada fermentada), russo *bórošno*, farinha de centeio. Gaio, *Inst.*, 1, 112, define com precisão *confarreatio*, casamento: *farreo in manum conueniunt* [uxores] *per quoddam genus sacrificii quod Iovi Farreo fit; in quo farreus panis adhibetur, unde etiam confarreatio dicitur* – as mulheres ficam sob o poder legal (do marido) através de um bolo, por meio de uma certa espécie de sacrifício que se oferece a Júpiter Fárreo, no qual se usa um pão de farinha, donde o nome de *confarreatio*. Deduz-se daí que o *bolo* era religiosamente tão importante nesse tipo de casamento, que acabou por designá-lo. O cristianismo herdou dos antigos romanos o *bolo nupcial*, mas sem a sacralidade primitiva, talvez esquecida ou perdida na noite dos tempos.

O casamento por *confarreatio*, de caráter religioso, durava um dia inteiro. A noiva, a *filia familias*, a filha de família, legitimamente constituída, logo pela manhã, despia a toga pretexta (toga branca com larga banda de púrpura) e cobria-se com a *tunica recta* (túnica reta). Após tirar do pescoço a "bula" (v.) e tomar conhecimento de seu nome secreto, oferecia aos deuses Lares (v.) todos os seus pertences e tudo quanto lhe divertira a infância. A cerimônia, que se iniciava na casa paterna, era presidida pelo *Pontifex Maximus* (Pontífice Máximo) ou pelo *Flamen Dialis* (Flâmine de Júpiter). Consultados os auspícios (v.), para saber se o dia era *fas*, isto é, propício, e se os deuses eram favoráveis à união, o sacerdote entrava no *Lararium*, Larário, compartimento onde ficavam os deuses Lares. Seguiam-no os nubentes, seus pais e dez testemunhas. Após o sacrifício de uma ovelha, o celebrante colocava a mão direita da noiva na mão direita do noivo, *dextras iungunt*, apertam a mão direita, e declara-os unidos em bens e culto. Em seguida, se oferece a Juno, deusa protetora dos amores legítimos e, portanto, do matrimônio, uma libação de vinho misturado com mel e leite e a Júpiter, protetor da cidade, se ofertava, por intermédio da noiva, "o bolo de farinha de trigo", *farreum libum*, que era consumido pelos noivos e por todos os presentes. Também os deuses da fecundidade, como *Tellus*, *Ceres*, Terra, Ceres, eram invocados. Os cumprimentos resumiam-se romanamente num *feliciter*, sejam felizes. Seguia-se um banquete, *cena*, oferecido pelo pai da nova esposa.

Ao cair da tarde, afinal o casamento é também um rito de morte, se inicia a segunda parte das cerimônias: *deductio in domum mariti*, ação de conduzir a mulher para a casa do marido. Antes de se iniciar o cortejo nupcial, havia uma simulação de rapto da esposa dos braços de sua mãe, fato que é detectado em quase todas as culturas primitivas, como se comentou em *Mitologia Grega*, Vol. I, p. 112-114, onde se enfatizou que "o rapto da esposa" é um rito iniciático. Organizada a solene procissão, a cuja frente iam flautistas e pessoas conduzindo tochas, todos se dirigiam para a casa do noivo. A jovem esposa, que tem a cabeça coberta "com um véu" – *nubere*, cobrir-se com um véu em função de alguém – caminha, segurando a mão direita do marido, enquanto a mãe da noiva segue atrás de ambos, pondo-lhes as mãos nos ombros, para aconchegá-los. Durante o percurso, ao grito de *o Talasi, Talasi, o Hymen Hymenaee*, ó Talásio, Talásio, ó Hímen, Himeneu – deuses protetores do casamento –, cantavam-se hinos "religiosos", cujo conteúdo só podiam refletir o amor, o prazer e a fertilidade, mas nada possuíam, para a época, de indecentes e obscenos, como querem alguns apressados. Veja-se a esse respeito o poema 61 de Catulo, que, embora imitado de Safo, é um cântico nupcial, que celebra exatamente a *deductio in domum mariti*, a procissão que conduz a jovem esposa até seu novo lar. Chegando o cortejo à casa do marido, este colocava-se à porta e perguntava à mulher: *Quem és tu*? Ela respondia: *Ubi tu Gaius, ego Gaia* – onde tu fores Gaio, eu serei Gaia, conforme se pode ver em Cícero, *Pro Murena*, 27. Em seguida era levantada para transpor o umbral sem tocar nele. O esposo a recebia, então, no *atrium*, átrio, onde lhe entregava água e fogo, símbolos da vida em comum e da comunhão de culto, além de um prato com algumas moedas de ouro, sinais de sua administração doméstica.

Após suplicar a proteção dos deuses para que seu casamento seja estável e fértil, a jovem prepara-se para tornar-se mulher. Deuses tipicamente romanos, os *indigetes*, como Virginiense, Súbigo, Prema e Pertunda, entre outros, estão presentes na alcova para ajudar o jovem na perigosa tarefa de defloramento. S. Agostinho, *De Ciuitate Dei*, 6, 9, 3, ironiza esta atitude pouco viril para um romano e critica sobretudo a presença de *Pertunda* (do verbo *pertundere*, varar de um lado a outro), acrescentando que é vergonhoso que *Pertunda* faça pelo marido o que ela significa etimologicamente, segundo se comentou amplamente em *Mitologia Grega*, Vol. 1, p. 308-310.

O casamento por *confarreatio* podia ser dissolvido por um ato contrário, a *diffarreatio*, a dissolução do casamento. Como a define P. Festo, 65,17: *diffarreatio genus erat sacrificii quo inter uirum et mulierem fiebat dissolutio. Dicta diffarreatio quia fiebat farreo libo adhibito* – a "difarreação" era um tipo de sacrifício através do qual se operava a dissolução do casamento entre um homem e uma mulher. Chamava-se "difarreação" porque se realizava com a oferenda de um bolo de farinha de trigo. O bolo, em tais circunstâncias, não era consumido, mas apenas partido para traduzir a ruptura do casamento. Este, em princípio, não se dissolvia a não ser por motivos relevantes, entres os quais o adultério do homem ou da mulher; o aborto provocado e a embriaguez por parte da esposa.

O segundo tipo de casamento denominava-se *Coemptio*, do verbo *coemere*, formado por *cum*, com, em conjunto, e *emere*, "tomar, comprar", donde, à letra, *coemptio*, significa "compra mútua, coempção", e depois simplesmente "compra". O verbo *emere* está representado no umbro sob as formas *emantur* (=accipiantur), "sejam tomados", *emps* (=emptus), "tomado, comprado"; no osco *pert* (=perimet), "destruirá". No irlandês há um correspondente exato *air-fo-emim*, "eu tomei", *DIELL.*, p. 195sq.

A *coemptio* corresponderia, *mutatis mutandis*, ao nosso casamento civil. Realizava-se com a presença do pretor, cinco testemunhas e "um avaliador", o *libripens*. Tratava-se, na realidade, de uma *mancipatio*, literalmente, "ação de tomar na mão a coisa de que a pessoa se torna proprietária", vale dizer, o casamento por *coemptio*, na "época histórica", era uma compra fictícia da mulher pelo homem. Assim, o pai ou tutor da jovem entregava-a ao noivo mediante o pagamento de alguns centavos. A *coemptio* deve ter sido instituída em época muito antiga em que não havia moeda, daí a presença do *libripens*, do avaliador. Em tempos primitivos o marido não recebia *dote*, mas realmente comprava a esposa com rebanhos e outros bens. A cerimônia era muito simples. Recebida a noiva, o marido perguntava-lhe: *an tu mihi mater familias esse uelis?* Queres, por ventura, ser minha mãe de família? *Uolo*, quero, respondia ela, e prosseguia interrogando por sua vez: *an tu mihi pater familias esse uelis?* Queres, por acaso, ser meu pai de família? *Uolo*, quero, respondia o jovem e, para indicar sua tomada de posse, separava ligeiramente o cabelo da mulher com a ponta de um dardo, que lhe passava seis vezes por cima da cabeça. Então alguns convidados aproximando-se, arrebatavam a mulher, para levá-la à casa do marido sem que os pés dela tocassem o umbral. Esta segunda forma de casamento não conferia à mulher o direito de cultuar os deuses Lares de seu esposo.

A dissolução do casamento na *coemptio*, exceto o ato de partir o bolo, que não existia nesta modalidade de casamento, seguia as mesmas normas da *confarreatio*, quer dizer, dissolvia-se o matrimônio por adultério, aborto provocado e embriaguez da consorte.

Os latinos, apesar dos pesares, tiveram muito mais consideração pela companheira do que os gregos. A mulher romana positivamente não era socialmente uma oprimida. O casal compartilhava o mesmo culto, a mesma mesa, a mesma habitação no átrio, onde recebia os hóspedes. A esposa possuía no lar os mesmos direitos que o marido e é este o sentido preciso de *onde tu fores Gaio, eu serei Gaia*, quer dizer: onde tu fores dono, eu serei senhora. Respeitada por todos, era verdadeiramente a *mater familias*. Ocupava-se da administração doméstica com as filhas e escravas e consagrava-se à educação dos filhos. Fazia visitas e acompanhava o marido nos jogos públicos e representações dramáticas.

Conquanto, em tese, não se dedicasse a atividades políticas, sua influência era tão sensível, que Catão, com bastante exagero, escreveu: "Por toda parte, os homens governam aos homens, mas a nós homens que governamos, são nossas mulheres que nos governam".

Quanto à estabilidade dos casamentos em Roma, devem-se levar em consideração épocas diferentes. A partir do séc. II a.C., por ocasião sobretudo das guerras civis, os divórcios se multiplicaram. É bastante mencionar que Pompeu se casou cinco vezes; César e Marco Antônio, quatro; Ovídio, três, mas houve quem se casasse até seis ou oito vezes.

CATETO

Cathetus, em grego Κάθητος (Káthetos), *Cateto*, é antropônimo sem etimologia conhecida até o momento.

É bem possível que Cateto seja um grego da Itália Meridional. Apaixonado por Sália, filha do rei etrusco Ânio, raptou-a e levou-a para Roma. O rei, tendo fracassado na tentativa de recuperar a filha e prender o criminoso, desesperado, lançou-se num riacho caudaloso, que, desde então, recebeu o nome de Ânio. Livre da perseguição do rei, Cateto se casou com Sália e foi pai de Latino e Sálio, epônimos respectivamente dos latinos e dos Sálios (v.), sacerdotes de Marte (v.). Anualmente os Sálios saíam em procissão até o monte Palatino, onde dançavam, cantando hinos de caráter mágico e litúrgico.

CATILO

Catillus, *Catilo*, é um diminutivo personificado de *catinus* ou *catinum*, "vaso de mesa, bacia, travessa, prato", donde *catillus* é "pratinho". Ignora-se a causa de o antropônimo ter recebido semelhante denominação. A etimologia de *catinus* ou *catinum* é desconhecida: talvez se trate de palavra estrangeira. O grego siciliano κάτινος (kátinos) é certamente um empréstimo feito ao latim. De outro lado, a aproximação com o grego κοτύλη (kotýle), "cavidade, escudela", é posta em dúvida, *DIELL.*, p. 105, *DELL.*, p. 206.

Catilo, segundo o mito, é o pai do fundador da cidade de Tíbur, vizinha de Roma. Herói grego, teria sido o piloto da nau de Evandro (v.), que, expulso da Arcádia, buscou asilo no Ocidente (v. Carmenta). Uma variante afirma ter sido ele um filho do grande herói e adivinho argivo Anfiarau, que, após a morte de seu pai Ecles (v. *DIMEG.*, s.u.), seguiu com o grupo de aventureiros para a Itália, onde Catilo se casou e foi pai de três filhos: Tiburto, fundador de Tíbur, e os gêmeos Catilo, o jovem, e Coras.

Vergílio, na *Eneida*, 7, 670-673, ao enumerar as tropas itálicas, que se uniram a Turno na luta contra Enéias, menciona os três filhos de Catilo:

Tum gemini fratres Triburtia moenia linquont,
fratris Tiburti dictam cognomine gentem,
Catillusque acerque Coras, argiua iuuentus,
et primam ante aciem densa inter tela feruntur.

– Igualmente deixam as mulharas de Tíbur,
cidade assim chamada com o cognome do irmão Tiburto,
os gêmeos Catilo e o impetuoso Coras, de origem argiva:
eles se colocam na primeira linha entre densas armas.

CÉCULO

Caeculus, *Céculo*. A etimologia do antropônimo é discutida. Augusto Magne, *DELL.*, p. 342 e cuja edição é de 1953, afirma categoricamente que o vocábulo é etrusco. Ernout-Meillet, no entanto, *DIELL.*, p. 82, na quarta edição, 1985, revisada por Jacques André, embora sem falar do nome próprio *Caeculus*, mas de **caeculus*, como está em Meyer-Lübke, *REW.*, 1460, faz este último derivar do adjetivo *caecus*, "cego". Se assim é, seria conveniente lembrar que *caecus*, em sentido objetivo, quer dizer "obscuro, invisível, em que não se vê", como *nox caeca,* "noite tenebrosa", *cubiculum caecum*, "cubículo em que não se vê", daí "secreto, sem saída". Na poesia emprega-se *caecus*, talvez por imitação do grego τυφλός (typhlós), "cego, desconhecido", com relação a sensações distintas das visuais, segundo consta na *En.*, 10,98: *caeca uolutant murmura*, "propagam murmúrios de origem desconhecida", *DELL.*, p. 342sq. Céculo significaria, pois, "o que possuía os olhos irritados pela fumaça do fogo junto ao qual fora encontrado", donde "o parcialmente cego".

Filho do deus do fogo Vulcano, Céculo é o herói fundador de Preneste. Segundo o mito, viviam na região montanhosa de Preneste dois irmãos, ambos pastores, chamados *Depidii*, Depídios. Possuíam eles uma irmã, que, estando certa feita, em pleno inverno, sentada junto à lareira, percebeu que uma fagulha lhe penetrara no seio, sem, no entanto, causar-lhe a menor queimadura. Foi algo suave e quente. A gravidez não demorou muito a manifestar-se. Decorrido o tempo normal da gestação, nasceu um menino, que a mãe expôs junto ao templo de Júpiter. Duas jovens mulheres, que haviam ido buscar água a uma fonte vizinha, encontraram o recém-nascido cercado por chamas. Recolheram-no e entragaram-no aos Depídios, que o criaram como irmão. Deram-lhe o nome de Céculo, porque, quando o receberam, o menino estava com os olhos irritados pela fumaça do fogo que o circundava quando foi descoberto.

Forte e destemido, como era de praxe no filho de um deus, o jovem vivia entre os pastores, praticando as rapinas habituais aos pegureiros. Uma vez homem feito, reuniu alguns companheiros e fundou Preneste, que, em seus primórdios, possuía poucos habitantes. Para a festa de inauguração da nova cidade convidou todos os vizinhos e, desejando persuadi-los a permanecer em Preneste, solicitou ao pai Vulcano um prodígio convincente. O deus cercou a multidão com chamas, que só se extinguiam a uma ordem de Céculo. Semelhante portento fez que acorresse para o novo centro urbano verdadeira multidão, que passou a habitar a cidade, colocando-se sob a proteção de Vulcano e de seu filho.

Vergílio, na *Eneida*, 7, 678-690, apresenta Céculo, que, igualmente sacudido pela Fúria Aleto, se alinhou com uma legião de camponeses ao lado de Turno contra Enéias:

Nec Praenestinae fundator defuit urbis,
Volcano genitum pecora inter agrestia regem
inuentumque focis omnis quem credidit aetas,
Caeculus. Hunc legio late comitatur agrestis (*En.*, 7, 678-681)

– Não faltou também o fundador da cidade de Preneste, Céculo,
rei, que todas as idades acreditaram ser filho de Vulcano,
gerado entre rebanhos silvestres e encontrado entre chamas.
Segue-o uma grande legião de campônios.

Diga-se, por fim, que a *Gens Caecilia*, a Família Cecília, se dizia ter por ancestral a Céculo.

CERES

Ceres, *Ceres,* procede certamente de raiz **ker-*, **kere-*, "crescer, dar crescimento a, alimentar", estando pois o teônimo ligado indiscutivelmente aos verbos *creare*, criar, e *crescere*, crescer. O osco tem a forma Kerrí=*Cereri*, para *Ceres*. A deusa Ceres indicava inicialmente "o crescimento" e, em seguida, "a que fazia crescer as messes", como diz o gramático Probo, comentando Vergílio, *Georg*., 1, 7: *Cererem a creando dictam,* "chama-se Ceres por seus préstimos em fazer crescer". A deusa latina muito cedo se confundiu, em alguns ângulos, com *Tellus* (*Mater*), (a Mãe) Terra, em cujo seio se depositam as sementes. Correspondente masculino de *Ceres* é *Cerus*, "Cero", chamado *Cerus duonus* ou *manus*, isto é, o *creator bonus*, "o que beneficia o crescimento", como está nos *Carmina Saliorum*, Cânticos Litúrgicos dos Sálios (v.), (Varrão, *L.l.*, 7, 26). A *Cerus,* que está para *Ceres* como *Tellurus*, "Teluro", está para *Tellus*, Terra (v.), corresponde o umbro *Çerfe*, *Serfe*. Bem mais tarde, a divindade latina foi, de certa forma, identificada com "a deusa grega da agricultura e dos mistérios", *Deméter*, Deméter, mas sem as conotações místicas desta última.

Deusa da vegetação, foi ela quem ensinou a todos os homens e, em particular, aos romanos, a técnica de arar a terra. Vergílio, nas *Geórgicas*, 1, 147-149, relembra esta dádiva da deusa benéfica.

Prima Ceres ferro mortalis uertere terram
instituit, cum iam glandes atque arbusta sacrae
deficerent siluae et uictum Dodona negaret.

– Foi Ceres quem primeiro ensinou aos mortais a arar
a terra com o ferro, quando já lhes faltavam as glandes e os medronhos
na floresta sagrada e Dodona (Júpiter) negava os alimentos.

Relata-se que, quando os etruscos, chefiados pelo rei Porsena, atacaram a recém-fundada república romana, uma grande fome ameaçou dizimar toda a população da futura capital do império. Em tão graves circunstâncias, consultaram-se os célebres Livros Sibilinos, vendidos ao rei Tarquínio pela Sibila de Cumas. Os "Livros" oraculares aconselharam que se introduzisse imediatamente em Roma o culto de Deméter, Perséfone e Dioniso. Em 496 a.C., as três divindades helênicas que, depois, por sincretismo, receberam respectivamente os nomes de Ceres, Líbera, Liber ou Baco (apesar de este último ser nome grego), começaram a ser cultuadas no Monte Aventino. Tácito, *Anal.*, 2, 49, informa que o templo da deusa das messes localizava-se perto do Circo Máximo.

Vamos seguir um pouco mais de perto "a história" da introdução do culto dessa divindade não apenas em Roma, mas igualmente na Itália e em algumas províncias do vasto império romano. A princípio, muito semelhante à deusa *Tellus*, (v. Terra), Ceres, com o tempo, se individualizou e foi cultuada não somente em Roma, mas em todo o Lácio e em outras regiões da Itália central. Sua figura e importância, todavia, na religião latina, só se projetaram, ao se injetarem em seu culto certas características da deusa grega Deméter. Tal fenômeno ocorreu, quando os gregos introduziram em suas colônias do Sul da Itália (Magna Graecia) a tríade Deméter, Core ou Perséfone e Dioniso, que, por efeito de sincrestismo, se nacionalizaram com os nomes latinos de *Ceres, Libera e Liber*. Em 496 a.C., como já se mencionou, o ditador Aulo Postúmio, para debelar a fome que ameaçava Roma, mandou consultar os Livros Sibilinos, que recomendaram não só a introdução na cidade do culto da tríade Ceres, Líbera e Liber ou Baco, mas também que se lhes erguesse um templo. Este foi construído em estilo grego e os objetos do culto e as sacerdotisas igualmente procediam das colônias da Itália meridional. Deuses com nomes romanos, mas rito e oficiantes helênicos! De qualquer forma, o sincretismo operado com Deméter fez de Ceres a deusa da vegetação por excelência e isto num país em que a agricultura era muito importante para o povo. A partir de então o culto da grande divindade romana estendeu-se pela Campânia, pela Sicília (aí em companhia de Baco) e chegou até as ricas províncias da África. Esta nova Ceres, o que não é de se admirar, rapidamente adquiriu outras atribuições: passou a ser também a protetora do casamento; era invocada nos funerais e acabou por tornar-se uma deusa dos mortos, que desciam para o *mundus Cereris,* "o mundo de Ceres". Afinal os mortos são sementes que se plantam no seio da terra...

Em honra da deusa da fertilidade celebravam-se em Roma, desde 202 a.C., os *Ludi Cereales* ou *Cerealia*, festas em homenagem a Ceres, cuja duração era de sete dias, isto é, de 12 a 19 de abril, e consistiam em caça à raposa e espetáculos no Circo. A partir de 191 a.C., se introduziu uma nova comemoração para honrar e agradecer a deusa: o *ieiunium Cereris*, "o jejum de Ceres", obrigatório, a princípio, de cinco em cinco anos, mas o imperador Augusto estabeleceu que o mesmo se fizesse anualmente, no dia 10 de outubro: "o jejum de Ceres" era rigoroso, com abstenção de alimentos e de vinho. Terência, *Eunuco*, 733, repete o provérbio: *Sine Cerere et Libero friget Venus* – Sem Ceres e Liber (isto é, sem pão e sem vinho), Vênus é fria. Plauto, igualmente, na *Aululária*, 354-355, faz alusão ao "jejum de Ceres":

STA. *Cererin, Strobile, has sunt facturi nuptias?*

STR. *Qui?*

STA. *Quia temeti nihil allatum intellego*

Estáfila – Eles vão celebrar as núpcias de Ceres, Estrobilo?

Estrobilo – Por quê?

Estáfila – Porque percebo que não trouxeram um gota de vinho.

A Ceres se ofereciam as primícias da colheita e a ela se sacrificavam bois e porcos.

O mito da deusa das messes, após o sincretismo greco-latino, continuou a ser o mesmo que se relatava na Hélade em relação a Deméter, abstração feita do forte conteúdo místico da senhora dos Mistérios de Elêusis (v. *DIMEG.*, p. 271sqq.).

CÉU

Caelus, *Céu*, é o masculino personificado ou divinizado do neutro *caelum*, céu, uma vez que o nome de uma divindade convém ao gênero animado. *Caelum* não possui correspondentes indo-europeus. Os antigos relacionavam-no em etimologia popular com o verbo *caedere*, "cortar", pelo fato de considerar-se o céu recortado em regiões percorridas pelos astros ou observadas pela ciência augural (v. Augúrio); compare-se *templum*, cujo sentido inicial é "espaço quadrado, delimitado pelo áugure no céu ou na terra, dentro do qual recolhia e interpretava presságios", *DELL.*, p. 35sq. Talvez *caelum* esteja por **caid-(s) lom* e provenha de uma raiz **(s)qait*, **sqaid*, "claro, brilhante", de que procede o alemão *heiter*, "brilhante", donde *Caelus*, Céu, seria "o claro, o iluminado, o brilhante".

Caelus, o deus Céu, que está no masculino para indicar, como se falou, a personificação de uma divindade, é mera tradução semântica do nome do deus grego do céu Οὐρανός (Uranós), Úrano (v. *DIMEG.*, s.u.), "o que fecunda a terra".

Caelus, Céu, designa o firmamento por oposição a *Tellus*, Terra, segundo comenta Varrão, *L.l.*, 5, 16: *loca naturae secundum antiquam diuisionem prima duo, terra et caelum* – os espaços naturais, consoante a antiga divisão, eram, de início, dois, o céu e a terra.

CIBELE

Cybele, *Cibele* (deveria ser *Cíbele*, mas o uso consagrou a primeira forma) é transliteração do grego Κυβέλη (Kybéle). O empréstimo grego Κυβέλη (Kybéle), segundo Carnoy, *DEMG.*, p. 103, proviria de seu homônimo κυβέλη (kybéle) que significaria *gruta*, já que a deusa na Frígia era cultuada nas montanhas e grutas. Chantraine, *DELG.*, p. 594, sem falar em etimologia, afirma apenas que Cibele é uma deusa provinda da Anatólia e que existe uma segunda forma, Κυβήβη (Kybébe), que faz lembrar a deusa oriental *Kubaba*, com a qual Cibele acabou por confundir-se sob muitos aspectos.

Esta importante divindade, muitas vezes cognominada Mãe dos Deuses, é, na realidade, uma Grande Mãe oriental, que domina a natureza inteira, cuja força da vegetação é por ela personificada. Senhora das montanhas e das grutas na Ásia Menor, seu culto se expandiu por todo o mundo grego, a partir do séc. VI a.C. Na Hélade, todavia, certamente por influência de Deméter, "a veneranda", que fazia germinar os grãos de trigo nos Mistérios de Elêusis, a deusa oriental teve pouca influência no mito, exceto quando conjugada a Agdístis e Átis, surgindo este último como seu amante ou companheiro (v. *DIMEG.*, s.u. Agdístis e Átis).

Se na Grécia, por conseguinte, a Grande Mãe da Anatólia não teve a projeção que se era de esperar, seu triunfo se consolidou no Ocidente com a veneração que se lhe prestou no mundo romano. Foi durante a segunda Guerra Púnica, que, por um decreto do Senado, os romanos mandaram buscar, entre 205-204 a.C., em Pessinunte, cidade da Frígia, a *pedra negra* que simbolizava a deusa, construindo-lhe um templo no Palatino. Seu culto orgiástico sobreviveu até uma época tardia do Império Romano.

Identificada com a *Lua*, seus sacerdotes chamados Coribantes, Curetes ou Galos (v. estes nomes no *DIMEG.*) e muitos de seus adoradores, durante os solenes festejos da *Magna Mater* ou *Bona Mater*, Grande Mãe ou Boa Mãe, como era denominada em Roma, se emasculavam e, cobrindo-se com indumentária feminina, passavam a servir à deusa-lua Cibele. O caráter orgiástico do culto da *Bona Dea* e a presença de sacerdotes eunucos, no entanto, ofendiam gravemente a austeridade romana. O Senado, por isso mesmo, sempre vigilante em matéria de ritos orgiásticos, carreados por divindades estrangeiras (v. Baco), regulamentou cuidadosamente as manifestações cultuais em honra de Cibele. Todos os sacrifícios foram confinados no interior do templo da deusa, no Palatino, exceto a procissão anual que conduzia a "Pedra Negra" para o banho catártico. Nenhum cidadão romano podia sacrificar a *Magna Mater* segundo o rito anatólio da emasculação. O pessoal foi limitado a um sacerdote, uma sacerdotisa e os assistentes destes, mas nenhum romano e nem seus escravos podiam exercer estas funções. O culto romano a Cibele era controlado pelo pretor urbano. É bem verdade que, em 204 a.C., o Senado deu permissão para que se organizassem as "confrarias de Cibele", mas estas congregavam apenas membros da aristrocacia e sua função restringia-se a banquetes em honra da deusa oriental.

Iconograficamente, suas representações mais antigas foram pedras. Mais tarde a deusa foi esculpida e aparece sentada num carro puxado por leões, em que haviam sido transformados Hipômenes e Atalante, por se terem unido amorosamente num templo de Zeus. Na mão esquerda segura um tímpano e, algumas vezes, o corno da abundância ou um cetro. Tem a cabeça normalmente coroada de torres, de uma estrela de sete pontas ou de um crescente lunar.

De um ponto de vista simbólico, segundo o *DIS.*, p. 330, Cibele configura *a energia latente no seio da terra*: ela é a fonte primordial e ctônia de toda a fecundidade. Seu carro, arrastado por leões, denota que ela governa, comanda e dirige as forças vitais. A cabeça coroada traduz seu poder sobre os ciclos da evolução biológica e terrestre.

CIPO

Cipus, *Cipo*, para Carnoy, *DEMG.*, p. 40, seria a personificação de *cippus*, "coluna funerária de madeira ou de pedra", e, na linguagem militar, "pau aguçado, fincado no chão para deter a marcha do inimigo" (Cés. *B. Gal.*, 7, 73, 4). *Cipus,* com simplificação do *-p-* geminado de *cippus*, teria sido inventado para explicar a presença de um "cipo encimado de uma cabeça de homem com chifres". Tratar-se-ia, neste caso, de um mito etiológico. A etimologia do vocábulo em latim não é conhecida.

Ovídio, *Metamorfoses,* 15, 565-621, relata com abundância de pormenores o mito desta personagem. Genúcio Cipo era um general romano, que, em épocas recuadas da história do Lácio, retornou a Roma à frente de suas tropas, após uma grande vitória. Já bem perto da cidade, ao olhar-se no espelho das águas de um ribeiro, percebeu que sobre sua fronte haviam nascido chifres. Assustado com o prodígio, consultou um arúspice (v.) etrusco, que, após examinar atentamente as entranhas das vítimas sacrificadas pelo general, exclamou (*Met.*, 15,581-585):

"Rex", ait "o salue! Tibi enim, tibi, Cipe, tuisque
Hic locus et Latiae parebunt cornibus arces.
Tu modo rumpe moras portasque intrare patentes
Appropera; sic fata iubent; namque urbe receptus
Rex eris et sceptro tutus potiere perenni".

– Rei, salve, disse o arúspice: a ti, sim, a ti, Cipo, e aos teus cornos obedecerão este país e a cidadela do Lácio. Tu, porém, não te detenhas, apressa-te em cruzar as portas que se abriram para ti. Assim quer o destino. Recebido na cidade, serás rei e em segurança empunharás o cetro para sempre.

Republicano convicto, o general escondeu os chifres sob uma folha de loureiro, símbolo da vitória e da paz, que a segue. Reuniu, em seguida, o senado e o povo no Campo de Marte e pediu para ser exilado. Os senadores, comovidos com tão grande patriotismo, concordaram com a solicitação de Cipo, mas concederam-lhe uma gleba que pudesse ser arada durante um dia.

Em memória de semelhante prodígio e desprendimento, foi esculpida sobre a porta Raudusculana, nos pés de Aventino, um *cipo* encimado pela cabeça cornuta de um homem, que retratava exatamente a Genúcio Cipo.

No Vol. I de *Mitologia Grega*, p. 261-264, fizemos uma longa apreciação acerca da simbologia do *chifre*. Para o momento, bastaria enfatizar que o corno, o chifre, possui o sentido de grandeza, de superioridade, de elevação outorgadas pelo divino. Simboliza, por isso mesmo, o poder, a autoridade, características básicas e permanentes de quem o possui. Reis e guerreiros de culturas diversas tinham chifres em seus capacetes. Onde quer que apareçam, seja nas culturas neolíticas, na iconografia, ornamentando ídolos de forma divina ou a cabeça de monarcas e grandes chefes, evocam os sortilégios da força vital, da criação periódica, da vida inexaurível e da fecundidade, vindo a traduzir, analogicamente, a majestade e os obséquios do poder real.

CONSELHEIROS (DEUSES)

Consentes (Di), *(Deuses) Conselheiros*, é a tradução que, possivelmente, dá uma idéia do que os latinos denominavam "o conselho dos grandes deuses que assistiam Júpiter". *Consentes* é explicado como particípio presente de uma composto de *esse*, "ser, estar", presente *sum*, donde o pouquíssimo empregado verbo *consum*, **com + sum*, "estou com, assisto, estou juntamente presente" e, por extensão, "alcanço bom êxito, realizo". *Consentes* resulta de *con+sens*, donde *consens*, *consentis*, como *praesens*, que está à frente de, "presente", e *absens* que está separado de, "ausente". A etimologia popular relacionava *consens*, *-entis* com o particípio presente do verbo *consentire*, "ser da mesma opinião, estar de acordo", *consentiens, consentientis*, como se *consentes* ressultasse por haplologia de **consent(i)entes*. Os primeiros poetas cômicos usam o verbo "consum" no infinitivo futuro: Plauto, *Mil. Glor.*, 941: *Confido confuturum* – Estou certo de que isto terá bom êxito (de que nos sairemos bem), e Terêncio, *And.*, 167: *Et spero confore* – E confio que hei de ter bom êxito.

Os etruscos organizaram um panteão com seis deuses e seis deusas de nomes misteriosos. Estas doze divindades formavam uma espécie de conselho privado do deus supremo (Júpiter) e o assistiam no momento de tomar decisões importantes e sérias, como a de lançar sobre a terra e os homens determinados tipos de raio. Os romanos adotaram o panteão etrusco, mas formaram o seu com deuses de nomes latinos, adaptados por sincretismo ao panteão olímpico dos gregos: Júpiter, Netuno, Marte, Apolo, Vulcano, Mercúrio, Juno, Minerva, Diana, Vênus, Vesta e Ceres, a que correspondem em grego Zeus, Posídon, Ares, Apolo, Hefesto, Hermes, Hera, Atená, Ártemis, Afrodite, Héstia e Deméter.

As imagens dos *Di Consentes* estavam estampadas num pórtico que ladeava a rua que ia do Fórum ao Monte Capitólio.

CONSO

Consus, *Conso*, não possui etimologia conhecida até o momento, segundo demonstrou Alfred Ernout, *Philologica* II, p. 173-174, que passa em revista várias hipóteses. Talvez se trate de palavra etrusca. Os gramáticos latinos, por etimologia popular, relacionavam-no com o vocábulo *consilium*, "lugar em que se tomam as deliberações, conselho", daí "resolução tomada", como assinala Sérvio, *En.*, 8, 636: *Consus autem deus est consiliorum* – Conso, no entanto, é o deus dos conselhos.

Conso é uma antiga divindade protetora da agricultura, em cuja honra celebravam-se as festas denominadas *Consualia*, a 21 de agosto e 15 de dezembro: *Consualia dicta a Conso* – As Consuálias são assim denomindas por causa de Conso, segundo Varrão, *L.l.*, 6, 20.

O deus, como se fora uma semente – e ele era o protetor da mesma, porque também os silos estavam sob sua vigilância – possuía um altar subterrâneo no meio do *Circus Maximus*, Circo Máximo, consoante Sérvio, *En.*, 8, 636: *Consus autem deus est consiliorum, qui ideo templum sub Circo habet* – Conso, no entanto, é o deus dos conselhos e, por esta razão, possui um templo (na realidade era um *altar*) sob o Circo (Máximo). Por ocasião das *Consualia*, os cavalos e mulos eram coroados de flores e isentos de trabalho. Podiam tão-somente disputar corridas no Circo... O altar do deus era então dessoterrado e em sua honra se realizavam as disputas eqüestres. Assimilado a *Neptunus equestris*, a Netuno eqüestre, protetor dos jogos, e deus-cavalo por excelência, como se explicou em relação a Posídon (o Netuno dos latinos) em *Mitologia Grega*, Vol. I, p. 323, Conso, a princípio, foi um deus ctônio e, por isso mesmo, era o guardião das sementes, que se enterram no seio da terra.

Percebe-se, ao menos simbolicamente, através dos ritos em honra de deus tão antigo, que ele protegia os silos, porque era ctônio, e cuidava dos cavalos, por serem estes excelentes psicopompos, ou seja, condutores de almas para a outra vida, uma vez que enxergam nas trevas.

Consoante o mito, foi no decurso da primeira disputa em honra de Conso que Rômulo raptou as Sabinas.

CREÚSA

Creusa, Creúsa, é mera transliteração do grego Κρέουσα (Kréusa), e significa etimologicamente "a mais forte, a soberana, a senhora", como se explicou no *DIMEG.*, p. 243 e 246.

Existem quatro heroínas com este nome, mas só nos interessa, no momento, a última. Filha do rei de Tróia, Príamo, e de Hécuba, a princesa se casou com Enéias (v.) e foi mãe de Ascânio (v.) ou Iulo.

O destino de Creúsa, após o incêndio de Ílion pelos aqueus, é contraditório. No célebre Λέσχη (Léskhe), "pórtico com pintura" do mestre grego da ilha de Tassos, Polignoto (séc. V a.C.), a esposa de Enéias aparece entre as mulheres troianas, cativas dos helenos. Em outras versões, ela surge ao lado do esposo e do filho, como tendo escapado das chamas e da fúria dos conquistadores de Tróia. Na *Eneida*, 2, 735-794, no célebre relato a Dido (v.), Enéias descreve pormenorizadamente o desaparecimento misterioso da esposa, quando ele fugia das chamas em companhia do alquebrado pai Anquises (v.) e do filho Ascânio ou Iulo. Verificando a ausência de Creúsa, voltou para procurá-la. Aparece-lhe o εἴδωλον (o eídolon), a *umbra*, a sombra da esposa, que lhe disse ter sido retida "nos litorais troianos" pela grande mãe dos deuses, Cibele. Como todo aquele que superou as amarras do tempo é *mántis*, adivinho, a filha de

Príamo e Hécuba antecipa ao esposo o longo caminho que ele terá que percorrer, a chegada afinal à Hespéria (Itália), a fundação de um reino e um novo casamento.

A despedida de Creúsa a Enéias é solene, como convém a quem deixou esta vida, mas carinhosa (*En.*, 2, 788-789):

Sed me magna deum genetrix his detinet oris.
Iamque uale et nati sèrua communis amorem.

– A grande mãe dos deuses (Cibele) me detém nestas plagas:
agora adeus e conserva o amor de nosso filho comum.

Enéias ainda tentou abraçar a esposa, mas inutilmente: Creúsa agora era tão-somente um *imago*, uma sombra, um corpo insubstancial, uma imagem fugidia (*En.*, 2, 792-794):

Ter conatus ibi collo dare bracchia circum;
ter frustra comprensa manus effugit imago,
par leuibus uentis uolucrique simillima somno.

– Três vezes tentei lançar-lhe os braços em volta do pescoço,
três vezes a imagem inatingida fugiu-me das mãos
como se fosse aura ligeira, muitíssimo semelhante a um leve sonho.

CUPIDO

Cupido, *Cupido*, provém do verbo *cupere* (e *cupire* em Lucrécio, 1, 71), "desejar ardentemente, ter desejos instintivos ou sensuais, cobiçar". Há os que aproximam o presente *cupio* (formado pelo perfeito *cupiui*) do sânscrito *kûpyati*, "ele se enfurece, inflama-se", e do antigo eslavo *kypitu*, "ele ferve, irrita-se", mas entre o latim e as línguas citadas a diferença de sentido é bastante acentuada. Em se tratando de um verbo de caráter afetivo, qualquer relação etimológica torna-se incerta e duvidosa, *DIELL.*, p. 158.

Cupido, -inis, é feminino, mas, ao se personificar, tornou-se masculino e passou a traduzir o grego Ἔρως (Éros), "Amor".

O mais belo entre os deuses imortais, o Cupido latino jamais se desvinculou do mito de Ἔρως (Éros), de que nos ocupamos no *DIMEG.*, p. 356sqq., e no Vol. II de *Mitologia Grega*, p. 209-251, em que se procura fazer uma longa análise da lindíssima história de *Amor e Psiqué*, inserida no romance *Metamorfoses*, em onze livros, do polígrafo latino Lúcio Apuleio (séc. II p.C.). Diga-se, de passagem, que se o mito é o mesmo, bem diverso é o Cupido que se apresenta na literatura latina, como personagem e como tema. O menino travesso parece envelhecido e meio desiludido. Com exceção de algums poemas de Catulo, Tibulo, Propércio e de certas obras de Ovídio e da novela em pauta de Apuleio, o deus em Roma já não possuía muitos alvos contra os quais pudesse ou quisesse, por enfado, disparar suas flechas eróticas. Talvez o clima da austeridade romana não lhe fosse muito propício... Cupido, destarte, aparece, as mais das vezes, como um dos deuteragonistas de um canto de amor (mesmo que se trate de uma espécie de madrigal irônico), segundo se observa na lindíssima Ode de Horácio a Barine, cuja beleza e perfídia amorosa o poeta celebra com bastante sarcasmo. Destaquemos uma das estrofes, para que se possa mostrar que o deus Cupido ainda existe e se diverte com os perjúrios dos amantes – no caso, da linda Barine, *Od.*, 2, 8, 17-20:

Ridet hoc, inquam, Venus ipsa, rident
simplices Nymphae, ferus et Cupido
semper ardentis acuens sagittas
cote cruenta.

– A própria Vênus, eu o digo, ri de teus perjúrios,
Divertem-se as ninfas inocentes e até o cruel
Cupido, que constantemente aguça suas flechas ardentes
numa pedra sangrenta.

Filho de Vênus e Marte, em uma das variantes do mito, era um deus brincalhão, como se viu na Ode horaciana, mas, ao mesmo tempo solerte, cruel e impiedoso. Maltrata e tiraniza os deuses e os homens e brinca de amor com suas vítimas. Derrama sobre a terra a energia, a vida, o prazer, a alegria e a fecundidade, mas igualmente a saudade e a dor. Impera no coração dos mortais e em toda a natureza. "É a força da afinidade universal, que atrai os seres humanos e elementos, conjugando-os em íntima harmonia para a obra maravilhosa da geração da vida". Por sua influência mágica, tudo brota do Caos e da Terra.

Iconograficamente continuou em Roma a ser estampado com asas, armado de flechas e setas fatais que perfuram o fígado e o coração ou ainda empunha tochas que os incendeiam e devoram.

Aos poucos, como na Hélade, passou a ser representado na arte e na literatura não mais como uma divindade adulta, mas como um garotinho louro, normalmente alado. Sob a máscara de um menino inocente e irriquieto, que jamais cresceu, esconde-se um deus perigoso, sempre atento e pronto a trespassar com suas flechas certeiras, envenenadas de amor e paixão, o fígado e o coração de suas vítimas.

O fato de Cupido ser uma criança simboliza, sem dúvida, a eterna juventude de um amor profundo, mas também uma certa irresponsabilidade. Em todas as culturas, a aljava, o arco, as flechas, a tocha, os olhos vendados significam que o *Amor* se diverte com as pessoas de que se apossa e domina, mesmo sem vê-las (o amor, não raro, é cego), ferindo-as e incendiando-lhes o coração. O globo que Cupido, por vezes, tem nas mãos, exprime sua universalidade e poder.

CÚRCIO

Curtius, *Cúrcio*, não possui etimologia conhecida até o momento. A aproximação, aliás interrogativa, feita por Carnoy, *DEMG.*, p. 41, com o adjetivo *curtus* e, neste caso, o antropônimo significaria "truncado, mutilado, castrado", não convence.

Marco Cúrcio é o herói de um mito etiológico romano, isto é, que visa a explicar a existência do *Curtius Lacus*, Lago Cúrcio, no *Forum Romanum*, Tit. Liv., *Ab Urb. cond.*, 7, 6; Ovídio, *Fast.*, 4, 403. Logo nos inícios da República, certo dia, inesperadamente, a terra se abriu no meio do Foro Romano, formando um gigantesco sorvedouro. Toneladas de terra foram lançadas sobre o abismo, mas nada conseguia preenchê-lo, como diz Tito Lívio, *Ab. Urb. cond.*, 7, 2: *neque eam uoraginem coniectu terrae, cum pro se quisque gereret, expleri potuisse* – e como não se conseguiu com a terra que cada um carregou tapar essa voragem, recorreu-se aos adivinhos. Os deuses exigiam que os romanos lançassem no gigantesco precipício o que possuíam de mais precioso. Cúrcio compreendeu que ele e seus soldados eram o que de mais valioso existia em Roma e resolveu sacrificar-se pela pátria. O jovem herói, com todas as suas armas, montou a cavalo e, após consagrar-se aos deuses infernais, lançou-se no abismo, que, de imediato, se fechou, surgindo no local apenas um pequeno lago, o *Curtius Lacus*, em cujas margens brotaram uma figueira, uma oliveira e uma videira, símbolos da paz e da abundância. À época imperial lançavam-se moedas no Lago Cúrcio para homenagear "o gênio" do destemido paladino.

Uma segunda versão, repudiada por Tito Lívio, relata que um certo Cúrcio, que, segundo o historiador, se chamava, na realidade, Cúrcio Mécio, era um sabino, soldado de Tácio. Na guerra entre este e Rômulo, o militar quase foi tragado por um pântano então existente no *Forum.* Para escapar, Cúrcio Mécio abandonou o cavalo e fugiu, originando-se desse episódio o nome do Lago.

D

DAUNO

Daunus, *Dauno*, segundo Carnoy, *DEMG.*, p. 43, talvez seja uma forma ilírica da mesma família etimológica que o grego θαῦνον (thaûnon), que Hesíquio traduz por θηρίον (theríon), "animal selvagem", com referência ao lobo. A raiz seria o indo-europeu **dheu*, "degolar", donde o lídio Κανδαύλης (Kan-daúles), "degolador de cães", Walde-Hofmann, *LEW.*, p. 468. Dauno significaria, assim, "o selvagem como um lobo".

Dauno, Iápix ou Iápige e Peucécio (v. *DIMEG.*, p. 586) eram filhos do ilírio Licáon. Em companhia dos irmãos e de um grupo de aventureiros, seus compatriotas, invadiu a Itália Meridional, expulsou os ausônios e fundou três estados, que receberam respectivamente os nomes de reino dos dáulios, messápios e peucécios. O conjunto denominou-se região dos iápiges.

Terminada a Guerra de Tróia, o grande herói aqueu Diomedes retornou a seu reino em Argos, mas, obrigado a fugir, emigrou para a Itália, refugiando-se na corte de Dauno. O rei o acolheu, deu-lhe a mão da filha e uma parte do reino. Mais tarde, no entanto, houve uma dissensão entre ambos e Diomedes teria sido morto em combate pelo sogro. (v. *DIMEG.*, s.u. Diomedes). Este Dauno ou um seu homônimo é o pai de Turno, que, já vencido por Enéias, suplicou por seu idoso genitor, segundo Vergílio, *En.*, 12, 932-934:

Miseri te si qua parentis
tangere cura potest, oro (fuit et tibi talis
Anchises genitor) Dauni miserere senectae.

– Se te pode tocar alguma compaixão de um pai
infeliz (e esta foi para ti a preocupação com Anquises),
eu te suplico, compadece-te da velhice de Dauno.

DEUSES SUPERIORES

Di Superiores uel Inuoluti, *deuses superiores ou velados. Superiores* é o plural do comparativo *superior*, que, por seu turno, provém de *superus*, e este do advérbio e preposição *super*, "em cima de, sobre, por cima de", donde *superus* é "que está em cima, alto", e *superior*, plural *superiores*, "os que estão mais acima, mais altos, mais elevados". *Super* está claramente relacionado com o sânscrito *upári*; gótico *ufar*; osco *supruis* "superis"; umbro *super*, *subra;* grego ὑπέρ (hypér), todos com o mesmo sentido de "sobre, em cima de" daí a oposição (*di*) *Superi*, deuses do alto, e (*di*) *Inferi*, "deuses de baixo, infernais". *Inuoluti* é o plural do particípio passado do verbo *inuoluere*, "envolver, cobrir, velar", donde *Di Inuoluti* são "os deuses velados, desconhecidos, secretos". O verbo em pauta é formado de *in-* e de *uoluere*, que possui correspondentes no antigo eslavo *valiti*, enrolar; antigo irlandês *fillim*, eu envolvo, e alemão antigo *wellam*, envolver. Para a etimologia de *deus*, plural *di*, v. Boa Deusa.

Os Deuses Superiores formam a hierarquia mais elevada entre as divindades etruscas, herdadas pelos romanos (v. Conselheiros). *Deuses Superiores* ou *Velados* são termos imprecisos com que se designam seres impessoais e inacessíveis, sem nome e sem uma forma definida, que habitam as camadas mais altas do céu. Trata-se, no fundo, de potências misteriosas, que criaram e amparam o universo. Possuem como hipóstases os Deuses Conselheiros.

DIANA

Diana, *Diana*, é um derivado de *dius*, talvez com um intermediário **diuius*, e significa "do céu, divino, luminoso", donde *Diana* é propriamente "a luminosa", mas na linguagem religiosa a significação precisa de *dius* é "do céu", como nas expressões *dium fulgur*, brilho, luz do céu, isto é, "relâmpago", e *dea dia*, "a deusa do céu", Juno. O osco apresenta a forma *Diíviiai*, "Diae", deusas celestiais, divinas. O adjetivo é antigo, mas conservado quase tão-somente na linguagem religiosa. *Dius* corresponde ao sânscrito *divyáḥ*, "celeste", e ao grego δῖος (dîos), "divino". *Diana* é a deusa noturna, isto é, a Lua, como diz Cícero *Nat. deor.*, 2, 68: *Dianam autem et Lunam eandem esse putant* – julgam, porém, que Diana é o mesmo que a Lua.

Diana era uma antiga divindade itálica e romana. Casta, converteu-se na deusa que protegia a virgindade, mas que igualmente presidia aos partos com o epíteto de *Diana Lucina*, "Diana que faz vir à luz", alcunha, aliás, que dividia com Juno. Possivelmente esta divindade *indiges*, "indígete", nacional, por influência das colônias gregas do Sul da Itália, sobretudo Cumas, se identificou desde o séc. VI a.C., embora superficialmente, com a Ἄρτεμις (Ártemis), a Ártemis dos helenos. Este sincretismo operado sobretudo no decurso do séc. III a.C., quando Roma se apossou da Magna Grécia, não conseguiu, a princípio, apagar as características da Diana latina, uma divindade sem um mito propriamente definido, porque adorada por um povo rude e inculto. A partir, no entanto, do séc. II a.C., os poetas colocaram uma indumentária de gala sobre os farrapos da deusa itálica, que, no entanto, apesar de endomingada, jamais deixou de trair seus traços primitivos como protetora das meninas e dos partos. Horácio, no seu famoso *Carmen Saeculare*, "Poema Secular", várias vezes enfoca e invoca Diana, mas sempre dentro de uma perspectiva latina, como se assinalou no mito de Apolo com a tradução da primeira estrofe do poema. Pois bem, a estrofe nona é como que um seguimento daquela, em que "a senhora das florestas" escalou o céu como *Luna bicornis*, "Lua bicorne", mas continuou a atender os rogos das jovens (*Carm. Saec.*, 33-36):

Condito mitis placidusque telo
supplices audi pueros, Apollo;
siderum regina bicornis, audi,
Luna, puellas.

Guardado teu arco, sê acessível e pacífico,
Apolo, ouve as súplicas dos meninos;
rainha dos astros, Lua bicorne,
ouve as meninas.

À medida, porém, em que Diana, mais e mais, se assimilou à Àrtemis greco-oriental, fundiram-se as características da pacífica protetora dos partos e da fecundidade, enquanto deusa-Lua, na Itália, com a deusa também da fertilidade na Hélade, mas igualmente cruel, vingativa, sangüinária e bruxa das encruzilhadas entre os gregos. Esta *coniunctio oppositorum*, essa conjunção de opostos, refletidos numa única divindade, foi por nós explicada em *Mitologia Grega*, Vol. II, p. 68sq. Neste passo, entre muitas outras considerações, escrevemos o seguinte: houve, na realidade, duas Ártemis, uma *asiática*, cruel, bárbara e sangüinária, bem de acordo com a mentalidade religiosa de uma Grande Mãe oriental; outra, européia, cretense, ocidental, voltada para a fertilidade do solo e a fecundidade humana, o que denuncia uma Grande Mãe creto-micênica, quer dizer, minóica e helênica. Em outros termos, a deusa oriental, pisando solo grego, se fracionou na *dea triformis*, numa divindade triforme: *Selene*, a dadivosa, corresponderia à Lua Cheia; *Ártemis*, a imprevista, não raro vingativa e feroz, seria o Quarto Crescente; *Hécate*, a ctônia, senhora das bruxarias, corresponderia ao Quarto Minguante e à Lua Nova. Diana, com a intensificação do sincretismo greco-latino, sem perder de todo algumas de suas feições indígenas, acabou por tornar-se a soma de tudo isto: é dadivosa, é protetora, mas outrossim cruel e sangüinária.

Na Itália, os dois santuários mais antigos da deusa localizavam-se em Cápua, onde era chamada *Diana Tifatina,* isto é, Diana de Tifata, montanha situada ao norte de Cápua, e em Arícia, aldeia vizinha de Roma, onde seu templo ficava no bosque *Nemus*, Nêmus, que lhe era dedicado. Em Cápua, era-lhe consagrada uma corça, animal de uma longevidade prodigiosa, de cuja vida dependia a existência da cidade. Talvez se pudesse dizer que a divindade de Tifata traduziria a Diana itálica. Em Arícia, a deusa chamava-se *Diana Nemorensis,* a Diana dos Bosques, uma vez que *nemus, oris* é bosque (sagrado). Narra o mito que a Nemorense era a Ártemis de Táuris, levada à Itália por Orestes (v. *DIMEG.*, s.u. Ifigênia), o que basta para explicar a selvageria de seus ritos. Seria conveniente lembrar que em Táuris, na Criméia, Ifigênia era sacerdotisa de Ártemis e tinha por função sacrificar-lhe os estrangeiros que lá chegassem. Orestes e Pílades, no entanto, conseguiram não apenas resgastar Ifigênia, mas também levar para Arícia a estátua da deusa, que se transferiu para a Itália... Ovídio *Met.*, 15, 485-490, reafirma que o culto de Ártemis-Diana foi introduzido no Lácio por Orestes. Narra o poeta que, após a morte do rei Numa, chorado por todos, sua esposa embrenhou-se nos bosques de Arícia para esconder uma grande dor, mas seus gemidos e lamentações pertubavam o culto da deusa:

.... Nam coniux, urbe relicta,
Vallis Aricinae densis latet abdita siluis
Sacraque Oresteae gemitu questuque Dianae
Impedit.

– A esposa (de Numa) todavia, tendo deixado a cidade,
escondeu-se nos densos bosques do vale de Arícia
e perturbava com suas lamentações e gemidos o culto
de Diana, ali introduzido por Orestes.

Pois bem, em Arícia se praticava o rito bárbaro: o *Rex Nemorensis*, o Rei dos Bosques, que era sacerdote da deusa, poderia ser substituído a qualquer momento, desde que fosse assassinado por um escravo fugitivo, que lhe tomava o posto e começava a servir à deusa, enquanto não fosse igualmente eliminado... Relatava-se também que a deusa, que sempre assistiu Hipólito (v. *DIMEG.*, s.u. Hipólito), filho de Teseu e despedaçado por obra de Posídon, o protegeu após ter sido ressuscitado por Asclépio, o Esculápio dos latinos. Levou-o para Arícia e, mudando-lhe o nome, fê-lo seu acólito. No templo de Ártemis-Diana, Hipólito chamava-se *Virbius*, Vírbio, que se interpretava como "duas vezes homem" ou "o que viveu duas vezes". De outro lado, um sério tabu cercava o local: nenhum cavalo podia sequer aproximar-se do "bosque sagrado". Tal proibição se explicava pelo fato de o filho de Teseu ter sido despedaçado quando os cavalos, que lhe conduziam o carro, assustados com o monstro enviado por Posídon, o lançaram por terra, provocando-lhe a morte. O mito de Hipólito, diga-se de passagem, foi dramatizado por Eurípides em *Hipólito Porta-Coroa;* longamente narrado por Ovídio nas *Metamorfoses*, 15, 492-546, e bem mais sinteticamente por Vergílio, *En.*, 7, 761-780.

Em Roma o culto de Diana teve um incremento muito grande, sobretudo à época do Imperador Augusto, como atesta o *Carmen Saeculare* de Horácio. O mais famoso de seus templos, além dos dois supracitados, localizava-se no monte Aventino. Diz-se que foi construído pelos romanos e seus aliados com o objetivo de colocar sob a proteção da deusa a antiga confederação das cidades do Lácio, que reconheceram Roma como sua capital.

Anualmente, nos idos (15) de agosto, que a Igreja, mais tarde, sacralizou com a Assunção de Maria, celebravam-se festas solenes em honra de Diana. Nesta data todos os escravos gozavam de liberdade plena, o que traduz certamente algum aspecto do ritual da deusa de Arícia.

DITE

O adjetivo *Dis, Ditis*, ac. *Dite (m)*, substantivado, é a fonte de "Dite", que é uma contração do adjetivo, *diues*, *diuitis*, rico, abundante, opulento, donde significar Dite "o rico, o opulento". O teônimo aparece normalmente no mito seguido de *pater*, daí a expressão *Dis Pater*, à letra, "o pai rico, o pai da opulência". Varrão, *L.l.*, 5, 92, deriva *diues* de *diuus*, "do céu, divino" (v. Diana): *diues a diuo qui, ut deus, nihil indigere uidetur* – *diues* (rico) origina-se de *diuo* (do céu) que, como deus, parece não carecer de coisa alguma. Talvez a etimologia de Varrão esteja correta, mas, fora do latim, o adjetivo (*diues* ou *dis*) não possui correspondente. O peligno *des* "diues?" é obscuro, *DIELL.*, p. 177. *Dis*, "Dite", traduz o nome de deus grego Πλούτων (Plúton), Plutão, "o rico", que, por sua vez, provém de πλοῦτος (plûtos), "riqueza", por isso que tanto Dite quanto Plutão eram dispensadores dos produtos da terra. Afinal os mortos e seus deuses (Dite, Plutão...) "alimentam os vivos", por fazerem germinar as sementes plantadas no seio da terra (v. *DIMEG.*, Vol. II, s.u. Plutão). Quanto a *pater*, é bastante observar que o vocábulo não expressa a paternidade física, enunciada de preferência por *parens* e *genitor* (pai carnal). *Pater*, pai, possui um "valor social". É o chefe da casa, o *pater familias*, o pai de família, o ancestral, como *Pater Aeneas*, "o pai Enéias". Cícero, *Nat. Deor.*, 2, 66, numa frase lapidar, sintetiza a função de Dite-Plutão: *Terrena autem uis omnis atque natura Diti Patri dedicata est, qui Diues, ut apud Graecos* Πλούτων , *quia et recidunt omnia in terras et oriuntur e terris* – toda a energia telúrica, no entanto, bem como a natureza foram consagradas ao Pai Dite, que é denominado Rico, como entre os gregos Plutão, porque fazem que tudo retorne ao seio da terra e dela renasça.

Dite, o pai da abundância e das riquezas, era uma divindade ctônia, em Roma. Deus muito antigo do mundo subterrâneo, acabou por ser identificado com Plutão ou Hades.

DIDO

Dido, *Dido*, consoante Carnoy, *DEMG.*, p. 45, citando o fragmento 23 do *Timeu* de Platão, traduz o antropônimo, aliás interrogativamente, por "errante". Nascentes, *DIEP.*, T. II, p. 90, apoiando-se em Gessênio, aponta o fenício *didhó*, que significaria "amor dele". Meras hipóteses. A etimologia da palavra é desconhecida. Dido era designada igualmente como o nome de Elissa, como lhe chamava Vergílio, *En.*, 4, 335.

Os elementos mais antigos do mito de Dido ou Elissa referem-se a uma migração fenícia para o norte da África. Os fatos se teriam passado da seguinte maneira: Mutlo ou Muto, rei da cidade fenícia de Ṭiro, era pai de Elissa ou Dido e Pigmalião. Falecido o monarca, o povo proclamou rei a Pigmalião, embora fosse ainda um menino. Dido, à época, já estava casada com seu tio Sicarbas ou Siqueu, sacerdote do templo de Melqart, *mutatis mutandis*, o Héracles dos helenos. Cúpido e sumamente atrabiliário, o jovem soberano mandou assassinar Siqueu para apoderar-se de seus bens. Horrorizada com um crime tão perverso, Dido reuniu bom número de nobres tírios, descontentes com o rei, e logrou fugir, levando os tesouros do esposo e inclusive uma parte condiserável do ouro de seu irmão. Tão logo se fez ao mar, percebendo que seria perseguida pelas naus reais, mandou lançar ostensivamente, nas águas, pesados sacos de areia, que ela dizia estarem cheios de ouro: era uma oferenda, afirmava a princesa, à alma de seu extinto marido. Chegando à ilha de Chipre, juntou-se a ela um adivinho inspirado por Júpiter. Os fenícios aproveitaram a escala para raptar oitenta moças consagradas à deusa Vênus e com elas se casaram. Tendo finalmente atingido o norte da África, os fugitivos foram bem recebidos pelos indígenas. Estes permitiram a Dido, que solicitava um sítio onde estabelecer-se, que se apossasse de um terreno tão amplo quanto pudesse ser coberto pelo couro de um boi. Usando de astúcia, a filha de Muto mandou cortar em tiras finíssimas a pele do animal e, amarrando-as, cercou um espaço assaz extenso. É possível que tal episódio tenha sido introduzido no mito, porque *Birsa*, nome fenício de Cartago, seja homógrafo e homófono do grego βύρσα (býrsa), "pele preparada, curtida". Os habitantes de Útica, num gesto de amizade, enviaram presentes aos recém-chegados e encorajaram-nos a fundar uma cidade. Escolhido o sítio, os emigrantes iniciaram as fundações, mas logo encontraram a cabeça de um boi, o que foi considerado de mau agouro. Mudaram de local e surgiu, durante as escavações, a cabeça de um cavalo, o que pareceu traduzir o destemor e o valor bélico da futura cidade. Nascia Cartago. Com a chegada de novos contingentes fenícios, Iarbas, rei do gétulos, ou por temor do novo reino, que rapidamente prosperava, ou por ambição, pediu a mão da rainha. Sem nenhum respeito pela soberana, ameaçou destruir-lhe a capital, caso não fosse aceito por esposo. Sem poder recusar, mas aterrada com semelhante união, que lhe causava repugnância, solicitou a dilação de três meses para apaziguar com sacrifícios a alma de seu primeiro esposo. Esgotado o prazo e vendo-se num verdadeiro estado de aporia, a rainha mandou erguer uma pira e apunhalou-se sobre ela.

Vergílio, em sua *Eneida*, cantos 1-4, segue a mesma temática, mas introduziu-lhe modificações de tal ordem, que transformou num drama de amor, semelhante, por sinal, a uma tragédia de Eurípides, o encontro de Enéias com Dido e suas conseqüências. Fugitivo de Ílion, destruída e incendiada pelos aqueus, o herói troiano parte, guiado pelo destino, para fundar uma "nova Tróia" e nela introduzir seus Penates (v.). No canto primeiro, deixando para trás a Sicília, as naus troianas sulcavam tranqüilamente o bojo macio do mar, quando Éolo, a pedido de Juno, desencadeia uma terrível procela. A rainha dos deuses opunha-se tenazmente ao soerguimento de uma nova Tróia itálica. Netuno, todavia, ofendido com a ingerência do deus dos ventos em seus domínios, acalma a tempestade e os troianos chegam ao norte da África, onde são acolhidos por Dido. Ferida de amor por Enéias, mercê das artimanhas de Vênus, a rainha oferece um banquete a seu hóspede e pede-lhe (para retê-lo por mais tempo junto a si) que relate o fim trágico de Ílion bem como seus próprios sofrimentos em terra e no mar, de Tróia a Cartago. Os cantos dois e três ocupam-se dessa longa narrativa. Em síntese, no segundo canto, o herói conta a queda da grande fortaleza da Tróada e os tristes episódios que se lhe seguiram, sobretudo a morte da esposa Creúsa (v.), a fuga penosa em companhia de alquebrado Anquises e do menino Ascânio (v.) ou Iulo. O terceiro descreve as árduas peregrinações dos troianos no reino líquido de

Posídon; o encontro com as Harpias; a passagem perigosa por Cila e Caríbdis; ancoragem na terra dos Ciclopes; encontro com Andrômaca e Heleno e a chegada à ilha de Sicília, onde, em Drépano, morre Anquises. O canto quarto é consagrado inteiro à trágica paixão da rainha de Cartago pelo filho de Vênus. No decurso de uma caçada, houve uma grande tempestade, durante a qual, por acordo entre Vênus, que desejava salvar o filho de qualquer cilada dos cartagineses (os romanos jamais confiaram nos púnicos) e Juno, que almejava afastar o herói troiano da Itália, Enéias e Dido unem-se numa gruta solitária. Fama (v.), a deusa dos boatos, propaga de imediato o escândalo por toda a Líbia. Iarbas, que esperava casar-se com a rainha, pede a Júpiter que lhe vingue tão grande insulto. O pai dos deuses e dos homens envia Mercúrio a Enéias, para que ele retorne à sua missão. O *pius Aeneas*, "o piedoso" e obediente Enéias, prepara-se para partir secretamente, mas a rainha o pressente, como tão comoventemente expressa Vergílio, *En.*, 4, 296-299:

At regina dolos (quis fallere possit amantem?)
praesensit, motusque excepit prima futuros
omnia tuta timens. Eadem impia Fama furenti
detulit armari classem cursumque parari.

– A rainha, no entanto, pressentiu o engodo (quem pode enganar a quem ama?)
e foi a primeira a saber do que se tramava, temendo tudo,
até o que lhe parecia seguro. A mesma impiedosa Fama incendiou-lhe
a paixão, denunciando que a frota se aprestava para fazer-se ao mar.

Ao desespero e às invectivas da alucinada amante, o herói responde com agradecimentos pela hospitalidade e com a promessa de jamais esquecê-la, *En.*, 4, 333-336:

Tandem pauca refert: "Ego te, quae plurima fando
enumerare uales, numquam, regina, negabo
promeritam, nec me meminisse pigebit Elissae,
dum memor ipse mei, dum spiritus hos regit artus".

– Afinal (Enéias) em breves palavras responde: "eu, rainha,
jamais negarei os benefícios de ti recebidos, que podes divulgar
como inúmeros; ser-me-á grato recordar de Elissa,
enquanto for lembrado de mim mesmo e o espírito governar meu corpo".

E, após tentar convencer a rainha de que partia por ordem de Apolo, e dos fados, o herói é incisivo – a Itália é o seu amor, a sua pátria, *En.*, 4, 347: *hic amor, haec patria est* – (a Itália), este é o meu amor, esta a minha pátria.

Desesperada e enlouquecida pela dor da inevitável separação, Dido mandou erguer uma pira e precipitou-se sobre a espada que o amante esquecera no palácio.

Enéias, quando desceu ao Hades em companhia da Sibila de Cumas, reencontrou-se com a *umbra*, "a sombra", da rainha de Cartago, nos chamados Campos das Lágrimas. Lá, "em solitárias veredas e bosques de murta escondem-se os que em febre de amor se consumiram" (*En.*, 6, 440sqq.). O herói, inutilmente, procurou desculpar-se e "aplacar aquela sombra indignada, que torva o encara e, em seguida, desvia o olhar, fixando-o no chão".

Vergílio retratou com maestria a dor e as lágrimas do herói (*En.*, 6, 475-476):

Nec minus Aeneas casu concussus iniquo
prosequitur lacrimis longe et miseratur euntem.

– E, no entanto, Enéias, abalado por tão iníquo destino, chorando,
segue-a por um longo espaço e se compadece dela que se afasta.

Ovídio, nas *Heróides*, 7, 29-32, transcreve numa carta dolorosa as palavras de Dido, que se prepara para morrer: apesar de tudo, ela não odeia Enéias, ama-o cada vez mais...

Ille quidem male gratus et ad mea munera surdus,
Et quo, si nom sim stulta, carere uelim.
Non tamen Aeneam, quamuis male cogitat, odi,
Sed queror infidum, questaque peius amo.

– Ele, na verdade, é ingrato, insensível às minhas liberalidades
ele que eu gostaria de esquecer, se não fosse loucura.
Apesar, todavia, da infidelidade de Enéias, eu não o odeio;
mas lamento-o infiel e, lamentando-o, amo-o ainda mais.

E

EGÉRIA

Egeria, *Egéria*, consoante Ernout-Meillet, *DIELL.*, p. 129, foi relacionado por um trocadilho etimológico com o verbo *egĕre*, "levar para fora, fazer sair, extrair". Festo, 67, 25, abona esta falsa etimologia: *Egeriae nymphae sacrificabant praegnantes, quod eam putabant facile conceptum aluo egere.* – As mulheres grávidas sacrificavam à ninfa Egéria por pensarem que ela extraía com facilidade o feto do ventre materno. Trata-se, certamente, de palavra etrusca ou "sabina".

Egéria era uma ninfa de Roma, embora alguns mitógrafos a considerem como uma primitiva deusa das fontes, ligada, em Arícia, a Diana Nemorense. Possuía, de qualquer forma, um culto na cidade, junto à Porta Capena, nos sopés do monte Célio. Tida como esposa ou amiga do rei Numa, encontrava-se com ele à noite e, como conselheira, ditava-lhe a política religiosa, adestrando-o no uso de determinadas preces e de exorcismos extremamente eficazes. Outros afiançam que esses encontros noturnos com Egéria eram uma invenção do astuto monarca, que pretendia com tal expediente valorizar e fazer respeitar suas leis. Com a morte de Numa, a ninfa, desesperada, chorou tanto, que foi transformada em fonte.

Ovídio, *Met.*, 15, 482sqq., rememora as lamentações de Egéria, quando da morte de "seu esposo" Numa (v. Diana).

Juvenal, *Sat.*, 3,11sq., afiança que o rei se encontrava com Egéria, "sua amiga", junto à Porta Capena.

ENÉIAS

Enéias, em grego Αἰνείας (Aineías) e que os latinos simplesmene transliteraram sob a forma *Aeneas*, não possui etimologia convincente até o momento. A hipótese de Carnoy, *DEMG.*, p. 14, de aproximar o antropônimo de αἰνός (ainós), "terrível, temível, amendrontador", não é satisfatória, tanto mais quanto o adjetivo *ainós* não possui derivados em grego.

Embora fosse um herói troiano, o *fatum*, o destino, o elegeu para fundar uma cidade (*Lavínio*); transferir para o Lácio seus deuses (*Penates*), de onde procedem a nação latina (*o povo romano*), os pais albanos (*reis de Alba*) e as muralhas da *altaneira Roma*. O filho de Vênus organizou, pois, um estado que foi a origem primeira da Roma de Rômulo. Herói troiano, mas imortalizado na *Eneida* de Vergílio como o ancestral maior da raça latina, ocupa ele um lugar privilegiado no mito romano. A proposição do poema Vergiliano é clara a esse respeito (*En.*, 1, 1-7):

Arma uirumque cano, Troiae qui primus ab oris
Italiam fato profugus Laviniaque uenit
litora, multum ille et terris iactatus et alto
ui superum saeuae memorem Iunonis ob iram,
multa quoque et bello passus, dum conderet urbem
inferretque deos Latio, genus unde Latinum
Albanique patres atque altae moenia Romae.

– Canto as armas e o herói que, por primeiro, impelido pelos fados,
arribou das plagas troianas ao litoral de Lavínio, na Itália.
Muito padeceu em terra e no mar pela violência dos deuses
em função do ressentimento da cruel Juno. Muito sofreu também
na guerra para fundar uma cidade e transferir para o Lácio
os seus deuses, donde procedem a raça latina, os ancestrais albanos
e as muralhas da altaneira Roma.

Para se chegar ao herói, ancestral da raça latina, é mister começar por Tróia. Filho de Anquises e da deusa Vênus, Enéias é um dos descendentes do pai dos deuses e dos homens, por isso que Anquises, sendo filho de Cápis (v.), é neto de Dárdano, e este nasceu da semente de Zeus. Até os quatro anos o menino permaneceu no monte Ida da Tróada e, logo depois, conduzido a Ílion, foi entregue aos cuidados de seu cunhado Alcátoo, esposo de Hipodamia, o qual lhe deu sólida educação.

Considerado na *Ilíada*, e com justas razões, como o mais aguerrido dos troianos, depois de Heitor, e apesar de não pertencer à família real, guardava na memória as palavras de sua mãe divina a Anquises, por este mesmo transmitidas ao filho: "Terás um filho que reinará sobre os troianos e outros filhos nascerão de seus filhos para um império sem fim". Estava profeticamente fundado o império romano. Na *Ilíada*, o filho de Vênus sempre se comportou como um bravo, sendo presença garantida nos grandes combates. Seu primeiro ato de coragem e destemor foi a justa com o indomável Diomedes. Ferido gravemente, salvou-se graças a Afrodite, que acabou sendo atingida igualmente pelo herói aqueu. Apolo levou-o para longe do campo de batalha, cobrindo-o com uma nuvem. Logo depois, todavia, curado por mãos divinas, retornou à cruenta seara do deus Ares e matou os valentes Créton e Orsíloco. Brilhou novamente no ataque ao acampamento aqueu e enfrentou Idomeneu. Ao lado de Heitor, mandou para o Hades muitos helenos e após ser um dos principais guerreiros que ajudou a pôr em fuga os comandados de Agamêmnon, lutou bravamente em torno do cadáver de Pátroclo. Mais tarde defrontou-se com Aquiles e fatalmente o filho de Tétis (e era o único que poderia fazê-lo) o teria liquidado, mas Posídon o afasta, colocando uma nuvem como barreira intransponível entre os dois combatentes. O deus do mar funciona neste episódio como garante das palavras de Afrodite: Enéias, seus filhos e os filhos de seus filhos estavam predestinados a reinar para sempre em uma "nova Tróia". Desse modo, desde a *Ilíada*, o herói aparece como protegido dos deuses, aos quais obedece sem jamais ultrapassar o *métron*, prefigurando o *pius Aeneas* da *Eneida* de Vergílio. Nele repousa o futuro da raça troiana. Todos estes elementos serão retomados por Vergílio, na *Eneida*, oito século depois, de acordo com os fatos sociais e religiosos que nortearam a política do "segundo fundador" de Roma, o imperador Augusto.

Mitógrafos e poetas posteriores a Homero mostram o herói troiano como o substituto de Heitor, morto por Aquiles nos derradeiros combates em defesa de Ílion. A importância do filho de Vênus, todavia, cresceu muito exatamente com a destruição da cidadela de Príamo pelos aqueus.

Após a morte de Laocoonte (v. *DIMEG.*, s.u.) e seus filhos por serpentes vindas da ilha de Tênedos, Enéias compreendeu que o fim de Tróia era iminente. A conselho de Anquises e por manifestações de Afrodite, o herói refugiou-se no monte Ida com seu pai, a esposa Creúsa e o filho Ascânio ou Iulo. Uma variante um tanto romanceada – e é a seguida por Vergílio – relata que o *pius Aeneas*, depois de convenver o alquebrado Anquises a sair de Tróia em chamas, fugiu para o monte onde passara seus primeiros anos de vida, carregando o pai nos ombros e segurando com uma das mãos o pequeno Iulo. Creúsa (v.), que se atrasara, acabou perecendo nas chamas. Tendo-se reunido em seu esconderijo com os troianos restantes, que escaparam ao massacre dos aqueus, comandados por Ulisses, esperou que estes se retirassem e preparou vários navios para ir fundar a "nova Tróia", predita por sua mãe divina.

Vergílio em seu poema épico *Eneida*, em doze cantos, com 8.882 versos hexâmetros, composto no séc. I a.C., traça o roteiro completo dessa peregrinação, na realidade um longo rito iniciático do herói, que parte de Tróia para alcançar os litorais de Lavínio, isto é, a Itália.

Embora não seja aqui o momento apropriado para uma análise da *Eneida* em si, mas das gestas do filho de Vênus no poema, talvez não fosse de todo inoportuno dizer uma palavra, conquanto de passagem, sobre a obra máxima da literatura latina. A *Eneida*, como acentua com propriedade a Drª Maria Helena da Rocha Pereira, *Estudos de História da Cultura Clássica* – II volume – *Cultura Roma*. Lisboa, F. Calouste Gulbenkian, 1984, p. 242, "era a grande contrapartida literária dos Poemas Homéricos. O facto é evidente, quer pela estrutura da epopéia – metade consiste em aventuras, metade em guerras – quer nas próprias palavras iniciais, que conjugam as palavras-chave da proposição da *Ilíada* com as da *Odisséia*:

As armas e o varão eu canto...

Evidente também nos múltiplos e artísticos aproveitamentos de motivos homéricos: esquema geral, metro, símiles, lançamento da narrativa *in medias res*, regressão épica".

O poeta latino, no entanto, faz uma inversão: inicia o poema pelas viagens do herói (*Odisséia*) e fecha-o com as guerras que o filho de Vênus travou para apossar-se da Itália (*Ilíada*). De outro lado, é conveniente assinalar, como o faz a erudita Autora supracitada, que na *Eneida* existem dois blocos narrativos: as trágicas aventuras do filho de Vênus em Cartago, que culminam com o suicídio de Dido (v.), cantos 1-4, e as lutas na Itália, cujo desfecho é a morte de Turno, cantos 7-12, entre os quais se interpõem os jogos fúnebres em memória e honra de Anquises, na Sicília, canto 5, e a catábase, a descida aos Infernos, canto 6. Nos dois grandes blocos narrativos, há "duas ações separadas, cada uma com seu herói secundário", dois autênticos deuteragonistas, *Dido* e *Turno*, os quais, além de Juno, que percorre todo o poema, traduzem os grandes óbices à missão de Enéias.

Uma síntese linear da *Eneida* poderá fornecer não apenas os dados essenciais da longa caminhada e sofrimentos de Enéias em terra e no mar, mas ainda e sobretudo o retrato de um herói de missão, cujo escopo, por vontade dos fados, é transferir os Penates para a Itália. Ali se multiplicarão seus descendentes, cujo império não terá fim, como diz Júpiter a Vênus, preocupada com a sorte do filho. O pai dos deuses e dos homens promete à deusa do amor que Enéias, através de Iulo, se perpetuará nos romanos, *En.*, 1, 278-279:

His ego nec metas rerum nec tempora pono:
imperium sine fine dedi.
– A estes (os romanos) não imponho limites no poder e no tempo:
concedi-lhes um império sem fim.

Canto 1 – Após a proposição e a invocação à Musa, o poeta nos lança *in medias res*: é a regressão épica. A frota troiana deixa a Sicília e navega em direção à Itália, quando Juno, guardando no coração "uma ferida antiga", por ter sido preterida no julgamento de Páris, enraivecida além do mais porque a "futura Roma" há de destruir sua querida Cartago, pede a Éolo, rei e senhor dos ventos, para levantar uma tempestade. Grande parte dos navios de Enéias naufraga e o restante é lançado às costa da Líbia. O herói tendo saído para caçar, sua mãe Vênus se lhe apresenta, hierofanicamente, disfarçada em caçadora. Aconselha o filho a dirigir-se para junto de Dido, rainha de Cartago. Captando-lhe a simpatia e depois o amor, Enéias evitará qualquer cilada dos pérfidos cartagineses.

Esta recebe hospitaleiramente os troianos e lhes oferece um grande banquete, pedindo, ao final do mesmo, que Enéias narre suas aventuras, desde a queda e incêndio de Tróia até a chegada à Líbia.

Canto 2 – Enéias relata a queda e a pilhagem de Tróia, fazendo menção especial à traição de Sínon (grego que finge ser inimigo dos aqueus e consegue convencer os troianos não só da partida dos gregos, mas também de que o *Cavalo*, abandonado no campo de batalha, era um voto feito aos deuses por um feliz regresso à pátria);

descrição do Cavalo, em cujo bojo se ocultavam os soldados gregos; episódio de Laocoonte, que se opõe ferozmente à entrada do "presente dos gregos" na cidadela de Tróia; a entrada do Cavalo, a festa "pela vitória"; o incêndio e o saque de Tróia. Heitor aparece em sonhos a Enéias e aconselha-o a fugir, levando os deuses Penates; morte de Príamo, rei de Tróia; Enéias foge, levando Anquises e Iulo; morte de Creúsa nas chamas, que aparece ao marido sob forma de *umbra*, corpo insubstancial, e lhe antecipa a chegada à Itália e um novo casamento.

Canto 3 – Aventuras de Enéias na Trácia, em Creta e no Epiro, onde ele encontra Andrômaca, viúva de Heitor, e agora casada com Heleno. Enéias chega à Sicília, onde escapa dos Ciclopes e onde morre seu pai Anquises.

Canto 4 – Ouvindo Enéias, Dido, por artimanhas de Vênus, que substituiu Iulo por Cupido, se apaixona violentamente pelo herói. Júpiter, no entanto, por intermédio de Mercúrio, ordena a Enéias de partir. Desespero e suicídio de Dido.

Canto 5 – Os troianos, novamente açoitados por grande tempestade, voltam à Sicília, onde são recebidos pelo rei Acestes. Jogos fúnebres em honra de Anquises.

Durante as competições, Íris é enviada por Juno para instigar as mulheres troianas a incendiarem a frota de Enéias. Debelado o incêndio, o filho de Vênus parte, deixando na Sícilia os velhos, as mulheres e mais alguns desencorajados, e chega a Cumas, na Itália.

Canto 6 – Enéias consulta a Sibila de Cumas, que o conduz, munido de um ramo de ouro, aos Infernos. Minuciosa descrição dos diversos compartimentos, aliás mal definidos, do mundo ctônio. Reencontro do herói e Dido, que nem sequer olha para ele. O Tártaro e os Campos Elísios, onde Enéias, emocionado, revê e tem uma longa conversa com seu pai Anquises, que lhe explica o destino das almas e lhe mostra a futura descendência de Iulo. O filho de Vênus regressa e chega a Caiete, na foz do rio Tibre.

Canto 7 – O rei Latino recebe os enviados de Enéias e oferece ao herói a mão de sua filha Lavínia. Juno, todavia, faz que a Fúria Aleto lance o ódio no coração de Amata, esposa de Latino, e Turno, rei dos Rútulos, a quem Amata deseja para esposo de Lavínia.

Declaração de guerra a Enéias. Catálogo das tropas italianas. Juno abre as portas do templo de Jano: é a guerra total.

Canto 8 – Enéias pede auxílio ao rei Evandro, que habita no Monte Palatino. O rei de Palanteu recebe carinhosamente o troiano e mostra o local onde há de erguer-se "a futura Roma". Aconselha Enéias a aliar-se aos etruscos e manda-lhe duzentos cavaleiros, comandados por seu próprio filho Palante.

Vênus, nesse ínterim, pede a seu esposo Vulcano que faça uma armadura divina para Enéias. No escudo estão gravados os feitos gloriosos da "futura Roma". Se o escudo de Aquiles nada tem a ver com o herói, o de Enéias carrega a fama e os fados de seus pósteros.

Canto 9 – Turno e os rútulos atacam o campo troiano; façanhas e morte heróica dos jovens troianos, Niso e Euríalo. Novo assalto de Turno, que penetra no acampamento troiano, mas é repelido.

Canto 10 – Conselho dos deuses: violenta altercação entre Vênus (protetora dos troianos) e Juno (protetora dos italianos), que Júpiter habilmente contorna, dizendo-se neutro.

Nova investida dos rútulos contra as tropas de Enéias, que se defende com vigor. Feitos ilustres e morte de Palante. Lutas encarniçadas, em que perecem Mezêncio e seu filho Lauso, que lutavam ao lado de Turno.

Canto 11 – Solenes funerais de Palante e desespero de Evandro. Camila, rainha dos volscos, vem pessoalmente em auxílio dos latinos com sua cavalaria, mas é morta em combate. Desencorajados com a morte da heroína, os latinos fogem para Laurento, fortaleza de Turno, sob cujas muralhas acampam os dois exércitos inimigos.

Canto 12 – Turno desafia Enéias para um combate singular, estipulando-se que os exércitos suspenderão a luta. Os rútulos rompem as tréguas e reiniciam-se os combates. Enéias é ferido e curado por Vênus. Os troianos assaltam Laurento. Amata, desesperada, suicida-se. Para salvar sua cidadela, Turno resolve enfrentar Enéias. Morte de Turno.

Enéias desposará Lavínia e se estabelecerá na Itália, dando origem à *raça latina.*

As palavras finais de Turno, o "Heitor da Itália", traduzem a entrega total da Hespéria a Enéias, que se casará com Lavínia (noiva do herói rútulo) e símbolo do domínio sobre todos os povos que habitam a Itália:

... Vicisti et uictum tendere manus
Ausonii uidere; tua est Lauinia coniux,
ulterius ne tende odiis... (*En.*, 12, 936-938).

– ... Venceste. Viram-me os ausônios estender vencido
as mãos, Lavínia é tua esposa. Não leves avante o ódio.

E Juno terá sido também a grande vencida? Júpiter, no canto 12, 793-796, após mostrar que a esposa tem conhecimento de que Enéias será um deus *indígete*, quer dizer, "uma divindade nacional romana", e de que os fados o erguem até os astros (*fatisque ad sidera tolli*), censura-a por ter sido a causadora do ferimento de Enéias e da devolução da espada por Juturna a Turno, "fazendo crescer a força dos vencidos", e encerra seu discurso, solene, incisiva e autoritariamente:

ulterius temptare ueto (*En.*, 12, 806) – proíbo-te tentar ir além...

Juno confessa saber que esta é a vontade do senhor do Olimpo e, por isso mesmo, como fez Apolo na Ilíada com Heitor, abandonou Turno (*En.*, 12, 808-809):

Ista quidem quia nota mihi tua, magne, uoluntas
Iuppiter, et Turnum et terras inuita reliqui

– Grande Júpiter, porque sabia ser esta a tua vontade,
embora de mau grado, abandonei Turno e a terra.

Pede ao esposo, no entanto, e esta é uma súplica muito romana, que o Lácio continue a existir, que existam os reis albanos, a raça romana e a *uirtus* (a excelência, a coragem) itálica. E mais: roga que os indígenas latinos não passem a chamar-se teucros ou tornar-se troianos; que a língua seja a latina e que não troquem de indumentária (*En.*, 12, 823-828):

ne uetus indigenas nomen mutare Latinos
neu Troas fieri iubeas Teucrosque uocari
aut uocem mutare uiros aut uertere uestem.
Sit Latium, sint Albani per saecula reges,
sit Romana potens Itala uirtute propago;
Occidit occideritque sinas cum nomine Troia.

– Não obrigues os indígenas latinos a trocar o nome antigo,
a tornar-se troianos ou ser chamados teucros e nem a mudar
de língua ou de indumentária. Exista o Lácio, existam pelos séculos
os reis albanos, perpetue-se a raça romana, poderosa
pelo valor itálico. Tróia acabou; extingua-se com ela o seu nome.
Sorrindo, respondeu-lhe Júpiter:

do quod uis et me uictusque uolensque remitto (*En.*, 12, 833)

– Concedo o que pedes: vencido e de bom grado o consinto.

E é sob forma oracular que arremata o deus supremo: os ausônios conservarão a língua e os hábitos dos antepassados. A eles se misturarão os troianos e todos serão chamados latinos. Ultrapassarão homens e deuses na lealdade e prestarão um culto singular a Juno (*En.*, 12, 834-840). Diferentemente da epopéia homérica "que trabalha com o que foi, a *Eneida* trabalha com o que foi, é e será".

Muito se tem falado e discutido acerca do *herói Enéias*: bravo e destemido na *Ilíada*, mostra-se não raro no poema vergiliano sem o destemor e a bravura de Aquiles; é carente de decisão pronta e destituído da argúcia de Ulisses. Embora se possam apontar "atos heróicos" em Enéias, é inegável que o filho de Vênus está muito distante do filho de Tétis e do esposo de Penélope. É realmente hesitante e indeciso, facilmente inclinado às lágrimas e a exprimir a dor e a compaixão. É conveniente lembrar, todavia, que a *Eneida*, como acentua Maria Helena da Rocha Pereira, é o poema da "glorificação de Roma, de sua missão civilizadora", e ainda mais, "um poema da paz e da conciliação". Não foi realmente por demagogia que o imperador Augusto mandou fechar as portas do templo de Jano, o que simbolizava uma paz que, na verdade, durou por muitos anos. Em síntese: a *Eneida* é um confronto entre o heroísmo e a *pietas*, isto é, o cumprimento do dever. Herói de missão, herói-sacerdote, que transporta os *Penates* para a Itália, Enéias é o *pius Aeneas*, o que cumpre cegamente seu dever (*pietas*) para com os deuses, a pátria e a família. Herói da paz que as circunstâncias levaram à guerra.

Se o poema vergiliano se fecha com a morte de Turno, os mitógrafos e poetas posteriores falam da fundação de Roma pelo próprio Enéias, mas a versão mítica do poeta de Mântua se impôs a partir do séc. I p.C. e as muralhas da altaneira Roma serão erguidas por um descendente do filho de Vênus, Rômulo.

Enéias não sofreu o destino comum dos mortais, mas teria sido arrebatado pelos deuses durante uma tempestade.

Como quer que seja, o mito do herói troiano não apenas teve o mérito de conferir títulos de nobreza às mais antigas famílias romanas, cujos ancestrais se diziam descender de Júpiter, Vênus e Iulo (v.), mas igualmente de reconciliar no seio do império romano duas raças inimigas: troianos e gregos. Afinal Enéias, pela voz profética de Homero, *Il.*, XX, 306sqq., haveria de exercer o mando sobre os troianos e sobre quantos filhos depois de seus filhos a luz contemplassem...

ENTÓRIA

Entória, do grego Ἐντωρία (Entoría), é de etimologia desconhecida.

Entória é personagem de um mito romano narrado por Plutarco, *Parall.*, 9, e que se relaciona com a edificação do templo do deus Saturno. Trata-se, realmente, de um mitologema de construção artificial, à maneira evemerista, cujo modelo é Erígone (v. *DIMEG.*, Vol. I, s.u.).

Conta-se que, durante a *Aetas Aurea*, a Idade de Ouro, quando Saturno vivia na Itália, um camponês, chamado Icário, pai de Entória, hospedou o deus. Agradecido, o imortal uniu-se à jovem e deu-lhe quatro filhos: Jano, Himno, Fausto e Félix. Saturno ensinou além do mais ao hospedeiro o cultivo da videira e a técnica mais apurada no fabrico do vinho, advertindo-o, no entanto, de que tudo quanto aprendera fosse transmitido a seus companheiros e amigos. Icário cumpriu as ordens divinas: com a finalidade de ensinar a nova arte, convidou todos os seus vizinhos e fê-los beber "o vinho de Saturno". Não habituados a licor tão puro e forte, caíram em sono profundo. Ao despertarem, julgando-se envenenados, apedrejaram Icário. Os netos do morto, desesperados, enforcaram-se.

De imediato, uma grande peste assolou Roma e todo o Lácio. Consultado o Oráculo de Delfos, Apolo revelou que a epidemia era conseqüência da cólera de Saturno. Para apaziguá-lo, Lutácio Cátulo castigou severamente os camponeses assassinos e ergueu, junto ao Capitólio, um templo ao deus, bem como um altar ornamentado com as feições dos quatro filhos de Entória. Em homenagem a Jano, *Ianus*, deu a um dos meses romanos o nome de *ianuarius*, janeiro. Saturno, por fim, transformou todo a família de Icário em constelação.

ÉRILO

Erylus, *Érilo*, é antropônimo sem etimologia conhecida.

Rei mítico de Preneste, aparece tão-somente na *Eneida*, 8, 560-567, no discurso de despedida de Evandro (v.) ao filho Palante (v.), ao partir este para lutar ao lado de Enéias. O já então alquebrado rei de Palanteu faz um ligeiro e saudoso retrospecto de sua juventude, quando, ao estabelecer-se no Lácio, lutou com Érilo, filho de Ferônia (v.), e o venceu. O monstro, segundo Evandro, possuía três almas (três vidas) independentes em três corpos que se fundiam, assemelhando-se, de certa forma, a Gerião (v. *DIMEG.*, s.u.), morto por Héracles.

A fala de Evandro ao filho é nostálgica, mas incentivadora (*En.*, 8, 560-567):

O mihi praeteritos referat si Iuppiter annos,
qualis eram, cum primam aciem Praeneste sub ipsa
straui scutorumque incendi uictor aceruos
et regem hac Erylum dextra sub Tartara misi,
nascenti cui tris animas Feronia mater
(horrendum dictu) dederat: terna arma mouenda,
ter leto sternendus erat; cui tum tamen omnis
abstulit haec animas dextra et totidem exuit armis.

– Ah! se Júpiter me fizesse voltar a meus anos passados,
qual eu era, quando junto à própria Preneste, destrocei
a primeira linha de combatentes e vencedor queimei montões de escudos.
Com esta destra lancei no Tártaro o rei Érilo. Sua mãe Ferônia
lhe havia dado, ao nascer, três almas (espantoso prodígio!);
eram três armaduras a romper, era preciso matá-lo três vezes.
Esta minha destra, no entanto, arrancou-lhe as vidas
três vezes e outras tantas o despojou das armas.

ESCATOLOGIA

Escatologia é palavra grega de formação recente, que nos chegou por via culta no séc. XIX. Trata-se de um composto de ἔσχατος (éskhatos), "o que está na extremidade, extremo, último", e λόγος (lógos), "tratado, doutrina", seguido do sufixo -ια (-ia). Assim, escatologia é o tratado sobre os novíssimos, isto é, acerca do fim do homem e da humanidade. Em termos mais simples, escatologia é o que aguarda o ser humano após a morte, o seu destino final, os seus "novíssimos" (v. *DIMEG.*, p. 360sqq.).

A dicotomia que se estabelece entre escatologia latina antes da *Eneida* e depois do poema épico vergiliano não é, a nosso ver, equívoca ou simplesmente artificial, como querem alguns. É verdade que o poeta de Mântua conserva na obra em pauta muitos aspectos da primitiva religião romana, mas sua visão da outra vida é um sábio aproveitamento do canto XI da *Odisséia*; dos quatro mitos escatológicos de Platão (o do *Górgias*, o do *Fédon*, o do *Fedro*, o do *Er*, no final da *República*) e do *Sonho de Cipião* de Marco Túlio Cícero. Acrescente-se a isto que Vergílio apresenta uma panorâmica e faz uma assimilação, entre outros, de conceitos estóicos e órfico-pitagóricos (estes já presentes em Platão) e, além do mais, o que não é despiciendo, a escatologia estampada no sexto canto da *Eneida* possui, como faria Dante mais tarde em seu *Inferno*, um cunho de indisfarçável feição política, segundo se verá. A escatologia romana anterior ao poema do cantor de Enéias, de certa forma influenciada pela religião etrusca e, em parte, pelos gregos (cujo influxo sobre a civilização latina começou muito mais cedo do que normalmente se apregoa), é bem diversa da transmitida pelo Cisne de Mântua. Claro está que muitas semelhanças entre os "novíssimos" das duas culturas clássicas não se devem propriamente à preponderância religiosa da Hélade sobre Roma, mas à origem indo-européia de ambas. O difícil, por vezes, é separar o que pertence ao berço comum do que seja assimilação da primeira pela segunda.

Dar-se-á, de início, uma idéia da escatologia romana "primitiva", que, apesar da grandiosidade do poema épico vergiliano (compreendido e apreciado pelos intelectuais), perdurou até quando o cristianismo, com dificuldades ingentes, fertilizando as arenas com o sangue de seus mártires e iluminado pelo verdadeiro Sol Invicto, impôs a luz sobre as trevas. Antes, porém, de se descer ao mundo tenebroso de Dite (v.) e Prosérpina (v.) e examinar o que lá acontecia aos mortos, uma palavra sobre a denominação do mundo subterrâneo dos descendentes de Rômulo. O *Hades* grego diz-se em latim *inferna, -orum*, "os infernos", que é um duplo de *inferus*, "o que está embaixo", donde *inferna*, "infernos", são as mansões dos *Di Inferi*, e dos *inferi*, isto é, dos deuses subterrâneos e das almas que as habitam. *Inferi*, "os que estão embaixo", opõe-se a *superi*, "os que estão em cima", donde *Di Superi* são as divindades do Olimpo e *Di Inferi* os que governam o reino dos mortos. Diga-se, de caminho, que *Inferna*, os "Infernos", como o Hades homérico, não tinham conotação de local de sofrimento na religião estatal, tradicional, mas, quando se tratava das religiões de mistério (Orfismo, Mistérios de Elêusis), cuja essência era a reencarnação, o mundo ctônio possuía até mesmo compartimento especial, onde, para todo o sempre, os maus e criminosos era supliciados, como o *Tártaro* na *Eneida*. Acrescente-se, por fim, que *inferus* e seu superlativo *infimus* correspondem ao sânscrito *ádharaḥ, adhamáḥ*, "que está embaixo e mais abaixo".

Na realidade se desconhecem com precisão as representações do mundo dos mortos (e o que lá se passava, acrescentamos) próprias dos antigos latinos, como assinala Mircea Eliade (*Histoire des Croyances et des Idées Religieuses*. Paris, Payot, 1978, I, T. II, p. 132): "É muito provável", enfatiza o sábio romeno, "que a mitologia funerária arcaica dos latinos fosse um prolongamento das tradições das culturas neolíticas européias. Por outro lado as concepções do outro mundo compartilhadas pelos troncos rurais itálicos foram modificadas de modo bastante superficial pelas influências ulteriores, gregas, etruscas e helenísticas". O grande historiador das religiões, segundo se observou, é bem explícito: as contribuições posteriores, quer tenham sido etruscas, quer helênicas ou helenísticas não conseguiram alterar o conservadorismo romano, herança indo-européia, acerca da outra vida. Argumentar que o majestoso poema epicurista de Tito Lucrécio Caro (cerca de 99-55 a.C.), *De Rerum Natura*, "Da Natureza", cujo escopo é negar a outra vida, negando a imortalidade dos deuses e da alma – porque, se tudo é formado de *átomos*, tudo *continua na matéria*, dissolvendo-se em *átomos* - tenha abalado a crença do povo, é laborar em equívoco. A obra didática e formidável de Lucrécio poderia atingir uma minoria intelectualizada e não o *mos maiorum*, "o comportamento dos antepassados", que falava mais alto pelos lábios de muitos séculos de tradição. O elogio vergiliano ao poeta radical e apaixonadamente materialista dever ter caído no vazio (*Geórg*., 490-492):

Felix qui potuit rerum cognoscere causas
atque metus omnis et inexorabile fatum
subiecit pedibus strepitumque Acherontis auari.

– Feliz aquele que pôde conhecer as causas das coisas
e calcou aos pés todos os temores, o destino inexorável
e o estrépito do insaciável Aqueronte.

Exceto alguns ilhéus estéreis de poucos autores e "filósofos" latinos, a crença na imortalidade da alma e na outra vida foi sempre um fato consumado na mentalidade romana, mas tarde purgada, enriquecida e para sempre alimentada pelas luzes do cristianismo. O tradicional culto aos mortos bem como as visitas anuais das almas ao mundo dos vivos comprovam que os latinos jamais acreditaram que o ser humano terminava com a morte. Ignora-se, isto sim, o que se passava na outra vida. Se na religião oficial e "tradicional" romana como na grega não se admitia reencarnação, é de se supor que ambas, sob este e outros aspectos, refletem a primitiva escatologia indo-européia (v. *DIMEG*., s.u. Escatologia).

Quando o inspirado Quinto Horácio Flaco, *Od*., 4,7,16, escreve que uma vez atingido o local onde *estão* o pai Enéias, Tulo e Anco, *puluis et umbra sumus*, "somos pó e sombra", o poeta está, de um lado, afirmando a existência da outra vida, de outro lado, repetindo a forma como os helenos e latinos indo-europeus concebiam a alma após a morte do corpo: Homero a estampa como εἴδωλον (eídolon), "uma espécie de corpo insubstancial", retrato perfeito do extinto; os latinos chamam-na comumente de *umbra*, "sombra, imagem incosciente", mas "existente". Valeria a pena repetir o frag. 12 de Sófocles:

– o homem é somente um sopro e uma *sombra* (skiá-umbra), nada mais que um *eídolon*.

É inútil tentar abraçá-la, como fez Enéias com seu falecido pai Anquises – a *alma-umbra* paterna lhe escapou por entre os braços – *En*., 6, 700-702:

Ter conatus ibi collo dare bracchia circum;
ter frustra comprensa manus effugit imago,
par leuibus uentis uolucrique simillima somno.

– Três vezes tentou então abraçá-la;
três vezes lhe escapou de entre os braços a sombra,
em leveza igual ao vento, muito semelhante ao sono fugaz.

A prova maior, todavia, da sobrevivência e atuação da alma na religião romana está no culto aos mortos que, em Roma, eram extremamente exigentes e até ameaçadores em relação aos vivos, sobretudo aos parentes. Os ritos funerários (v. Exéquias) terminavam no nono dia após o sepultamento ou cremação, o que não alterava a substância do *eídolon-umbra*. Prolongavam-se, porém, no denominado culto regular e permanente aos *di parentes*, aos pais divinizados ou *Lares Familiares*, os deuses Lares (v.) da família, também cognominados, por eufemismo, *Manes* (v.), deuses bons, benéficos, e *Penates* (v.), personificações dos antepassados. Em honra desses deuses muito importantes para a família romana e para o Estado, que para os latinos era realmente "a soma das famílias", e, por isso mesmo era *status*, o que se mantinha de pé (quão diferente da Grécia!), celebravam-se duas festas: *Parentalia* e *Lemuralia* ou *Lemuria*. O primeiro vocábulo provém de *parens*, *-entis*, pai ou mãe, e, no plural, *parentes*, os pais, isto é, o pai e a mãe. A fonte primeira da palavra é o verbo *parere*, parir, dar à luz, gerar, pôr no mundo. *Parentalia*, Parentálias, são comemorações fúnebres anuais em honra e memória dos mortos da família. Realizavam-se de 13 a 21 de fevereiro. Durante todo esse espaço de tempo "sentia-se" a presença misteriosa das almas dos mortos, que deixaram o mundo ctônio e subiram saudosos à morada dos vivos. A cidade invadida por forças sobrenaturais abdicava de suas funções habituais. Suspendiam-se nestas datas todas as atividades e ocupações públicas e privadas; fechavam-se os templos; o fogo que ardia nos altares era extinto; não se contraíam núpcias; os magistrados não podiam ostentar suas insígnias. Como os mortos estavam na terra e acreditava-se que poderiam ser funestos aos vivos, era mister aplacá-los. Levavam-se, para tanto, às sepulturas, que se adornavam com grinaldas de violetas e rosas, mel, leite e azeite. A *pietas*, o respeito para com a família, aqui no caso, era a grande arma com que se apaziguavam os antepassados: *animas placare paternas*, "aplacar as almas dos antepassados", diz com exatidão Ovídio, *Fastos*, 2, 533. Até mesmo para uma frugal refeição, ao que parece, no dia 21, convidavam-se os antepassados, dos quais, ao final da mesma, despediam-se os sobreviventes com uma saudação muito peculiar para o momento: *Salue*, *sancte parens*, adeus, pai santo. O romano, no entanto, é prático. Poderia acontecer de o morto ainda não estar satisfeito: no dia 22 reunia-se novamente a família para um banquete; à mesa havia lugares reservados para os mortos... Como no antigo calendário romano fevereiro era o último mês do ano, "compartia a condição fluida caótica, que caracteriza esses intervalos entre dois ciclos temporais. Estando suspensas as normas, os mortos podiam retornar à terra", afirma com sua habitual acuidade Mircea Eliade. Diga-se, de passagem, que era igualmente no dia 15 de fevereiro que se celebravam as *Lupercalia*, Lupercálias (v. Luperco), purificações coletivas que preparavam a renovação universal, traduzida pelo Ano Novo, momento em que se realiza simbolicamente a recriação ritual do mundo. *Lemuralia* ou *Lemuria*, Lemurálias ou Lemúrias, provém de *lemures*, lêmures, "almas dos mortos, espectros noturnos e terrificantes". Etimologicamente, lêmures é aproximado com certas reservas do grego λαμυρός (lamyrós), ávido, guloso, voraz. Na definição de Porfírion, Ad Hor. *Ep.*, 2,2,209, lêmures são *laruae nocturnae et terrificationes imaginum et bestiarum*, isto é, "fantasmas noturnos que aterrorizam por meio de espectros e animais ferozes". Durante os três dias das Lemurálias, que dizer, a 9, 11, e 13 de maio, os mortos retornavam e visitavam as casas de seus descendentes. Eram almas insatisfeitas e, por isso mesmo, maléficas. Vagueavam, à noite, pelas ruas e lares para beber sangue humano que lhes pudesse reanimar a pálida existência. Para aplacá-las e impedir que arrastassem para os Infernos alguns de seus consangüíneos, o chefe da família se levantava à meia-noite; percorria, descalço, os corredores da casa, dando estalos com os dedos, a fim de afugentar os espectros, e jogando para atrás favas pretas, sem voltar a cabeça. Recolhiam-nas os lêmures, poupando o sangue humano. Ao lançar as favas, o *pater familias* repetia nove vezes: "Com estas favas resgato-me e aos meus". Em seguida, após uma lustração com água sagrada, batia numa lâmina de bronze e exclamava outras nove vezes: "Espíritos de meus antepassados, afastem-se daqui" (Ov. *Fast.*, 5, 429-444). Com estas operações mágicas, os *Lêmures* transformavam-se, ao menos por um ano, em *Manes*. Trata-se, no fundo, da ambivalência do *sacer*, do sagrado, quer dizer, do que não pode ser tocado sem ser contaminado ou contaminar, daí o duplo sentido, aparentemente antitético, de *sacer*, "sagrado e maldito": os espíritos dos mortos, enquanto *Lêmures*, são "execráveis", mas, uma vez aquietados, tornam-se *Manes*, "benévolos", sem deixar um e outro de ser *sacer*, sagrado.

A crença, por conseguinte, entre os romanos, antes de influências estranhas, que aliás atingiram sobretudo os letrados, na imortalidade da alma e seu destino, é um fato mais do que claro e comprovado. Todos, de Catão a Catilina, desciam para um mesmo compartimento: *Inferna*, os Infernos, sem julgamento algum, donde sem prêmio nem castigo. Para ter os mortos *in bono animo*, certamente não felizes, mas ao menos aquietados, era bastante honrá-los e exorcizá-los duas vezes por ano. Diga-se, além do mais, que a recondução ritual dos mortos, após suas escapadelas periódicas ao mundo dos vivos, é uma cerimônia que se repete em várias culturas.

Essas anábases das almas são, de resto, apenas simbólicas. Os ritos para apaziguá-las se constituem num apotropismo: evitar que os que *foram* perturbem em demasia os que ainda *são*. O mundo dos mortos nas religiões mais primitivas possui tão-somente porta de entrada. No mito da epopéia babilônica de Gilgamex, redigida entre os séculos XIX-XVI a.C., um ser monstruoso visita em sonhos a Enkindu e, anunciando-lhe a morte, prepara-o para uma descida sem retorno:

Estou, brada ele, na casa em que se entra sem esperança de sair,
No caminho da viagem que jamais admite o regresso,
Estou na morada onde não há luz para os que a habitam,
Onde só o pó existe para comerem, onde só o barro é alimento.

Na *Eneida* de Vergílio (70-19 a.C.), a escatologia estampada no canto sexto, que é o pulmão do grandioso poema, toma outras direções e aponta novos horizontes. Fundindo o insuperável Homero com a doutrina reencarnacionista órfico-pitagórica, com os diálogos escatológicos de Platão, com o estoicismo e outras correntes filosóficas e literárias, o poeta nos dá uma visão dantesca da outra vida. Não há dúvida de que sendo a *Eneida* um poema também engajado, comprometido com a ideologia vigente, quer dizer, com as antigas e novas idéias religiosas, com as reformas políticas e sociais do imperador Augusto (64 a.C. – 14 p.C.), a outra vida vergiliana, como mais tarde *A Divina Comédia* de Dante, harmonizará com extrema habilidade o literário e o político. Poema "do que foi, é e será", o Cisne de Mântua, através da reencarnação, no canto sexto, não apenas enfoca uma nova concepção religiosa, que aliás já era moeda corrente entre os intelectuais romanos, mas também celebra as glórias do passado de Romà, o seu presente, governado por um novo deus, Augusto, e seu futuro, porque os ancestrais do imperador ainda aguardam nos Campos Elísios o momento de subir à terra e dar ao povo romano "um império sem fim". Tudo na cidade dos futuros Césares já foi, já é, mas sobretudo será, quando o governo estiver nas mãos de um descendente de Vênus através de Enéias (v.). Sem o processo reencarnatório não haveria Augusto, não haveria paz, não existiria a Roma preconizada pelo *Fatum*, pelo Destino. Vamos ver de mais perto, seguindo o sincretismo religioso confeccionado poeticamente pelo cantor de Enéias, a escatologia vigente no canto sexto.

O *Inferno* vergiliano é também denominado *Orco* (talvez palavra etrusca), e, por metonímia, *Érebo, Averno, Aqueronte*. É inútil, porém, buscar neste mundo ctônio de Dite e Prosérpina uma divisão coerente em compartimentos. Trata-se mais de um projeto poético do que geográfico ou topográfico. Tem-se a nítida impressão de que o inferno no sexto canto da *Eneida* é um espaço vastíssimo sem marcos e sem paredes. Até mesmo os locais designados para determinados tipos de mortos são religiosamente transgredidos. O correto, mas "suicida" Catão de Útica, que deveria, por isso mesmo, permanecer no "primeiro limiar", está retratado no escudo de Enéias, confeccionado por Vulcano, num local à parte, habitado por cidadãos justos, cujo juiz é exatamente Catão, *En*., 8, 670:

secretosque pios, his dantem iura Catonem.

– num local à parte (Vulcano colocou) os justos, cujo juiz é Catão.

É necessário tentar fazer uma descrição, embora sumária, das oscilantes fronteiras deste amplo reino, para que se possam analisar escatologicamente os seus diferentes habitantes.

Cumpridos todos os ritos iniciais, empunhando, como se fora um talismã, o *aureus ramus*, o discutido "ramo de ouro", cuja origem e simbolismo religioso ainda se desconhecem, Enéias, em companhia da Sibila (v.) de Cumas, inicia, através da garganta do Averno, a descida ao reino das sombras (*En*., 6, 273-274):

Vestibulum ante ipsum primis in faucibus Orci
Luctus et ultrices posuere cubilia Curae...

– Ante o vestíbulo, nas primeiras fauces do Orco,
têm seu leito o Luto e os vingadores Remorsos...

Enéias avista, além destes, uma série de outras personificações que atormentam a vida humana: a Doença, a Velhice, o Medo, a Fome, a Miséria, a Morte, o Esforço, o Sono, a Inveja, a Guerra, as Eumênides e a Discórdia. A tantas misérias unem-se outros tantos monstros: os Centauros, Cila, Briaréu, a Hidra de Lerna, Quimera, Górgonas, as Harpias e Gerião. Não poderia haver melhores recepcionistas... Mas este vestíbulo está distante do reino de Plutão propriamente dito: separam-nos os rios infernais, como se fossem muralhas circulares – o Aqueronte, o Cocito e o Estige. Para levá-los até "a outra margem", ali estava o sórdido Caronte, que só se dispôs a fazê-lo quando a Sibila lhe mostrou o ramo de ouro. Uma verdadeira multidão de almas aguardava a tão esperada travessia. O barqueiro infernal, surdo às súplicas, somente acolheria aquelas cujos corpos houvessem recebido sepultura. As demais estão condenadas a vagar cem anos até que possam rever "as tão desejadas águas..."

Tandem trans fluuium incolumis uatemque uirumque
informi limo glaucaque exponit in ulua (*En.*, 6, 415-416):

– Finalmente Caronte transportou, sãos e salvos, para além do rio
o herói e a Sibila e os desembarca nos lodosos e verdoengos morraçais.

Agora já se está penetrando no bojo do mundo infernal, mas o cão tricéfalo, Cérbero, "deitado num antro fronteiro", ameaça barrar-lhes a entrada: a Sibila o adormece, atirando-lhe um pedaço de carne com efeitos soporíferos. Enéias rapidamente se afasta das margens do Estige, o rio que não se atravessa duas vezes, e entra nos Infernos, cuja divisão a geografia poética de Vergílio, como se mencionou, não permite demarcar com rigor. Os nomes são citados de maneira bastante vaga e imprecisa: *uestibulum, lugentes campi, arua ultima*, "vestíbulo, campos das lágrimas, as regiões extremas", como se o poeta desejasse que o leitor romano fixasse de preferência na memória os dois amplos e bem demarcados compartimentos dos Infernos: *Tartarus* e *Elysium*, o Tártaro e o Elísio, também denominado Campos Elísios. Ambos, na realidade, traduzem não só o vasto sincretismo religioso elaborado pelo grande épico, mas igualmente o engajamento sócio-político-religioso do poema.

Não obstante o ziguezague geográfico do canto em pauta, é possível, como se está tentando fazer, colocar alguma ordem neste caos, desde que, lendo atentamente os versos maravilhosos desta parte da *Eneida*, se refaça o intinerário da Sibila, que conduz Enéias, "das trevas para a luz". De seu antro trevoso no Averno para os Campos Elísios, inundados de sol.

Fugindo das proximidades do perigoso Estige, o filho de Vênus aproxima-se de uma paragem onde "se ouvem vozes e longos vagidos, pranto de crianças que lhe ocupam a entrada". Trata-se dos pequeninos que nasceram prematuramente, perto dos quais estão as vítimas inocentes de um falso julgamento e os suicidas. Caminhando um pouquinho mais o herói e a Sibila atingem os *Lugentes Campi*, os Campos das lágrimas (*En.*, 6, 442-444):

Hic quos durus amor crudeli tabe peredit
secreti celant calles et myrtea circum
silua tegit: curae non ipsa in morte reliquont.

– Ali estão em solitárias veredas e escondidos
em bosques de mirto os que em febre de amor se consumiram:
até mesmo na morte não os deixam em paz as inquietações.

Vítimas de Eros, que se mataram por amor quase todas: Fedra, Prócris, Erifila, Evadne, Pasífae, Ceneu (v. *DIMEG*., s.u.) e sobretudo a rainha Dido (v.) que tem um reencontro doloroso com Enéias. *Inde datum molitur iter* (*En*., 6, 477), "dali segue o caminho que lhe é permitido", e atingiu *arua ultima*, "as regiões extremas", onde se encontrou com grandes heróis, entre os quais Tideu, Partenopeu, Adrasto e muitos varões troianos que tombaram em defesa de Ílion: Glauco, Medonte, Tersíloco, Ideu e o infeliz Deífobo, vítima das artimanhas de Helena. Os aqueus, que lutaram ao lado de Agamêmnon, ao verem o filho de Vênus, "fugiram apavorados; uns quantos começaram a gritar, mas de suas bocas abertas não rompia a voz..." Finalmente a Sibila advertiu Enéias de que haviam atingido a grande bifurcação (*En*., 6, 540-543):

Hic locus est, partis ubi se uia findit in ambas:
dextera quae Ditis magni sub moenia tendit,
hac iter Elysium nobis; at laeua malorum
excercet poenas et ad impia Tartara mittit.

– Aqui é o local em que o caminho se bifurca:
o da direita conduz ao palácio do grande Plutão,
este é o nosso itinerário para o Elísio; o da esquerda
leva ao ímpio Tártaro, onde os perversos são castigados.

Os dois seguiram primeiro a rota da esquerda. Enéias pôde ter uma visão externa da imensa fortaleza, mais profunda que dois Olimpos superpostos; cincundada por tríplice muralha, que, por sua vez, é cingida por uma caudalosa corrente de chamas do rio Flegetonte. Uma porta gigantesca, presa por sólidas colunas de diamante impede-lhe a entrada: nem os deuses, se o tentassem, poderiam rompê-la. A Fúria Tisífone, embuçada num manto sangrento, monta-lhe guarda dia e noite. De longe se ouvem os gemidos, o estalar de açoites, o ranger de ferros e do arrastar de cadeias. As Fúrias medonhas, Aleto, Tisífone e Megera, açoitam ininterruptamente os culpados. "Ramadanto, o juiz cretense, obriga a confessar os delitos àqueles que, em vida, felizes por ocultá-los, procrastinaram para tardia morte as expiações devidas". A Sibila, que, certa feita, foi levada por Hécate àquele mundo de horrores, relata ao filho de Anquises uma parcela dos tormentos a que são submetidos os culpados. É um quadro pavoroso, mas apenas uma sinopse, pois acrescenta ela (*En*., 6, 625-627):

Non, mihi si linguae centum sint oraque centum,
ferrea uox, omnis scelerum comprendere formas,
omnia poenarum percurrere nomina possim.

– Se eu tivesse cem bocas, cem línguas
e voz de ferro, nem assim poderia relatar
todos os gêneros de culpas e todas as modalidades de castigos.

Mergulhados neste sorvedouro gigante e imundo, estão os grandes criminosos míticos e "históricos", a saber, os inimigos da pátria, antigos e modernos, desde a época de César até Augusto. Ao lado dos Titãs, Oto, Efialtes, Salmoneu, Tício, Ixíon, Sísifo e Flégias, entre outros, estão os que conspurcaram a *pietas*, faltando aos deveres para com a família; os advogados que enganaram os clientes; os avarentos; os adúlteros; os que fizeram a guerra civil, violando o juramento e, por conseguinte, a *fides*, "a palavra empenhada"; os que venderam a pátria e, por suborno, fizeram e desfizeram leis; os pais incestuosos. "Crimes de todos os tempos, naturalmente", diz com razão e lucidez Maria Helena da Rocha Pereira, *op. cit.*, 282. "Mas repare-se no carácter especificamente romano de alguns deles: a infracção à *pietas* e à *fides*..." Na página seguinte escreve a grande helenista portuguesa: "Neste, como em tantos outros passos da *Eneida*, os erros da história recente são flagelados por meio da alusão velada ou da generalização anônima de casos por todos conhecidos". São realmente fatos de conhecimento público. As alusões veladas parecem ter destinatários certos, como Cássio e Bruto, assassinos de César e fomentadores da guerra civil, continuada por Sexto Pompeu e naturalmente o corrupto e "traidor" Marco Antônio...

A Sibila tem pressa e convida o *Pater Aeneas* a fechar a grande catábase com a tão esperada visita ao Elísio e o reencontro com o pai Anquises, objetivo central do grande mergulho nas vísceras dos Infernos (*En.*, 6,629):

Sed iam age, carpe uiam et susceptum perfice munus.

– Mas, agora prossigamos; retoma a caminhada e conclui tua empresa.

Seguindo o caminho à direita, Enéias, deposto o ramo de ouro, e feitas as aspersões de praxe, penetra no Elísio, nos locais amenos, nos frescos vergéis de árvores deliciosas, onde habitam os bem-aventurados. Ali estão Orfeu e Museu, que encantam as almas felizes respectivamente com a música e a poesia, um apelo claro do vate de Mântua ao valor das artes. O clima paradisíaco é um convite permanente para que todos se divirtam nos prados amenos desta Atlântida "efêmera", encravada nas entranhas da terra. Os que lá estão foram dignos de tão grande recompensa (*En.*, 6, 660-665):

Ali está a multidão dos que se feriram, lutando pela pátria,
os sacerdotes puros, enquanto lhes durou a vida; os poetas virtuosos,
que disseram coisas dignas de Apolo; os que aperfeiçoaram a vida
com inventos úteis; os que por obra de mérito se fizeram dignos
de memória. Todos estes têm a fronte cingida com uma fita branca.

Todos ali se exercitam nas palestras, nos jogos e nas lutas; outros dançam e recitam poemas ao som da cítara de Orfeu. Os banquetes e os coros são intermináveis. É como se a Idade de Ouro tivesse sido transferida para o Elísio.

O encontro do herói com o pai foi emocionante. Ao ver o filho, exclamou Anquises (*En.*, 6, 687-689):

Venisti tandem, tuaque exspectata parenti
uicit iter durum pietas? datur ora tueri,
nate, tua et notas audire et reddere uoces?

– Vieste finalmente! Teu dever filial, já esperado por teu pai,
venceu a difícil caminhada? Posso afinal rever teu semblante,
ó filho! Ouvir novamente tua voz e falar contigo.

O diálogo foi longo e se passaram a limpo muitas saudades. Anunciaram-se também muitos fatos vindouros. Como *mántis*, como adivinho, pois todo morto, liberto das amarras do tempo, o é, Anquises (e este é um grande momento do poema) faz desfilar diante dos olhos do filho todos os seus futuros descendentes (*En.*, 6, 756-759):

Verás agora o esplendor que aguarda a posteridade dardânia
e quais os netos procedentes da família itálica;
mostrar-te-ei as almas ilustres que ilustrarão nosso nome
e revelarei teu destino.

De procedência propriamente troiana, mas "mestiço de sangue itálico" (*Italo commixtus sanguine*) é Sílvio, filho de Enéias e Lavínia. A este seguem-se Cápis, Numitor, Sílvio Enéias e o mavórcio Rômulo, por cujo impulso Roma estenderá seu império até os confins do mundo e sua glória até o Olimpo. E convida o filho a voltar os olhos e contemplar "os romanos", a posteridade de Iulo (v.), de que procederá o imperador *Augusto* (*En.*, 6, 788-794):

Huc geminas nunc flecte acies, hanc aspice gentem
Romanosque tuos. Hic Caesar et omnis Iuli
progenies magnum caeli uentura sub axem.
Hic uir, hic est, tibi quem promitti saepius audis,
Augustus Caesar, diui genus, aurea condet
saecula qui rursus Latio regnata per arua
Saturno quondam.

– Agora, olha para cá. Contempla esta nação: eis os teus romanos.
Eis César e *toda a posteridade de Iulo, que há de surgir sob a abóbada celeste.*
Eis aí, eis aí o varão que tantas vezes te foi prometido,
Augusto César, filho de um deus, que fará renascer a Idade de Ouro
nos campos do Lácio, onde outrora reinou Saturno.

Está construído o plano futuro do poema e o engajamento é explícito. Tudo há de começar com Enéias, Sílvio e Iulo e tudo recomeçará com César Augusto!

Chegou, no entanto, o momento de Enéias deixar o Elísio, retornar ao mundo dos vivos e iniciar uma luta ingente pela posse da Itália, simbolizada na derrota e morte de Turno e no casamento com Lavínia. Afinal Anquises lhe revelou o futuro (revelarei teu destino). Sempre acompanhado pela Sibila de Cumas, o herói sairá dos Infernos por uma das duas portas ali existentes, ambas posse do Sono. Uma é opaca (*porta cornea*, porta de chifre), por onde saem "as verdadeiras sombras"; outra, de marfim polido (*porta eburna*, porta de marfim), "reluzente", por onde passam "as falsas visões". Anquises faz que o filho transponha esta última: Enéias ainda está agrilhoado ao cárcere do corpo.

Dada esta panorâmica do reino de Dite, há de se perguntar: qual há de ser o *destino final* de tantas almas? O poeta não o diz explicitamente. Perseguindo-lhe, no entanto, atentamente os passos, pode-se afirmar, com boa margem de acerto, que existem na escatologia vergiliana duas destinações para os mortos. Os abomináveis criminosos do Tártaro, imortais e mortais, que insultaram gravemente os deuses, a pátria e a família, jamais escaparão dos tormentos nos abismos infernais. Para eles só existe uma reação: o ódio. Aqueles que ocupam o *Vestíbulo*, os *Campos das Lágrimas*, as *Derradeiras Paragens*, criancinhas prematuramente nascidas, suicidas, as que se mataram por amor e mesmo os grandes heróis da Guerra de Tróia, dardânios e aqueus, não recebem uma única palavra de conforto do poeta. Não são atormentados pelas Fúrias, mas, ao que parece, seu castigo é a certeza da perenidade nas trevas. Como os suicidas estão arrependidos e desejariam retornar a esta vida, mesmo que fosse para sofrer a pobreza e os duros trabalhos (*En.*, 6, 436-437):

Quam uellent aethere in alto
nunc et pauperiem et duros perferre labores!

– Como desejariam agora retornar ao mundo do alto
e arrastar a pobreza e o duro trabalho.

Este *Quam uellent*, "como desejariam", mostra claramente a impossibilidade do regresso. *Fas obstat*, "o fado não o permite", complementa o verso seguinte (438). Os bem-aventurados, cujo número é pequeno, consoante o próprio vate, estes sim, têm assegurada a reencarnação. Anquises, respondendo a uma pergunta do filho, explica-lhe que a multidão de almas, que se aglomera às margens do rio Lete, aguarda o momento do retorno a um novo corpo.

É mister estampar alguns versos do canto sexto, para que se possa compreender a doutrina reencarnacionista vergiliana, que representa uma síntese, por vezes mal alinhavada, da metempsicose pitagórica, de algums elementos do orfismo (v. *DIMEG.*, s.u. Escatologia), ambos aproveitados por Platão, aos quais se soma "o substrato estóico", como muito bem assinalou Maria Helena da Rocha Pereira, *op. cit.*, p. 287sq: "No estado actual dos nossos conhecimentos, teremos de repetir com Austin que estamos perante uma síntese poética, que funde a doutrina estóica da *anima mundi* (alma do mundo) com os ensinamentos platônicos e órfico-pitagóricos da reencarnação".

Eis o texto poético do cantor de Enéias (*En.*, 6, 713-751):

– Disse-lhe então o pai Anquises: estas são as almas
destinadas a habitar outros corpos. Nas águas do rio Lete
bebem a tranqüilidade e um longo esquecimento.
....

"Ó pai, por ventura se deve crer que algumas almas retornem
daqui para o alto e que aspirem a habitar novamente corpos materiais?
Que triste desejo de vida possuem esses infelizes?" "Explicar-te-ei,
filho; não te deixarei em dúvidas", respondeu Anquises e por ordem
vai lhe desvendando cada uma das etapas. "No início de tudo, o céu,
a terra e as líquidas planuras, o orbe luzente da lua e o astro
filho de um Titã, são animados intrinsecamente por um sopro.
Infundido nos membros, o espírito move toda essa massa
e funde-se-lhe no grande corpo. Daí tem origem a raça
dos homens, dos animais, das aves, e os monstros que o mar
conserva sob sua marmórea superfície. Ígneo é seu vigor
e celeste é a origem das sementes, enquanto os corpos impuros
não as retêm e os vínculos terrenos e os membros votados à morte
não as embotam. Disto provêm o medo, a cobiça, a dor e o prazer,
porque as almas não vêem o céu, enclausuradas nas trevas
do escuro cárcere. Quando, no entanto, a vida se extingue com a última
luz, as almas infelizes não se libertam inteiramente de todo o mal
e de todas as impurezas corpóreas: os vícios, enraizados pelos anos,
fixaram-se com uma profundidade assombrosa. É mister, por isso,
castigá-las e supliciá-las por suas antigas manchas. Umas, suspensas
no ar, são expostas aos ventos; outras, mergulhadas num vasto abismo,
purgam suas manchas ou se purificam no fogo. Todos sofremos
em nossos manes os merecidos castigos e, em seguida, somos enviados
para o vasto Elísio e são poucos os que ocupam estes prados alegres,
enquanto o escoar dos anos destrói a impureza material, deixando
puro o etéreo espírito, no estado primeiro do fulgor ígneo.
Um deus então, decorridos mil anos, conduz em longa fila
as almas purificadas às águas do rio Lete, para que, esquecidas
do passado, tornem a ver a face da terra e queiram voltar a novos corpos".

O longo, mas belíssimo discurso de Anquises a Enéias, a respeito da origem das almas, de seus sofrimentos por estarem encravadas na matéria, de sua catarse e finalmente da reencarnação de algumas (poucas chegam ao Elísio) sugere certas reflexões e enseja alguns questionamentos. Diz o poeta, seguindo a esteira de Platão, que a alma, sopro ígneo, sem máculas, ao encravar-se na matéria, contamina-se e, por isso mesmo, antes de penetrar no Elísio, terá que purificar-se através de severas punições: ficará suspensa no ar ou será mergulhada num vasto abismo; outra se purga nas chamas. Anquises não localiza esse báratro: o Tártaro seria inadmissível pelo tipo de punição que lá sofrem os grandes criminosos, o que não é o caso neste passo. Onde ficaria o fogo devorador das manchas deixadas pelas impurezas corpóreas? O poeta não o diz.

Segundo ponto mais sério: se poucos atingem o Elísio e têm direito à metempsicose (melhor seria dizer *ensomatose*, v. *DIMEG.*, s.u. Escatologia), isto quer dizer que a grande maioria (os que povoam o Vestíbulo, os Campos das Lágrimas, as Derradeiras Paragens e o Tártaro) está condenada para sempre a permanecer em seus respectivos "compartimentos". Donde, a escatologia vergiliana apresentaria duas modalidades: os bem-aventurados, em número reduzido, que, por mérito, atingirem os Campos Elísios, retornarão a ver a face da terra e os demais, embora sem sofrimento "físico", exceto os réprobos do Tártaro, estarão condenados a viver para sempre nas trevas.

O problema, todavia, não termina aí: se as almas afortunadas do Elísio voltam a revestir-se da matéria, evidentemente se contaminarão de novo. Voltarão neste caso, após as penalidades acima descritas, a esse oásis dos Infernos e, após mil anos, regressarão novamente ao orbe terráqueo... A quantas *ensomatoses* farão juz esses afortunados? O ciclo reencarnatório não pode ser perpétuo... E, além do mais, admitindo-se um término para os diversos ciclos, qual o destino final das almas justas? O poeta simplesmente se cala a respeito de todos estes problemas levantados. Argumentar que a *Eneida*, no sexto canto, é uma simples ficção poética, não convence. A *Ilíada* e a *Odisséia* também o são, e bastante mais aprimoradas, e a escatologia em ambas está relativamente bem delineada.

Sem pretender solucionar o enigma, mas tão-somente a título de hipótese, talvez se pudesse recorrer ao órfico-platonismo exposto no texto acima traduzido e tentar uma conclusão. Seguindo-se o esquema órfico, os que conseguiam "salvar-se", cujo número era reduzido, percorriam o ciclo reencarnatório *dez vezes*, e o intervalo entre um e outro renascimento era de *mil anos*. O prêmio final, após tantos sofrimentos e catarses, era a mansão dos bem-aventurados, cuja sede se localizaria "lá no alto", na *Lua*, no *Éter*, no *Sol* ou nas *Estrelas*, o que possuía certa lógica, uma vez que se considerava que a substância da alma era aparentada com a do Éter ou das Estrelas. Se "ígneo é o vigor", que anima os corpos, e "celeste é a origem das sementes", desvinculada da matéria e totalmente purificada, a alma retornaria a seu mundo primitivo. O fato de César, após a morte, surgir no céu como *Iulium sidus*, "a estrela de Júlio (César), que resplandecia no céu", era um bom augúrio para que os imperadores romanos esperassem pela apoteose ou metamorfose em astros e estrelas.

Mircea Eliade, *op. cit.*, p. 135, afirma que "os Infernos evocados por Vergílio no sexto canto da *Eneida,* o simbolismo funerário dos sarcófagos da época imperial, as concepções de origem oriental e pitagórica da imortalidade celeste tornar-se-ão extremamente populares em Roma e nas outras cidades do Império, do século I a.C. em diante".

O Inferno, na realidade, sempre foi visualizado como um abismo tenebroso, alimentado por chamas inextinguíveis, onde imperam o ódio, o desespero e tormentos sem fim. Michel Carrouges, *L'Enfer*. Paris, Les Éditions de la Revue des Jeunes, p. 13sqq., conceituou bem esse "arquétipo inextirpável", cuja síntese apresentamos na tradução escorreita do Dr. Eduardo Nélson Corrêa de Azevedo.

"Da epopéia de *Gilgamex* à peça *Huis-Clos* (*Entre Quatro Paredes,* de Sartre), a história vem produzindo, vaga após vaga, sempre novas visões do inferno. Por mais que divirjam segundo os países e os séculos, as variantes se assemelham por traços tão peculiares, que parecem referidas a uma imagem única e predeterminada. Tais visões, nunca obliteradas, brilham como um fogo negro no coração do homem – num arquétipo inextirpável, verdadeiro espectro que se esconde nos mais íntimos recessos da natureza humana.

Mas é sempre possível negar o fantasma, contorná-lo ou esquecê-lo. Ainda que se revolte, ainda que escarneça ou se deplore, o homem almejaria suprimir até o último vestígio desse monstro. Contudo, é a humanidade mesma, incansável, que recolhe em seu próprio seio a.imagem detestável, que jamais deixa de assombrá-la. Desde a mais remota antigüidade até os dias de hoje, uma longa sucessão de visões evoca para nós o horizonte de um mundo maldito, império dos monstros e do horror absoluto".

ESCULÁPIO

Aesculapius, *Esculápio*, seria, segundo alguns, uma adaptação do grego Ἀσκληπιός (Asklepiós), tendo havido suarabácti em latim. De qualquer forma, se o nome, na língua de Cícero, é dificilmente explicável, a etimologia tanto do grego quanto do latim é desconhecida (v. *DIMEG.*, p. 126).

Em 291 a.C., uma grande peste se abateu sobre Roma e ceifou muitas vidas. As quatro divindades que cuidavam da saúde na capital, *Strenia*, Estrênia, *Salus*, Salvação, *Carna*, Carna, e *Febris*, Febre, não tendo conseguido debelar a epidemia, o Senado enviou uma embaixada a Epidauro. Os médicos da cidade sagrada de Asclépio mandaram uma das "serpentes", símbolo do próprio deus, que operava curas incríveis em seu santuário grego (v. *Mitologia Grega*, Vol. II, p. 90sqq.).

Quando a nau chegou ao porto romano, o réptil lançou-se à água e dirigiu-se para a Ilha Tiberina (v.). De imediato, os romanos consagraram a ilha a Esculápio e construíram-lhe um santuário, onde se operavam curas segundo os métodos de Epidauro. Com a presença da *serpente*, a peste de Roma, ao que parece, mudou de cidade...

Com o tempo, os romanos identificaram Esculápio com Véjovis, antiqüíssima divindade itálica da Ilha Tiberina.

O salutar medicamento aplicado aos doentes por Esculápio, ao que parece, era *a água*, mas ignora-se com que mistura: *In Insula Aesculapio facta aedes fuit, quod aegroti a medicis aqua maxime sustententur* – Ergueu-se um santuário a Esculápio na Ilha (Tiberina), porque os doentes eram cuidados pelos médicos sobretudo com água, conforme assinala Festo.

ESTRIGE

O latim, além de *strix, strĭgis*, de cujo acusativo *strĭge (m)* era de se esperar "éstrige": *estrige* talvez se justifique pela prótese do *e* – segundo a explicação do Prof. Dr. Olmar Guterrez da Silveira, a quem agradeço – possui igualmente a forma popular *striga, -ae*, que é uma adaptação do acusativo grego στρίγγα (strínga), de στρίγξ, στριγγός (strínks, stringós). O latim *strix*, "bufo, coruja que chupava o sangue das crianças, feiticeira, bruxa, vampiro", é, pois, um empréstimo ao grego στρίγξ (strínks). Consoante P. Chantraine, *DELG.*, p. 1064sq., talvez o nome seja uma onomatopéia do pio da ave, embora haja quem o aproxime do radical do verbo τρίζειν (trídzein), "dar gritos agudos" e do próprio latim *stridēre*, "fazer um barulho estridente, ranger".

Para gregos e latinos Estrige era uma demônio feminino alado, de garras aduncas, revestindo-se, por vezes, de bruxa ou vampiro, que se alimentava do sangue e das entranhas das crianças, sobretudo dos recém-nascidos. Para afastá-los era necessário recorrer aos sortilégios de Carna (v.) e à vigilância de Cunina (v.).

Ovídio, *Fast.*, 6, 135-140, fala do apetite desses monstros, semelhantes às Harpias gregas (v. *DIMEG.*, Vol.I, p. 483sq.) e procura explicar-lhes a etimologia:

Nocte uolant, puerosque petunt nutricis egentes,
Et uitiant cunis corpora rapta suis.
Carpere dicuntur lactentia uiscera rostris,
Et plenum poto sanguine guttur habent.
Est illis strigibus nomen; sed nominis huius
causa quod horrenda stridere nocte solent.
– Voam à noite e atacam as crianças na ausência das amas;
despedaçam-lhes os corpos arrancados dos berços.
Conta-se que dilaceram com os bicos as vísceras
dos que ainda mamam e têm as fauces cheias do sangue
que bebem. Chamam-se Estriges: a razão deste nome
é o grito estridente que costumam emitir no horror das noites.

EVANDRO

Evandro, em grego Εὔανδρος (Eúandros), é formado do εὖ (eû), "bom, bem", e de -ανδρος (-andros), de ἀνήρ, ἀνδρός (anér, andrós), "homem, herói", donde significar o antropônimo "o excelente herói ou varão".

Há três heróis com este nome (v. *DIMEG.*, s.u.), mas para o mito latino é de interesse apenas o fundador da cidade de Palanteu, no monte Palatino, consoante Vergílio, *En.*, 8, 51-54 (v. Carmenta), bem antes do soerguimento da Roma de Rômulo. Evandro é um arcádio da cidade de Palanteu, homônima da metrópole do Palatino. A genealogia deste heleno não é muito clara. Algumas tradições fazem-no filho de Hermes e da ninfa Telpusa, que, com o nome de Carmenta, recebia um culto em Roma. Outras versões e variantes dão-lhe como pais Équemo de Tégea e Timandra, filha de Tíndaro e Leda, aparecendo o herói, neste caso, como sobrinho dos Dioscuros Castor e Pólux, de Clitemnestra e de Helena.

A vinda de Evandro, da Arcárdia para a Itália, é diversamente explicada: ou teria emigrado por vontade própria ou teria sido exilado, após matar a seu pai Équemo ou a sua mãe Timandra. Instalado na margem esquerda do rio Tibre, fixou-se no Palatino. Bem acolhido pelo rei Fauno, teve, no entanto, que lutar contra o monstruoso gigante Érilo (v.), que foi morto em combate singular. Reinou com eqüidade e transmitiu aos aborígenes (v.) o conhecimento da escrita, da música e de várias técnicas agrícolas. Atribui-se-lhe também a introdução no Lácio de várias "divindades arcádias", como Deméter, Posídon e Pã Licio, em cuja honra instituiu as *Lupercalia* (v.), festas em que se celebrava o deus *Lupercus* ou *Faunus* (v.), depois assimilados, em parte, pelo deus Pã.

Quando Héracles passou por Palanteu, Evandro o purificou da morte de Caco (v.) e estabeleceu em homenagem ao filho de Alcmena o culto na *Ara Maxima* (Altar Máximo) entre os montes Palatino e Aventino. O paladino arcádio teria chegado ao Lácio sessenta anos antes da Guerra de Tróia, o que lhe explica a senectude, ao ser procurado por Enéias, que lhe solicitou aliança e ajuda militar contra os rútulos de Turno (v.). Não mais lhe sendo possível pegar em armas, enviou um contingente de cavalaria sob o comando do filho Palante (v.), que foi morto em combate. A amizade com Enéias, a aliança e a cooperação militar do fundador de Palanteu se deviam ao fato de outrora ter sido hóspede de Anquises (v.), pai do herói troiano. Vêem-se por aí a sacralidade e o laços infrangíveis que uniam hóspede e hospedeiro: "um troiano" é ajudado por "um grego", em nome de uma norma estabelecida e amparada por Zeus, o Júpiter dos latinos. Além de Palante, Evandro foi pai de duas jovens, Rome e Dine ou Dauna. Ao morrer, foi-lhe consagrado um altar no sopé do monte Palatino.

EXÉQUIAS

Exsequiae*, *-arum*, *exéquias, sepultamento, cortejo fúnebre, provém de *ex-*, que indica "ponto de partida", daí: "de", e do verbo *sequi*, presente *sequor*, "seguir, acompanhar", donde "seguir até o fim, formar um cortejo sobretudo fúnebre", partindo da casa do morto até o local de sepultamento ou cremação. A raiz indo-européia é **seg^w-*, "seguir", formadora de uma série de verbos onde as desinências médias (depoentes em latim) são comuns, conforme se pode ver, entre outros, no grego ἕπεσθαι (héspesthai), "seguir", irlandês *sechur*, "eu sigo, acompanho", védico *siṣákti*, "ele segue".

As exéquias na Hélade (v. *DIMEG.*, p. 419) e bem assim em Roma, desde tempos imemoriais, não diferiam muito das que se atestam em outras culturas particularmente indo-européias. Num cotejo, porém, com a Grécia, observa-se que os romanos foram bem mais minuciosos nas cerimônias fúnebres. Em Roma, ao contrário da Hélade, o ritual suplantava as técnicas físicas do sepultamento. As exéquias na pátria de Rômulo, quando se tratava de famílias de posse, se faziam com grande suntuosidade e o culto aos mortos se converteu numa espécie de obsessão. Os defuntos eram exigentes e, sempre insatisfeitos com as homenagens que lhe eram prestadas, retornavam à terra duas vezes por ano, nos meses de fevereiro e maio, para ameaçar os parentes e pleitear novas honrarias (v. Escatologia). As festas denominadas *Parentalia* e *Lemuralia* ou *Lemuria*, Parentálias e Lemurálias ou Lemúrias, atestam bem essa preocupação em *animas placare paternas*, "aplacar as almas dos antepassados", e mantê-las senão felizes, ao menos numa paz temporária na outra vida, quando não em relação aos sobreviventes, porque, nos Infernos, até os Manes, encolerizados, ajudam a castigar os culpados. Os três últimos versos da *Eneida*, 12, 950-952, em que Vergílio descreve a morte de Turno, refletem o ódio e o desespero da alma do herói dos rútulos ao mergulhar nas entranhas tenebrosas dos Infernos:

Hoc dicens ferrum aduerso sub pectore condit
feruidus. Ast illi soluontor frigore membra
uitaque cum gemitu fugit indignata sub umbras.

– Dizendo isto, (Enéias) impetuosamente embebe a espada no peito do inimigo.
O frio da morte entorpece os membros de Turno
e com um gemido a *alma indignada* desceu à moradas das sombras.

A "alma furiosa" há de ser, por conseguinte, constante e ininterruptamente apaziguada com cerimônias apropriadas. Era mister que os *Lêmures*, os ávidos e terrificantes espíritos dos mortos, se transformassem em *Manes*, em divindades benfazejas, como as *Erínias* na terceira peça da *Oréstia* de Ésquilo se transmutaram, ao menos literária e eufemisticamente, em *Eumênides* (v. *DIMEG*., s.u. Erínias). Acrescente-se que a impertinência dos mortos não se esgotava com as duas anábases "oficiais" ao mundo dos vivos em fevereiro e maio, mas ainda "subiam à terra através do *mundus*", nos dia 24 de agosto, 5 de outubro e 8 de novembro. O *mundus*, cuja origem etimológica é discutida (talvez se trate de palavra etrusca, segundo o *DIELL*., p. 420sq.), era uma cavidade hemisférica no monte Palatino, canal de comunicação entre este mundo e os Infernos. Ciosamente fechada, essa garganta temível se abria nas datas supracitadas para receber as almas em sua curta permanência de um dia entre os sobreviventes. Tem-se a impressão de que os mortos davam mais trabalho e traziam maiores preocupações aos romanos do que os vivos.

Feitas estas ligeiras observações, vamos acompanhar os preparativos, o cortejo fúnebre, o sepultamento ou cremação e as homenagens póstumas aos que para sempre (exceto nas religiões de mistérios, tardias em Roma) deixavam a luz.

Quando alguém falece, o filho ou, na falta ou ausência dele, o parente mais próximo colhe com a própria boca aplicada na do moribundo o hálito, a alma, para apressar-lhe o penoso desenlace e, em seguida, fecha-lhe os olhos. O cadáver, envolvido na toga, que ostentava as insígnias do morto, é cercado de flores e vasos em que se queimam perfumes. É exposto no átrio com os pés voltados para a porta de ingresso, ao contrário de como entrou na vida. Em época tardia se colocava na boca do cadáver, em dependência de suas condições sociais, uma pequena moeda de prata para pagar a Caronte, barqueiro dos Infernos, que conduzia as almas através dos rios Cocito, Estige e Aqueronte. Um ramo de cipreste pregado à porta notificava o falecimento aos transeuntes.

É necessário, todavia, distinguir três tipos de exéquias: a dos indigentes, a da classe média e a dos ricos e patrícios. Os cadáveres dos pobres, porque já àquela época os enterros e cremações eram explorados por uma verdadeira máfia, eram recolhidos diariamente pelos *uespillones*, "vespilões", vocábulo que Benveniste, *BSL* 24, 124, aproxima de *uespa*, "vespa", inseto carnívoro, mas cuja procedência deve ser etrusca. Esses papa-defuntos, pagos pelo Estado, reuniam à tarde os mortos do mesmo dia e os lançavam numa vala comum, *puticuli* ou *puticulae*, que era coberta por uma laje tosca.

O poeta Valério Marcial (61-102 p.C.) caustica num epigrama a Diaulo, profissional tão incompetente e charlatão, que, de tanto matar os seus clientes, passou de médico a papa-defuntos (*Epig.*, 1, 47):

Nuper erat medicus, nunc est uespillo Diaulus:
quod uespillo facit, fecerat et medicus.

– Outrora era médico, agora Diaulo é papa-defuntos:
o que faz agora como papa-defuntos, já o fizera como médico.

As exéquias das pessoas de classe média realizavam-se um dia após o falecimento, exceto se fosse feriado. Em épocas mais antigas, faziam-se já à noite, à luz das tochas. A finalidade era "não contaminar os raios sagrados do sol". Este hábito, no entanto, ignora-se o motivo, só se manteve para crianças e pobres. Abriam o préstito fúnebre flautistas e tocadores de trombeta. Seguiam-nos as *praeficae*, "as que vão à frente de", as carpideiras, que se escabelam, batem no peito, gritam, choram e fazem o elogio do morto. O cadáver é levado em ataúde aberto, carregado numa padiola pelos parentes e amigos. Homens e mulheres, em hábito de luto, de cor preta, acompanham a longa procissão. O corpo é inumado ou cremado numa pira. No primeiro caso, o morto é colocado em sarcófago de pedra, mármore, chumbo ou argila, que é depositado numa cova. Cada um dos presentes, despedindo-se do extinto, lança um punhado de terra sobre o ataúde. No segundo caso o corpo é deposto numa fogueira a que o filho do morto ateia fogo, desviando o rosto para a esquerda. Um hábito muito antigo era cortar um dedo do cadáver e enterrá-lo, antes de as chamas consumirem os restos mortais. O contato do corpo ou de uma parte dele com "o útero materno", onde o mesmo se plasmou, era de absoluta necessidade. A semente, para dar frutos, sempre se replanta no seio da terra. Terminada a cremação, recolhem-se cuidadosamente as cinzas em uma urna que, colocada num pequeno cofre, é guardada no *columbarium*, "columbário", ou seja, pequeno edifício subterrâneo ou cavado na rocha com "nichos" destinados a receber as urnas ou cofres com as cinzas dos mortos.

As cerimônias fúnebres dos cidadãos ilustres, dos ricos ou de pessoas de grande influência efetuavam-se entre o terceiro e oitavo dia depois do óbito e eram anunciadas por pregão público e até por arautos. No aparatoso cortejo unia-se a numerosas carpideiras um número igualmente elevado de dançarinos, palhaços e mimos que repetiam palavras ou sentenças muito usadas pelo morto e imitavam-lhe os gestos mais comuns. Tratava-se de uma pequena encenação da vida, das façanhas e hábitos do extinto, com sinais evidentes de um rito mágico-litúrgico, não menos que político. Atores famosos levavam no rosto pinturas ou máscaras dos antepassados ilustres do que deixava esta vida e cobriam-se com a indumentária e insígnias daqueles aos quais representavam. O cadáver era levado de carro, tirado por cavalos pretos. Na parte mais elevada do veículo estava deitado um manequim em leito luxuoso e com máscara de cera modelada pelo rosto do falecido. A máscara tenta bloquear a decadência da morte... Quando o cortejo atravessava o Foro, um dos filhos do defunto fazia-lhe o elogio fúnebre.

Os patrícios e pessoas abastadas possuíam túmulo próprio. Os demais associavam-se em colégios fúnebres e cada um destes possuía seu *columbarium*, à letra, "pombal", ou seja, um pequeno prédio com numerosos ninchos para as urnas cinerárias, como já se frisou.

Na volta do enterro purificavam-se os parentes do morto, aspergindo-se de água com ramos de oliveira e passando sobre fogo. Fazia-se, em seguida, uma refeição fúnebre com a presença em imagem do falecido e oferecia-se uma porca a Ceres, deusa também dos mortos, e um carneiro ao deus Lar. Refeição e sacrifício renovavam-se ao nono dia.

O luto para o marido ou esposa, um ascendente ou descendente adulto, durava dez meses; oito para os demais parentes próximos. Para crianças de três a dez anos, tantos dias quantos eram os anos do finado. Consistia em trajar roupa escura, sem adorno de púrpura, abster-se de festas profanas e de banquetes, segundo nos informa o ainda seguro Joseph Sécher, *Rome*. Paris, Beauchesne, 1927, p. 145-173 e 431-449.

Alguns comentários se tornam necessários para complementação deste verberte. Certos estudiosos tentaram estabelecer uma diferença de essência entre inumação e cremação, com base num conceito evolutivo do *corpo* e da *alma*, mas semelhante distinção não tinha, escatologicamente para os antigos, importância alguma. Vestir um cadáver, colocá-lo no túmulo ou cremá-lo, "sepultando-lhe" as cinzas e os ossos num *columbarium*, não possuíam diferença alguma quanto ao destino da alma. De outro lado, é preciso levar em conta que toda e qualquer forma de enterro marca a ação da família ou da comunidade; o corpo é encaminhado para "uma nova jurisdição" e o elemento ausente da individualidade, denominado alma, é transferido para algum outro local. A morte, como se acentuou no *DIMEG*., Vol.I, p. 420, não se completa num instante. Os que deixam esta vida dirigem-se para uma outra esfera, mediante um longo percurso de transição, demarcado por etapas muito nítidas (v. Escatologia).

O corpo, destituído de seu elemento essencial, a alma, está inerte e manchado pela impureza. A morte, de per si, é *macula*, "mancha, miasma", uma contaminação. É necessário, destarte, que a família e os parentes reunidos lhe dêem um banho, cujo efeito é catártico; preparem-no e indumentem-no adequadamente. A dor e o pesar pelo que partiu devem ser igualmente assinalados e aliviados por manifestações públicas. O acompanhamento ao túmulo ou à pira funerária atesta a separação para sempre do grupo familiar e do cadáver ainda visível, que vai ser escondido no seio da terra e substituído, de certa forma, por uma tumba, urna ou estela. As exéquias realizadas com o rigor de praxe traduziam, de um lado, a gratidão da família pelos esforços feitos em vida pelo morto, dispensando-o, de alguma forma, de qualquer outra preocupação ou fadiga e, de outro, mantê-lo *in bono animo*, para que, tendo paz, deixasse seus consagüíneos igualmente em paz. Tal fato, em Roma, como já se disse, nem sempre possuía os efeitos desejados: os mortos eram muito irascíveis e impertinentes. De quando em quando subiam ao mundo dos vivos com ameaças e exigências.

Era mister, por isso mesmo, jamais esquecê-los. A vida, também para as almas, consiste na *memória*. Não ser esquecido é não esquecer-se. Os parentes ofereciam-lhes em datas mais ou menos fixas o apoio de que, a seu ver, estavam necessitando. Na prática, essa assistência, que, no fundo, era também um *apotropismo* (defesa mágica), se traduzia nas solenidades das exéquias, nos lamentos fúnebres, nas invocações, libações, banquetes, festas anuais (*Parentalia*, *Lemuria*, abertura do *Mundus*), oferendas de comida e bebida, e para os patrícios e personagens gradas os *Ludi Funebres*, assunto que foi muito bem pesquisado por André Piganiol, *Recherches sur les Jeux Romains*. Paris, Librairie Istra, 1949.

Os *espetáculos fúnebres* incluíam, entre outras modalidades, lutas de gladiadores e *ludi scaenici*, representações cênicas, sobretudo de comédias, porque aos mortos se faz rir e não chorar. A obra-prima de Terêncio, *Adelphoe*, *Os Adelfos*, por exemplo, foi encenada no ano 160 a.C. em memória do célebre Lúcio Emílio Paulo, o vencedor de Perseu, na batalha de Pidna. A Didascália da comédia é explícita a esse respeito:

Acta ludis funebribus L. Aemilio Paulo quos fecere Q. Fabius Maximus P. Cornelius Africanus – (A comédia *Adelfos*) foi encenada nos Jogos Fúnebres organizados em honra de Lúcio Emílio Paulo por Quinto Fábio Máximo e Públio Cornélio, o Africano. Ambos, aliás, filhos do militar romano falecido.

As fontes básicas para conhecimento dos sentimentos individuais em relação à morte e aos mortos são a literatura e os monumentos artísticos. Vergílio dedica o canto quinto da *Eneida* à celebração de jogos fúnebres em honra de seu pai Anquises, exatamente no aniversário do passamento do velho patriarca. Neste passo, mesmo com a ausência de lutas de gladiadores e *ludi scaenici*, representações cênicas, pode-se observar a quantas modalidades de jogos fazia jus uma personagem ilustre. O que o poeta de Mântua descreve é certamente o que se fazia na vida real, quem sabe, como no caso de Anquises, no primeiro aniversário após a morte. As disputas apontadas no canto supracitado são as seguintes: corrida de barcos; corrida a pé; luta com cestos; certame de arco e corrida eqüestre para meninos. Antes das cinco competições, no entanto, o *pius Aeneas* fez libações sobre o túmulo paterno e ofertou ao querido e saudoso patriarca quinze vítimas escolhidas: cinco ovelhas, cinco porcos negros e outros tantos novilhos, "evocando a alma do grande Anquises".

Se Vergílio faz que ao menos Enéias manifeste *pietas*, tanto respeito e dedicação pela *umbra paterna*, pela alma de Anquises, e até uma certa tranqüilidade e compreensão face à *Indesejada das gentes*, o mesmo não acontece com outros poetas, que, premidos pela imagem inevitável das Parcas, *Nona, Décima* e *Morta*, as fiandeiras da vida e da morte, tornam-se pessimistas e refugiam-se numa profunda nostalgia. Para não citar outros, bastaria apontar uma ode de Horácio (*Od*., 2, 14):

Ah! Póstumo, Póstumo, os anos se escoam rápidos
e o dever cumprido não adiará as rugas, a velhice iminente,
a indomável morte! Não, mesmo que aplaques a cada dia,
ó amigo, com trezentos touros o inexorável Plutão,
Ele que retém o tríplice Gigante Gerião e Tício

na água sinistra, que há de ser transposta por todos nós
que nos alimentamos dos frutos da terra, quer sejamos reis
ou pobres colonos.
Inutilmente nos guardamos do cruento Marte
e das vagas do Adriático que rugem, quando se quebram.
Em vão nos resguardaremos no outono do Austro nocivo.
Visitaremos o tenebroso Cocito, que serpeia em lânguida corrente.
Conheceremos os infames descendentes de Dânao e de Sísifo,
Filho de Éolo, condenado a um labor sem fim.
Um dia deixaremos a terra, o lar, a esposa querida.
Nenhuma destas árvores que cultivas, acompanhará,
para além dos odiosos ciprestes, seu senhor de um só dia.
Um herdeiro mais digno consumirá o Cécubo,
fechado a cem chaves e tingirá o mosaico
com o vinho generoso, superior ao da Ceia dos pontífices.

Os epitáfios seguem linha idêntica, mas, por uma natural reação e desprezo aparente pela *morte*, os "mortais" pressagiam, por vezes, que hão de continuar *vivos* na memória e nos lábios dos homens, como se pode observar no epitáfio em dísticos elegíacos de Quinto Ênio (239-169 a.C.) composto com uma certa dose de colorido pitagórico:

Aspicite, o ciues, senis Enni imaginis formam.
Hic uestrum pinxit maxima facta patrum.
Nemo me lacrimis decoret nec funera fletu
faxit. Cur? Volito uiuus per ora uirum.

– Contemplai, cidadãos, a imagem do velho Ênio.
Ele relatou as gestas maiores de vossos antepassados.
Ninguém me tribute o ornamento das lágrimas, nem faça
meus funerais com prantos. Por quê? Continuo vivo nos lábios dos homens.

Outros, todavia, são francamente pessimistas e um convite ao *carpe diem*, "colhe o dia", de Horácio, relembrado muitos séculos depois por Fernando Pessoa. O epitáfio de Pompéia, com dois cenários iâmbicos, talvez dos fins do séc. II a.C., pode servir de exemplo:

Primae Pompeiae ossua heic./
Fortuna spondet <multa>/multis, praestat
nemini;
uiue in dies/et horas, nam proprium est nihil./
Saluius et Heros dant.

– Aqui repousam os ossos de Pompéia, a filha mais velha.
A Foturna promete muito a muitos e não ajuda a ninguém.
Vive cada dia, cada hora, pois nada é permanente.
Sálvio e Hero oferecem esta dedicatória.

Se a arte romana deu preferência a monumentos que preservavam "a memória de homens e feitos, como os triunfais e tumulares", estes correm paralelo com a literatura: normalmente estão de costas para os *Infernos* e de frente para a *vida*. *Puluis et umbra sumus*, "somos pó e sombra", é algo que os romanos procuravam esquecer e adiar o mais possível.

Viu-se que, ao retornar do enterro, fazia-se uma refeição fúnebre e oferecia-se uma porca, símbolo de fecundidade, a Ceres, deusa das colheitas, donde das sementes e dos mortos; ao deus Lar ofertava-se um carneiro. Tudo isto é um liame entre a terra e os Infernos, entre "a agricultura e os mortos": um depende do outro. Pois bem, a esse respeito Mircea Eliade, *op. cit*., p. 415, escreveu uma página luminosa: "A agricultura, como técnica profana e forma de culto, reflete o mundo dos mortos em dois planos distintos. O primeiro é a solidariedade com a terra: os mortos, como as sementes, são sepultados, penetram na dimensão ctônia acessível tão-somente a eles. De outro lado, a agricultura é, por excelência, uma técnica de fertilidade, da vida que se reproduz multiplicando-se e os mortos são atraídos principalmente por este mistério do renascimento, da palingenesia e da fecundidade indefinida. Como as sementes plantadas na matriz telúrica, os mortos esperam seu retorno à vida sob uma nova forma. É por isso que eles se aproximam dos vivos, particularmente nos momentos em que a tensão vital das comunidades atinge o seu clímax, isto é, nas denominadas festas da fertilidade, quando as forças genésicas da natureza e do grupo humano são evocadas, desencadeadas por ritos, pela opulência e pela orgia. As almas estão sedentas de plenitude biológica, de excesso orgânico, porque este transbordamento vital compensa a pobreza de sua substância e projeta-as numa corrente impetuosa de virtualidades e de gérmens (...) Outrora os banquetes se realizavam perto dos próprios túmulos, para que o morto pudesse participar do excedente vital desencadeado perto dele".

É normal, pois, que Ceres participe da colheita e, juntamente com o deus Lar, esteja presente nos ritos e culto aos mortos. Geralmente uma divindade da fertilidade ctônio-vegetal converte-se igualmente em divindade funerária. Os mortos como os cereais são muitas vezes colocados em "vasos de terra", quer dizer, são replantados. A morte é fértil.

Falou-se, linhas acima, da importância que os romanos atribuíam às refeições em honra dos mortos. Nas culturas atuais, tendo desaparecido ritualmente o banquete, deu-se ênfase ao velório e ao cortejo fúnebre, mais ou menos pomposos e concorridos, em dependência das posses ou prestígio sócio-político do falecido. Homenageia-se-lhe o renome através da imprensa e se reza por sua alma no sétimo e trigésimo dias, e um ano após o óbito. Isto quando se é religioso ou social e politicamente cumpridor de deveres inadiáveis.

No Brasil, onde a memória do morto, via de regra, não ultrapassa o sétimo dia, o que mais se comemora, de modo especial entre as populações mais carentes do interior, é o *velório*: simplesmente, "bebe-se o morto".

Benedito Ruy Barbosa, na novela *Renascer*, cap. 12, p. 9, nos legou, num texto de alta expressividade, que trascreveremos com permissão do Autor, todo o ritual de "beber o defunto", na fala da marcante personagem *Inácia*:

> Ó xente, num sabe, não?... Bebê o defunto qué dizê velá o pobre... é. Í resá no velório do desinfeliz!... Aí tem a aguardente... o povo começa a bebê, a contá causo... Aí arguém chega cum fole, ôtro traiz a zabumba... e vira cantoria, e o defunto gosta... Aí as mulé também começa a tomá uns gole e acaba largando o têrço... é. Quando ocê se dá conta, já empurraro o falecido prum canto, pra livrá o terreno pra dançá, no meio da sala... (CRÍTICA) A vergonha é que, quando manhece o dia e chega na hora de levá o pobre pra sepurtura, muitos defunto já fôro a pé, por farta de quem carregasse eles... é.

Observe-se a expressão "o defunto gosta... " É que, decorridos tantos séculos, o morto ainda exige que se lhe tonifique e revigore a memória!

F

FADO

Fatum, *Fado*, o Destino, é da mesma família etimológica que o vergo *fari*, "contar, predizer, profetizar", como já observara Varrão, *L.l.* 6, 52: *Ab hoc* (sc. *fari*), *tempora quod tum pueris constituunt Parcae fando, dictum fatum et res fatales* – É deste (isto é, do verbo dizer, falar, predizer), porque as Parcas predizem, em *falando*, o tempo de vida das crianças, que o destino e "o tempo fixado pelo destino, o dia fatal" derivam seu nome. O fado seria assim uma "enunciação" divina. O grego possui um presente correspondente a *fatur*, "ele diz, prediz", no dórico φαμί (phamí), ático-jônico φημι (phemí), "eu manifesto, torno visível, digo" (v. Fama). A raiz encontra-se igualmente no inglês antigo *boian*, "vangloriar-se", armênio *bay*, "diz ele"; eslavo antigo *baliji*, "bruxo, feiticeiro", donde "médico". *Fatum*, o fado, o destino, mais empregado no plural *fata, -orum*, (só na *Eneida* o plural é usado cento e quatro vezes contra quinze) tem por correspondente semântico em grego εἱμαρ–μένη (heimarméne), "partilha, necessidade", da mesma família etimológica de Μοῖρα (Moîra), "parte que toca a cada um, quinhão, Destino", já que ambos procedem do verbo μείρεσθαι (meíresthai), "receber uma parte, tomar sua parte, partilhar". Cícero, em *Nat. deor.*, 1, 20, 55, assinala o fato: *Illa fatalis necessitas quam* ειμαρμενην *(heimarménen) dicitis* – aquela fatal necessidade a que chamais *heimarménen.*

Fatum, personificado e divinizado com o sentido de "Destino", fez jus na língua popular a um masculino *Fatus* e até a um feminino *Fata*, que nas línguas românicas se perpetuou com a acepção de "fada".

Foi com o significado de "falar, predizer", do verbo *fari*, que *Fado* passou a designar a vontade expressa pela "palavra" de um deus, vale dizer, a decisão irrevogável e inexorável tecida pelas Parcas (v.). Com a influência sempre crescente da religião helênica, em que *Moira*, (Destino cego) se projetou nas três Queres (v.

DIMEG., s.u.), Cloto, Láquesis e Átropos, o *Fado* teve como hipóstases as três Parcas, Nona, Décima e Morta, passando até mesmo a designar as Sibilas. Em Roma, junto aos *Rostra*, "Rostros" (tribuna para os oradores na praça pública, púlpito este ornamentado com "esporões" de navios inimigos), havia três estátuas denominadas *Fata*, Fados, que representavam as *Sibilas* (v. *DIMEG.*, s.u.).

O masculino *Fatus*, Fado, mencionado linhas acima, converteu-se com o tempo numa espécie de *Genius*, Gênio (v.), simbolizando o destino individual masculino; *Fata*, "Fada", traduzia, por oposição, o destino feminino, "equivalente tardio da Juno primitiva", como acentua Grimal, *DIMG.*, p. 157.

Na literatura grega, particularmente na *Ilíada*, XXI, 82-83; XVI, 440-443; XX, 125-128, para citar apenas alguns passos, ora Zeus se identifica com a Moira, ora parece que até poderia modificá-la, se o quisesse, ou simplesmente a mais temível das divindades paira soberana acima do pai dos deuses e dos homens, como se mostrou com exemplos em *Mitologia Grega*, Vol.I, p. 141sq.

Na literatura latina, tomando-se por base a *Eneida*, 1, 257-264; 5, 784; 10, 34-35; 6, 376, o problema é exatamente o mesmo. O Fado e Júpiter se alternam e parecem, por vezes, identificar-se ou, por último, a inalterabilidade dos *Fata* é sumariamente decretada, como diz a Sibila a Palinuro, que, insepulto, desejava através de súplicas a Enéias, valido dos deuses, atravessar as águas do Estige, *En.*, 6, 376:

Desine fata deum flecti sperare precando

– Perde a esperança de dobrar com rogos os fados dos deuses.

Sem entrar em controvérsias e hipóteses – e são muitas – parece que, salvo engano, se poderia aventar uma tríplice conjetura: ora o Zeus grego ou o Júpiter latino se transforma em executor das decisões inflexíveis da Moira ou do Fado, dando a impressão de que se confunde com o Destino, ora simplesmente aplica-lhe as determinações ou ainda, ao menos literariamente, as retarda.

FAMA

Fama, ***Fama***, correponde exatamente ao grego dórico φάμα (pháma), ático-jônico φήμη (phéme) do verbo φάναι (phánai), *dizer, propalar*; significa, inicialmente, "o que é exposto, revelado", daí *divulgação, revelação através da palavra ou de um sinal*, isto é, *advertência dos deuses, angúrio, presságio*. O latim *Fama*, todavia, não é, como erradamente se poderia pensar, transliteração do grego. Se assim fosse, ter-se-ia *phama*. Trata-se, isto sim, de formas idênticas com o mesmo sentido, provindas do indo-europeu, como πατήρ (patér) – *pater*, pai, e tantas outas. A raiz indo-européia é **bha*, "declarar, expor, dizer". *Fama* é, pois, "o que se diz de alguém, renome, reputação boa ou má"; no plural, *famae* se traduz por "boatos que circulam", como na expressão, embora no singular, *ut fama est,* "segundo se diz, consoante se propala". Se *fama* é reputação boa ou má, seu derivado *famosus* significa, em princípio, "que dá o que falar, difamado, desacreditado", mas que, à época imperial, passou a ter a conotação de "célebre, famoso", *DIELL.*, p. 214.

Personificada, Fama tornou-se o veículo sonoro dos deuses. Filha de Géia (v. *DIMEG.*, p.430), nasceu logo após os gigantes Ceos e Encélado. Habitava no "centro do cosmo", nos confins da terra, do céu e do mar. Seu palácio sonoro, construído de bronze, com milhares de orifícios, captava tudo quanto se falasse, por mais baixo que fosse e, amplificando-o, propalava-o de imediato. Cercada por abstrações como a Credulidade, o Erro, a Falsa Alegria, o Terror, a Sedição e os Falsos Boatos, aliás projeções suas, Fama supervisionava o mundo inteiro. Possuía uma multiplicidade de olhos e ouvidos, que tudo viam e ouviam e de outras tantas bocas para divulgá-lo. Dotada de asas (o que revela uma divindade ctônia ligada ao mundo dos mortos), deslocava-se rapidamente, quando necessário, para qualquer um dos três níveis – ctônio, olímpico, telúrico – , com o objetivo de averiguar o conteúdo dos fatos ou propagá-los pessoalmente, quer fossem verdadeiros ou falsos.

Ovídio, *Met.*, 12, 53-58, descreve o ambiente reinante no palácio da deusa:

Atria turba tenet, ueniunt, leue uulgus, euntque
Mixtaque cum ueris passim commenta uagantur,
Milia rumorum confusaque uerba uolutant;
E quibus hi uacuas implent sermonibus aures,
Hi narrata ferunt alio mensuraque ficti
Crescit et auditis aliquid nouus adicit auctor.

– A turba se comprime no átrio; uma multidão frívola
entra e sai. Mil falsos boatos entrelaçados com outros verdadeiros
circulam por toda parte; ressoam palavras confusas.
Alguns rumores penetram nos ouvidos dos ociosos,
outros servem para divulgar algures o que foi dito. Os embustes multiplicam-se
e o narrador acrescenta algo de novo àquilo que ouviu.

Vergílio, *En.*, 4, 173-197, muito mais poeta que o autor das *Metamorfoses,* retrata de corpo inteiro essa deusa temida, a quem nada escapa. Bastou que Enéias se unisse a Dido numa gruta secreta, para que Fama propalasse, de imediato, por toda a Líbia, o conúbio e a paixão dos amantes. Tal indiscrição provocará a partida do herói e o suicídio da rainha de Cartago.

Eis em poucos versos uma imagem "do monstro" (*En.*, 4, 181-188):

Monstrum horrendum, ingens, cui quot sunt corpore plumae
tot uigiles oculi subter (mirable dictu),
tot linguae, totidem ora sonant, tot subrigit auris.
Nocte uolat caeli medio terraeque per umbram
stridens, nec dulci declinat lumina somno;
luce sedet custos aut summi culmine tecti
turribus aut altis et magnas territat urbes,
tam ficti prauique tenax quam nuntia ueri.

– Monstro horrível, gigantesco, possuidor de tantas plumas no corpo
quantos (ó prodígio!) são os olhos sob elas, quantas são as línguas
e as bocas para falar, quantos são os ouvidos à escuta.
À noite voa entre o céu e a terra, pelas sombras, silvando,
e não fecha os olhos ao doce sono. Durante o dia senta-se vigilante
nas altas cumieiras das casas ou nas mais elevadas torres.
Aterroriza as grandes cidades, pertinaz mensageira tanto da mentira
e da calúnia quanto da verdade.

FAUNA

Fauna, *Fauna*. Para a etimologia v. Fauno.

Para tentar explicar algumas características muito singulares de seu culto, relata-se que Fauna, na realidade, era filha do deus Fauno (v.), que, apaixonado por ela, tentou violentá-la. Exemplo de castidade e pureza, se bem que embriagada, logrou fugir-lhe aos abraços. Furioso, o deus espancou-a violentamente com varas de mirto, fato que impedia o uso deste arbusto no culto da deusa. Por fim, transformando-se em serpente, logrou unir-se à filha. Conta uma variante que Fauna era apenas esposa do "deus dos bosques e dos rebanhos". Mulher virtuosa e excelente dona-de-casa, certa feita, bebeu até embriagar-se por completo. O marido não lhe perdoou tão grande ofensa: flagelou-a com tal violência com varas de mirto, que lhe provocou a morte. Envergonhado e cheio de remorsos, concedeu-lhe honras divinas.

Deusa prodigalizadora de felicidade e de boa sorte para as mulheres, identificou-se muito cedo com *Bona Dea*, a Boa Deusa (v.), explicando-se *Fauna*, em etimologia popular, *quae fauet*, "a que favorece", apenas como um epíteto da primeira.

Quando Fauno deixou em parte suas funções divinas para tornar-se rei da Itália, Hércules amou-lhe a esposa Fauna e fê-la mãe do futuro rei Latino, epônimo do Lácio. Uma variante devida ao historiador Dionísio de Halicarnasso (fins do séc. I a.C.), assegura que Fauna teria sido uma jovem hiperbórea que, unindo-se a Hércules, foi mãe de Latino. Após a partida do herói é que Fauna se casara com Fauno (v. Boa Deusa e Fauno).

FAUNO

Faunus, *Fauno*, é, por vezes, relacionado com o umbro *fons*, que corresponderia a *fauens*, do verbo *fauere*, "o que protege o crescimento das plantas e dos rebanhos", mas, trata-se de etimologia popular. Como a festa do deus celebrava-se em Roma, no dia 15 de fevereiro, nas *Lupercalia* (v. Luperco), confundindo-se, por isso mesmo, parcialmente, Fauno com Luperco, aventou-se a hipótese de uma afinidade com o grego ϑαῦνον· ϑηρίον (thaûnon:theríon), "animal selvagem", da glosa de Hesíquio: neste caso Fauno seria um antigo deus-lobo, o que não convence. A aproximação com o irlandês *buan*, "bom, favorável", carece de fundamento. O plural poético *Fauni*, os *Faunos*, é certamente calcado no grego Πᾶνες, Σάτυροι (Pânes, Sátyroi), "Pãs, Sátiros", *DIELL.*, p. 221.

Mercê de assimilações e sincretismo posteriores, o antigo deus itálico possui uma genealogia e descendência bastante complicadas e cambiantes. Para alguns mitógrafos é filho de Pico (v.); para outros o é de Júpiter e Circe. Com a ninfa Marica teria sido pai de Ácis e Latino, a não ser que este último seja filho de Fauna (v.), antes de casar-se com Fauno, e de Hércules, ou ainda que Latino (v.) tenha nascido da união de Hércules com Palanto, outra esposa de Fauno. Como se pode observar, o deus, "que favorece o crescimento", sempre divide em qualquer variante suas mulheres e seu grande descendente Latino com o filho de Alcmena. Uma tradição autenticamente romana assevera que Fauno com a profetisa Manto foi pai igualmente de Aucno (v.).

Fauno e sua filha ou esposa Fauna (v. Boa Deusa), como aparecem nestas versões supracitadas, são figuras helenizadas, criadas a partir de divindades muito antigas, tipicamente latinas. Ele protege a fertilidade da terra e torna fecundos os rebanhos, livrando-os ao mesmo tempo das pragas; ela assegura a fecundidade das mulheres, sendo invocada como *Bona Dea*, Boa Deusa. Em honra de ambos os camponeses do Lácio celebravam no dia 5 de dezembro as *Faunalia*, Faunálias, uma festa alegre e de caráter orgiástico, uma saudação antecipada ao ano novo, prodigalizador de novos frutos e de um autêntico renascer da natureza, como celebra Horácio, *Od.*, 3, 18, 1-4:

Faune, Nympharum fugientum amator,
per meos finis et aprica rura
lenis incedas abeasque paruis
aequus alumnis.

– Fauno, amante das ninfas fugitivas,
por meus domínios e campos ensolarados
Benigo passes e te retires propício
às minhas tenras crias.

Em Roma, tudo leva a crer, o deus se identificou muito cedo com Luperco, que possuía uma gruta sagrada no monte Palatino. Ali, a confraria dos Lupercais celebrava anualmente, no dia 15 de fevereiro, um antigo ritual denominado *Lupercalia*, Lupercálias (v. Luperco). É bem possível até mesmo que Fauno e Luperco sejam epítetos de um mesmo deus.

Fauno e Fauna eram, além do mais, divindades proféticas: revelavam o futuro pelo farfalhar dos ramos das árvores e pelos sussurros por eles produzidos; pelo vôo das aves ou através de sonhos. Receberam, por isso mesmo, os epítetos de *Fatuus* e *Fatua*, Fátuo, Fátua, de que deriva, consoante Justino, 43, 1, 8, o verbo *fatuor*, *-aris*, "sou inspirado, sou tomado de delírio profético".

Era venerado também como *gênio* (v.) dos bosques, que, à noite, podia assombrar os homens com sonhos pavorosos e aparições terrificantes, fazendo, até mesmo, o papel de *Incubus*, Íncubo, como se mostrou em *Mitologia Grega*, Vol.I, p. 250.

O culto de Fauno teve importância capital entre os camponeses, que o invocavam todos os meses. Em Roma, tudo leva a crer, o Lupercal foi, até a segunda guerra púnica, o único santuário a ele dedicado. No ano 196 a.C., porém, os edis consagraram-lhe um templo na ilha do rio Tibre, onde se oferecia anualmente um sacrifício, no dia 13 de fevereiro, isto é, dois dias antes das Lupercálias: eram as Faunálias da primavera ou segundas Faunálias, uma celebração de caráter solene e urbano, bem diversa das orgias camponesas de que se fez menção linhas acima. Com o tempo, o outrora importante Fauno foi decaindo e propriamente cedeu seu posto a Silvano, que possuía em comum com o anterior o caráter de gênio dos bosques. Há mitógrafos que julgam ser o deus Silvano mera hipóstase de Fauno. De qualquer forma, a personalidade divina do "deus dos bosques e dos rebanhos" permaneceu, mas de maneira muito curiosa, multiplicando-se: *Fauni*, os Faunos, transfomaram-se, na época clássica, em *gênios, demônios* (no sentido etimológico) dos campos, dos bosques e das florestas, equivalentes dos libidinosos Pãs, Silenos e Sátiros, metade homens, metade bodes.

De outro lado, enfraquecendo-se ainda mais, Fauno, enquanto filho de Júpiter e Circe, assumiu o governo da Itália com a morte de Pico e teve, por sua vez, como sucessor a Latino, seu filho ou filho de Hércules, segundo se mencionou.

FAUSTINO

Faustinus, *Faustino*, provém, como Fáustulo (v.), de *faustus,* "que faz crescer prosperamente, favorável, propício, de bom agouro", derivado do verbo *fauere*, "favorecer o crescimento, ser favorável, protetor". Uma aproximação com o eslavo antigo *gověti* "religiose uereri", respeitar religiosamente, é plausível, *DIELL.*, p. 200sq.

Em sua imigração para a Itália, Evandro foi acompanhado, entre outros, pelos irmãos Fáustulo (v.) e Faustino. Enquanto o primeiro apascentava o rebanho de Amúlio (v.) no monte Palatino, o segundo fazia o mesmo com o fato de Numitor no Aventino. Ambos viviam à época em que os troianos de Enéias (v.) deixaram Lavínio para instalar-se em Alba Longa.

Uma variante do mito de Rômulo atribui papel importante ao pastor do Monte Aventino. Conta-se que tão logo Réia Silvia (v.), a vestal filha de Numitor, rei de Alba, deu à luz os gêmeos Rômulo e Remo, o rei os substituiu por dois outros. Foram estes os que Amúlio expôs. Numitor entregou os netos aos cuidados de Fáustulo que, pressionado pelo irmão, os criou com a maior solicitude possível.

Plutarco, *Rom.*, 3sqq., amplia o mito e introduz um outro irmão de Fáustulo, que muito contribuiu para a educação dos gêmeos, filhos do deus Marte. Acrescente-se que o irmão – cujo nome se desconhece – de Faustino e Fáustulo participou com estes da luta sangrenta que travaram mais tarde Rômulo e Remo. Advirta-se que nesta refrega, o que é normalmente inevitável entre gêmeos, pereceram Faustino e Fáustulo, além de Remo.

Este mito interpretado com argúcia por Pierre Grimal, *DIMG.*, p. 158, por sua localização, deve ser um desenvolvimento relativamente tardio da rivalidade das duas colinas, o Aventino e o Palatino, traduzida nas figuras dos dois filhos de Marte e Réia Sílvia.

FÁUSTULO

Faustulus, Fáustulo, provém de *faustus,* "que faz crescer prosperamente, favorável, propício, de bom agouro", v. Faustino.

Segundo uma outra vertente do mito, em que se entrelaçaram variantes, Fáustulo é o pastor que recolheu às margens do rio Tibre os gêmeos Rômulo e Remo e os entregou à esposa Aca Larência (v.) para que cuidasse deles. Pastor do rei Amúlio (v.), encontrou-lhe por acaso os servidores que conduziam os gêmeos Rômulo e Remo com ordem de expô-los no rio Tibre. Aguardou que os fâmulos do soberano se afastassem e, como os pastores já haviam recolhido os filhos do deus Marte e Réia Sílvia, suplicou-lhes que lhe entregassem os recém-nascidos, porque, tendo a esposa perdido um filho, ficaria feliz em poder criá-los.

Conforme uma outra versão, foi o próprio Fáustulo quem encontrou os meninos prestes a ser alimentados por uma loba consoante Tito Lívio, *Ab Urb. cond.*, 1,4. Outros mitógrafos asseveram que Numitor, avô dos gêmeos, e destronado por Amúlio em Alba, foi o salvador dos netos e os confiou ao pastor (v. Faustino).

Já adolescentes, os filhos de Marte foram levados para a cidade de Gábios, para receberem uma educação digna de sua estirpe.

Quando da rivalidade e luta entre Rômulo e Remo, Fáustulo, que tentara separá-los, foi mortalmente ferido.

À época clássica ainda se mostrava no Palatino o *tugurium Faustuli,* a choupana de Fáustulo, que se conservava como um local sagrado.

FEBRE

Febris, *Febre.* Não existe em indo-europeu palavra que designe *febre.* Mas, como o lituano possui *drugỹs*, "febre", que se pode cotejar com o verbo eslavo que significa "tremer", como o esloveno *d'rgati*, "ele treme", é bem possível que *febris* pertença a uma raiz que significa "tremer", como o grego τανθαρύζω· τρέμω (tantharýdzo:trémo), "eu tremo, eu me agito". O antigo alemão *fiebar*, atual *Fieber*, provém do latim, *DIELL.*, p. 222.

Personificada, *Febris* tornou-se a deusa da "Febre", temidíssima em Roma, cujos terrenos mais baixos, como o Foro, o Velabro e até mesmo as reentrâncias dos montes Quirinal e Viminal, permaneceram por muito tempo locais úmidos e insalubres. A divindade, com o correr dos séculos, tornou-se um *numen*, "um poder" maléfico e sempre ameaçador, que se procurava conjurar e conciliar. Não é em vão que se lhe ergueram em Roma três santuários: no Palatino, no Quirinal e na chapada do Esquilino, perto do lugar onde se enterravam os escravos e os *puticuli*, à letra, "fossas comuns para os pobres", donde os indigentes, como está em Varrão, *L.l.*, 5, 5, 25. Nesses santuários se depositavam drogas e amuletos que haviam sido eficazes contra a *febris*.

Em uma das *Tabellae Defixionum*, Tábuas Execratórias (v.), vale dizer, "fórmulas mágicas, encantações, maldições, bruxarias", *Febris* torna-se personagem importante para desgraça da vítima a quem deseja arruinar e perder, segundo se verá.

FÉBRUO

Februus, *Fébruo*, é o masculino do antigo adjetivo da língua religiosa *februus, -a, -um*, "que purifica, purificador". Personificado, *Februus*, Fébruo, transformou-se em deus infernal, consoante Sérvio, *G.*, 1, 43: *duo menses a Iano et Februo nominati sunt. Februus autem est Ditis pater cui eo mense sacrificabatur* – dois meses (janeiro e fevereiro) receberam o nome de Jano e Fébruo. Este, porém, é o pai de Dite, ao qual se faziam sacrifícios neste mês, quer dizer, em fevereiro. Não se conhece para *Februus* etimologia indo-européia: a aproximação com o sânscrito *gandharva*, em grego Κένταυρος (Kéntauros), Centauro, proposta por G. Dumézil, não convence. Trata-se, ao que parece, de palavra indígena, talvez sabina, como certos termos religiosos, entre outros *Camena, Feronia, Mars* (v.), *DIELL.*, p. 222sq.

Diga-se, de caminho, que o feminino *Februa*, Fébrua, que aparece também sob as formas *Februālis, Febrūlis, Februāta,* Februal, Februle, Februata, é um epíteto de Juno, possivelmente mulher de Fébruo e divindade infernal. Acrescente-se que *februarius (mensis)*, o mês de *fevereiro*, último do antigo ano romano, era dedicado às purificações e expiações.

Deus ao qual se consagrava o mês de fevereiro, foi identificado com *Dis Pater*, o Pai Dite (v.), o Hades ou Plutão dos gregos, por ser o mês citado aquele em que se purificava a cidade, apaziguando os mortos com oferendas, sacrifícios e cerimônias apropriadas nas *Parentalia* e *Lupercalia*, Parentálias e Lupercálias (v. Escatologia e Exéquias). A estas se devem acrescentar as *Februalia* ou *Februa*, festas igualmente de mundificações e expiações, consoante Ovídio, *Fast.*, 5, 423.

Fébruo, segundo se crê, era a personificação de tais solenidades e do rito que lhes conferia a desejada eficácia.

FERENTINA

Ferentina, *Ferentina*. A etimologia é desconhecida. Proviria do etrusco?

Esta ninfa ou deusa era titular de uma fonte e de um bosque sagrado, cuja localização é incerta. Alguns mitólogos colocam-nos perto de Ferentino, cidade do

Lácio. O santuário desta divindade quase desconhecida no mito latino era o local de culto comum da Liga Latina.

Tito Lívio, *Ab Urb. cond.*, 1,51,9 e 1,50,1, menciona tanto *caput aquae Ferentinae* quanto *lucus Ferentinae*, isto é, a fonte e o bosque de Ferentina.

FERÔNIA

Ferōnia, *Ferônia*, não possui etimologia comprovada. A origem etrusca é discutida. Talvez seja de procedência sabina. A forma *Feronia* com *ĕ* das transcrições gregas é, segundo o *DIELL.*, p. 229, uma falsa aproximação com o verbo *fero*, "levo, trago, suporto".

Antiga divindade itálica, sabina, segundo Varrão, *L.1.*, 5, 74, estava relacionada com *Tellus* ou *Terra Mater*, a Mãe Terra, uma deusa da navegação. Mais tarde acabou identificando-se com Prosérpina e com Juno, esta última um arquétipo muito forte no mito latino, com domínio, em maior ou menor escala, sobre os três níveis: celeste, ctônio e telúrico.

O fato de Ferônia ser cognominada *dea agrorum siue inferorum*, "deusa dos campos ou dos infernos", não causa estranheza. Como enfatiza Mircea Eliade, *op. cit.*, p. 417sq.: "A solidariedade dos mortos com a fertilidade e a agricultura observa-se ainda mais claramente quando estudamos as festas ou as divindades que se relacionam com um destes dois cenários culturais. Geralmente, uma divindade da fertilidade ctônio-vegetal torna-se igualmente uma divindade funerária (...) Uma multidão de gênios da vegetação e do crescimento, de estrutura e de origem ctônias, são assimilados, até se tornarem irreconhecíveis, ao grupo amorfo dos mortos. Na Grécia arcaica os mortos, como os cereais, eram postos em vasos de terra cozida. Às divindades do mundo subterrâneo ofereciam-se Círios, tal como se ofereciam às divindades da fertilidade". É que a luz ilumina e desenvolve as sementes...

Deusa igualmente das fontes e dos bosques, como Ferentina (v.), era muita cultuada na Itália central, particularmente no monte Soracte, nas cidades de Tarracina, Pisauro e até mesmo na Etrúria. No templo a ela consagrado em Tarracina se libertavam os escravos, cabendo-lhe, por isso mesmo, o honroso epíteto de *Libertas*, Liberdade, deusa com a qual também se identificava.

Foi mãe do monstruoso Érilo (v.), a quem concedeu *tris animas*, "três almas", três vidas independentes em três corpos que se fundiam, como relata Vergílio, *En.*, 8, 364-365. O rei Érilo foi morto por Evandro (v.).

FESTAS

Feriae, -arum, *Festas*. O singular *feria* é raro e tardio. Aparece com freqüência apenas no latim da Igreja, que dele faz uso na denominação dos diversos dias da semana, para eliminar a nomenclatura pagã: *secunda feria, tertia feria, quarta feria, quinta feria, sexta feria.* A raiz é **fes-* , **fas-*, que não possui correspondente fora do itálico. O sentido religioso da palavra parece indicar que a conotação é de "lei, lei religiosa, o que foi estabelecido pelos deuses", aproximando-se, neste caso, de *fas*, "permissão ou ordem dos deuses", v. *DIELL.*, p. 226sq. e 217. Assim sendo, *feriae* eram os dias festivos consagrados às múltiplas divindades romanas.

A par dos *Ludi*, Jogos (v.), que procuramos focalizar de maneira bastante minuciosa, os romanos, povo que pautava sua vida por extenso calendário religioso, ampliaram os Jogos com uma multiplicidade de Festas a seus deuses. Os primeiros, como se frisou, devem ser classificados como *munera*, vale dizer, "dádivas, oferendas, deveres para com os mortos e as divindades ctônias". As *Festas*, de certa forma, complementavam os *Ludi*, não só como forma de agradecimento pelo que o Estado e o povo, durante o ano, receberam das divindades, por vezes menores, não porém despiciendas, mas sobretudo como um rito de *salvaguarda*. Acautelar-se para afastar ou conjurar as mazelas que constantemente ameaçavam as cidades, os campos, os soldados e a população. De índole extremamente realista, a religião romana agia, as mais das vezes, preventivamente.

Feriae, as Festas, como os Jogos, podiam ser *statiuae*, fixas, e *indictiuae*, móveis. Seria totalmente impossível listar e nomenclaturar todas as *indictiuae* por dependerem, muitas vezes, de eventos e circunstâncias imprevistos, mas, no fecho do verbete, tomando-se por guia a Varrão, dar-se-á uma idéia das mesmas. Acrescente-se que os *Idus* (dia 15 dos meses de março, maio, julho e outubro e dia 13 dos restantes) de cada mês eram consagrados a Júpiter.

As principais Festas fixas podem resumir-se nas seguintes: *Carmentalia*, Carmentálias, para homenagear *Carmenta* (v.), deusa das fontes e depois profetisa, que fixava o parto normal das crianças; *Lupercalia*, Lupercálias, para celebrar Luperco (v. Lupercos) ou Fauno, assimilado mais tarde a Pã, festa que visava à fecundidade; *Feralia*, Ferálias, para honrar os Manes, os mortos, como se expressa P.F. 2, 569: *Feralia dis manibus sacrata festa* – Ferálias são festas consagradas aos deuses Manes. Talvez, etimologicamente, o vocábulo esteja relacionado com *feriae* (*DIELL.*, p.226); *Terminalia*, Terminálias, em honra do deus *Terminus*, Término (v.), que demarcava os limites nos campos; *Matronalia*, Matronálias, derivado de *mater*, mãe, são as festas do dia das mães, cuja protetora era a deusa Juno; *Equirria, Equiria* ou ainda *Ecurria*, Equírrias, Equírias ou Ecúrias provêm de *equus*, cavalo. Varrão, *L.1.*, 6,13, define a festa: *Ecurria ab equorum cursu; eo die enim ludis currunt in Martio campo* – as Ecúrrias são assim denominadas por causa da corrida de cavalos; neste dia eles corriam nos jogos disputados no Campo de Marte. Nesta solenidade purificavam-se os cavalos, por terem tomado parte em batalhas cruentas; *Liberalia*, Liberálias, grande homenagem ao deus itálico *Liber*, Liber, mais tarde confundido com o deus grego Baco. Solenidade de caráter orgiástico, segundo o testemunho do poeta Névio: *Libera lingua loquemur ludis Liberalibus* – Falemos com mais liberdade nas festas de Liber. Nesta ocasião, os *pueri* (7 a 17 anos) passavam a *adulescentes* (17 a 30 anos), e recebiam a toga viril, o que, de certa forma, lhes conferia direitos e mais liberdade (Ovid. *Fast.*, 3, 713); *Quinquatrus*, ou *Quinquatria*, Quinquátrias, em que se purificavam as legiões no Campo de Marte, antes de seguirem para a guerra.

O sangue do rito das *suouetaurilia* (Suovetaurílias), *sus, ouis, taurus*, sacrifício de um porco, de uma ovelha e de um touro, era derramado circularmente em torno das tropas para solidificar a união de todos. Dividiam-se em *maiores*, mais longas e solenes, que se celebravam de 19 a 23 de março e *minores* ou *minusculae*, sem grandes novidades, comemoravam-se a 13 de junho. Do ponto de vista etimológico, os antigos já relacionavam o vocábulo com *quinque*, cinco, pelo fato de as Quinquátrias *maiores* se estenderem de 19 a 23 de março. Outras achavam que são assim denominadas porque eram comemoradas *cinco* dias após os Idus de março. Varrão, *L.1.*, 6, 14, é categórico a este respeito. Para ele *Quinquatrus* significaria "o quinto dia após os Idus e é por um erro que se teria interpretado a palavra por um período de cinco dias": *Quinquatrus, hic dies unus, a nominis errore obseruatur proinde ac sint quinque.* Na realidade, é possível que *Quinquatrus* provenha do etrusco, *DIELL.*, p. 558; *Fordicidia*, Fordicídias, têm como origem o verbo *ferre*, levar, transportar "uma cria no ventre", *quae fert in uentre* – (vaca) que leva a cria no ventre, "prenhe" e de **cidia*, de *cecidi*, do verbo *caedere*, imolar, sacrificar. Nas Fordicídias sacrificavam-se vacas prenhes, para esconjurar as doenças contra o rebanho bovino. Varrão, *L.1.*, 6, 15, é preciso: *Fordicidia a fordis bubus; bos forda quae fert in uentre; quod eo die publice immolantur boues praegnantes in curiis complures, a fordis caedendis Fordicidia dicta* – Fordicídias originam-se de vacas prenhes; vaca prenhe é a que traz a cria no ventre; pois que, neste dia, imolam-se publicamente muitas vacas prenhes nas cúrias: Fordicídias derivam das vacas prenhes que se sacrificam; *Palilia ou Parilia*, Palílias ou Parílias, para os antigos proviriam de *Pales*, deusa dos pastores, segundo P. Festo, 248, 17: *Pales dicebatur dea pastorum uel, ut alii uolunt, dicta Parilia quod pro partu pecoris eidem sacra fiebant* – Pales (v.) era denominada a deusa dos pastores ou, como querem outros, é também chamada Parília, porque se sacrificava a ela em favor do "parto" do rebanho.

Celebrava-se igualmente nesta data o aniversário de Roma. Diga-se, de passagem, que o *r* de Parilia resulta de uma dissimilação normal em latim, *DIELL.*, p. 476. Quanto à etimologia, *Pales/Palilia* deve ser aproximado do segundo elemento de *opilio*, "pastor"; *Robigalia*, Robigálias (v. Robīgo), provêm de *robus*, "vermelho": diz-se do pêlo vermelho dos animais. *Robigo* significa, à letra, "ferrugem" do trigo, dos metais. Personificada e divinizada, *Robigo*, "Ferrugem", passou a ser o deus *Robīgus*, que defende "o trigo e as plantas" em geral da temida alforra. É o princípio da *similia similibus curantur*, os semelhantes curam-se com os semelhantes. P. Festo, 325, 7 define-lhe a missão: *dies festus septimo Kalendas Maias, quo Robigo deo suo, quem putabant robiginem auertere, sacrificabant* – (os campônios) festejavam e sacrificavam no sétimo dia das calendas de maio a seu deus Robigo, por acreditarem que ele repelia a alforra; *Lemuria* ou *Lemuralia*, Lemúrias ou Lemurálias (v. Escatologia, Exéquias e Lêmures) tinham por objetivo conjurar e afastar os Lêmures, os espectros, as almas dos mortos, que, possivelmente, não haviam alcançado a desejada paz na outra vida: era o *animas placare paternas,* aplacar as almas dos antepassados. Durante tais festas fechavam-se templos, o senado e não se contraíam núpcias; *Lucaria*, Lucárias, é derivado de *lucus*, bosques, especializado na língua religiosa com a acepção de "bosque sagrado", diferente de *nemus*, bosque, floresta, como atesta Sérvio, *In Aen.*, 1, 310: *Lucus est arborum multitudo cum religione, nemus uero composita multitudo arborum, silua, diffusa et inculta* – bosque é um conjunto de árvores onde se fazem ritos sagrados, *nemus* (bosque floresta) é, na realidade, uma profusão de árvores, uma floresta, difusa e deixada ao abandono. Diga-se, de passagem, que *lucus*, antigo *loucos*, no *C.I.L.*, 1^2 366, significa, etimologicamente, "clareira", sânscrito *lokáh,* "espaço livre" e *ulokáḥ*, "largo espaço". As Lucárias tinham por finalidade proteger os lenhadores contra os maus espíritos, que habitavam certas árvores; *Neptunalia, Netunálias* (v. Netuno), celebravam-se em honra deste deus, como se expressa Varrão, *L.l.*, 6, 3, 19: *Neptunalia a Neptuno; eius enim dei feriae* – Netunálias originam-se de Netuno; são, com efeito, o dia da festa do deus. Festa agrária, uma vez que Posídon grego ou Netuno latino, a princípio, não era deus do mar, v. *DIMEG.*, Vol.II, s.u. Netuno. Construíam-se no campo cabanas novas, onde se cultuava o deus e se lhe pedia a proteção para a lavoura; *Volcanalia*, Vulcanálias (v. Vulcano), são assim explicadas por Varrão, *L.l.*, 6,20: *Volcanalia a Volcano, quod ei tum feriae et quod eo die populus pro se in ignem animalia mittit* – As Vulcanálias provêm de Vulcano, porque ele tem então sua festa e neste dia o povo, a fim de obter uma colheita abundante, lança no fogo animais vivos. Vulcano, como se sabe, é o deus do fogo; *Meditrinalia*, Meditrinálias, têm por fonte etimológica o verbo *mederi*, dar seus cuidados a, cuidar de, tratar, medicar. A raiz **med* do verbo em pauta aparece em todo o domínio indo-europeu com o sentido de "julgar, refletir, medir, pesar, cuidar de um doente", *DIELL.*, p. 392. As Meditrinálias são, pois, as festas consagradas à deusa Meditrina, que curava à base do vinho. Os antigos tinham perfeita noção do fato, como se pode observar em Varrão, *L.l.*, 6, 21: *Octobri mense Meditrinalia dies dictus a medendo, quod Flaccus flamen Martialis dicebat hoc die solitum uinum nouum et uetus libari et degustari medicamenti causa; quod facere solent etiam nunc multi, cum dicant;*

Nouum uetus uinum bibo, nouo ueteri morbo medeor.

No mês de outubro, o dias das Meditrinálias recebe este nome de "cuidar de", porque, dizia Flaco, flâmine de Marte, que neste dia era hábito fazer libação e degustar, como se fora remédio, o vinho novo e o vinho velho; muitos costumam ainda fazer isto até hoje, quando dizem:

novo, velho, bebo o vinho; com o novo, com o velho, cuido de minha doença;

October Equus, Cavalo de Outubro, *October*, outubro, provém de *octo*, oito, já que *October (mensis)*, o mês de outubro, era o oitavo no antigo calendário romano. *Octo* corresponde ao grego ὀκτώ (októ), avéstico *ašta*, irlandês *ocht*; *equus*, cavalo tem por correspondente etimológico o gaulês **epos,* irlandês *ech*, inglês antigo *eoh*, sânscrito *áçvah*. O Cavalo de Outubro fazia parte de um rito religioso-militar de grande importância para os romanos. No dia 15 de outubro disputava-se no Fórum, outros dizem que no Campo de Marte, uma corrida de bigas. O cavalo que estava à direita da biga do vencedor era sacrificado imediatamente pelo flâmine de Marte. Uma parte do sangue da vítima era derramado na *Regia*, isto é, na residência do *Pontifex Maximus*, do Pontífice Máximo, e a outra era enviada às Vestais, que a guardavam cuidadosamente para as lustrações dos meses restantes do ano. Pela cabeça do animal competiam acirradamente os que residiam ao longo da Via Sagrada e os habitantes da Subura ou Suburra (bairro muito povoado de Roma, mas cuja reputação não era das melhores). Todos queriam ter a honra de expor em um de seus edifícios o precioso troféu do *October Equus*. Realmente é na cabeça, sede da força vital, que se concentram todas as energias, como se explicou no mito de Orfeu e Eurídice (*Mitologia Grega,* Vol. II, p. 148sqq.). A interpretação do sacrifício do Cavalo de Outubro não é difícil, desde que se volte um pouco aos tempos primitivos da *Urbs*.

No retorno das expedições militares, que se iniciavam na primavera (março) e terminavam no outono (outubro), os latinos, agradecidos pelas vitórias obtidas, ofereciam aos deuses, particularmente a Marte, uma corrida de carros. Sacrificavam-lhe um dos cavalos vencedores para purificar os soldados e a cidade com efusão do sangue do animal e protegê-la pelo fetiche de seu esqueleto. No fundo, o *October Equus* era um φαρμακός (pharmakós), um bode expiatório, "uma vítima substituta". Sacrificando-o, matava-se simbolicamente a guerra; *Armilustrium*, Armilústrio, é um composto de *armi-*, de *arma, -orum*, armas, sobretudo defensivas, e de *lustrum*, sacrifício expiatório, cerimônia purificadora, particularmente a que realizavam os censores de cinco em cinco anos, donde *Armilustrium* era a festa em que se purificavam as armas e também as legiões, resgatando-se, destarte, todas as atrocidades cometidas na guerra; *Saturnalia,* Saturnais, procedem etimologicamente de Saturno (v.). Destronado por Júpiter, Saturno refugiou-se na Itália, fazendo eclodir na península a *aetas aurea*, a idade de ouro, quando a terra tudo produzia abundantemente. Reinavam a paz, a concórdia, a fraternidade, a igualdade e a liberdade. Para comemorar esse antigo estado paradisíaco e obter as boas graças e a proteção do deus sobre a vegetação e as sementes lançadas no seio da terra, celebravam-se as *Saturnalia* no solstício do inverno, para que o sol escalasse novamente a abóbada celeste. A grande festa em honra de Saturno seria, em última análise, uma reminiscência da idade de ouro, quer dizer, da abundância, da igualdade e da liberdade. Duravam, a princípio, um só dia, depois dois e, em seguida, três. À época imperial, Augusto introduziu um quarto dia e Calígula, um quinto. Um banquete público era marcado no fim pelo grito da distensão: *Io Saturnalia!* Viva as Saturnais. Tudo parava: o senado, os tribunais, as escolas, o trabalho. Reinava a alegria, a orgia e a liberdade. Eliminavam-se interditos de toda ordem. Quebrava-se a hierarquização da orgulhosa e racista sociedade romana: os escravos, temporariamente em liberdade total, eram servidos pelos senhores, aos quais, não raro, insultavam, lançando-lhes em rosto os vícios, as torpezas e a crueldade. Até os jogos de azar, expressamente proibidos por lei, eram liberados.

Sintetizando-se ainda mais o que esquematicamente se disse acerca das *statiuae*, isto é, das principais festas públicas com data fixa, teríamos o seguinte quadro, elaborado, em parte, por G. Hacquard, J. Dautry e O. Maisani, *Guide Romain Antique.* Paris, Hachette, 1952, p. 77.

Para demarcar os ritos diversos inerentes a cada uma das festas, empregar-se-ão as seguintes letras: *M* (ritos contra os *malefícios*), *A* (ritos *agrários*), *G* (ritos *militares*).

Janeiro, 11, 15	*Carmentalia* (M) Em honra de Carmenta, que fixava o parto normal das crianças
Fevereiro, 15	*Lupercalia* (M) Purificação do campo e festa da fecundidade
13-21	*Feralia* (M) Para honrar e apaziguar os mortos
23	*Terminalia* (A) Demarcação e purificação dos marcos nos campos
Março 1	*Matronalia* (M) Festa do dia das mães, cumprimentos e presentes
15	*Equirria* (G) Festa eqüestre em homenagem ao deus Marte; purificação dos cavalos por terem participado de batalhas sangrentas
17	*Liberalia* (A) Festa orgiástica da primavera em honra de Liber (Baco)
19-23	*Quinquatrus* (G) Purificação das legiões antes da partida para a guerra
Abril 15	*Fordicidia* (A) Sacrifício das vacas prenhes para exorcizar as doenças do rebanho bovino
21	*Palilia* (A) Festa da deusa Pales, protetora do parto do rebanho. Data do aniversário da fundação de Roma
25	*Robigalia* (A) Festa do deus Robigo que defendia as plantações da alforra
Maio 9, 11-13	*Lemuralia* (M) Ritual para exorcizar os espectros, as almas dos mortos
Julho 19,21	*Lucaria* (A) Festas nos bosques para proteger os lenhadores contra espíritos maléficos que habitavam as árvores
23	*Neptunalia* (A) Construção, no campo, de choças novas, em cujo interior se pedia a proteção do deus para a agricultura
Agosto 23	*Volcanalia* (A) Festa da colheita. Concurso de Pesca; o *pater familias*, o pai de família, lançava nas brasas peixes vivos, para homenagear o deus do fogo, captar-lhe a benevolência, proteção para a seara e conjurar os incêndios dos celeiros
Outubro 11	*Meditrinalia* (A) Festa da vindima. Saboreava-se o mosto e, logo depois, o vinho, remédio eficaz para os antigos
15	*October Equus* (G) Sacrifício ao deus Marte do cavalo vencedor na corrida de bigas, após o término de mais uma campanha militar. O sangue da vítima purificava os soldados e a Cidade de Roma
19	*Armilustrium* (G) Purificação das armas e das legiões, redimindo-as do sangue derramado e das violências praticadas
27	*Saturnalia* (A) Festa do solstício do inverno, para conjurar o Sol a retornar à abóbada celeste. Comemoração da abundância, igualdade e liberdade reinantes na idade de ouro. Época de distensão "carnavalesca".

Acerca das indictiuae, das festas móveis, Varrão, *L.1.*, 6, 25, é bem explícito: *De statutis diebus dixi; de annalibus nec die statutis dicam* – Falei a respeito das festas fixas; acerca das festas anuais cujo dia não é fixo, falarei agora. O polígrafo cita apenas quatro: *Compitalia, Latinae Feriae, Sementiuae* e *Paganicae*. No tocante às demais acrescenta ele, *L.1.*, 6, 26: *Sunt praeterea feriae conceptiuae quae non sunt annales, ut hae quae dicuntur sine proprio uocabulo aut cum perspicuo, ut Nouendiales sunt* – Existem além do mais festas móveis que não são anuais, como as que não possuem um nome particular ou as que o têm bem nítido, como as Novendiais.

Far-se-á um ligeiro comentário sobre cada uma destas festas: *Compitalia*, Compitais, provêm do verbo *competere*, "encontrar-se com", daí *competum, compitum*, "encruzilhada", cômpito, local onde "se encontram vários caminhos". As Compitais, cujo mês e dia eram anunciados pelo pretor, celebravam-se logo após as Saturnais, em dezembro ou janeiro. Festa de caráter fúnebre, as *Compitalia* homenageavam os deuses Lares ou Manes das encruzilhadas. Aos poucos tornaram-se apanágio das classes mais humildes, sobretudo dos libertos e escravos. Também eles desejavam ter seus mortos em paz; *Latinae Feriae*, Festas Latinas, eram primitivamente anunciadas pelos cônsules, tão logo assumiam o poder, em março, mas a partir de 154 a.C., a posse dos novos eleitos, cônsules e outros magistrados, passou efetivamente para o dia primeiro de janeiro. Decretavam-se tréguas sagradas e os romanos, associados unicamente aos latinos, sacrificavam um touro branco (Arnóbio, 2,68) a *Juppiter Latiar*, "o Júpiter dos latinos", no templo do deus, nos Montes Albanos. Em Roma disputava-se uma corrida de cavalos e o vencedor recebia um trago de absinto (Plínio, 27, 45). O objetivo das Festas Latinas era aplacar e pedir proteção do Júpiter ctônio dos latinos, rival do Júpiter Ótimo Máximo dos romanos, para os novos governantes que iniciavam seu mandato; *Sementiuae*, As Sementivas, derivam do verbo *serere* (daí *sementis, -is*, semente), "semear, plantar". A raiz do verbo é **se*, prussiano antigo *semen*, semente, alemão antigo *samo*, com o mesmo sentido, *DIELL.*, p. 617sq. As sementivas, festas das sementeiras, eram consagradas a *Tellus Mater*, à Terra-Mãe e a *Ceres*, Ceres - e retorna-se aos deuses ctônios, protetores das "sementes" e das searas. Às duas deusas sacrificava-se uma porca prenhe, sinal evidente de que se pedia às divindades em pauta que favorecessem a germinação dos cereais, para que houvesse uma "colheita plena". Celebravam-se talvez estas festas nos fins de janeiro; *Paganicae Feriae ou Paganalia*, Festas das Aldeias ou Rústicas ou ainda Paganálias, provêm de *pagus*, à letra, "marco ou baliza fincada na terra", território rural delimitado por marcos, daí aldeia. Tratava-se de festas celebradas *agriculturae causa*, em função da agricultura, como diz Varrão, *L.1.*, 6,25: *Paganicae eiusdem agriculturae causa susceptae, ut haberent in agris omnes pagos, unde Paganicae dictae* – As Festas Rústicas foram adotadas dentro da mesma perspectiva agrícola (que as Sementivas) para manter no campo os habitantes das aldeias, daí seu nome de Festas Rústicas. Comemoravam-se, ao que parece, numa data não muito distante das Sementivas; *Nouendiales*, Novendiais, originam-se de *nouem*, nove, que está representado, entre outros, no irlandês *nóin*, sânscrito *náva*, e, com prótese e alteração secundária, no grego ἐννέα (ennéa), *DIELL.*, p. 447. As *Novendiais* celebravam-se durante nove dias consecutivos e consistiam essencialmente em cerimônias expiatórias que visavam normalmente a obter ou provocar um sinal profético, um presságio. Observe-se, de caminho, que o número *nove* aparece em numerosos rituais de purificação como nascimento e morte. É que *nove*, desde Homero, é um número "ritual". Deméter percorreu o mundo durante nove dias à procura de sua filha Perséfone; Leto sofreu nove dias e nove noites para dar à luz Apolo e Ártemis. As nove Musas nasceram após nove noites de amores de Zeus e Mnemósina. Nove é a medida das gestações, das buscas felizes, traduzindo o coroamento dos esforços, o término da criação. Cada mundo é simbolizado por um triângulo, um número ternário: céu, terra, inferno. Nove é a totalidade dos três mundos, *DIS*., p. 663sqq.

Sintetizando, num quadro, como se fez com os jogos e as Festas Fixas, têm-se:

Dezembro-Janeiro	*Compitalia* (M) Homenagem aos Lares ou Manes das encruzilhadas
Março-Janeiro	*Latinae Feriae* (M) Festa em honra do Júpiter Ctônio dos Latinos, para apaziguá-lo e pedir-lhe proteção para os novos governantes
Fins de Janeiro	*Sementiuae* (A) Festa em homenagem à Mãe-Terra e Ceres, paraninfas da germinação
	Paganalia (A) Festas rústicas para a prosperidade da agricultura e fixação dos aldeões no campo
	Nouendiales (M) Cerimônias expiatórias com o fito de obter um presságio favorável.

Um cálculo aproximado, feito por G. Hacquard et alii, *Op. cit*., p. 76, consagra 45 dias para as Festas Fixas e Móveis. O balanço, no entanto, parece modesto. Somando-se estes aos 68 dias dedicados aos Jogos ter-se-iam 113 dias de "festas" dedicados ritualmente à proteção dos descendentes de Rômulo. Jérôme Carcopino, *La Vie Quotidienne à Rome à l'Apogée de L'Empire*, Paris, Hachette, 1939, p. 257, mais realista, estima que o calendário romano reservava 186 dias para suas festas, todas de cunho ritual.

De qualquer forma, *Ludi e Feriae* estampam um lado muito importante da civilização dos descendentes de Enéias: o caráter extremamente religioso desse povo prático, utilitarista, militarista, jurista e amante da terra. Seu ritual preciso converge para cerimônias expiatórias exorcizantes e para a agricultura, sinal claro de que cultuava, de preferência, os deuses ctônios e os mortos. Sob este último aspecto é que se pode e se deve fazer a grande dicotomia entre o paganismo e o cristianismo: o paganismo orava a seus mortos, o cristianismo ora por seus mortos.

FIDELIDADE

Fides, *"Fidelidade"*, é, de certa forma, uma tradução provisória, já que o conceito de *fides* é muito rico e dificilmente pode ser expresso em tradução. Etimologicamente, *fides*, e depois a divindade *Fides*, provém da raiz indo-européia **bheidh-/bhidh-*, que expressa a idéia de "confiar", representada igualmente no grego πίστις (pístis), πιστεύειν (pisteúein), "confiança, garantia, confiar", ambos provenientes do verbo πείθεσθαι (peíthesthai), "persuadir, deixar-se persuadir, confiar".

O significado inicial de *fides* é religioso, "crença, testemunho, fé", anterior, portanto, ao cristianismo, como atesta, entre outras, a expressão *pro diuom atque hominum fidem* – invoco o testemunho dos deuses e dos homens. Caiu depois em desuso com esta acepção, retornando mais tarde com o latim da Igreja, que emprestou a *fides* e a πίστις (pístis) o velho sentido de "fé, confiança", *DIELL.*, p. 233.

O sentido, social, político e jurídico de *fides*, a partir da época republicana, é o de "confiança, garantia da palavra empenhada, fidelidade decorrente de um juramento", como está no belo verso aliterado de Quinto Ênio, *Ann.*, frag. 33:

Accipe daque fidem foedusque feri bene firmum

– Recebe e dá a palavra empenhada e firma uma aliança bem firme.

"Esta *fides*", acentua a Drª Maria Helena da Rocha Pereira, *op. cit.*, p. 322, "é um juramento que compromete ambas as partes na observância de um pacto bem firme". E acrescenta linhas abaixo: "Ora os Romanos consideravam-se – e eram considerados, segundo o testemunho de Políbio – como povo 'que respeita o seu dever, pela própria fidelidade decorrente de seu juramento'. O historiador grego acabava de ligar esta virtude a concepções religiosas que reputava de sábias". Cícero, *De Off.*, 3,29,104, é claro a este respeito: *Qui ius igitur iurandum uiolat, is Fidem uiolat* – Quem, por conseguinte, viola um juramento, viola a fidelidade, a palavra empenhada.

Fides, Fidelidade, personificada, era uma divindade muito antiga e respeitabilíssima em Roma. Tito Lívio, *Ab Urb. cond.*, 1,21,4, atribui a Numa Pompílio a instituição de um templo à deusa Fidelidade. Cícero, *De Off.*, 3,29,104, reproduz a assertiva de Catão de que *Fidem (...) quam in Capitolio uicinam Iouis Optimi Maximi (...) maiores nostri esse uoluerunt* – os nossos antepassados quiseram que Fidelidade estivesse no Capitólio, vizinha de Júpiter Ótimo Máximo. Este segundo templo teria sido construído por Atílio Colatino no decurso da primeira Guerra Púnica (séc. III a.C.) e se tornou tão importante, que passou a ser o arquivo nacional e local onde, por vezes, se reunia o *Senatus Romanus*, o Senado Romano.

Fidelidade, a personificação da palavra empenhada, era representada sob a forma de uma anciã encanecida, mais velha que o próprio Júpiter. Com esta imagem os romanos queriam deixar claro que o crédito e respeito à palavra empenhada eram o fundamento da ordem política, social e jurídica.

A festa de *Fides* celebrava-se no dia primeiro de outubro. Os sacerdotes de Júpiter, Marte e Quirino dirigiam-se ao templo da deusa, no Capitólio, e ofereciam um sacrifício, usando tão-somente a mão direita (símbolo do compromisso), coberta com um pano branco, tradução do caráter secreto e ilibado da palavra dada.

Vergílio, *En.*, 1, 289-293, celebrando a glória futura de Augusto, descendente de Iulo, intercala *Fides*, a Fidelidade, como uma das promotoras dessa nova idade de ouro:

Hunc tu olim caelo spoliis Orientis onustum
accipies secura; uocabitur hic quoque uotis.
Aspera tum positis mitescent saecula bellis;
cana Fides et Vesta, Remo cum fratre Quirinus
iura dabunt...

– A este (Augusto), carregado com os despojos do Oriente,
tu (Vênus) um dia o receberás tranqüilamente no céu.
Também ele será invocado nas súplicas dos homens.
Terminadas então as guerras, abrandar-se-ão os duros tempos.
A encanecida Fidelidade, Vesta, Quirino, reconciliado com o irmão Remo,
Ditarão as leis...

Talvez não seja impertinente aproveitar o espaço prodigalizado por *Fides*, para fazer achegas concernentes à mão direita, "a mão do compromisso", em grego δεξιά (deksiá), em latim *dextera* ou *dextra*.

Como se sabe, os antigos não se cumprimentavam ou se despediam, estendendo a mão direita. *Dextram tendere* (Cic. *Phil.*, 10,9), "estender a mão direita" não é saudar alguém, mas "prestar-lhe socorro, ajuda", como sinal de amizade ou proteção (Tac. *An.*, 2,58). A saudação em grego é καῖρε (khaîre), "rejubila-te, alegra-te, saúde, os deuses te protejam", em latim podem ser *haue* ou *aue*, *salue, uale*, respectivamente "alegra-te, valha-te o deus; tem saúde, sê inteiro, em bom estado, sê feliz; tem saúde, passa bem". Observe-se que tanto o grego quanto as formas latinas estão no imperativo, como que a forçar a divindade a conceder saúde, felicidade, alegria e prosperidade a quem é saudado e a quem saúda.

A *dexterarum iunctio*, a junção das destras, o aperto de mãos direitas é um ato religioso que pode, evidentemente, respaldar um compromisso político e jurídico. Com as destras entrelaçadas se fazia o *iusiurandum*, o juramento, de que resultava o *foedus*, o tratado de aliança, o pacto, cuja garantia era a *fides*, a absoluta "fidelidade" ao que se estipulara. Tito Lívio, *Ab Urb, cond.*, 23,9,3, diz com precisão: *dextrae dextras iungentes, fidem obstrinximus* – unindo a mão direita à mão direita, "ligamos", estabelecemos a fidelidade. Medéia, na tragédia homônima de Eurípides (*Med.*, 21sqq.) vilipendiada por Jasão, soluça e grita em altas vozes a traição do esposo, após o juramento feito com as destras entrelaçadas, por ocasião de suas núpcias:

Medéia, a infeliz desonrada, grita,
invocando os juramentos, *as destras entrelaçadas*
– penhor supremo – e toma os deuses por testemunha
da recompensa que recebe de Jasão.

Na *Ifigênia em Áulis* (831-832) do mesmo poeta, Clitemnestra, desejando reter Aquiles e estabelecer com ele o juramento das núpcias com Ifigênia (noivado aliás, que o herói ignorava), assim se expressa:

> Fica, por que foges? *Une tua mão direita*
> *à minha* como prelúdio feliz do casamento.

A *dexterarum iunctio* traduz o poder, o mana, a orenda, a energia individual, convertendo-se num autêntico santuário da *Fides*, a deusa Fidelidade.

A exaltação da direita não provém, segundo parece, apenas de a força concentrar-se normalmente na mesma, mas sobretudo porque, procedendo do Leste, da direita, do Oriente (particípio presente, *oriens, orientis, de oriri*, levantar-se, elevar-se, nascer), o Sol é símbolo da luz e da vida, conferindo, pois, à destra um forte prestígio religioso, jurídico, político e social.

Se a fronte possuía por deus tutelar o *Genius*; os ouvidos, a deusa *Memoria*; os joelhos, *Misericordia*, a destra estava consagrada à deusa *Fides*. Para os gregos e romanos o *fas*, o que é justo e legítimo, e os bons augúrios apresentavam-se, diga-se, de passagem, com sinais trocados: os primeiros consideravam de bom agouro o que se orientava da esquerda para a direita; os latinos, o que provinha da direita para a esquerda. Tal fato evidencia a argúcia romana: se o presságio já partiu da direita é, em tese, favorável. Chegar ou não à esquerda é outro problema... Originando-se da esquerda, pode não atingir a direita!

FILÓTIS

Philotis, *Filótis*, é o grego Φιλῶτις (Philôtis), "a Ternura", também chamada *Tutela, Tutola* e *Tutula*. Trata-se de uma personagem, cujo mito é relatado por Plutarco, *Rômulo*, 29; *Camilo*, 33, e por Macróbio, *Sat.*, 1, 11; 36-40.

Roma, embora livre dos gauleses, encontrava-se enfraquecida militar e economicamente. Aproveitando-se da fragilidade do inimigo, os latinos, sob o comando do valente Lívio Postúmio, acamparam bem próximos da cidade e mandaram aos romanos uma mensagem habilidosa e velhaca. Solicitavam-lhes que enviassem suas filhas e viúvas, para que se ratificassem entre os dois povos os laços ancestrais comuns às duas raças; caso contrário, invadiriam Roma. Enquanto os descendentes de Rômulo decidiam, sem saber realmente o que fazer, surgiu a jovem e linda Filótis e propôs-lhes um estratagema: ela e outras escravas, travestidas de moças livres, seguiriam para o acampamento inimigo e de lá seria enviado às tropas de Roma determinado sinal que lhes garantiria um ataque fulminante e mortal contra os adversários. Aceita a idéia, a destemida Tutela partiu com suas colegas.

Alta madrugada, segundo combinado, Filótis acendeu um archote sobre uma figueira, voltando a chama na direção de Roma e encobrindo-a aos olhos dos latinos com sua indumentária. Os soldados romanos, sem perda de tempo, embora numa certa desordem, por ser noite escura, avançaram sobre os latinos e massacraram-nos dormindo.

Para relembrar a façanha heróica de Filótis, celebravam-se anualmente as denominadas *Nonae Caprotinae*, Nonas Caprotinas ou Nonas da Figueira. Neste dia, 7 de julho, todos saíam da cidade, correndo desordenadamente, interpelando-se com todas as espécies de nomes. Em seguida, ofereciam-se banquetes às mulheres em choças cobertas com ramos de figueira. As escravas tinham seu dia de liberdade total e lançavam pedras umas contra as outras, para rememorar sua participação na derrota dos latinos.

Uma outra versão explica o rito das Nonas Caprotinas pelas desordens que se seguiram à morte de Rômulo (v.), num alagadiço do Campo de Marte, chamado *Palus Caprae*, Pântano da Cabra.

Varrão, *L.1.*, 6,18, após relatar que nas festas supracitadas "o povo, em desordem, fugia repentinamente da cidade", *quod eo die tumultu repente fugerit populus,* acrescenta, sem esquecer a figueira, poste que iluminou a salvação de Roma, pela coragem e astúcia da mulher: *Nonae Caprotinae, quod eo die in Latio Iunoni Caprotinae mulieres sacrificantur et sub caprifico faciunt* – Chamam-se Nonas Caprotinas, porque, neste dia (7 de julho), no Lácio, as mulheres oferecem sacrifícios a Juno Caprotina e realizam-nos sob uma figueira selvagem.

FLÂMINE

Flamen, -inis, *Flâmine*, não possui etimologia definitiva, mas uma hipótese bastante provável. Relacioná-lo com o antigo eslavo *blóta*, "sacrificar", *blót*, "sacrifício", gótico *blotan*, "honrar", é sedutor, mas ligá-lo ao termo religioso sânscrito *bráhma*, designando "a prece", *brahmá*, "sacerdote", é andar perto da verdade etimológica. O que mais atrai nesta aproximação de *flamen* com o masc. sânscrito *brahmán-*, neutro *bráhman-*, é a concordância freqüente de termos religiosos entre o ítalo-céltico e o indo-iraniano, *DIELL.*, p. 239. *Flamen* seria então "o sacerdote que ora" a determinados deuses pelos homens. Diga-se, de caminho, que a etimologia popular vinculou *flamen* e *filamen* (Varr., *L.1.*, 5,84), pelo fato de o flâmine, ao contrário do *pontifex*, pontífice, e do *antistes*, sacerdote, usar um barrete encimado por uma pequena vara envolvida em lã (*filamen*).

Flâmine é o título que recebe o sacerdote consagrado ao culto de uma divindade particular. Havia em Roma três flâmines maiores, de Júpiter (*Dialis*), de Marte (*Martialis*), de Quirino (*Quirinalis*) e doze menores, de Furina (*Furinalis*), de Vulcano (*Volcanalis*), de Pomona (*Pomonalis*), de Flora (*Floralis*), de Ceres (*Cerealis*), de Carmenta (*Carmentalis*)... A função precípua do flâmine é presidir a festa da divindade a quem estava consagrado e oferecer-lhe os sacrifícios de praxe.

FLORA

Flora, *Flora*, é um derivado de *flos, floris, flor*, cujo elemento radical é **bhlo*, que expressa a idéia de "brilhar, florir". O vocábulo aparece no itálico: osco ϝλουσοι (flusoi), "Floro", *Fluusaí*, "Florae", *Fiuusasíaís*, "Floralibus"; sabino *Flusare*, "Florali"; inglês antigo *blostma*, "flor", gótico *bloma*, "flor"; alemão antigo *bluot*, "floração", *DIELL.*, p. 241. *Flora* é, pois, a deusa das flores, a potência da vegetação, que provoca a floração das árvores e dos campos.

Uma das divindades latinas mais antigas, integrava as doze, às quais, consoante Varrão, *R. Rust.*, 1,1,6, o rei sabino Tito Tácio mandou erigir um altar em Roma.

Flora representava o eterno renascer da vegetação na primavera e, neste sentido, presidia a floração tanto dos cerais como da videira, árvores frutíferas e plantas ornamentais, defendendo-as de certas moléstias, sobretudo da alforra, como está em Varrão., *R. Rust., 1,1,6: Quarto Robigum ac Floram, quibus propitiis neque robigo frumenta atque arbores corrumpit, neque non tempestiue florent* – Em quarto lugar (invocarei) Robigo e Flora, para que, sendo eles propícios, a alforra não destrua os grãos e as árvores e nem estas floresçam extemporaneamente.

O culto prestado à deusa das flores tinha por escopo colocar as plantações e particularmente as searas sob a proteção divina. Entre as populações sabinas era-lhe consagrado o mês de abril e, em Roma, suas festas celebravam-se em época idêntica. Sacrificavam-se-lhe ovelhas num antigo templo do Quirinal. Ali oficiava um dos doze *flamines minores*, flâmines (v.) menores, o *Flamen Floralis*, o Flâmine Floral, que, segundo se relata, o rei Numa criara expressamente para servir à divindade tão importante. Os Oráculos Sibilinos (v. Sibila), consultados no séc. III a.C., após um seqüência de colheitas malogradas, alteraram um pouco o culto da deusa. Consagrou-se-lhe novo templo e sua festa, *Floralia*, as Florálias, se fixaram no dia 28 de abril. Diga-se, de passagem, que tão concorridas celebrações em homenagem a Flora, pelo fato mesmo de se comemorarem num clima de liberação das sementes e das flores (como nas *Antestérias* dionisíacas, v. *DIMEG.*, p. 78sqq.), e por visarem à fertilidade, provocavam, *ipso facto*, uma libertação de interditos bem como de tabus e de convenções de ordem ética, promovendo determinadas *obscena*, certas "licenciosidades" não permitidas na vida diária. Para não citar outras, recorde-se apenas a observação estampada em *Vet. Poeta in Anthol. Lat.*, t. I, p. 454: *Floralia ludere dicuntur pueri cum se invicem incestant aut masturbant* – Dizem que os meninos se divertem nas Florálias, quando mutuamente se corrompem ou reciprocamente se masturbam – O que equivale, simbolicamente, à liberação da semente.

Na mesma data, mas estendendo-se até o dia 3 de maio, se completavam as festas de Flora com os *Florae ludi*, os "Jogos de Flora", como lhes chama Varrão, *R. Rust.* 1,1,6: *Itaque publice Robigo feriae Robigalia, Florae ludi Floralia instituti* – Assim, em homenagem a Robigo se instituíram as festas solenes das Robigálias e, em honra de Flora, os Jogos denominados Florais – de que, aliás, participavam até as cortesãs.

Ovídio, inteligentemente, "helenizou" o mito da deusa das flores. Alterou-o; deu-lhe outra indumentária, mas, com tal expediente, enriqueceu-o com novos episódios, como se fossem variantes latinas. Com efeito, o poeta, *Fast.*, 5, 20sqq; 195sqq., jogando com falsa etimologia, tentou identificar Flora com a ninfa grega Clóris, transformando esta última em protagonista de um drama de amor. Num dia primaveril, relata o autor da *Arte de Amar*, em que Flora-Clóris percorria despreocupadamente as campinas verdejantes, o vento Zéfiro, padrinho das chuvas da primavera, a viu e, apaixonado, a arrebatou, casando-se com ela. Concedeu-lhe, por amor, reinar sobre todas as flores. O mel e todas as variedades de sementes passaram, desde então, a ser um dom da esposa de Zéfiro. Esta criação poética de Ovídio está calcada num mito grego: o rapto de Oritia, filha do rei ateniense Erecteu, pelo impetuoso vento Bóreas (v. *DIMEG*., p. 162, s.u. Bóreas).

O poeta latino, todavia, vai mais longe: Flora foi a responsável pelo nascimento partenogenético do deus Marte. É que Juno, profundamente magoada com "o parto" de Minerva, da cabeça de Júpiter, solicitou o concurso da deusa das flores, das sementes e do mel no sentido de dar à luz um filho sem participação do marido. Flora prontamente lhe forneceu uma flor, que, a um simples toque, provocava a gravidez. Foi assim que Juno, sem se unir ao marido, foi mãe do deus cujo nome preside o primeiro mês do antigo ano latino e o primeiro da primavera: *Mars, -tis*, "Marte", poético *Mauortius>Martius >Martiu >março.*

FOME

Fames, Fome. Os nomes designativos de fome (*fames*) e sede (*sitis*) divergem de uma língua indo-européia à outra. Assim sendo, o radical *fam-* de *fames*, não possui correspondente fora do latim, *DIELL*., p. 215.

Alegoria da Fome, *Fames*, traduz semanticamente o grego Λιμός (Limós), que, na *Teogonia* de Hesíodo, 226-227, é filha de Éris, a Discórdia (*DELG*., p. 449). Vergílio, na *Eneida*, 6, 273-274, coloca-a *Vestibulum ante ipsum*, "ante o próprio vestíbulo", nas primeiras fauces do Orco (v. Escatologia), ao lado de outras personificações que atormentam a vida dos mortais: a Doença, a Velhice, o Medo, a Miséria, a Morte, o Esforço, o Sono, a Inveja, a Guerra e outros monstros... Ovídio, *Metamorfoses*, 8, 777-842, numa longa descrição, como é de seu hábito, vai mais longe e a desloca para a Cítia, uma região desolada, onde a Fome busca como louca alimentar-se de uma vegetação seca e rara, que jamais poderá satisfazê-la. Foi exatamente na Cítia que Ceres, a pedido das Dríadas, a procurou para que ela castigasse Erisícton (v. *DIMEG*., s.u.) com uma fome insaciável. Já que Ceres, a abundância, e a Fome não podem encontrar-se (*neque Fata coire sinunt* – o Destino não permite que se reúnam), serviu-lhes de intermediária uma Oréada, vale dizer, um rude ninfa das montanhas.

Fames, em cumprimento às ordens da deusa maior da vegetação, puniu Erisícton com uma fome tão alucinada, que o infeliz acabou por devorar a si próprio (*Met*., 8, 877-878):

Ipse suos artus lacero diuellere morsu
Coepit et infelix minuendo corpus alebat.

– O próprio (Erisícton) começou a arrancar os membros
a dentadas e, desditoso, consumindo-se, alimentava o corpo.

FONTE

Fons, *Fontis*, ac. *Fonte* (m)> *Fonte*, apesar de masculino em latim, alterna-se, no mito, com *Fontus*, "Fonto". Trata-se de palavra religiosa, que não se encontra fora dos domínios do latim. Talvez se pudesse fazer uma aproximação com o umbro *Funtlere, Fondlire, "in Fontulis"*?, mas, por ser um nome próprio, nada se pode concluir. O sânscrito *dhánvati, dhanáyati*, "ele corre, flui", é duvidoso, *DIELL*., p. 244sq.

Fonte, também denominado Fonto, para caracterizar bem o masculino, é um deus relacionado com as fontes. Consideravam-no filho de Jano e Juturna (v.). Sem participar de mito algum conhecido, possuía, no entanto, um templo talvez nas proximidades da *Porta Fontinalis*, Porta Fontinal, ao norte do monte Capitólio (Tit. Lív. *Ab Urb. cond*., 35,10,12). Era igualmente titular de um santuário no sopé do Janículo, junto ao "túmulo de Numa". Em sua honra celebravam-se, no dia 13 de outubro, as *Fontinalia*, a festa das fontes: nestas lançavam-se grinaldas e os poços eram coroados (Varr., *L.1*., 6,22).

FORNAX

Fornax, *Fornax*, "forno", está representado no antigo alemão por *furnache*, mas é da mesma família etimológica que *furnus*, "forno", que apresenta as variantes *fornus* e o neutro *furnum*, em Varrão, citado por Nônio, 531,28, e que o adjetivo *fornus, -a, -um*, "quente". A raiz comum é $*g^{w}$*hornos* ou $*g^{w}$*hr̥nos*, que expressa a idéia geral de "esquentar, arder". Diga-se, de passagem, que em latim *fornus* foi muito cedo substituído por *calidus*, "quente, ardente, cálido". Quanto ao uso, existe, Ernout-Meillet, *DIELL*., p. 248, diferença entre *furnus*, "forno para cozer o pão", daí *furnarius*, "padeiro", e *fornax*, "o forno industrial" para cerâmica, metais e para esquentar a água do banho. Dois exemplos tornarão as coisas mais claras, Plaut. *Cas*., 309-311:

Una edepol opera in furnum calidum condito,
Atque ibi torreto me pro pane rubido,
Era, qua istuc opera a me impetres quod postulas.

– Não, por Pólux! Coloca-me num forno ardente, senhora,
e torra-me lá dentro como um pão recozido,
mas não conseguirás de mim o que desejas.

Vergílio, *En*., 7, 636, num hemistíquio, emprega com exatidão *fornax*, "forno, fornalha": (.....) *recoquont patrios fornacibus ensis.*

– (Os latinos) retemperam nas fornalhas as espadas dos antepassados.

Personificada, Fornax tornou-se a deusa dos fornos, quer domésticos, quer industriais. Em sua honra celebravam-se as *Fornacalia*, Fornacálias, as festas dos padeiros, "dos artesãos, metalúrgicos" e ceramistas.

FORTUNA

Fortuna, *Fortuna*, é o feminino substantivado e depois divinizado de um adjetivo *fortunus*, como aparece em *Fortuna dea*, a deusa Fortuna. O teônimo não possui etimologia convincente. A aproximação com o verbo *ferre*, "levar, trazer, suportar" (v. *fors*), e com o grego συμφορᾶ (symphorá), "o que se leva juntamente, conjunto de circunstâncias, encontro", não satisfaz, *DIELL.*, p. 249.

Enquanto divindade, Fortuna pode ser *secunda, prospera, aduersa,* isto é, propícia, favorável, adversa, "boa ou má", opondo-se, pelo sentido, a *ratio*, "cálculo, conta", daí "faculdade de calcular, razão", e aproximando-se de *casus*, "queda, circunstância imprevista, acidente, acaso". Sendo a boa Fortuna a que se invoca e psicologicamente aquela em que se pensa, *fortuna* sem epíteto passou aos poucos a significar "a boa fortuna" e o plural *fortunae* "os dons da fortuna", particularmente "riquezas", *DIELL.*, p. 249; *GEW.*, s.u.

Na religião romana, *Fortuna* foi muito mais acatada que *Acaso*, particularmente na época clássica. Diferentemente de *Fatum*, o Fado (v. Acaso), a decisão irrevogável e inexorável tecida pelas Parcas, *Fortuna* se aproxima e se identifica propriamente com Τύχη (Týkhe), do verbo τυγχάνειν (tynkhánein), que significa "alcançar por acaso, conseguir por sorte", donde o acaso, a sorte, o fado bom ou mau. Assim a Fortuna ou Tique é aquilo que o homem consegue, alcança, realiza por decisão dos deuses (v. *DIMEG.*, Vol. II, s.u. Tique).

Iconograficamente é representada com o corno da abundância, símbolo da prosperidade e empunhando um remo, como se fora ela o piloto da vida dos mortais. Permanece ora sentada, ora de pé, as mais das vezes é cega. Seu culto teria sido introduzido em Roma por Sérvio Túlio, o grande rei favorito da Fortuna. Conta-se mesmo que a deusa o amava e lhe penetrava na casa por uma pequena janela.

Fortuna Redux (a Fortuna que proporciona bom retorno de uma viagem), *Fortuna Publica* (a Fortuna Pública), *Fortuna Huiusce Diei* (Fortuna privativa do dia presente), eram alguns dos epítetos por que era invocada. Durante o império cada um dos Césares possuía sua *Fortuna.* Com a influência sobretudo da época helenística a deusa foi assimilada a outras divindades, como à Ísis egípcia, além da supracitada Tique.

FÚRIAS

Furiae, *Fúrias*. O sing. *Furia*, "Fúria", é raramente empregado. Trata-se de um derivado do verbo *furere*, "estar louco (com idéia acessória de agitação violenta), estar fora de si, estar descontrolado, estar furioso". A idéia aplica-se primeiramente aos homens, e, por extensão, às coisas (vento, mar, tempestade). Talvez se possa fazer uma aproximação etimológica com o grego θορεῖν (thoreîn), arremessar-se impetuosamente, daí θόρυ–βος (thóry-bos), ruído, tumulto, e com o avéstico *dvaraiti*, ele se precipita, *DIELL.*, p. 263. A par de *Furia* e *Furiae*, "as Fúrias", usa-se também em latim *Dira e Dirae*, igualmente "Fúrias", provindo este último do adjetivo *dirus*, *-a, -um*, funesto, de mau augúrio, sinistro, donde as *Dirae* são, "além de Fúrias", as maldições, as imprecações. Etimologicamente, a aproximação de *Dira, Dirae* com a raiz **dwei-*, representa no grego homérico δέδ(F)οικα (déd(w)oika), eu temo, e no sânscrito *dvésti*, ele odeia, é possível, desde que *dirus* seja realmente uma palavra dialetal, *GEW.*, s.u.

Demônios do mundo infernal na crença popular romana, as Fúrias muito cedo se assimilaram às Erínias gregas (v. *DIMEG.*, p. 352sqq.), tomando-lhes de empréstimo o mito, as funções e os nomes: Aleto, Tisífone e Megera. Em Roma, como na Grécia, continuam a ser as vingadoras do crimes, em particular do sangue parental derramado. Cícero, *Nat. deor.*, 3,18,46, recorda estes monstros punidores dos delitos e das culpas: *Furiae deae sunt speculatrices, credo, et uindices facinorum et sceleris* – As Fúrias são deusas vigilantes, eu o creio, e vingadoras dos crimes e dos delitos. Quanto às *Dirae*, Fúrias, Vergílio, *En.*, 12, 845-878, após apontar-lhes a genealogia, faz longo relato de ação de uma das Fúrias, enviada por Júpiter, para afastar Juturna, que dava respaldo a Turno, na luta contra Enéias. Vai-se mostrar tão-somente a genealogia das *Dirae* estampada pelo poeta, *En.*, 12, 845-848:

Dicuntur geminae pestes cognomine Dirae,
quas et Tartaream Nox intempesta Megaeram
uno eodemque tulit partu paribusque reuinxit
serpentum spiris uentosasque addidit alas.

– Dizem que a noite sombria deu à luz num único
parto a dois flagelos, por nome Fúrias, juntamente
com a infernal Megera. Envolveu-as em idênticas espirais
de serpentes e dotou-as de asas que agitam os ventos.

FURRINA (FURINA)

Furrina (Furina), *Furrina* ou *Furina*, não possui etimologia definida. A aproximação com *fur*, "ladrão", dificilmente se poderia explicar. Talvez se trate de palavra etrusca.

Furrina ou Furina é uma divindade muito antiga na Itália, mas cujas funções são desconhecidas, como já assinala Varrão, *L.l.*, 6,19: *Furrinalia a Furrina, quod ei deae feriae publicae dies is; cuius deae honos apud antiquos, nam ei sacra instituta annua et flamen attributus; nunc uix nomen notum paucis* – As Furrinálias provêm de Furrina, porque, neste dia, havia festas públicas em honra da deusa; os antigos honravam-na, pois instituíram-lhe cerimônias anuais e adjudicaram-lhe um flâmine; no momento, apenas alguns lhe conhecem o nome.

Suas festas, as Furinálias, celebravam-se em julho nos dois templos que possuía: um em Arpino e o outro nos sopés do Janículo, junto à ponte Sublícia.

Furrina foi, ao que parece, uma divindade das fontes, mas, por confusão etimológica com *Fura* (Marciano Capela, 2,164), a deusa foi considerada uma das Fúrias (v.), mas nem isto a salvou de um completo esquecimento, a partir da época clássica.

G

GALESO

Galaesus, *Galeso*, é o grego Γαλαῖσος (Galaîsos), transliterado em latim sob a forma *Galaesus*, Galeso. Carnoy, *DEMG.*, p. 60sq., afirma tratar-se de um regato da Sicília, proveniente da raiz *ĝel*, "brilhar", donde o hidrônimo personificado teria o significado de "claro, de águas límpidas". Neste caso, acrescenta o filólogo belga, *Gelas*, o deus fluvial de Gela, também na Sicília, proviria da mesma raiz *gêl ou ghêl*, com idêntica acepção de "claro, límpido", donde *Gelo*, *-onis*, Gelão, tirano de Siracusa.

Galeso era um súdito muito estimado do rei Latino (v.), quando Enéias chegou à Itália. Como Iulo ou Ascânio, filho do herói de Ílion, por artimanhas da Fúria (v.) Aleto, houvesse morto, a flechadas, um veado domesticado, os Aborígenes (v.) se indignaram de tal modo, que por pouco não se iniciaram as hostilidades entre latinos e troianos. Desejando apaziguar os ânimos, Galeso, embora idoso, meteu-se entre os beligerantes, mas acabou sendo morto.

Vergílio, na *Eneida*, 7, 475-539, narra a caçada fatídica de Iulo, a luta dos campônios contra os troianos e a morte do velho Galeso:

Corpora multa uirum circa seniorque Galaesus,
dum paci medium se offert, iustissimus unus
qu fuit Ausoniisque olim ditissimus aruis (*En.*, 7, 535-537)

– Muitos homens tombam em torno de Álmon, inclusive
o idoso Galeso, quando oferecia sua pacífica mediação, ele que fora
outrora o mais justo e o mais rico nos campos ausônios.

GÁRANO

Garanus, *Gárano*, é, segundo Carnoy, *DEMG*., p.61, um antropônimo de origem céltica, *garano-, que se poderia aproximar do grego γέρανος (guéranos) e do latim *grus*, "grou", alemão *Krahn*, com o mesmo sentido.

Gárano teria sido um pastor ou mais provavelmente um salteador perigoso e temido, que fora morto por.Hércules. Neste caso, Gárano ou Recárano exerceria no mito o mesmo papel que Caco (v.), o filho tricéfalo de Vulcano. Trata-se, evidentemente, de uma variante tardia da luta entre o filho de Alcmena e o rebento monstruoso do deus do fogo dos latinos (v. Vulcano).

GÊNIO

Genius, *Gênio*, provém do verbo *gignere*, "gerar, produzir, ser causa de, criar", como certifica, entre outros, Marco Túlio Cícero, *Tim*., 8: *deus animum ex sua mente genuit* – Deus criou a alma como emanação de sua própria inteligência. A raiz *$g'en_o$*, *g'n*, "gerar, nascer",é amplamente representada nas línguas indo-européias e se desdobra em formas verbais e nominais. Com valor passivo encontra-se no sânscrito *Jáḥ*, e sobretudo sob forma prefixada *prajáḥ*, "posteridade, descendência", em latim *progenies*, com o mesmo sentido; gótico *kuni*, "raça, tribo", inglês antigo *cynn*, "descendência".

Festo, 84, 3, transcrevendo Aufúscio, assim define esta divindade tão importante para os latinos: *Aufustius: genius, inquit, est deorum filius, et parens hominum ex quo homines gignuntur. Et propterea Genius meus nominatur, quia me genuit* – O "gênio", disse ele, é filho dos deuses e pais dos homens: estes nascem dele. Por isso mesmo é denominado "meu Gênio", porque me gerou. Donde *Gênio* é, a princípio, o pai de todos os homens. Desdobrou-se, em seguida, numa divindade geratriz dos homens e das coisas, segundo Sérvio, *En*., 1,302: *genium dicebant antiqui naturalem deum uiniuscuiusque loci uel rei uel hominis* – os antigos denominavam "Gênio" o deus responsável pelo nascimento de cada local, coisa ou homem. Aos poucos converteu-se em divindade tutelar de cada indivíduo: com ele nasce, com ele se confunde e o protege. O Gênio é, por conseguinte, sinônimo da própria pessoa: com ela vem ao mundo, ampara-a e com ela desaparece. Por extensão, o deus passou a significar inclinação natural, talento, "gênio".

No mito romano, o Gênio, ou melhor, os *Gênios* surgem como seres imanentes não apenas a cada homem, mas igualmente a cada local, a cada grupo, associação ou cidade. Sob foma de serpente, réptil ctônio, simboliza-lhes o princípio espiritual. Vindo à luz ao mesmo tempo em que o homem ou a coisa a que está vinculado, sua função precípua é proteger-lhes a vida e até mesmo a fecundidade do casal com a qualificação de *genialis lectus*, "leito nupcial", resguardado pelo deus. Como personificação do ser, o Gênio pessoal é uma força interior propulsora de otimismo. A expressão proverbial *indulgere genio*, "ser complacente para com o gênio", é levar uma vida alegre e despreocupada, entregar-se, ao menos momentaneamente, aos prazeres, como escreve Pérsio, *Sat.*, 5,151-153, mas exatamente para condenar, como estóico, semelhante atitude, ditada pela lascívia e sensualidade:

Indulge genio, carpamus dulcia, nostrum est
quod uiuis, cinis et manes et fabula fies;
Vive memor leti, fugit hora, hoc quod loquor inde est.

– Sê indulgente com teu Gênio, desfrutemos os prazeres; a vida
que usufruis é nosso único bem: tu te converterás em cinza, manes,
objeto de conversação. Vives pensando na morte: as horas passam,
o que eu estou dizendo já é coisa do passado.

Até os juramentos eram feitos em nome do próprio Gênio ou daquele de uma outra pessoa respeitada. Durante o império o Gênio do príncipe regente era detentor de um caráter numinoso e temido. Possuía sobre os Gênios particulares idêntica proeminência que o imperador sobre os cidadãos. Identificava-se, por vezes, com os Manes, Penates e Lares e era tido como elemento imortal no homem.

O hábito de se atribuir um Gênio a todos os seres era tão arraigado, que até mesmo os deuses passaram a ter o seu, o que explica os sacrifícios ao Gênio de Júpiter, Marte e Quirino.

Como espíritos da natureza viril, os Gênios estavam vinculados tão-somente ao homem; para as mulheres esta função era desempenhada por Juno (v.).

GRAÇAS

Gratiae, ***-arum***, *Graças*, sing. ***gratia***, *graça*. Segundo Walde-Rofmann, *LEW.*, p. 619sq., *gratia* seria um antigo termo religioso, que se poderia cotejar com o osco *brateis*, "gratiae", agradecimentos, reconhecimento, o que permitiria uma aproximação com o grupo indo-iraniano de valor ritual: sânscrito *g'ir*, gen. *giráḥ*, "canto de louvor, agradecimento", *gr̥ṇáti*, "ele canta, louva". O latim *gratus*, "acolhido com agradecimento, grato", corresponderia ao sânscrito *gurtáḥ*, e ao lituano *girtas*, "celebrado, cantado, louvado", e o latim *grates*, agracimentos, ao sânscrito *gurtiḥ*.

Gratia, -ae, significa abstratamente "agradecimento, reconhecimento, ação de graças" e, mais concretamente, "ato pelo qual se obtém um reconhecimento", donde "obséquio, benefício, favor", daí "boas graças, simpatia, graça, beleza". Personificado, *Gratiae, -arum*, "as Graças", Χάριτες (Khárites) em grego, eram, de início, deusas da vegetação, tornando-se depois divindades da beleza, responsáveis pela alegria que alimenta o coração dos deuses e dos homens. Filhas de Júpiter e Juno ou Eurínome, as Graças, Aglaia, Talia e Eufrósina, habitam o Olimpo em companhia das Musas, às quais se reúnem para formar o harmonioso coro divino.

Jamais tratadas como personalidades distintas, andam sempre juntas, como representação trifacetada da alegria, da graça e da beleza. Os imortais deleitavam-se no seu convívio, quando cantavam e dançavam ao som da lira de Apolo. A elas se atribuem igualmente todas as influências benéficas sobre a atividade intelectual e as obras-de-arte. Quando não estão ao lado de Apolo, acompanham alegremente ora Minerva, a protetora dos trabalhos e atividades femininas, ora Vênus e seu filho Cupido, promotores do amor e do prazer. Horácio, *Od.*, 1,4,6; 4,7,5; 1,30,6; 3,19,16; 3,21,22, embora use ora o singular *Gratia* ora o plural *Gratiae*, normalmente as coloca ao lado de Apolo, Vênus e as Ninfas, como na *Od.*, 1,4,5-8, em que o poeta celebra o retorno da primavera, símbolo da alegria da vida que renasce:

Iam Cytherea choros ducit Venus imminente luna
iunctaeque Nymphis Gratiae decentes
alterno terram quatiunt pede, dum grauis Cyclopum
Volcanus ardens uisit officinas.

– Já Vênus Ceteréia rege os coros, ao nascer da lua;
Em companhia das Ninfas dançam
As encatadoras Graças, enquanto o rútilo Vulcano
Visita as forjas laboriosas dos Ciclopes.

H

HALESO

Halaesus, *Haleso*, do grego Ἅλαισος (Hálaisos), é antropônimo sem etimologia conhecida.

Filho de Agamêmnon e de Clitemnestra ou de Briseida, o herói, após o assassinato do pai, fugiu precipitadamente de Argos e, após um longo percurso por terra e por mar, chegou à Itália e fundou a cidade de Falérios, na Etrúria, tornando-se o herói epônimo dos faliscos. Ovídio, *Am.*, 3,13, 31-36, falando de uma procissão das sacerdotisas de Juno, relembra a fundação de Falérios e a introdução na nova cidade, por iniciativa do filho de Agamêmnon, do culto de "Hera argiva", a Juno argiva, protetora dos atridas:

Argiua est pompae facies: Agamemnone caeso
Et scelus et patrias fugit Halaesus opes
Iamque pererratis profugus terraque fretoque
Moenia felici condidit alta manu
Ille suos docuit Iunonia sacra Faliscos.
Sint mihi, sint populo semper amica suo.

– O aspecto do cortejo é argivo. Assassinado Agamêmnon,
Haleso fugiu do autor do crime e do opulento reino paterno.
Após percorrer, como fugitivo, terras e mares,
ergueu, com bons presságios, altas muralhas.
Foi ele quem transmitiu aos faliscos o culto de Juno:
Oxalá me seja ele como a seu povo sempre propício.

Uma variante faz do "herói itálico" um dos filhos de Netuno e, neste caso, Mórrio, rei de Veios, na Etrúria, seria um seu consangüíneo. Teria sido o monarca de

Veios, segundo os mitógrafos, quem introduziu em honra de seu ancestral ilustre os *Carmina Saliorum*, Os Cânticos dos Sálios (v.).

Como filho do aqueu Agamêmnon, tão logo o troiano Enéias pisou solo itálico, Haleso uniu-se a Turno contra os inimigos vindos de Ílion e lutou bravamente ao lado do rei dos rútulos, até cair sob o dardo disparado por Palante. Vergílio, na *Eneida*, 7, 723-725, fala dessa aliança:

Hinc Agamemnonius, Troiani nominis hostis,
curru iungit Halaesus equos Turnoque ferocis
mille rapit populos...

– Então Haleso, filho de Agamêmnon, inimigo do nome troiano
atrela ao carro os cavalos e traz para Turno
mil povos ferozes...

Ainda na *Eneida*, 10, 411-425, o vate de Mântua, após narrar as gestas heróicas do atrida, descreve-lhe num só verso a morte, provocada por um dardo de Palante, que invocou com promessas o auxílio do deus-rio Tibre, uma vez que se tratava de eliminar um dos mais valentes partidários de Turno (*En*.,10,421-425):

Da nunc, Thybri pater, ferro, quod missile libro,
fortunam atque uiam duri per pectus Halaesi.
Haec arma exuuiasque uiri tua quercus habebit.
Audiit illa deus: dum texit Imaona Halaesus,
Arcadio infelix telo dat pectus inermum.

– Concede agora, pai Tibre, ao ferro que agito para lançar,
a sorte e o caminho para atravessar o peito do robusto
Haleso. Erguerei em teu carvalho as armas e os despojos
do guerreiro. O deus ouviu-lhe a prece. Enquanto Haleso cobria
com seu escudo a Imáon, expôs, infeliz, o peito indefeso ao dardo arcádio.

HÉRCULES

Hercules, *Hércules*, é, segundo Ernout-Meillet, *DIELL*., p. 292 e 820, um empréstimo oral ao grego Ἡρακλῆς (Heraklês), com influência do etrusco *hercle*, por Hércules, talvez vocativo de um tema em *o*-, **Herclo*- que aparece no vestino *Herclo* e no dativo osco *Hereklúi*, "para Hércules". De qualquer forma, o empréstimo latino sofreu alterações: síncope e epêntese, bem como passagem, por vezes à segunda declinação. Em osco o genitivo é *Herekleis*, dativo *Hereklúi*; em Catulo, 55, 13, aparece o genitivo *Herculi*:

Sed te iam ferre Herculi labos est

– Mas suportar por mais tempo teus caprichos é um trabalho de Hércules.

Os mitos romanos protagonizados por Hércules são de cunho etiológico e topográfico, relacionados com "o décimo trabalho" do herói infatigável, *Os Bois de Gerião*, segundo se expôs em *Mitologia Grega*, Vol. III, p. 108sqq., e no *DIMEG*., p. 525sqq., sem constituírem, no entanto, um todo coerente.

Partindo de Eritia, localizada nas brumas do Ocidente, o filho de Alcmena perfez um itinerário assaz complicado e juncado de bandidos e salteadores. Após vencer inúmeros tropeços, logrou atingir a península itálica, mais precisamente a Ligúria, localizada entre os Apeninos e o Mar Mediterrâneo. Continuando seu caminho através da Etrúria, alcançou o Lácio, onde se empenhou em gestas que, com o tempo, se complicaram, multiplicando-se na tradição. Recebido por Evandro (v.), um rei arcádio estabelecido no local que serviria de berço à futura Roma, o monarca, a conselho de sua mãe, a ninfa Carmenta (v,), hospedou o herói e tratou-o com toda a benevolência. Ergueu-lhe, além do mais, entre os montes Palatino e Aventino, a *Ara Maxima*, um gigantesco altar, onde se celebravam determinadas cerimônias secretas a que somente homens tinham acesso (v. Boa Deusa). O culto a Hércules estava sob os cuidados de duas famílias sacerdotais, os *Potitii*, Potícios, e *Pinarii*, Pinários, segundo informa Tito Lívio, *Ab Urb. cond.*, 1,7.

Se, porém, o nome de Evandro é, como se tem sugerido, mera helenização do de Fauno (v.), esta variante do mito do filho de Júpiter seria tão-somente uma versão moderna e "atualizada" da hospedagem concedida a Hércules por Fauno. Este, como estava habituado a fazer com todos os estrangeiros, tentou sacrificá-lo ritualmente, mas foi morto pelo herói.

Outro episódio famoso relativo à passagem da vítima da deusa Juno pela Itália foi o encontro, a luta e a morte do facínora Caco (v.), relatados poeticamente por Vergílio, *En*., 8,190-267, e sobretudo 8, 259-261. A grande semelhança deste "incidente mítico", todavia, com o furto do rebanho de Apolo por Hermes, leva a pensar numa elaboração tardia da variante latina.

A Hércules, unido a Palanto, esposa de Fauno, é atribuída a paternidade do futuro rei Latino (v.), personagem importante na *Eneida* de Vergílio, bem como a morte "sem o querer" – o célebre φόνος ἀκούσιος (phónos akúsios), tão constante nas gestas dos heróis – de Cróton, em cuja honra teria mais tarde fundado a cidade de Crotona (v. *DIMEG*., Vol. I, p. 253sq., s.u. Cróton).

Antes de deixar a Itália, o herói teria construído na Campânia uma enorme barragem e um extenso canal de 1650 metros, ligando o mar ao lago Lucrino.

Em Roma, Hércules possuía, há longos anos, um culto privado, que se tornou público a partir de 312 a.C., cuja festa solene se celebrava no dia 12 de agosto. O rito principal era uma libação noturna.

HERSÍLIA

Hersilia, *Hersília*, consoante Carnoy, *DEMG*., p. 71, talvez se relacione com o verbo *horiri*, presente *horior*, "excitar, estimular, exortar, conciliar".

De família nobre, foi uma das sabinas raptadas pelos romanos durante os jogos solenes oferecidos pelo fundador de Roma às nações vizinhas. Tornou-se depois uma heroína romana. Com a morte do marido Hostílio na luta que se travou entre os dois povos, Hersília se casou com Hóstio Hostílio, amigo e companheiro de Rômulo. Desse enlace teria nascido o homônimo Hóstio Hostílio, pai do futuro rei Tulo Hostílio.

Durante a guerra cruenta que se seguiu entre sabinos e romanos, a jovem esposa de Hostílio se houve com grande coragem e prudência e conseguiu, por fim, conciliar para sempre os inimigos, que acabaram por formar um único povo.

Segundo uma variante, relatada por Ovídio, *Met.*, 14, 829-851, Hersília era esposa de Rômulo, a quem deu dois filhos: uma menina, Prima, e um menino, Aólio, também cognominado Avílio. Depois da apoteose do marido, a inconsolável Hersília, por obra de Juno, a protetora dos amores legítimos e das esposas fiéis, foi ferida pelo fogo celeste e transportada para junto dos deuses, onde recebeu o nome de *Hora Quirini*, "Esposa de Quirino", associada, destarte, ao culto de Rômulo, assimilado, após a morte, ao deus Quirino, *Met.*, 14, 849-851:

Hanc manibus notis Romanae conditor urbis
Excipit et priscum pariter cum corpore nomen
Mutat Horamque uocat, quae nunc dea iuncta Quirino est.

– O fundador da cidade de Roma recebe-a entre seus braços
que ela bem conhecia; dá-lhe outro corpo e um outro nome:
chama-a Hora, deusa cujo culto está agora associado ao de Quirino.

HONRA

Honos ou *Honor*, "*Honra*, dignidade (conferida a alguém), cargo honorífico, consideração, estima", não possui etimologia conhecida.

Segundo a Drª Maria Helena da Rocha Pereira, *op. cit.*, p. 336sqq., a *honra* "tem uma ligação muito clara à vida política romana, que se traduz, quer nas formas de reconhecimento público acima mencionadas, quer na própria expressão *cursus honorum*, que marcava a progressiva ascensão dos cidadãos aos cargos principais da Urbe". Citando a Drexler, a ilustre helenista e latinista acrescenta que propriamente não existe *Honra* sem "o reconhecimento público do mérito, que actua como estímulo, e tem, por conseguinte, uma função pedagógica na cidade". Cícero deixa claro este fato, *De Leg. Agrar.*, 2,33,91: "Onde não há honra publicamente reconhecida, aí não pode existir desejo de glória".

Personificada, *Honra* traduz "o valor moral"; como *Virtus*, o Valor Moral, é o apanágio da coragem guerreira.

Aparece nas artes plásticas com uma lança, um ramo de oliveira e o corno da abundância.

Em Roma, muitos templos foram consagrados a tão importante divindade.

HORÁCIO

Horatius, *Horácio*, segundo Carnoy, *DEMG*., p. 73, talvez provenha do etrusco **hurath*, "o matador", e este se originaria do verbo estrusco *har, hur*, "matar, sacrificar".

Várias personagens romanas possuem este nome: a primeira é inteiramente mítica e as demais são tidas como "históricas", mas não há dúvidas de que pertencem ao folclore itálico.

O primeiro dos Horácios era um herói semidivino ou Gênio (v.), que habitava a *Arsia Silua*, "a floresta de Ársia", como lhe chama Tito Lívio, *Ab Urb. cond.*, 2,7, na Etrúria, e cujo papel será decisivo na guerra etrusco-romana.

A morte de Arrunte, filho de Tarquínio, às mãos de Bruto,o libertador de Roma, acirrou ainda mais a guerra entre etruscos e romanos. Numa das mais sangrentas batalhas entre os dois povos se perderam tantos soldados de ambas as partes, que não se podia avaliar quem teria sido o vencedor. Quando os dois exércitos acampavam perto de Ársia, das profundezas da floresta ouviu-se uma voz que repetiu a mesma sentença várias vezes: "Os etruscos perderam um homem a mais, os romanos são os vencedores". Aterrorizados com "a voz divina", os etruscos fugiram. A partir de então os romanos dedicaram um culto especial a *Horácio da Floresta de Ársia.*

O segundo herói denomina-se *Horatius Cocles,* Horácio *Cocles,* isto é, "cego de um olho, zarolho". Diga-se, de caminho, que *Cocles* é certamente um empréstimo ao grego κύκλωψ (kýklops), "ciclope, que possuía um só olho", através do etrusco, *GEW*., s.u.

Durante um dos ataques mais formidáveis dos etruscos, Horácio Cocles, segundo se relata, teria defendido sozinho a única ponte que ligava Roma à margem direita do rio Tibre. Tendo sido gravemente ferido numa das pernas, ficou igualmente cocho, mas converteu-se na muralha da Urbe, como escreve Tito Lívio, *Ab Urb. cond.*, 2, 10, 2: *Pons Sublicius iter paene hostibus dedit, ni unus uir fuisset, Horatius Cocles; id munimentum illo die fortuna urbis romanae habuit* – A Ponte Sublícia por um fio não permitiu a passagem dos inimigos, não fora um único herói, Horácio Cocles. Ele se converteu neste dia na muralha do destino de Roma.

Ao defensor da cidade se ergueu uma estátua no Vulcanal, no sopé do Capitólio. O fato de a estátua de um zarolho e cocho figurar no Vulcanal, onde havia um templo de Vulcano, "o cocho divino", tem levado os mitólogos a pensar que a estátua talvez tenha originado "o mito".

Não mais se trata de uma terceira personagem denominada Horácio, mas dos "trigêmeos Horácios" romanos que lutaram contra os "trigêmeos Curiácios" albanos numa "verdadeira guerra entre concidadãos, como se fora entre pais e filhos, pois que ambos os povos eram de origem troiana", como afirma Tito Lívio, *Ab Urb. cond.*, 1,23. O fato é que, declaradas as hostilidades, ficou resolvido que os trigêmeos de cada uma das metrópoles lutariam entre si: a vitória de Roma ou de Alba ficaria na dependência do desfecho do combate de seus respectivos heróis. Um pouco mais adiante o historiador romano particulariza os fatos com mais precisão, *Ab Urb. cond.*,

1,24: *Forte in duobus tum exercitibus erant trigemini fratres, nec aetate nec uiribus dispares. Horatios Curiatiosque fuisse satis constat, nec ferme res antiqua alia est nobilior (...) Cum trigeminis agunt reges ut pro sua quisque patria dimicent ferro: 'ibi imperium fore unde uictoria fuerit'.* – Havia, por acaso, em cada um dos dois exércitos três irmãos gêmeos, iguais em idade e força. Eram os Horácios e os Curiácios, segundo se sabe, e não existe na antigüidade fato mais conhecido. Os reis (Tulo Hostílio, de Roma, e Gaio Cluílio, de Alba) solicitam aos trigêmeos que lutem por sua respectiva pátria: a supremacia estará do lado dos vencedores. O desfecho da pugna epicamente narrada pelo historiador, *Ab Urb. cond.*25, foi a vitória romana, mercê de astúcia e da coragem de um dos trigêmios Horácios: todos os demais, dois romanos e três albanos pereceram lutando heroicamente por sua cidade.

Embora a narrativa de Tito Lívio encante e tenha sabor de um fato histórico, este combate entre dois grupos de trigêmios muito se assemelha a ritos iniciáticos da puberdade, observados em várias culturas, como nos mitos célticos.

HÓSTIO

Hostius ou ***Hostus***, *Hóstio* ou *Hosto*, talvez esteja relacionado com *hostia*, "vítima oferecida aos deuses como oblação para apaziguar-lhes a cólera", diferente, diga-se, de passagem, de *uictima*, "que era uma dádiva aos imortais para agradecer-lhes um benefício recebido". Embora *hostus* signifique "a colheita de uma oliveira", o sentido não destoa, uma vez que as primícias das searas eram consagradas aos deuses. Hóstio seria, pois, "o oblato, o que deu a vida pela pátria", *DIELL.*, p. 301.

Latino, originário da colônia de Medúlia, instalada pelos albanos no Lácio, em território sabino, Hóstio, também cognominado Hóstio Hostílio, transferiu-se para Roma e aliou-se a Rômulo. Quando do rapto das Sabinas, casou-se com Hersília (v.) e foi pai do homônimo Hóstio Hostílio, que, por sua vez, teve como filho o futuro rei Tulo Hostílio. Travada a batalha sangrenta contra os sabinos na planura do Foro, o herói lutou na vanguarda das tropas de Rômulo e foi o primeiro a tombar sob os golpes dos inimigos. A morte de Hóstio provocou o pânico nos soldados romanos, mas Júpiter Estator interveio, ouvindo as súplicas de Rômulo, e a ordem foi restabelecida.

Tito Lívio, *Ab Urb. cond.*, 1,12, descreve esse momento de pavor que se apossou dos romanos com a morte do herói de Medúlia: *Principes utrimque pugnam ciebant ab Sabinis Mettius Curtius, ab Romanis Hostius Hostilius. Hic rem Romanam iniquo loco ad prima signa animo atque audacia sustinebat. Ut Hostius cecidit, confestim Romana inclinatur acies fusaque est.* – Os comandantes de ambos os lados empurravam para o combate: da parte dos sabinos Mécio Cúrcio e da dos romanos Hóstio Hostílio. Este, em posição desfavorável, na primeira linha, defendia com sua coragem e audácia os interesses de Roma. Morto Hóstio, de imediato as tropas romanas cederam e fugiram desordenadamente.

Não fora este, aliás, o único gesto de bravura de Hóstio Hostílio: quando da conquista da cidade sabina de Fidenas, o soldado se portou com tal intrepidez, que lhe foi concedida a coroa de louros, a primeira outorgada por Roma.

I

ILHA TIBERINA

Insula Tiberina, *Ilha Tiberina*. *Insula*, Ilha, não possui etimologia segura. A explicação dos antigos, fazendo de *insula* um feminino de **insulus*, proveniente de **en salos*, "que está em pleno mar", é fantasiosa e remonta à etimologia popular. O indo-europeu não possui um nome conhecido para ilha. A aproximação, embora sedutora, com o irlandês *inis*, galês *ynys*, "ilha", não é clara, *DIELL.*, p. 319sq. Quanto ao adjetivo *tiberina*, é um derivado de *Tiberis*, rio Tibre, que Carnoy, *DEMG.*, p. 201, julga provir de **ti-bh-*, **tabh-* formas ampliadas da raiz indo-européia **tai*, **ti*, "estar úmido", donde tiberina seria "a úmida", mas a hipótese é constestada.

Quando Tarquínio, o Soberbo, foi expulso de Roma, uma porção de seus vastos domínios, sobretudo a parte localizada ao norte da cidade, foi consagrada a Marte, o deus da guerra, tonando-se, depois, o famoso Campo de Marte. Como era o tempo da ceifa e a vasta planície estava coberta de trigo maduro, decidiu-se lançar toda a safra no rio Tibre, porque, consagrada ao deus, não poderia ser consumida sem grave sacrilégio. Como o rio estivesse na vazante, a paveia acumulou-se nos bancos de areia, dando origem à Ilha Tiberina, sede, entre outros, do culto de Véjovis-Esculápio (v.).

Segundo uma variante, o terreno que mais tarde se tornou o Campo de Marte não pertencia aos Tarquínios, mas foi doado voluntariamente aos romanos pelas Vestal Tarquínia.

Tito Lívio, *Ab Urb. cond.*, 2,5, relata a origem do Campo de Marte e a formação da Ilha Tiberina, balizando a área consagrada ao deus entre a Urbe e o rio Tibre: *Ager Tarquinorum, qui inter urbem ac Tiberim fuit, consecratus Marti, Martius deinde campus fuit* – O terreno pertencente aos Tarquínios, localizado entre a cidade e o Tibre, foi consagrado a Marte, tornando-se, em seguida, o Campo de Marte.

ÍLIA

Ilia, *Ília*, é mera transliteração do grego Ἰλία (Ilía), sendo este um derivado de Ἴλιος ou Ἴλιον (Ílios ou Ílion), Ílion ou Tróia, e se Ílion provém, como pressupõe Carnoy, *DEMG.*, p. 81, da raiz indo-européia **ilu-*, "lodo, lama", e daí "aquele ou aquela que possui cabelos escuros", o antropônimo significaria "a morena". Na realidade, Ília é um nome forjado para designar Réia Sílvia, mãe de Rômulo e Remo, em função do mito da origem troiana de Roma. Vergílio, na *Eneida*, 1,274, emprega exatamente *Ilia* para designar Réia Sílvia, a mãe dos gêmeos Rômulo e Remo (v. Ascânio):

Marte grauis geminam partu dabit Ilia prolem.

– Ília, grávida de Marte, dará à luz dois gêmeos.

Os mitólogos mais antigos porfiavam em distinguir nas versões do mito da fundação de Roma aquelas em que a mãe de Rômulo é denominada Réia de outras em que a mesma é cognominada Ília, ou seja, a troiana, a mulher de Ílion. Para eles a mãe do fundador de Roma chamar-se-ia Ília, por ser filha de Enéias e Lavínia, enquanto Réia Sílvia seria filha de Numitor. O mito, no entanto, permanece o mesmo, seja qual for a filiação.

Réia-Ília foi amada pelo deus Marte e deu-lhe gêmeos; Amúlio, rei de Alba, e que destronara ao irmão Numitor, temendo os filhos que ela poderia ter, obrigou-a a tornar-se Vestal, encarcerou-a ou mandou lançá-la no rio Tibre. Neste último caso, o deus-rio conseguiu divinizá-la e fê-la sua esposa.

ÍNCUBO

Incubus, *Íncubo*, que aparece tão-somente no latim pós-clássico, S. Agostinho, *DE Ciu. Dei*, 15-23; S. Isidoro, *Orig.*, 8, 11, provém de *incubu (m)*, e este do verbo *incubare*, composto de *cubare*, "estar deitado sobre", donde "íncubo" é "o que se deita sobre". *Cubare*, "estar deitado", relaciona-se com o falisco *cupa*, "cubat", ele deita, peligno *incubat*, "incubat", ele se deitava, sabélico *cumba*, liteira, gótico *hups* e grego κύβος (kýbos), "cavidade ilíaca". A par de *Íncubo* tem-se *Súcubo*, formado à base do verbo *succubare*, "estar deitado sob, por baixo", donde "súcubo" é "o que se deita sob, por baixo".

Do ponto de vista mítico, *Íncubo* é, *stricto sensu*, um *ser feminino*, que se deita *sobre* o homem para usufruir dos prazeres do amor e *Súcubo*, o ser também feminino que se deita *sob* o homem com idêntica finalidade. *Lato sensu*, no entanto, e folcloricamente falando, *Íncubo* seria uma espécie de demônio que se reveste de um corpo masculino para usufruir dos prazeres do amor com uma mulher adormecida ou transportada para a assembléia das bruxas e *Súcubo*, o demônio que toma a forma de mulher para, deitando-se por baixo do homem, gozar dos mesmos prazeres.

Talvez não fosse fora de propósito acentuar que os latinos viam nesses *cauchemars*, "demônios sufocantes, pesadelos", monstros opressores que atormentavam as mulheres. Os gregos, ao revés, personificavam como figuras femininas os *cauchemars*, e "as almas penadas" que torturavam os homens, porque a afinidade entre as duas noções é muito estreita, ao analisar-se o problema de perto, sobretudo quando se trata das *Sereias*, das *Empusas* e da *Esfinge*, como se viu em *Mitologia Grega*, Vol. I, p. 248sqq. S. Agostinho, no passo supracitado, mostra a distinção do lado romano: *Creberrima fama est multique se expertos uel ab eis qui experti essent, de quorum fide dubitandum non esset, audisse confirmant Siluanos et Panes quos uulgo incubos uocant, improbos saepe exstitisse mulieribus et earum appetisse ac peregisse concubitum* – Conta-se com muita insistência e muitos atestam tê-lo experimentado ou ouvido de testemunhas, de cuja fidelidade não se poderia duvidar, a afirmação de que também elas tiveram a mesma experiência de que Silvanos e Pãs, vulgarmente denominados *Íncubos*, se terem apresentado com más intenções a mulheres e com elas terem consumado a união carnal.

Com vistas ao estudo do mito e da religião não é importante que os *Íncubos* sejam seres masculinos que atormentam as mulheres e para os gregos, em função das Sereias, Empusas e Esfinge, se transmutem em monstros-fêmeas que torturam os homens. O que deve ser levado em conta é que *Íncubos e Súcubos* parecem resultar de duas determinações convergentes: trata-se de espectros, pesadelos que agem durante o sono diurno ou noturno. A isto se acresce o caráter sagrado que divide em dois o dia ou a noite, momento crítico, uma vez que marca uma passagem. "Meio-dia é uma hora sexual", diz laconicamente Caillois em "Les démons di midi", in: *Revue d'Histoire des Religions*. Paris, 1937, t. 115 e 116. Meia-noite talvez o seja ainda mais. Meridianos ou noturnos, o Íncubo e o Súcubo são eróticos.

Iconograficamente esses perigosos demônios, que atacavam sobretudo durante o sonho, eram figurados com barretes cônicos denominados *incubones*, vocábulo que designa também Íncubos. Quando se divertiam, podiam perdê-los. Quem encontrasse um deles adquiria, de imediato, a faculdade de encontrar tesouros escondidos. Petrônio, *Satir.*, 38, fala de um liberto, que repentinamente se enriqueceu por ter encontrado um tesouro, após ter-se apossado do barrete de um Íncubo: *Reliquos autem collibertos eius caue contemnas. Valde sucossi sunt.Vides illum qui in imo imus recumbit: hodie sua octingenta possidet. De nihilo creuit. Modo solebat collo suo ligna portare. Sed quomodo dicunt – ego nihil scio, sed audiui – quom Incuboni pilleum rapuisset, et thesaurum inuenit.*

– Não desprezes, porém, os outros libertos. Eles são extremamente ricos. Vês aquele lá em baixo reclinado no último assento: hoje possui seus oitocentos mil sestércios. Veio do nada. Ainda há pouco carregava lenha nas costas. Mas, segundo dizem – eu nada sei, apenas ouvi dizer – conseguiu arrebatar o barrete de um Íncubo e encontrou um tesouro.

INDÍGETES

Indigetes, *Indígetes*, plural de *indiges*, *-getis*, não possui etimologia satisfatória, apesar dos esforços de Walde-Hofmann, *LEW.*, I, p. 693, em explicar o teônimo como um composto de *endo-*, "dentro, no interior de" e *agere*, "fazer, agir", isto é, "divindades que agem no país", vale dizer, deuses com atividade especializada (como no alemão *Sondergöter*- deuses particulares) e circunstacial, derivando-se o nome de cada um pela função exercida.

Na realidade, *Indígetes* são epítetos de uma categoria de divindades, *di Indigetes*, "deuses Indígetes", que os latinos consideravam como "seus deuses autenticamente nacionais", por oposição aos *di Nouensiles* ou *Nouensides*, deuses "Novênsiles", quer dizer, "deuses estabelecidos mais recentemente, divindades introduzidas por estrangeiros". Tito Lívio, *Ab Urb. cond.*, 8,9,6, transcreve a súplica do cônsul Décio num momento de perigo na luta contra os latinos. Os deuses nominalmente invocados são *Indígetes;* "os importados", por uma questão de "prudência", o são igualmente: *Iane, Iuppiter, Mars pater, Quirine, Bellona, Lares, di Nouensiles, di Indigetes, diui quorum est potestas nostrorum hostiumque, dique Manes, uos precor, ueneror, ueniam peto feroque, uti populo Romano Quiritium uim, uictoriam prosperetis, hostisque populi Romani Quiritium terrore, formidine morteque adficiatis* – Jano, Júpiter, pai Marte, Quirino, Belona, Lares, deuses Novênsiles, deuses Indígetes, deuses soberanos nossos e de nossos inimigos, e vós, deuses Manes, eu vos suplico, venero, peço e solicito a graça de conceder ao povo romano dos Quirites força e vitória e de ferir os inimigos do povo romano dos Quirites com o medo, o terror e a morte.

Vergílio, nas *Geórgicas,* 1, 498-502, invoca-os como deuses "nacionais":

Di patrii, Indigetes et Romule Vestaque mater,
quae Tuscum Tiberim et Romana Palatia seruas,
hunc saltem euerso iuuenem succurrere saeclo
ne prohibete! Satis iam pridem sanguine nostro
Laomedonteae luimus periuria Troiae.

– Deuses nacionais, deuses Indígetes, e tu Rômulo, e tu mãe Vesta,
que proteges o Tibre toscano e o Palatino de Roma,
não queirais, ao menos, impedir este jovem de acudir ao século
de ruínas em que vivemos. De há muito, temos expiado suficientemente
com nosso sangue os perjúrios da Tróia de Laomedonte.

Os Indígetes formavam um autêntico enxame de divindades que, consoante o nome recebido, desempenhavam uma função específica, perdendo normalmente toda e qualquer eficácia, quando não exerciam o ofício para o qual eram designados. Trata-se, no fundo, de abstrações, de *numina* (v. Nume), de "forças espirituais, espíritos protetores", que transformavam a vida romana num ritual obsessivo e neuroticamente disciplinado. Do útero materno com o deus *Consiuius*, Consívio, derivado do verbo *conserere*, "semear, plantar", donde ser Consívio "o que vela pela concepção", até as lamentações fúnebres com *Nênia* (v.), cada momento da vida, cada atitude, ação, acontecimento ou cada local possuía uma divindade protetora. Do ventre materno ao seio da Mãe-Terra o romano passava por um autêntico tormento divino. Algumas dentre elas já foram citadas, inclusive as alinhadas por Tito Lívio e outras o serão. A título de exemplo, todavia, podem-se nomear as seguintes: *Prorsa* ou *Prosa* (v. Carmenta) urge ser invocada para que o nascituro venha à luz "em linha reta", isto é, "de cabeça e não pelos pés". Nascida a criança, *Cunina*, Cunina, de *cunae, -arum*, "cuna", guarda-lhe o berço; *Statana*, Estatana, do verbo *stare*, "estar de pé", ensina-a a ficar em pé; *Leuana*, Levana, do verbo *levare*, "levantar", ergue-a, quando cai; *Ossipaga*, Ossipaga, composto de *os, ossis*, "osso", e do verbo *pangere*, "fixar, firmar", fortifica-lhe os ossos; *Abeona* (v.), Abeona, conduz-lhe os primeiros passos fora de casa; *Adeona* (v.), Adeona, guia-o de retorno ao lar; *Potina*, Potina, do verbo *potare*, "beber", trasmite-lhe esta necessidade; *Iterduca*, Iterduca, composto de *iter*, "caminho percorrido, viagem", e do verbo *ducere*, "conduzir, guiar", orienta o jovem ou o homem nas viagens; *Domiduca*, Domiduca, composto de *domus*, "casa, lar", e do mesmo verbo *ducere*, o reconduz a casa; *Aesculus*, Ésculo, de *aes, aeris*, "bronze", tem à sua conta guardar as moedas de bronze e o mesmo ofício desempenha *Argentarius*, Argentário, de *argentum*, "prata", com respeito às moedas de prata.

Quando o romano se casava, certamente o complexo de castração, o medo da fêmea devoradora e, em conseqüência, o temor de um fracasso levavam o jovem, na primeira noite de núpcias, a encher a alcova de divindades. A função desses deuses era ajudá-lo na difícil e perigosa tarefa do defloramento, como se explicou em *Mitologia Grega*, Vol. I, p. 308-310. Tinham presença garantida, entre outros Indígetes, cujas funções logo se explicarão, *Virginiensis*, Virginiense, de *uirgo, -inis*, "virgem"; *Subigus*, Súbigo, do verbo *subigere*, "submeter"; *Prema*, Prema, do verbo *premere*, "apertar, comprimir", e *Pertunda*, do verbo *pertundere*, "furar, varar de um lado a outro". S. Agostinho, *De Ciu. Dei*, 6,9,3, ironiza esse hábito pagão e acha vergonhoso que *Pertunda* faça pelo noivo o que ela significa etimologicamente: *Et certe si adest Virginiensis dea, ut uirgini zona soluatur; si adest deus Subigus ut uiro subigatur; si adest Prema, ut subacta, ne se commoueat, comprimatur; dea Pertunda ibi quid facit? Erubescat, eat foras: agat aliquid et maritus. Valde inhonestum est, quod uocatur illa, impleat quisquam nisi ille* – Se, com efeito, está presente a deusa Virginiense, *para soltar o cinto da donzela*; se está presente o deus Súbigo, *para submetê-la ao marido*; se está presente a deusa Prema, para que, *submetida*, a noiva se deixe deflorar, que faz lá a deusa Pertunda? Que ela se cubra de vergonha e vá embora, permitindo que o marido faça também alguma coisa. É sumamente vergonhoso que outro realize por ele *o que significa etimologicamente* Pertunda.

Constituída a família, esta bem como o Estado dispunham da proteção permanente de seus ancestrais divinizados, os deuses *Lares*, *Penates* e *Manes* (v. Escatologia e Exéquias), desde que se lhes prestassem as honras e homenagens a que faziam jus.

Também os locais, por onde circulavam homens e mulheres, possuíam a presença de determinadas divindades: *Ianus*, Jano (v.), cuida das portas; *Carna* ou *Cardea*, Carna ou Cárdea, derivado, por etimologia popular, de *cardo, -inis*, "couceira", vela pelos gonzos; se a rua é íngreme, torna-se prudente, ao subi-la ou descê-la, pedir o auxílio de *Cliuicola*, Clivícola, derivado de *cliuus*, "ladeira", e do verbo *colere*, "habitar", donde o que reside num local escarpado.

Igualmente a vida humana, no dia-a-dia, necessita de amparo e ajuda: *Ana Perena* (v.) é a deusa do ano, considerado na sua duração e perpétua renovação; *Anona* (v.) preside a colheita anual; *Angerona* (v.) conjura os malefícios e sofrimentos; *Bom Evento* (v.) concede bom êxito nos empreendimentos; *Fauna* (v.) prodigaliza felicidade às mulheres; as *Camenas* (v.) inspiram os poetas; *Aio Locúcio* (v.) denuncia a proximidade dos inimigos e *Belona* (v.), deusa da guerra, combate ao lado das tropas romanas...

Um batalhão de deuses agrestes assegura a prosperidade das searas, dos animais e dos campos: *Fauno* (v.) defende os bosques, as plantas e os rebanhos; *Flora* (v.) é a deusa das flores e da potência da vegetação; *Bubona* (v.) garante a fertilidade dos rebanhos em geral e *Épona*, a dos eqüinos em particular; *Fonte* (v.) é o deus das fontes; *Segesta*, Segesta, derivado de *seges, -etis*, "terra pronta para o plantio, seara", é a deusa das ceifas; *Lacturnus*, Lacturno, derivado de *lac, lactis*, "leite, suco leitoso das plantas", é o deus que faz subir a seiva leitosa até a espiga em desenvolvimento...

Eis aí um quadro sumaríssimo dos chamados deuses Indígetes, que estampam claramente a mentalidade mágica primitiva que exige a presença atuante e permanente de um princípio sobrenatural em cada ato realizado ou que se pretende realizar.

Na época clássica, os *di Indigetes*, os deuses Indígetes, em sua maioria, refugiaram-se apenas como sobrevivência no direito essencialmente conservador dos Pontífices e transformaram-se em objeto de estudo da religião (não da mitologia) romana. O erudito Marco Terêncio Varrão (114-27 a.C.) foi seu grande historiador.

Acrescente-se, de passagem, que o registro, as listas com os nomes dessas divindades amorfas, acompanhadas dos rituais e do modo de invocá-las, denominam-se *indigitamenta*.

ÍNOO

Inuus, e *Ínoo*, mais freqüentemente no plural ***Inui***, *Ínoos*, não possui etimologia até o momento, *DIELL.*, p. 321.

Vergílio, ***Eneida***, 6, 775, menciona-o, sem identificá-lo com deus algum, mas Tito Lívio, ***Ab Urb. cond.***, 1,5, emprega-o como sinônimo de Pã: *Lycaeum Pana* (...) *quem Romani deinde uocarunt Inuum* – Pã Liceu (...) a quem os romanos, em seguida, denominaram Ínoo. A divindade em pauta acabou por confundir-se também com Íncubo e Fauno (v.). Ao que parece, o deus Ínoo protegia os rebanhos, pelo menos a princípio, e só mais tarde se teria convertido em "pesadelo opressor", como o foram Silvano, Pã e Fauno.

IULO (v. ASCÂNIO)

Iulus, *Iulo*, consoante Walde-Hofmann, *LEW*, 1, p. 734, é uma contração de **Iouilos* por ****diuulos***, relacionado, portanto, com ***Iouis***, genitivo de ***Iuppiter***, donde *Iulo* como *Júlio* (v. Ascânio) seria o "luminoso".

A respeito de Iulo e das citações que mereceu na *Eneida* de Vergílio já se disse o bastante no verbete sobre Ascânio. O que interessa aqui é como os antigos latinos explicavam a etimologia do filho de Creúsa. Após ter sido Enéias arrebatado pelos deuses, Ascânio assumiu o comando das tropas confederadas do povo latino, formadas pelos Aborígenes (v.) e troianos, tendo conseguido uma grande vitória contra os rútulos e os etruscos, capitaneados por Mizêncio. Como recompensa recebeu o epíteto de *Iobum* ou, segundo outros, de *Iolum* ou *Ioulom*, que se interpretava como diminutivo de *IU*-piter, donde Ascânio seria o Pequeno Júpiter...

Uma variante, por vezes repetida, atesta que Iulo era filho de Ascânio e, por conseguinte, neto de Enéias. Com o falecimento do pai, o jovem rei teria sido expulso do trono de Alba Longa pelo tio Sílvio, filho de Enéias e Lavínia. Para que Iulo não mais aspirasse à realeza, Sílvio fê-lo sacerdote, certamente um *Pontifex Maximus*, um Sumo Pontífice da religião romana, função esta que vetava qualquer participação política.

Se a etimologia, embora falsa, no que tange a Iulo, possui ao menos "a intuição" da verdadeira, a variante, no entanto, a par de tardia, é simplesmente absurda, indigna até mesmo dos evemeristas.

J

JANO

Ianus, *Jano,* não possui etimologia segura até o momento. É bem possível que se trate de nome de uma divindade indígena, *DIELL.*, p. 305. Seguindo as pegadas de W. Hofmann, *LEW.*, I, 609, Carnoy, *DEMG.*, p. 77sq., insiste numa raiz indo-européia **ya-*, que significaria "passar", mas semelhante hipótese não é comprovada, embora, como nome comum, *ianus* signifique passagem, segundo atesta Cícero, *Nat.deor.*, 2,27,67: *transitiones peruiae iani nominantur* – as passagens abertas denominavam-se *iani.*

Ao lado dos Lares (v.), Manes (v.) e Penates (v.), Jano é um deus tipicamente itálico e dos mais antigos do panteão romano. Iconograficamente *anceps*, de duas cabeças, era uma divindade das portas de passagem, representado com duas faces contrapostas. Autêntico deus romano, um *indiges*, uma divindade nacional (v. Indígetes), teria reinado outrora em Roma ao lado de Câmeses (Macróbio, *Sát.*, 1,7), rei mítico, de quem não se possui notícia alguma, exceto o nome. Segundo alguns mitógrafos, no entanto, Jano teria sido um herói que, fugitivo da Tessália, emigrou para a Itália, onde fez sólida amizade com Câmeses, recebendo deste a partilha do reino de Roma. Fundou uma cidade numa das sete colinas que dele recebeu o nome: *Ianiculum*, Janículo. Com sua esposa tessália, chamada Câmise ou Camasene, tivera vários filhos, entre os quais Tibre, epônimo do rio homônimo. Após a morte de Câmeses, reinou sobre todo o Lácio. Acolheu fraternalmente a Saturno (v.), o Crono grego, que, vencido por Júpiter, o Zeus dos helenos, emigrara para a Itália. Repetindo o gesto de Câmeses, dividiu com o outrora poderoso deus olímpico o reino do Lácio: Saturno ergueu e comandou a cidade de Satúrnia, na parte mais elevada do Capitólio e Jano, a fortaleza de Janículo, segundo Vergílio, *En.*, 8, 355-358:

Haec duo praetera disiectis oppida muris,
reliquias ueterumque uides monimenta uirorum.

Hanc Ianus pater, hanc Saturnus condidit arcem;
Ianiculum huic, illi fuerat Saturnia nomen.

– Contemplas agora estas ruínas dispersas de duas fortalezas,
restos e rercordações de antigos heróis: uma edificada
pelo pai Jano, a outra, por Saturno. A primeira chamou-se
Janículo e a segunda, Satúrnia.

Eclodindo a *aetas aurea,* a idade de ouro, no reinado de Saturno, o governo de Jano foi marcado pelas características inerentes àquele período paradisíaco: liberdade, honestidade, paz e abundância.

Atribui-se a ele a invenção dos navios, o que lhe proporcionou a vinda para a Itália, bem como da moeda. As mais antigas peças de bronze romanas estampam, com efeito, de um lado a efígie do deus itálico e, no reverso, uma proa de barco.

Herói-deus, civilizador por excelência, realizou o que normalmente é apanágio de Saturno: arrancou da barbárie, da miséria e da incultura os habitantes do Lácio.

Divinizado após a morte, outras gestas heróicas foram incorporadas a seu mito. Dentre elas, o feito prodigioso que salvou Roma de ser conquistada por seus inimigos. Quando Rômulo e seus companheiros raptaram as mulheres sabinas, o rei sabino Tito Tácio e seus súditos, contando com a traição de Tarpéia (v.), filha de Tarpeio, comandante do Capitólio, escalaram o monte e estavam prestes a tomar a cidade, quando Jano interveio: fez brotar diante dos invasores uma torrente de água quente. Apavorados com o prodígio, fugiram precipitadamente. Para relembrar e comemorar tão grande portento, decidiu-se deixar sempre aberta, em tempo de guerra, a porta do templo do deus, a fim de que Jano pudesse, a qualquer momento, sair em auxílio das legiões romanas. Permanecia fechada, quando reinava a paz no vasto império dos Césares. Numa espécie de testamento político, *Index rerum gestarum*, Registros de seus feitos, ou como é mais conhecido, *Res Gestae Diui Augusti*, Feitos do Divino Augusto, o primeiro imperador romano orgulha-se de ter fechado por três vezes o templo de Jano, quando, desde a fundação de Roma, o fato ocorrera apenas duas vezes, *R. Gest.*, 13,45: *ter me principe senatus claudendum esse censuit* – sendo eu príncipe, o senado ordenou que deveria ser fechado por três vezes.

Relata-se ainda que o deus se casara com a ninfa Juturna (v.), cujo santuário e fonte encontravam-se no Fórum, bem perto do templo do esposo. Desse enlace teria nascido o deus *Fons*, Fonte (v.) ou *Fontus*, Fonto, divindade das fontes.

Na *Apocolocynthosis*, Apocoquintose (metamorfose em abóbora), poema satírico em que Sêneca ridiculariza o imperador Cláudio, o filósofo afirma ironicamente que Jano defendeu "o abóbora". O deus é apresentado como hábil orador, não apenas por residir no Fórum, mas sobretudo porque "vê para frente e para trás", quer dizer, é versado na arte de examinar as questões sob todos os seus ângulos. Trata-se, evidentemente, de um floreio literário e mordaz a respeito da personalidade de um deus, no qual pelo menos os intelectuais não acreditavam e nem o levavam a sério com vistas à religião.

Para o povo, no entanto, o deus indígete continuou a ser o senhor das passagens: por isso se lhe consagrou o *mensis Ianuarius*, o mês de janeiro, que assinala a passagem de um ano para o outro e iguamente o deus dos começos, como se expressava Varrão, segundo S. Agostinho, *De Ciu. Dei*, 7,9: *penes Ianum sunt prima, penes Iouem summa* – de Jano dependem os inícios; de Júpiter, o término. *Ianus matutinus*, Jano matutino, era a primeira divindade a ser invocada antes de qualquer outra.

JARBAS

Iarbas, *Jarbas*, segundo Nascentes, *DIEP*., T, II, p. 159sq., proviria do fenício *Hhiarball*, "aquele a quem Baal fez nobre", através do latim *Iarbas* ou *Hiarbas*. Aparece sob a forma *Hiarba* no *Cancioneiro Geral*, III, 257.

Filho de Júpiter Amon e de uma ninfa do país dos garamantes, ao sul da Numídia, Jarbas reinava sobre os gétulos. Com a chegada da fenícia Dido (v.) à África do Norte, o rebento de Júpiter, apaixonado pela fugitiva, concedeu-lhe, segundo uma variante, vasta área para que ela construísse a cidade de Cartago. Com a vinda de novos contingentes fenícios, o soberano dos gétulos, ou por temor do novo reino, que rapidamente prosperava, ou por ambição e amor, pediu a mão da princesa. Sem nenhum respeito, no entanto, pela soberana, ameaçou destruir-lhe a recém-inaugurada capital, caso não fosse aceito por esposo. Sem poder recusar, mas aterrorizada com semelhante união, que lhe causava repugnância, solicitou a dilação de três meses para apaziguar a alma de Siqueu, seu primeiro esposo, assassinado na Fenícia. Decorrido o prazo e vendo-se num verdadeiro estado de aporia, mandou erguer uma pira e apunhalou-se sobre ela. Desesperado, Jarbas moveu tenaz perseguição à irmã de Dido, Ana, que fugiu para a Itália (v. Ana Perena).

Vergílio, em sua *Eneida*, cantos 1-4, segue a mesma temática, mas introduziu-lhe modificações de tal ordem, que transformou o encontro do fugitivo Enéias – que uma tempestade lançara às costas da África – com Dido num autêntico drama de amor, cujo desfecho será terrível.

Quando Jarbas tomou conhecimento, através da temida deusa Fama (v.) de que a rainha de Cartago, apaixonada pelo herói troiano, se entregara a ele numa gruta secreta, suplicou a seu pai divino Júpiter que lhe vingasse tamanha afronta e obrigasse Enéias a partir de volta à sua missão. Uma parte apenas da prece de Jarbas estampa-lhe o ciúme, o despeito e o ódio contra o rival troiano (*En*., 4, 211-218):

Femina, quae nostris errans in finibus urbem
exiguam pretio posuit, cui litus arandum
cuique loci leges dedimus, conubia nostra
reppuliti ac dominum Aenean in regna recepit.
Et nunc ille Paris cum semiuiro comitatu,
Maeonia mentum mitra crinemque madentem
subnixus, rapto potitur: nos munera templis
quippe tuis ferimus famanque fouemus inanem.

– Uma mulher, que errante chegou às nossas plagas
e em terreno comprado edificou uma cidade diminuta,
a quem oferecemos para lavrar um litoral e impusemos
as condições de posse, repeliu nossa oferta de casamento e recebeu
Enéias como senhor em seu reino. E agora, acompanhado
de um cortejo de eunucos, esse Páris, atando sob o queixo a mitra
frígia e com a cabeleira perfumada, goza de sua presa.
Nós, porém, cumulamos de dons os teus templos
e acalentamos um renome inútil.

A partida de Enéias (v.) por ordem de Júpiter, transmitida ao herói por Mercúrio, provocará o suicídio de Dido e a fuga de Ana.

JOGOS

Ludus designa "jogo, divertimento, passatempo" e, no plural, *Ludi*, "jogos de caráter religioso ou oficial". De outro lado, ao menos até os fins da época republicana, *ludus* opunha-se, na linguagem erudita, a *iocus*, "gracejo, chiste, facécia". Semelhante distinção propriamente se obliterou no correr dos séculos e *ludus*, a pouco e pouco, desapareceu com os jogos públicos que designava. Foi *iocus*, ac. *io- cu(m)* jogo, que permaneceu em português e em outras línguas românicas. As formas vernáculas *lúdico* e *jocoso* atestam ainda, de certa forma, a diferença existente em latim.

O grande pesquisador André Piganiol, em sua obra indispensável sobre os Jogos Romanos, *Recherches sur les Jeux Romains*, Strasbourg, Librairie Istra, 1949, p. 106, apoiando-se em fragmento de Lívio Andronico (Ribbeck, *Trag. rom. fragmenta,* Liuius, 5), de Névio (Ribbeck, *Com. lat. relig.* p. 20) e sobretudo na expressão de Varrão, *L.1.*, 6, 22, ao descrever a dança dos Sálios, *circumibant ludentes ancilibus armati* – os Sálios circulavam dançando, armados com escudos sagrados –, conclui erradamente que a raiz de *ludere*, de onde provém *ludus*, significaria "estar solto, livre", isto é, perder o controle sobre si mesmo, *dare motus incompositos*, executar movimentos desordenados, sem cadência alguma, como diz, aliás em outras circunstâncias, Vergílio, *Geórgias*, 1, 350; deixar-se arrastar pela força inspiradora divina de um ritmo interior, um como que ser dominado pelo êxtase e entusiasmo dionisíacos.

Tudo leva a crer que *ludus*, não provém do indo-europeu. Talvez se trate de empréstimo ao etrusco; *ludus* teria sido importado juntamente com a instituição, quiçá de cunho religioso, que o vocábulo designava. A aproximação que se tenta fazer com o grego λίζει (lídzei) = παίζει (paídzei), "ele brinca", não convence, nem é segura, *DIELL.*, p. 368sq.

Os Jogos, no vasto império romano, foram bem mais numerosos que na Hélade. É bem verdade que na *Ilíada*, XXIII, 257-897, Aquiles manda celebrar jogos soleníssimos em memória de Pátroclo, e na *Odisséia*, VIII, 100-193, Alcínoo homenageia com disputas atléticas seu hóspede Ulisses, mas trata-se de *agônes*, de certames, de jogos de circunstância. Na realidade, a civilização grega fixou seu calendário agonístico nos quatro grandes Jogos Pan-Helênicos: Olímpicos, Neméios ou Nemeus, Ístimicos e Píticos, realizando-se cada um deles de quatro em quatro anos, de sorte que, apenas anualmente, o povo poderia aplaudir seus campeões (v. *DIMEG.*, Vol. II, s.u. Jogos).

Os romanos formam bem mais longe: militaristas, práticos e utilitaristas, *ciues et milites*, na ânsia de assegurar uma boa colheita, de ter sobretudo os deuses ctônios e seus mortos *in bono animo*, "bem dispostos", de manter o Estado firme e inexpugnável, de agradecer aos imortais pelas vitórias alcançadas nos campos de batalha, de mitigar-lhes a cólera nos momentos de crise e de honrar os seus heróis ilustres, multiplicaram seus Jogos.

Povo sem grandes pruridos nacionalistas em matéria de arte e sempre propenso a receber e a nacionalizar tudo quanto lhe viesse de fora, desde que não lhe conspurgasse o *mos maiorum,* o hábito dos antepassados, e a *uirtus romana*, a excelência romana, deixou-se influenciar na organização e estrutura dos *Ludi* não apenas pela Etrúria e pela Grécia, mas igualmente por outras nações conquistadas. Até mesmo o *Teatro* com sua comédia paliata, recebida da Hélade, onde os espectadores respiravam liturgia, um clima de encantamento e graça, foi anexado aos Jogos como se fora um apêndice em forma de *exodium* catártico, vale dizer, um fecho alegre e descontraído, após tanta violência nas competições atléticas e o sangue dos gladiadores que purpurejava a arena. Nem sempre, todavia, com exceção das comédias de Plauto, de sabor eminentemente popular, desbocadas e não raro um tanto grosseiras, a paliata de Terêncio, intimista, recolhida e reflexiva, funcionou como remate feliz dos violentos certames disputados na *Urbs*. O poeta, por sinal, queixa-se amargamente, no primeiro prólogo da comédia *Hécira*, da preferência do público por espetáculos circenses. Na realidade, Terêncio tentou encenar a peça mencionada três vezes: em 165 a.C. levou-a ao palco nos *Ludi Megalenses*, em honra da *Magna Mater*, a Grande Mãe Cibele, mas a representação foi interrompida pela chegada de uma companhia de acrobatas; uma segunda tentativa, em 160 a.C., para celebrar as exéquias de Lúcio Emílio Paulo, vencedor de Perseu na batalha de Pidna, abortou igualmente, porque fora anunciado um combate de gladiadores e somente nos *Ludi Romani* (Jogos Romanos) deste mesmo ano é que o povo se dignou assistir à melhor peça do autor. O poeta demonstra sua amargura e decepção no primeiro Prólogo da comédia em pauta, denunciando a predileção popular pelos músculos, destreza e sangue:

> – Esta peça denomina-se Hécira. Quando de sua estréia
> estrearam-se igualmente uma desgraça e uma calamidade,
> de sorte que não pôde ser vista nem conhecida;
> o povo ficou de tal modo contagiado com um equilibrista,
> que apenas a ele deu atenção. Esta agora é como se fora toda nova.

No prólogo da terceira representação, que, como se disse, logrou chegar ao fim, o cômico lamenta profundamente que *Hécira* fracassara também na segunda encenação, por se ter apregoado um espetáculo de gladiadores (*Hec.*, 39-42):

Primo actu placeo, cum interea rumor uenit
Datum iri gladiatores: populus conuolat,
Tumultuantur, clamant, pugnant de loco;
Ego interea meum non potui tutari locum.

– No início do espetáculo fui bem acolhido, mas eis que surge
o boato de que haveria uma luta de gladiadores: o povo
se dispersa, atropela-se, grita e briga para conquistar um lugar;
eu, enquanto isto, fui impotente para defender o meu.

Esta digressão visa a mostrar não apenas o pouco apreço em que era tido o grande poeta, por sinal ex-escravo, preto, talentoso – e o romano, racista, e muitos eram os intelectuais medíocres –, mas particularmente a paixão da plebe pelos espetáculos do Circo: gladiadores, pugilistas, funambulistas. O Teatro convertera-se em mais um condimento, por vezes insípido, nos *Ludi* oferecidos a um povo muito pouco afeiçoado às Musas. É lamentável que a arte cênica em Roma, embora voltada para o ritual, porque os jogos o eram, tenha chegado a tão acentuada decadência, apesar de S. Agostinho a ter classificado como um elemento do culto divino. Em *De Ciu. Dei*, 4, 26, diz o santo de Hipona: *Ludi scaenici (...) inter res diuinas a doctissimis conscribuntur* – homens extramamente sábios inseriram as representações cênicas no culto divino.

1. Didaticamente, os Jogos Romanos costumam ser divididos em *ordinários*, com data fixa, e *extraordinários*, oferecidos em épocas não determinadas. Entre os primeiros, que se distribuíam ao longo do ano, sobressaíam os *Ludi Romani* ou *Maximi* (Jogos Romanos ou Máximos), a solene homenagem de Roma a Júpiter (4-19 de setembro); magistrados organizadores: edis curius; *Ludi Plebeii* (Jogos Plebeus), que comemoravam a vitória da plebe, que se sublevou, reunindo-se no monte Aventino para exigir determinados direito civis, jurídicos e religiosos (4-17 de novembro); magistrados organizadores: edis da plebe; *Ludi Apollinares* (Jogos Apolinares), em honra de Apolo (6-13 de julho); magistrado organizador: pretor urbano. A lista dos Jogos Ordinários ficaria incompleta se não lhe acrescentassem, entre outros, *Cerealia* (Cereais), em homenagem a Ceres (12-19 de abril); *Floralia* (Florais), em honra de Flora (28 de abril-3 de maio); *Consualia* (Consuais), para reverenciar Conso (21 de agosto e 15 de dezembro); *Ludi Neptunales* (Jogos Netunais ou Netúnios), em honra de Netuno (23 de julho), com disputa sobretudo de uma regata; *Ludi Martiales* (Jogos Marciais), como preito de reconhecimento ao deus Marte (1 de agosto), na pessoa do imperador Augusto, que libertou a pátria de uma triste calamidade, conforme se menciona no *Corpus Inscriptionum Latinarum*, I^2, p. 323: *feriae ex senatus consulto quod eo die imp. Caesar, diui filius, rem publicam tristissimo periculo liberauit* – por um senatus – consulto decretaram-se festas (no dia primeiro de agosto) porque neste dia o imperador César (Augusto), filho de um deus, libertou a república de um perigo funesto. A festa destinava-se a comemorar a morte de Marco Antônio. No dia primeiro de agosto do ano 2 a.C., dedicou-se um templo a *Mars Ultor*, a Marte Vingador, ocasião em que se realizaram pela primeira vez os *Ludi Martiales* (Jogos Marciais). Os *Ludi Saeculares* (Jogos Seculares) que

se celebravam de cem em cem anos, tinham por escopo inicialmente conjurar a fome, a peste e a esterilidade. Dedicados aos deuses ctônios, foram depois divididos com os deuses olímpicos, aos quais se pedia particularmente *ut res publica eodem stetisset statu* – para que a república se conservasse no mesmo estado de então, livre e vitoriosa contra seus inimigos. O belíssimo *Carmen Saeculare*, Poema Secular, de Quinto Horácio Flaco (65-8 a.C.) elaborado para comemorar o decênio augustal de Otávio, foi o magnífico hino oficial dos *Ludi Saeculares* (Jogos Seculares), mandados celebrar pelo imperador Augusto no ano 17 a.C., se bem que esta data estivesse longe de fechar um século... Com extrema habilidade, Horácio soube conjugar o mundo ctônio com o olímpico: *Diana-Luna*, a deusa Lua, que comanda as trevas, surge ao lado do irmão *Apollo*, o deus Apolo, o Sol, que domina a luz. As Parcas, deusas ctônias, possuem no hino força idêntica à das Musas, cujo lar é o Olimpo. O cunho patriótico, em que se mencionam alguns povos conquistados por Roma, está assegurado na invocação ao deus Apolo, para que prolongue por mais um lustro e para uma idade sempre mais próspera o extenso império romano (*Carm.Saec.*, 65-68):

si Palatinas uidet aequus arces,
remque romanam Latiumque felix
alterum in lustrum meliusque semper
prorogat aeuum

– (que Apolo) olhe benigno para as alturas palatinas
e prolongue a felicidade do Estado romano e do Lácio
para um segundo lustro e para uma idade
sempre mais próspera.

Em resumo, os principais *Ludi Solemnes*, quer dizer, os Jogos Ordinários com data fixa, distribuem-se cronologicamente pelo ano da seguinte maneira, consoante a tabela elaborada por G. Hacquard et alii, *Guide Romain Antique*. Paris, Hachette, 1952, p. 78:

Abril	4-10	*Ludi Megalenses*	Instituídos em 204 a.C., em honra de Cibele, a *Magna Mater* (Grande Mãe). Jogos no Circo (Corridas de cavalos, de carros e teatro). Organizadores: edis curuis.
	12-19	*Ludi Cereales*	Muito antigos: em honra de Ceres. Cerimônias alegres e jocosas, em que todos se trajavam de branco. Jogos no Circo e grande procissão. Organizadores: edis curuis
Maio	28 | 3	*Ludi Florales*	Instituídos em 173 a.C., em honra de Flora. Cerimônias festivas e licenciosas. Jogos de Circo e teatro. Organizadores: edis curuis.

Julho	6-13	*Ludi Apollinares*	Instituídos no decurso da Segunda Guerra Púnica em honra de Apolo. Jogos de Circo, corridas, luta contra animais ferozes e teatro. Organizador: pretor urbano.
Setembro	4-19	*Ludi Romani* ou *Maximi*	Instituídos, segundo consta, por Tarquínio Prisco em honra de Júpiter. Grande Cortejo. Jogos no Circo, corridas de cavalos e carros, lutas e teatro. Organizadores: edis curuis.
Novembro	4-17	*Ludi Pebleii*	Muito antigos. Jogos no Circo e teatro. Organizadores: edis da plebe.
De 100 em 100 anos		*Ludi Saeculares*	Cerimônias de expiação pela passagem de mais um século. Conjurar a fome, a peste e a esterilidade. Manutenção do Estado. Organizadores: quindecênviros (magistrados que guardavam os Livros Sibilinos).

Os *Ludi Solemnes* ocupavam cerca de 68 dias no ano, num cálculo aproximado.

Os *Ludi Votiui* (Jogos Votivos) ou Extraordinários, por sua própria essência, não podiam estar subordinados a datas. Realizavam-se, como se verá, segundo as circunstâncias. Celebrados uma única vez, para comemorar um evento importante, eram organizados pelo Estado ou por particulares, em tese com a anuência e sob a vigilância das autoridades, o que foi, diga-se de passagem, constantemente transgredido. Nos fins da República, oferecer espetáculos ao povo converteu-se numa verdadeira manifestação de poder e no meio mais eficaz de conquistar-lhe os votos.

Esse tipo de Jogos, que por vezes, suplantavam pela suntuosidade os oficiais, resumiam-se em: *Ludi Votiui* propriamente ditos, oferecidos ao povo em cumprimento do voto de um magistrado num momento difícil e de perigo iminente para a segurança do Estado (guerra, fome, peste...); *Ludi Funebres* (Jogos Fúnebres), oferecidos pelos parentes próximos do morto, por ocasião dos funerais (raramente no aniversário da morte) do mesmo; *Ludi Triumphales* (Jogos Triunfais), dedicados ao povo pelos generais vencedores de uma guerra ou batalha decisiva, em cumprimento de um voto anteriormente formulado; *Ludi Dedicatorii* (Jogos Dedicatórios), solenidade presidida pelo censor ou pretor urbano para inauguração de um templo ou monumento público. Em dependência do que se inaugurava, os Jogos eram mais ou menos solenes.

Na época imperial, por bajulação aos governantes e certamente também por motivos religiosos, os Jogos Votivos se multiplicaram, como se verá no fecho deste verbete. Pela saúde e prosperidade do imperador celebravam-se as *Quinquennalia,* Qüinqüenais, festas solenes realizadas de cinco em cinco anos, a que, segundo parece, se seguiram as *Decennalia* (de 10 em 10 anos) e as *Vicennalia* (de 20 em 20 anos..).

É bem possível que os sisudos magistrados quisessem imortalizar o príncipe por aqui mesmo! O austero e ferino poeta satírico Décimo Júnio Juvenal (60– 140 p.C.), não perdoava a decadência do outrora laborioso povo romano. Em seu século, diz ele que este mesmo povo de quem em outros tempos tudo dependia pela força do voto, hodiernamente, porque não tem mais sufrágios para vender, deseja apenas "pão e jogos" (*Sat.*, 10, 78-81):

.......Nam qui dabat olim
imperium, fasces, legiones, omnia nunc se
continet atque duas tantum res anxius optat,
panem et circences (...)

– ....Pois este povo, que outrora concedia
o poder pleno, os fasces, as legiões, tudo, agora
se reprime e deseja mais que ansiosamente apenas pão e jogos.

M. Cornélio Frontão (100-169 p.C.), com a serenidade do sábio, voltou a denunciar o que já era um hábito arraigado (*Princ. Hist.*, 5, 11): *populum romanun duabus praecipue rebus, annona et spectaculis teneri* – o povo romano está preocupado tão-somente com duas coisas: alimentação e espetáculos.

2. Duas modalidades de Jogos aqui mencionadas merecem um comentário, por terem sido os mais cotados pelo público: as corridas de carros e as lutas de gladiadores, o que enseja igualmente uma ligeira explanação sobre o local nobre, onde eram disputadas, ao menos de início, todas as competições: *Circus Maximus*, o Circo Máximo.

As corridas de carro tinham por cenário este Circo e, logo após a *Pompa*, de que se dará uma idéia abaixo, abriam sempre os Jogos. Eram anunciadas por arautos a cavalo, cobertos com um longo manto de púrpura e empunhando longos caduceus. Percorriam a arena de ponta a ponta, apregoando o tão apaixonante certame (Plutarco, *Gracc.*, 51; Cassiodoro, *Variantes*, 3, 51; Suetônio, *Nero*, 35). O Circo era um longo retângulo fechado no ingresso por muralha reta e, no extremo oposto, por uma curva semicircular. A pista, *arena*, era dividida ao meio (para proporcionar uma pista de ida e outra de volta) em todo o seu comprimento pela *spina*, espécie de plataforma, em que se viam torres, estátuas, obeliscos, fontes e outros ornamentos. Nas extremidades da *spina* estavam as *metae* (metas), três colunas de forma cônica, tendo por suporte pilares altos, em cujo interior se acreditava estar localizada uma câmara mortuária. Ao redor das metas giravam os carros. Depois de sete voltas, a corrida terminava numa linha denominada *calx*, à letra, "cal", porque o termo da corrida era primitivamente demarcado com cal. Nos dois lados do recinto do Circo havia para os espectadores assentos dispostos em anfiteatro. Ao longo da muralha reta, que fechava o ingresso, achavam-se os *carceres*, as estrebarias, de cada lado da porta central por onde entrava o préstito, *porta pompae*, a porta da pompa. Em frente dela, na extremidade oposta, localizava-se a porta triunfal, por onde saía o vencedor.

Salvo exceção, quatro carros, cada um deles puxado por uma quadriga, tomavam parte na competição. Eram reconhecidos à distância pela cor das túnicas dos aurigas: verde, azul, branco e amarelo (Plínio, 8, 42; Cassiodoro, *Var.*, 3, 51; Tertuliano, De *Spect.*, 9). Os cocheiros guarneciam a cabeça com um capacete de couro, preso sob o queixo. Seguravam oito rédeas, porquanto as bridas bifurcadas ainda não eram conhecidas. Para conter com mais vigor e força os animais, sobretudo no contorno das metas, os aurigas enrolavam as rédeas no torso, mas corriam o risco, se porventura caíssem, de ser arrastados pelos fogosos corcéis. Levavam, para tanto, um punhal afiado para cortar as bridas, em caso de acidente, o que com certa freqüência acontecia.

O Circo Máximo, edificado entre os montes Palatino e Aventino, era o mais antigo e amplo do império romano. Seus inícios, segundo consta, datavam de Traquínio Prisco, conforme Eutrópio (séc. IV p.C.) em seu *Breuiarium ab Urbe condita*, 1, 5-6: *Deinde regnum Priscus Tarquinius accepit. Hic numerum senatorum duplicauit: Circum Romae aedificauit: ludos romanos instituit, qui ad nostram memoriam permanent.*

– Em seguida Prisco Tarquínio recebeu o poder. Este duplicou o número dos senadores, construiu o Circo de Roma e instituiu os jogos romanos, que subsistem ainda hoje. Mercê de sucessivos aumentos, pôde acolher 150.000 espectadores sob Júlio César; 250.000 sob Cláudio e no séc. IV p.C., 485.000. Media 640 metros de comprimento, 190 de largura; a pista podia ter 600 metros por 110.

A paixão maior do povo romano, todavia, eram as lutas cruentas de gladiadores, cuja origem, segundo uns, é a Campânia, de que se possuem documentos iconográficos do séc. IV a.C., outros julgam ser a Etrúria, mas as representações tirrenas só se encontram estampadas em urnas na segunda metade do séc. III a.C. De qualquer maneira, segundo se comentará, esses "ritos" eram realizados, ao menos primitivamente, sob a forma de *munera*, "dádivas, oferendas, deveres para com os mortos", isto é, as lutas de gladiadores, onde o que importava era a efusão de sangue, ofereciam-se aos mortos com o objetivo religioso de apaziguar-lhes a alma e retemperar-lhes a energia na outra vida. Antes da construção dos anfiteatros, as lutas sangrentas realizavam-se no Circo Máximo. Havia várias modalidades de combate, classificando-se os lutadores em várias categorias, consoante o relato preciso de Augusto Magne S.J., *Antologia Latina*, S. Paulo, Edit. Anchieta, 1947, p. 188sq.: *retiarii*, os reciários, de *rete*, rede, muito ágeis, armavam-se somente com redes, tridente e punhal; combatiam insulados ou em grupos. Ora perseguidos pelos *secutores,* "seguidores", armados de capacete com viseira, escudo e espada, ora volteando como enxame em torno dos *myrmillones*, mirmilões, pesadamente armados de capacete, escudo, braçal e perneiras, que os aguardavam sentados de cócoras e de viseira caída. Os reciários procuravam prender estes temíveis adversários em suas redes para poder feri-los e liquidá-los. Os *samnitas*, protegidos de grande escudo retangular, cruzavam com as adagas dos *trácios*, mais bem armados, protegidos todavia apenas por pequeno escudo redondo. Os *hoplitas*, inteiramente cobertos de ferro, como os cavaleiros da Idade Média, procuravam eliminar os adversários, acertando-lhes as junturas e falhas na armadura. Os *cavaleiros* atiravam-se uns contra os outros com lanças; os *essedários*, de *essedum*, carro gaulês de guerra, combatiam em carro guiado por um auriga de pé ao lado deles. Os *bestiários*, de *bestia*, animal feroz, com o braço tolhido, nomalmente o direito ou com amarras nas pernas, sem capacete nem escudo, enfrentavam feras de lança em riste.

Quando em luta singular, um dos combatentes vencido estava à mercê do adversário, o magistrado que presidia os jogos deixava aos espectadores a liberdade de decidirem a sua sorte. O gladiador ferido levantava um dedo para pedir a vida. Se os assistentes concordassem, o que não era comum, agitavam lenços, do contrário, os dedos polegares virados para baixo, *pollice uerso*, eram sentença de morte. Os covardes eram instigados ao combate com açoite e ferro em brasa e do anfiteatro partiam insultos e ameaças. Um grande vencedor tinha, por vezes, de enfrentar, um após outro, três ou quatro adversários.

No fim de cada espetáculo, escravos travestidos de Mercúrio, o condutor das almas para a outra vida, arrastavam com ganchos os cadáveres; outros, com a horrenda máscara etrusca de Caronte, verificavam, por meio de ferros incandescentes, se a morte não era fingida. No *spoliarium*, espoliário, sala fechada, construída sob as arquibancadas do anfiteatro, onde eram amontoados os corpos, aos que ainda tivessem sopro de vida, "Caronte" lhes quebrava a cabeça com uma espécie de marreta. Os feridos sem muita gravidade eram assistidos por médicos agregados ao Circo. Usando pás, os escravos revolviam a terra ensangüentada e espalhavam areia fresca. A média de mortos no curso de um espetáculo, chegava, num cálculo otimista, a vinte e cinco por cento dos gladiadores empenhados na luta.

O maior espetáculo que Roma conheceu foi o que Caio Júlio César em 46 a.C., por ocasião de seu quádruplo triunfo, ofereceu ao povo romano: participaram do cruento certame seiscentos e quarenta gladiadores numa única apresentação (Plutarco, *Caes.*, 6). Augusto limitou o número de combatentes para cada luta em cento e vinte.

3. Antes dos grandes espetáculos no Circo Máximo havia um aparatoso desfile, denominado *Pompa*, vocábulo tomado do grego πομπή (pompé), procissão. O cortejo era encabeçado por jovens; em seguida surgiam os cavaleiros, agrupados por turmas, e centúrias, cerca de 1.800 ginetes. Seguiam-nos a pé os meninos, divididos por classes sociais e por tribos. Vinham depois os competidores, os atletas e os aurigas. Após estes apareciam os diversos tipos de dançarinos, os que executavam a pírrica, dança guerreira e os *ludi* ou *ludiones*, histriões de origem etrusca. Acompanhavam-nos os músicos, flaustistas e citaristas, bem como os portadores de vasos com perfumes, incensos e de objetos decorativos em ouro e prata, propriedade dos templos e do Estado. A gigantesca procissão era fechada pelas estátuas de inúmeros deuses, cuidadosamente transportadas nas *tensae* ou carros sagrados.

A finalidade da *pompa* não é tão-somente como pensam alguns, uma exibição do poderio de Roma com seu vasto império e uma captação da benevolência do público. Não se trata apenas igualmente de uma abertura solene com o fito de competir, ao menos esportivamente, com sua eterna e desprezada rival, a Hélade, que vencera pelo intelecto a quem a esmagara pela força bruta. Não se pode ver neste préstito deslumbrante unicamente a desforra de um complexo recalcado em relação à Etrúria e à pátria de Péricles. A *pompa* traduzia, antes do mais, o caráter religioso dos *Ludi*. Afinal, Conso (v.) era o deus do Circo e as *metas* possuíam um pilar em cujo interior, já se assinalou, figurava certamente uma câmara mortuária ou o nicho de um deus. Se os *ludiones*, histriões, com sua dança de *motus incompositi*, de movimentos desordenados, tinham um caráter apotropaico, vale dizer, visavam a expulsar do local dos Jogos "os maus espíritos", os deuses, que fechavam a *Pompa*, atestavam o propósito religioso dos *Ludi*. Acrescente-se, por fim, que os Jogos Ordinários eram consagrados a um deus e o Votivos se realizavam, não raro, em cumprimento de um voto feito a uma divindade pelo Estado ou por um particular. Dos Jogos Fúnebres nem é preciso falar: sem eles não havia paz para a alma na outra vida (v. Escatologia). Se os Jogos, nomeadamente os Votivos, perderam pelos fins da República e ao longo da época imperial seu cunho religioso e transformaram-se numa poderosa arma política e meio eficaz de alienação, desviando as atenções do povo com *panem et circenses*, com *annona et spectaculis*, "com pão e espetáculos", para repetir Juvenal e Frontão, a culpa não cabe aos deuses, mas à ambição, à vaidade, à sede de poder, à incompetência, ao desgoverno e à corrupção dos governantes do maior dos impérios que Apolo percorreu com sua carruagem.

4. Faz-se necessário um comentário final sobre as tão apreciadas lutas de gladiadores e seu cunho religioso. É muito comum afirmar-se que "as sangueiras do anfiteatro deitam terrível luz na decantada civilização romana e constituem a página mais negra de sua história". Não se vai discutir a assertiva, que tem muito de verídica, mas é mister, segundo parece, não medir, há tantos séculos de distância, a mentalidade vigente na antigüidade. Seria preciso repetir e aqui não é o local apropriado, a concepção em que era tido o escravo (ele era o gladiador), uma espécie de vítima do destino e dos deuses, destituído de alma e de personalidade. Um ser descartável, concebido para o trabalho e para ser, em se tratando de gladiadores, um bode expiatório, um φαρμακός (pharmakós), como diriam os gregos. O que se deseja frisar é que as lutas de gladiadores, nas quais, já se disse, o que importava era a efusão de sangue e não o vencedor, tinham *um caráter profundamente religioso*. Falando a respeito dos espetáculos cênicos, parte integrante dos *Ludi*, diz Tito Lívio (*Ab Urb. cond.*, 7, 3): *Ludorum primum initium procurandis religionibus datum* – Desde o início a instituição dos Jogos (Cênicos) teve por escopo conjurar temores de ordem religiosa. Quinto Septímio F. Tertuliano (160– 225 p.C.), *De Spect.*, 12, referindo-se aos *munera*, as oferendas de Jogos em honra dos mortos, é taxativo: *(munus) officium mortuorum honori debitum* – (a oferenda de Jogos) é um tributo devido em honra dos mortos. É que para as culturas antigas os ritos que asseguravam aos mortos a sobrevivência na outra vida não diferiam essencialmente daqueles que podiam prolongar a vida dos que ainda não contemplavam a luz. Certas personagens importantes resgatavam sua saúde preciosa por meio das *munera*. Podiam ser celebradas até mesmo no aniversário anual de uma estátua que lhes fora consagrada. *Pro salute Augusti*, pela conservação de Augusto, conforme se mencionou, celebravam-se *Ludi Quinquennales,* Jogos Qüinqüenais. Mas, como se explicaria a obrigatoriedade do derramamento de sangue animal ou humano? É que o sangue era o elixir da vida tanto em função dos vivos e dos mortos quanto para apaziguar a cólera dos deuses, particularmente dos ctônios: Dite, Prosérpina, Saturno, Fúrias, Nêmesis... Agia como

fator energizante da memória, sem a qual o defunto convertia-se em morto anônimo (v. *DIMEG.*, s.u. Escatologia). Em relação particularmente aos deuses, as *munera* funcionavam como incremento de sua essência vital, convertendo-se numa autêntica *mactatio*, uma glorificação. Atuavam igualmente como tranqüilizante da ira divina, segundo expressa Cícero em relação à perigosa deusa Flora, *Verr.*, 5, 14, 36: *mihi Floram matrem populo plebique romanae ludorum celebritate placandam* – a mãe Flora deve ser apaziguada por mim, pelo povo e pela plebe romana com a solenidade dos jogos. As lutas, em que se derramava sangue, eram uma sobrevivência de sacrifícios humanos, que se explicam por uma noção muito nítida na consciência religiosa: a idéia de resgate ou rendenção. César, *Bell. Gall.*, 6, 16, observa com certa surpresa este hábito entre os druidas: *pro uita hominis nisi hominis uita reddatur, non posse aliter deorum immortalium numen placari arbitrantur* – (os druidas) julgam que não se pode de outra maneira aplacar os deuses imortais a não ser resgatando a vida de um homem com a vida de outro homem. Além do mais, é preciso levar em consideração que, quando se passa de um estágio de vida para um outro, estas trasições são perigosas. A passagem do Ano Novo (a 10 de março na Roma antiga) requeria uma série de precauções. A data do aniversário é uma dentre muitas outras. Consoante Suetônio, *Aug.*, 81, o imperador sentia-se deprimido nesse dia: *sub natalem suum plerumque languebat* – por ocasião de seu aniversário, sentia-se normalmente triste. O mesmo se passa na natureza e no calendário: lavrar, semear, colher são momentos perigosos. Os deuses da vegetação, que são ctônios, não exigem apenas as primícias das searas, mas antes que a flor se transforme em fruto, postulam sacrifícios sangrentos. A cada centenário da *Urbs* se faziam ritos expiatórios. Ora, se a outra vida, na mansão dos mortos, era de certa forma, para os antigos, um prolongamento desta, é claro que também ela estava sujeita a riscos periódicos. O sangue dos gladiadores e os sacrifícios cruentos retemperavam a vida aqui e lá embaixo; afastavam a cólera divina; tonificavam as sementes; proporcionavam vitórias e consolidavam o Estado.

5. Em síntese, de tudo quanto se disse pode-se chegar a algumas inferências. As principais ocasiões em que se celebravam os *Ludi* eram as seguintes:

– Aniversários dos deuses, principalmente das divindades agrárias. A existência dos deuses da vegetação oscila entre períodos prósperos e estéreis. Seu restabelecimento garante o renascimento da natureza. As *Cerealia* e *Floralia* celebraram-se, pela primeira vez, segundo o mito, a fim de debelar um longo período de estiagem e de fome. É mister, de quando em quando, recriar a terra e tudo quanto ela contém, para se obter a renovação do mundo. Os deuses podem perecer *ciuium neglegentia* – pela negligência dos cidadãos.

– Consagração de estátuas e de templos. O aniversário de um deus confunde-se, muitas vezes, com a consagração de sua estátua e templo. As estátuas são o suporte do espírito divino, e os templos, sua casa: a oferta de uma imagem é como se fora o nascimento de um deus. Renova-se a divindade, quando se lhe oferece uma nova estátua ou um novo lar.

– Homenagem aos mortos. A celebração de Jogos Fúnebres, normalmente *nouendiales*, quer dizer, nove dias após o óbito, quando se enterravam as cinzas, era um dever religioso. Esta forma de culto reservava-se para personagens de alto coturno, "a heróis" que, semelhantes aos deuses subterrâneos, podiam definhar, pondo em risco a fecundidade da Mãe-Terra e a prosperidade do mundo. A *decursio*, o séquito que acompanhava os funerais, traduzia uma forma excepcional de honrar os mortos, mas era obrigatoriamente seguido de *Ludi*. Os romanos tomaram de empréstimo aos gregos a festa pentetérica (realizada de *cinco em cinco anos*) e rebatizaram-na com o nome de *quinquennale certamen* (disputa qüinqüenal), que se transformou no protótipo da festa heróica, em que se reverenciavam os mortos. Rejuvenescer estes últimos para remoçar simultaneamente a natureza e os governantes era o objetivo de muitas culturas primitivas.

– Aniversário dos vivos. Os Jogos realizavam-se também *pro salute*, pela conservação e saúde de homens ilustres. Se esta vida está sujeita a momentos críticos tanto quanto a vida do além, o culto à alma de um cidadão eminente pode iniciar-se ainda neste mundo, reverenciando-lhe "o duplo", o *numen* (v.). Neste caso os *Ludi* podem ser anuais ou pentetéricos. Quase todas as cidades do império instituíram *Ludi Quinquenales pro salute Augusti*. Os imperadores Adriano e Antonino fizeram jus a Jogos Anuais por ocasião de seu aniversário (*Hist. Aug.*, 7, 12; 5, 2) e Adriano os aceitou de bom grado: *circenses natali suo dicatos non respuit* – não recusou os Jogos a ele oferecidos por ocasião de seu aniversário. Conservar a vida de homens insignes de que dependem a existência e a prosperidade de seus subordinados é tão importante quanto manter "a sobrevivência" dos deuses infernais de que resulta a vida da natureza.

– Aniversário de vitórias. A vitória sobre os inimigos é muitas vezes considerada como revelação e auxílio divino. Celebrar-lhe o aniversário é assegurar a renovação de uma força sobre-humana. A festa em honra de César após sua morte confunde-se com a de sua (deusa) Vitória, que lhe proporcionara tão grandes triunfos. A *Victoria Caesaris*, a Vitória de César, em cuja homenagem mandou celebrar os Jogos famosos do ano 46 a.C., foi, de certa forma, *um duplo da morte*.

– Aniversário de Cidades. Uma cidade, como um ser humano, possui seu *Gênio* (v.), espírito que a tutela e guarda. Este espírito é freqüentemente o de seu fundador que deve ser, por isso mesmo, periodicamente rejuvenescido. Se a cidade foi construída no local da vitória, a festa de aniversário coincide com aquela. Perpetua-se não somente a memória, mas também a existência imaterial do morto, dando-lhe o nome à nova urbe. Adriano fundou uma cidade e ofereceu Jogos em memória de Antínoo, a quem fez divinizar (Tertuliano, *Apol.*, 13). Roma só tardiamente obteve Jogos em sua honra e assim mesmo fora da Itália, em Alabanda, na Cária, em 170 a.C. (*C.I.L.*, XI, 5265). No Lácio só o conseguiu em seu aniversário, nas *Palilia* ou *Parilia* (v. Festas), à época de Adriano.

– Epidemias. Na grande peste que grassou no Lácio em 364 a.C., o Senado mandou vir da Etrúria os *ludiones*, histriões, para conjurar o flagelo com suas danças mágicas e apotropaicas. E sempre que grande estiagem e esterilidade assolavam as cidades, particularmente Roma, umbigo do império, celebravam-se *Ludi Taurei*, Jogos Taurinos, de origem sabina ou etrusca, cujo escopo era transferir a mazela pública para os animais, *ut lues publica in has hostias uerteretur*, – a fim de que o flagelo público se transferisse para estas vítimas, segundo Sérvio, *In Aen.*, 2, 140.

– Inauguração de um novo período. Os Jogos Seculares visavam a assegurar a renovação do mundo, isto é, do império romano, até o próximo século, *ut in eodem perseueret statu*, para que mantivesse sua estabilidade. Primitivamente esses Jogos eram consagrados aos deuses ctônios e a festa celebrava-se junto ao *Puteal*, Puteal, abertura que dava acesso aos Infernos e local onde se escondiam *Dis Pater et Proserpina*, o Pai Dite (v.) e Prosérpina (v.). Dividindo os *Ludi Saeculares* entre os deuses ctônios e urânios, Augusto obliterou-lhes o sentido primitivo. Os Jogos Votivos, que os romanos celebravam nos inícios da República e cujo hábito foi restaurado no séc. III a.C., tinham por objetivo não propriamente a obtenção de um favor particular, mas sim manter uma força que ameaçava declinar ou que já estava em declínio, uma energia à qual estavam solidamente vinculadas a vida e a pós-vida de um homem, de um grupo, de uma instituição ou da natureza. Eis por que os deuses imortais, em princípio, não tinham necessidade de Jogos.

Os *Ludi*, em suma, consistiam num método e numa técnica de feição mágica para remoçar os mortos, os deuses, os mortais, a natureza, as cidades e o cosmo.

JULIA LUPERCA

Júlia Luperca, *Iulia* é o feminino de *Iulius*, Júlio, que provém de *Iou-il- e significa "o luminoso" (v. Iulo), donde Júlia é "a luminosa"; *Luperca* (v. Lupercos), cuja etimologia ainda se discute (*DIELL.*, p. 370), embora o povo a interpretasse como a deusa-loba, que aleitou Rômulo e Remo.

O mito de Júlia Luperca, relatado pelo escritor grego do período bizantino, João Tzetzes (séc. XII p.C.) é mera transposição do sacrifício não consumado de Ifigênia, filha de Agamêmnon e Clitemnestra e base da grandiosa tragédia de Eurípides *Ifigênia em Áulis* (v. *Mitologia Grega*, Vol. I, p. 92sq. e *DIMEG.*, p. 599sqq.).

Jovem romana, estava prestes a ser imolada como vítima expiatória, quando o manchil do sacrificador foi arremessado longe pela asa poderosa de uma águia. O cutelo caiu sobre uma novilha que pastava perto do templo. Reconhecendo no prodígio a vontade dos deuses, libertou-se Júlia e se ofereceu em holocausto a vitela.

JUNO

Iuno, *Juno*, talvez deve ser aproximado de *iuuenis*, cujo sentido é "o que está na força da idade"; Juno seria então "a jovem cheia de força e de energia". O sânscrito possui o mesmo vocalismo radical que o latim: *yúva*, "jovem", eslavo antigo *juno*; alemão antigo *jugund*, "juventude", *DIELL.*, p. 328, 331.

Deusa romana, esposa de Júpiter e mãe de Marte, muito cedo foi assimilada a Hera. Desde as origens da tradição romana a rainha dos deuses personificava o ciclo lunar e figurava na tríade Júpiter, Juno e Minerva, primitivamente venerada no Quirinal e depois no Capitólio. Outros santuários lhe foram consagrados, o que lhe proporcionou, com a proteção sobretudo à mulher, uma série de epítetos honrosos. Com a denominação de *Moneta*, do verbo *monere*, "chamar a atenção, advertir, fazer lembrar", donde *Iuno Moneta*, Juno Moneta, é a que adverte ou faz lembrar, recebeu um culto na *Arx*, isto é, na Cidadela, baluarte localizado no Capitólio. À *moneta* se atribuía a salvação de Roma, quando da invasão gaulesa, em 390 a.C.: os gansos, que eram criados no recinto de seu santuário, deram o alerta, o que permitiu a Mânlio Capitolino salvar a colina, repelindo os inimigos. Diga-se, de passagem, que era neste templo da Cidadela Capitolina que se cunhavam as *moedas,* daí, em nossa língua, *moneta> moeda,* estendendo-se depois o nome do templo para Casa da Moeda (Cic. *At*., 10,11,5); dinheiro cunhado (Ov. *Fast*., 1, 222). Com o título de *Iuno Lucina*, "Juno que faz vir à luz", presidia aos partos e velava sobre os recém-nascidos, recebendo a alcunha de *Conseruatrix*, a Defensora. Durante o trabalho de parto e mesmo no decurso dos sacrifícios e oferendas à deusa em favor da parturiente, tudo que representasse liame, atadura, laço, deveria ser desfeito, uma vez que o *nó*, como se explicou em *Mitologia Grega*, Vol. II, p. 49sqq., corta "a energia circulante", impedindo "o trabalho". Como *Iuno Sospita*, Juno Libertadora e Protetora, era particularmente venerada em Lanúvio, cidade do Lácio. *Iuno Sororia*, Juno Irmã, protegia os irmãos em geral e especialmente os gêmeos; *Iuno Februa* (*Februalis, Februlis, Februata*), Juno Fébrua (Februal, Februle, Februata), a "Juno de fevereiro", portanto ctônia, era a protetora dos mortos e das sementes, enquanto deusa da fecundidade; *Iuno Pronuba*, Juno Prónuba, presidia ao casamento, às uniões, como lembra Vergílio, quando Enéias e Dido consumaram seu amor numa gruta, *En*., 4, 165-168:

Speluncam Dido dux et Troianus eandem
deueniunt. Prima et Tellus et pronuba Iuno
dant signum; fulsere ignes et conscius aether
conubiis, summoque ulularunt uertice Nymphae.

– Dido e o chefe troiano refugiam-se na mesma gruta.
De imediato a Terra e Juno Prónuba dão o sinal; fulguram
raios, fuzila o éter, cúmplice do consórcio; as Ninfas
vociferaram no píncaro das montanhas.

Defensora inconteste das mulheres, sobretudo das detentoras do estatuto jurídico vigente na cidade, isto é, das mulheres legitimamente casadas, Juno fazia jus a uma grande festa no dia primeiro de março. Trata-se das *Matronalia*, *Matronálias* (v. Festas). Era "o dia das mães", que, após pedirem à deusa proteção e fecundidade, recebiam cumprimentos e presentes. A data de solenidade tão importante é discutida pelos antigos mitógrafos romanos: ou neste dia celebrava-se o aniversário do deus Marte, filho do rei e rainha dos deuses ou, o que é mais provável, o aniversário da reconciliação entre romanos e sabinos. Com efeito, o dia primeiro de março relembrava não apenas o rapto das sabinas, mas sobretudo a coragem destas últimas, que se interpuseram entre seus pais e seus novos maridos, restabelecendo a concórdia entre os dois povos.

Na luta feroz entre os trigêmeos Horácios (v. Horácio) e Curiácios, o único sobrevivente dos Horácios assassinou a própria irmã, que chorava a morte de um dos Curiácios, seu noivo. Para conciliar *Iuno Sororia*, Juno Irmã, apressou-se em oferecer-lhe uma *lustratio*, um sacrifício de purificação.

Do primeiro ao último canto da *Eneida*, a deusa funciona como o grande obstáculo à missão de Enéias, que fugira de Tróia para fundar a raça latina, o *genus latinum*. Somente já quase no fecho do canto derradeiro do poema é que, admoestada pelo esposo divino, *En.*, 12, 806: *ulterius temptare ueto* – proíbo-te de tentar ir além, a irascível e vingativa rainha dos deuses desistiu de seu intento e abandonou Turno. Isto depois de receber de Júpiter a promessa solene de que o Lácio, os reis albanos, a raça romana e a *uirtus* itálica continuariam a existir. E mais: os latinos não seriam compelidos a chamar-se troianos (*En.*, 12, 808-828).

Se cada um dos homens romanos tinha seu *Genius*, Gênio (v.), divindade tutelar que com ele nascia e o protegia para sempre, cada mulher possuía sua *Iuno*, Juno, autêntico "duplo" divino que lhe personificava a feminilidade e a defendia. Até mesmo as deusas passaram a agasalhar sua Juno, como se encontra em inscrições, consoante Pierre Grimal, *DIMG.*, p. 244: *Iuno Deae Diae*, Juno da deusa "Dia", isto é, Ceres; *Iuno Deae Virtutis*, Juno da deusa Virtude.

JÚPITER

Iuppiter, *Júpiter*, é "o deus do dia luminoso, da claridade, da luz". Consoante Ernout-Meillet, *DIELL.*, p. 329, trata-se de uma forma de vocativo com geminação expressiva do segundo elemento do composto. Sendo muito freqüente o emprego do vocativo, mercê das contínuas invocações ao deus, *Iuppiter* suplantou o antigo nominativo *Diespiter*, "Pai do dia", que é atestado, como em Plauto, *Poen.*, 739: *Diespiter uos perduit* – Que Júpiter vos fulmine, e Horácio, *Od.*, 3, 2, 29-30:

.... saepe Diespiter
neglectus incesto addidit integrum.

– ...... Muitas vezes Júpiter
desprezado associou o inocente ao culpado.

A par de *Iuppiter* encontra-se, a partir de Ênio, um nominativo Iouis, formado à base dos casos oblíquos por analogia com *hostis, ciuis*. Na realidade, *Iuppiter* é um composto de *Iou-* > *Iu-*, que provém de **dyew-*, "luz, claridade, brilho" e de **piter* <*pater*, "chefe de família, pai", donde, etimologicamente, Júpiter é "o pai, o senhor da luz". O sânscrito apresentá a forma *dyáuḥ pitá*; o grego, Ζεὺς πατήρ (Dzeùs patér); o umbro, *Iupater*, todos com o mesmo sentido.

Júpiter é a mais importante divindade do panteão romano. A raiz indo-européia **dyew-*, "resplandecer, brilhar", do primeiro elemento do composto, como se viu, é comum ao sânscrito, grego, germânico, céltico e lituano. Conclui-se daí que "o deus do dia luminoso" pertence ao patrimônio mítico comum dos povos indo-europeus e certamente se consolidou entre eles antes da dispersão e subseqüente diversificação dos mesmos. No âmago de cada uma das comunidades de origem indo-européia, no entanto, o grande deus da luminosidade foi objeto de um tratamento particular, a tal ponto que, inclusive o Zeus grego e o Júpiter latino, que apresentam maiores analogias entre si, constituem duas divindades diferentes e, por isto mesmo, devem ser estudadas separadamente, como, aliás, se fez no *DIMEG* (v. Zeus) e agora se fará no *DIMEL*, embora aqui, mercê do sincretismo, se tenham que dimensionar as influências daquele sobre este.

Deus todo-poderoso do céu, da luz diurna, Júpiter o era também do raio e do trovão. Seu templo, em Roma, erguia-se suntuoso e imponente no Capitólio. Vergílio, *En.*, 8, 348sqq., relata pelos lábios de Evandro como este monte outrora coberto de florestas e de carvalhos, árvore consagrada ao deus, provocava um frêmito nos pastores que sentiam ali a presença divina do pai dos deuses e dos homens, *En.*, 8, 349-350:

> *Iam tum religio pauidos terrebat agrestis*
> *dira loci, iam tum siluam saxumque tremebant*
>
> – Já nesse tempo os timoratos pastores experimentavam
> um terror supersticioso; já então a floresta e o rochedo os faziam tremer.

Anteriormente, porém, ao domínio de Roma, o culto principal da Liga Latina era prestado a *Latiaris* ou *Latialis Iuppiter*, Júpiter Lacial ou Latino, de cárater ctônio, cujo templo se localizava fora de Roma, nos Montes Albanos. Júpiter Capitolino, de feição inteiramente solar, é, sob muitas facetas, o herdeiro desse deus mais antigo, divindade suprema da Confederação das cidades latinas.

Foi em seu famoso templo do Capitólio que Júpiter, com o epíteto de *Optumus Maxumus*, Ótimo Máximo, reinou soberano, eclipsando, de certa forma, as outras divindades itálicas e "importadas". O culto ao deus Ótimo Máximo não configura o mais antigo com que fora homenageado: trata-se, historicamente, de uma transferência do pai dos imortais e dos homens, do Quirinal para o Capitólio. Seguiram-no nesta viagem Juno e Minerva, formando a célebre tríade. Diga-se, de passagem, que a tríade primitiva era constituída por Marte, Quirino e Júpiter, sendo este o menos importante dos três. Foi uma reforma devida provavelmente aos etruscos que impôs em caráter definitivo a primeira tríade citada, que representou a religião oficial romana durante toda a época imperial. O mais antigo templo que o deus possuiu foi exatamente no Capitólio, mas era dedicado a *Iuppiter Feretrius*, Júpiter Ferétrio, desconhecendo-se a etimologia do adjetivo. Neste santuário arcaico, atribuído a Rômulo, consagravam-se *spolia opima*, ricos despojos. Em virtude de uma disposição do rei Numa, *Lex opimorum spoliorum*, Lei dos ricos espólios, os despojos de inimigos famosos, vencidos no campo de batalha, eram depositados no templo de Ferétrio. Conta-se que foi Rômulo o primeiro a dedicar-lhe as *spolia opima* de Ácron, rei dos ceninios, no Lácio. Conservou-se igualmente a lembrança de uma segunda consagração: A.

Cornélio Cosso, em 426 a.C., ofereceu ao deus "os ricos despojos" de Tolúmnio, rei de Veios, na Etrúria.

Propércio, *Eleg.*, 4, 10, 45-48, jogando com duas etimologias de Ferétrio, ambas de cunho popular, fala dos despojos opimos:

Nunc spolia in templo tria condita: causa Feretri
omine quod certo dux ferit ense ducem;
seu quia uicta suis umeris haec arma ferebant,
hinc Feretri dicta est ara superba Iouis.

– Hodiernamente os três espólios são conservados no templo:
é sob os auspícios do deus que, com um golpe de espada, um general
fere um outro, daí o nome de *Ferétrio*, ou como os vencedores *levam* estas
armas sobre os ombros, deu-se o nome de Ferétrio a Júpiter deste soberbo
santuário.

Como se observa, o poeta usa duas etimologias alternativas (os verbos *ferire*, ferir, e *ferre*, levar, para explicar *Feretrius*): ambas são populares, segundo o *DIELL.*, p. 226.

Rômulo é igualmente considerado como fundador de um outro santuário de Júpiter, que recebeu o epíteto de *Stator*, vocábulo proveniente do verbo *sistere*, "fazer parar, reter, pôr um termo a, pôr, colocar, fixar, erguer", forma atemática de *stare*, "estar de pé, esta levantado, estar ereto", com reduplicação no presente e que marca um aspecto determinado, indicativo do processo que chegou a seu término, *DIELL.*, p. 651. *Iuppiter Stator*, Júpiter Estator, é pois "o que detém, que faz parar". A alcunha honrosa explica-se por um mito de feição histórica: durante a luta entre romanos e sabinos por causa do rapto das esposas destes últimos, os adversários levavam vantagem sobre os romanos e perseguiam-nos através do Fórum. Rômulo elevou suas armas para o céu e prometeu um templo ao deus no local em que estava, se ele contivesse os inimigos. De imediato, os sabinos recuaram e o fundador de Roma cumpriu a promessa, erguendo-lhe um templo nos sopés do Palatino. Neste templo reunia-se o senado e a confraria dos Irmãos Arvais. Mito análogo é relatado a respeito de M. Atílio Régulo: o general fizera a mesma promessa que Rômulo num sangrento e desvantajoso combate contra os samnitas, em 294 a.C. O templo prometido por M. Atílio Régulo teria sido construído no Circo Flamínio. *Stator*, Estator, era também exorado para deter os fugitivos. Com o título de *Victor*, Vencedor, que correspondia às festas dos *Idus* de abril, era celebrado em três santuários: no Quirinal, Palatino e Capitólio, associando-se a ele, nesta oportunidade, a deusa *Victoria*, Vitória (v.). Sob a denominação de *Lucetius*, de *lux, lucis*, donde "o portador da luz", Júpiter era invocado pela Confraria dos Sálios (v.). Como o Zeus grego, presidia os fenômenos atmosféricos, recebendo os cognomes de *Fulgur*, do verbo *fulgere*, "brilhar", donde Brilhante, como senhor do raio e do relâmpago, e *Tonans*, do verbo *tonare*, "trovejar", donde o Tonante, o que troveja. *Iuppiter Fulgur e Tonans* eram cultuados respectivamente no Campo de Marte e num Santuário mandado construir por Augusto no Capitólio. Quando havia grande estiagem, era-lhe dirigida uma súplica especial, de caráter mágico, denominada *aquilicium*, "aquilício", palavra composta de *aqua*, água, e do verbo *lacere*, "seduzir, atrair por meios mágicos". Com os *Pontifices*, os sacerdotes, à frente de uma grande procissão, as matronas romanas, com os cabelos soltos e descalças, seguidas pelos magistrados, caminhavam pelas ruas de Roma, invocando a *Iuppiter Elicius*, Júpiter Elício. Diga-se, de caminho, que *Elicius* provém do verbo *elicere*, composto de *lacere*, "fazer sair por astúcia ou magia", donde *Iuppiter Elicius* é o deus que, invocado por meios mágicos, faz chover. O cortejo dirigia-se para o Monte Aventino, onde Elício possuía um altar bem próximo do local onde se encontrava o *lapis manalis*, "a pedra de que brota água", consagrada ao culto de Marte e a que se atribuía o poder mágico de atrair chuva.

Deus da luz, estavam consagrados a Júpiter os *Idus* de cada mês (v. Festas) ou dias de lua cheia, quando céu se ilumina completamente. Nestas datas, seu sacerdote, *Flamen Dialis*, "o sacerdote de Júpiter", oferecia-lhe uma ovelha branca. De outro lado, o poder que se lhe atribuía sobre os fenômenos atmosféricos fê-lo protetor da agricultura. Os camponeses antes de começarem a sementeira, ofertavam-lhe um "banquete ritual", *daps* – termo da língua religiosa, presente no armênio *tawn*, "festa", islandês antigo *tafn*, "animal para o sacrifício", grego δεῖπνον (deîpnon), "refeição" – daí *Iuppiter Dapalis*, "Júpiter a quem se oferece um sacrifício sob a forma de banquete ritual". O deus presidia igualmente as três grandes festas da vindima: *Vinalia Rustica*, Vinálias Rústicas, no dia 19 de agosto, em que o *Flamen Dialis* colhia o cacho de uvas; *Meditrinalia*, Meditrinálias, cujo patrocínio dividia com a deusa Meditrina (v. Festas), no dia 11 de outubro, em que se provava o vinho novo; *Vinalia Priora*, Vinálias Anteriores, no dia 23 de abril, em que se começava a consumir o vinho novo, já dessacralizado, da "safra anterior".

Outro aspecto do deus maior do panteão romano era o de protetor do vínculo matrimonial, fazendo-se representar na cerimônia da *confarreatio* (v. Casamento), forma mais antiga e solene de contrair núpcias, pelo *Pontifex Maxumus*, Sumo Sacerdote, ou por seu *Flamen Dialis*, Sacerdote de Júpiter.

Com a consolidação política da *Urbs*, Júpiter passou a presidir a religião romana, aparecendo como o deus supremo do conselho dos *Dii consentes*, os doze deuses conselheiros, que formavam a corte divina (Varrão, *L.1.*, 8, 70). É bem possível que tal ascensão se deva à assimilação com o Zeus grego, influenciada, em suas origens, pelas idéias religiosas etruscas. A supremacia do deus latino se traduz pela deferência e honrarias outorgadas a seu sacerdote, o *Flamen Dialis*, cuja esposa é a *Flaminica*, a sacerdotisa de Juno. O casamento do flâmine e de sua mulher simbolizava o consórcio da dupla divina Júpiter-Juno: união, que não admitia divórcio e nem outro casamento em caso de viuvez, era celebrada com toda a pompa.

Deus do Capitólio, é sob sua proteção que, no dia 13 de setembro, data da consagração deste monumental santuário, tomavam posse primitivamente os dois novos cônsules eleitos. Acompanhados pelos senadores, vários magistrados e sacerdotes, dirigiam-se em procissão ao altar do deus. Após oferecer-lhe uma ovelha branca, agradeciam-lhe o ter conservado indene o Estado durante a gestão anterior e faziam o juramento tradicional de seus predecessores. Encerrava a cerimônia o *epulum Iouis*, um banquete em honra de Júpiter. Também a ele os generais que fizeram jus ao *triumphus*, triunfo, ofereciam "a coroa triunfal", consagrando-lhe, ao mesmo tempo, as vítimas rituais, isto é, touros brancos.

Garante da justiça, do direito, da lealdade jurada, protetor do Estado e de suas vitórias, da fidelidade aos tratados, Júpiter preside as relações internacionais por meio do *Collegium Fetialium*, Colégio dos Feciais, criado por Tulo Hostílio, segundo Tito Lívio, *Ab Urb. cond.*, 1, 32, 5 e 9, 11, 11. Compunha-se de trinta membros e encarregavam-se das cerimônias religiosas que precediam a declaração de guerra e a conclusão dos tratados de paz, segundo Varrão, *L.1.*, 5, 86. Diga-se de passagem, que a raiz de *Fetialis*, Fecial, é **dhe*, "regra, norma, lei, lei religiosa", presente no sânscrito *dhama*, "lei, instituição" grego ϑέμις (thémis), "estatuto, instituição, lei religiosa", *DIELL.*, p. 231. Os juramentos privados e os tratados públicos tinham um caráter tão sério para os romanos, que, não raro, eram gravados em tábuas de bronze e depositados no templo do deus, no Capitólio.

Na época imperial, os governantes colocaram-se sob a proteção de Júpiter e alguns pretenderam identificar-se com ele e até ser a encarnação do mesmo. Augusto, que se vangloriava de ter sonhos enviados diretamente pelo deus, relatava como, certa feita, no curso da guerra contra os cântabros, na Hispânia Terraconense, foi miraculosamente salvo da queda de um raio. O escravo que caminhava à frente da liteira, empunhando um archote aceso, pereceu fulminado, mas nada aconteceu ao Imperador no interior da mesma, segundo narra Suetônio, *Aug.*, 29. Agradecido, Augusto mandou erguer o templo de *Iuppiter Tonans*, Júpiter Tonante. Calígula foi mais longe: anexou ao próprio nome os dois maiores epítetos do pai dos deuses e dos homens, *Optumus Maxumus*, Ótimo Máximo, e, através de uma passagem direta, ligou o palácio imperial no Palatino ao santuário do deus, no Capitólio.

Nas cidades mais importantes das províncias, os arquitetos romanos construíam um Capitólio semelhante ao de Roma e nele instalavam a tríade Juno, Júpiter, Minerva. O deus, presente em cada pedaço do império, simbolizava o infrangível liame político-religioso entre Roma e "suas filiais", imagens reduzidas da *Caput Mundi*, da Capital do Mundo.

Júpiter foi o fio condutor, a bússula que, com anuência do *Fatum*, do Fado (v.), conduziu Enéias de Tróia incendiada para a Itália, a fim de que o filho de Vênus desse origem ao *genus Latinum*, a raça latina. Daí a importância do senhor do Capitólio na *Eneida* de Vergílio. O próprio deus, aliás, se ufana de ter concedido ao povo romano um império sem limites e sem fim, *En.*, 1, 278-279:

His ego nec metas rerum nec tempora pono:
imperium sine fine dedi.

– a esse povo (os romanos) não demarco limites de poder nem de duração:
concedi-lhe um império sem fim.

JUSTIÇA

Iustitia, *Justiça*, é um derivado de *ius, iuris*, antigo *ious*, atestado no *CIL* I^2 583, 19, cujo sentido original é de "fórmula religiosa que tem força de lei" em seguida, "direito, justiça". Termo antigo, de caráter jurídico e religioso, tem por correspondente o indo-iraniano *yóç*, como na fórmula *cám̩ ca yóç ca*, "ele purifica, torna ritualmente puro". A raiz deve ser *ye/ous, donde *iustitia*, justiça, traduz "o que é correto segundo as normas divinas", e laicizado, "o que é correto consoante as leis humanas".

Personificação, em Roma, da justiça, a deusa deixou de equivaler a *Thémis* grega, Têmis, a Justiça de cunho divino, para adquirir um caráter profano, traduzido no grego *Díke*, Dique, a Justiça alicerçada nas leis dos homens, igualando-se, de certa forma, a Astréia (v. *DIMEG*., p. 132), que difundiu entre os homens os sentimentos de paz, eqüidade e brandura.

Os mortais, no entanto, se degeneraram de tal forma, que Justiça, como acontecera a Astréia, retirou-se da terra, escalou o Olimpo e foi transformada na Constelação da Virgem. A humanidade, por isso mesmo, suspira pelo retorno de Saturno, para que, ressurgindo a Idade de Ouro, a Justiça se digne regressar a este mundo e restabelecer a retidão e a probidade.

Ainda bem que Vergílio, nas *Geórgicas*, 2, 473-474, informa que, antes de abandonar a terra, a deusa deixou entre os lavradores as derradeiras marcas de seus passos:

.... extrema per illos
Iustitia excedens terris uestigia fecit.

.... – A Justiça, ao abandonar a terra,
passou seus derradeiros momentos entre eles (os agricultores).

Certamente, em seu regresso triunfal, os humildes trabalhadores serão os primeiros a receber-lhe a visita e dar-lhe as boas-vindas.

JUTURNA

Iuturna, Juturna, como indica a final **-urna*, presente sob a forma masculina em *Volturnus, Volturno* (v.), é certamente um teônimo de origem etrusca. As aproximações etimológicas que se fazem com *diuturna*, diuturna, e com o verbo *iuuare*, ajudar, auxiliar, são de cunho popular.

Juturna, cujo nome, na época arcaica, aparecia sob a forma *Diuturna*, é uma ninfa crenéia, isto é, das fontes. Era cultuada, originalmente, no Lácio, às margens do rio Numício, bem próximo da cidade de Lavínio, fundada por Enéias. Com o enfraquecimento da liga latina e projeção de Roma, seu culto penetrou na *Urbs*. Denominava-se *Bacia de Juturna* uma fonte localizada no Fórum, próxima dos templos de Vesta e de Castor e Pólux, estes dois últimos seus irmãos, segundo algumas tradições. Como todas as divindades das nascentes e das fontes, a ninfa etrusca possuía poderes de curar determinadas doenças. Seu templo foi construído, mais tarde, numa região pantanosa do Campo de Marte.

Os poetas da época imperial tentaram dar-lhe uma indumentária latina, fazendo-a filha do rei mítico Dauno e irmã do bravo Turno, o rival de Enéias. Vergílio, em vários episódios do derradeiro canto da *Eneida*, 12, 134sqq., 222sqq., 446sqq. e 843sqq., apresenta Juturna como instrumento eficaz de Juno, que buscava, a qualquer preço, ajudar Turno a derrotar Enéias. A rainha dos deuses chegou mesmo a perdoar e a desculpar a ninfa, que outrora fora amante de Júpiter, fato inédito que o ciúme divino jamais o permitira! Sempre sob forma hierofânica, por ser uma deusa, a irmã do herói itálico, cheia de brios e altivez, lançou-se à luta com a força e a persuasão de seu verbo imortal, *En.*, 12, 229-232:

Non pudet, o Rutuli, por cunctis talibus unam
obiectare animam? numerone an uiribus aequi
non sumus? En omnes et Troes et Arcades hi sunt
falalisque manus, infensa Etruria Turno.
Vix hostem, alterni si congrediamur, habemus.

– Não vos envergonhais, ó rútulos, de por todos
arriscar uma só vida? Por acaso não somos iguais em forças
e número? Aí estão todos os troianos e arcádios,
e este exército fatal da Etrúria, inimigo de Turno.
Se tivéssemos de lutar dois a dois, dificilmente teríamos adversário.

As palavras da deusa inflamaram o ânimo e o coração dos rútulos, que passaram a empunhar-se em batalhas sangrentas. O destino, porém, decidira o contrário da vontade de Juno: Turno em breve desceria às trevas dos Infernos. Admoestada por ordem de Júpiter, a Ninfa afastou-se da cruenta seara do deus Ares. Desejou, como Calipso, ser mortal, não pelo amor de seu amor, mas pela ternura para com o desditoso irmão com quem desejaria seguir para o abismo dos Manes.

Amada outrora por Júpiter, que lhe roubou a virgindade, recebeu como recompensa a imortalidade e o privilégio de reinar sobre as nascentes, fontes e ribeiros do Lácio.

Ovídio, *Fast.*, 1, 463sqq., 2, 583sqq., bem mais prolixo que o Cisne de Mântua, retoma o relato da paixão de Júpiter por Juturna, cruzando-a com o mito de Lara (v.) e dos Lares (v.). No segundo passo supracitado dos *Fastos* relata como o deus, que jamais desistiu de uma conquista, reuniu todas as Ninfas, "irmãs" de sua bem-amada e pediu-lhes auxílio para poder apossar-se da mesma. É que, para fugir-lhe, a irmã de Turno, como é próprio das divindades das águas, se metamorfoseava de todas as maneiras possíveis e imaginárias.

Juturna, numa variante sem grande importância, se teria unido a Jano (v.) e fora mãe do deus *Fons*, Fonte (v.) ou Fontus, *Fonto*, divindade das fontes.

JUVENTUDE

Iuuentus, *Juventude*, é um derivado de *iuuenis*, jovem. O tema de ambos os vocábulos é **iuuen-*, ser moço, jovem. *Iuuentus* lembra o védico *yuvatiḥ*, moça, jovem, *DIELL.*, p. 331.

Era a deusa da juventude e prioritariamente dos adolescentes, *adulescentes* (17 aos 30 anos), quando se revestiam da toga viril, deixando de ser meninos, *pueri* (7 ao 17 anos), tornando-se homens, com todas as responsabilidades que a idade lhes impunha.

Juventude possuía um nicho no santuário de Minerva, no templo da tríade capitolina, Júpiter, Juno, Minerva, mas o nicho é anterior à introdução da tríade no Capitólio, o que patenteia a antigüidade do culto de *Iuuentus* em Roma.

Embora se tenha assimilado a Hebe, deusa da juventude na Hélade, Juventude jamais abdicou de suas características especificamente romanas. Sob o Império, o culto da deusa serviu de pretexto para se formarem "Associações de Jovens", *Collegia Iuuenum*, autênticas corporações pré-militares, verdadeiros sustentáculos da política imperial. A moderna *Jugend* tem raízes longíquas...

L

LAR-LARES

Lar, Laris e também no plural ***Lares, -um, -ium,*** *Lar,* plural *Lares*, é certamente vocábulo de origem etrusca. Trata-se, em princípio, "de espíritos tutelares, considerados como alma dos mortos, cuja missão era proteger a casa (*Lar familiaris* ou *Lares familiares*), a cidade, as ruas, as encruzilhadas e, por metonímia, a própria lareira", *DIELL.*, p. 341.

Dada a importância do culto dos mortos e das divindades ctônias na religião etrusca, é muito provável que, em suas origens, os Lares tenham sido espíritos ou divindades infernais que perseguiam os vivos, enquanto personificações mítico-rituais dos antepassados, transformando-se, depois, por eufemismo, em divindades tutelares. Como deuses protetores do recinto doméstico, suas imagens figuravam junto à lareira, numa *aedes*, nicho, ou num *lararium*, uma espécie de oratório ou capela particular. Seu caráter ctônio sugere uma aproximação com *larua*, espírito dos mortos que perseguia os vivos, daí fantasma, espectro.

Os Lares não possuem um mito propriamente dito, a não ser o relatado por Ovídio a respeito de Lara (v.), que, violentada por Mercúrio, deu à luz os dois Lares, que teriam funções idênticas às do pai: deus das encruzilhadas e deus igualmente da prosperidade.

Conta uma tradição latina que uma escrava do rei Tarquínio, Tanaquil, quando oferecia um sacrifício ao *Lar familiaris*, viu surgir repentinamente do fogo um falo que a fecundou, fazendo-a mãe do futuro rei *Seruius Tullius*, Sérvio (v.) Túlio.

Com o epíteto de *Lares Compitales*, Lares das "encruzilhadas", em latim *compitalia*, possuíam um nicho em cada uma delas, bem como nos cruzamentos das principais ruas das cidades. As *Compitalia,* festas em honra dos Lares das encruzilhadas, parece terem sido, em tempos recuados, um culto praticado pelos camponeses, urbanizando-se depois, graças ao fervor religioso de Sérvio Túlio. De qualquer forma, durante estas comemorações os escravos ficavam isentos de qualquer trabalho e recebiam uma porção especial de vinho. Os *Lares Praestites*, Lares Protetores, guardavam os caminhos e defendiam as muralhas. Ora, caminhos, casas e muralhas são elementos que assinalam a apropriação e alteração da terra virgem por parte do homem, fato que, na mentalidade primitiva, é um *sacrilegium*, uma como que apropriação indébita do sagrado, uma profanação. Há, por isso mesmo, que ressacralizar esses lugares, colocando-os sob a proteção divina, que lhes garantirá a sobrevivência de uma nova ordem estabelecida, fazendo que frutifiquem os campos, multipliquem-se as famílias e os animais e que as muralhas não sejam arrasadas pelos inimigos.

Uma importante moeda da época republicana estampa os *Lares Praestites* como dois jovens sentados, empunhando um lança na mão esquerda e tendo um cão entre ambos. Os *Lares Rustici*, Lares Rústicos, tinham, as mais das vezes, por emblema um falo, representado por um tronco apenas lavrado. Durante o Império impôs-se o tipo do *Lar Familiaris*, um adolescente coroado de flores, com a pátera e a cornucópia e não raro com algum animal doméstico. Por vezes aparece a seu lado Vesta, a deusa da lareira pública.

LARA

Lara, *Lara*, cuja origem parece ser etrusca (v. Lar-Lares), provém de *Lar*. *Lara, mater Larum*, "Lara, mãe dos Lares", é idêntica a *Larunda*, Larunda, e a *Mania*, Mânia, "espectro, fantasma com que se ameaçavam e assustavam as crianças". Apesar de Varrão, *L.1.*, 5, 74, derivar *Lara-Larunda* do "sabino", as formas *Laran, Laruns* apontam claramente para o etrusco, *DIELL.*, p. 341sq.

Consoante Ovídio, *Fast.*, 2, 599-602, Lara, na realidade, chamava-se, a princípio, *Lala*, que proviria do verbo grego λαλεῖν (laleîn), "tagarelar", donde Lala-Lara seria a tagarela, a indiscreta, segundo os versos supracitados de Ovídio, aqui transcritos:

Forte fuit Nais, Lara nomine: prima sed illi
Dicta bis antiquum syllaba nomen erat,
Ex uitio positum: saepe illi dixerat Almo:
"Nata, tene linguam"! Nec tamen illa tenet.

– Houve, por acaso, uma náiade de nome Lara: embora
seu nome antigo tivesse a primeira sílaba geminada
por uma falta cometida; muitas vezes lhe disse Almo (seu pai):
"filha, contém a língua"! Ela contudo não o fez.

O mito de Lara é relatado amplamente pelo mesmo poeta: *Fast.*, 2, 571-616. Júpiter mais uma vez se deixara incendiar pela paixão. Dessa feita, pela lindíssima ninfa Juturna (v.). Esta, porém, para fugir-lhe, se metamorfoseava de todas as maneira possíveis e imaginárias, como é próprio das divindades das águas ou simplesmente se escondia nas profundezas do rio Tibre. O pai dos deuses e dos homens, no entanto, porque jamais desistia de uma conquista e sobretudo porque transpirava desejos por todos os poros, convocou todas as ninfas e suplicou-lhes que o ajudassem em tão difícil empreitada. Após mostrar quantos benefícios resultariam para a recalcitrante em unir-se a um deus supremo, pediu-lhes que a cercassem, impedindo-lhe a fuga, quando ele a perseguisse. Todas concordaram e se prepararam para entregar-lhe a irmã. Lara, entretanto, com sua proverbial indiscrição, não apenas preveniu Juturna do estratagema que estava sendo armado, mas ainda relatou o fato à ciumentíssima Juno. Exasperado, Júpiter arrancou-lhe a língua e entregou-a a Mercúrio para que a levasse para as profundezas dos Infernos, onde seria ninfa das águas silenciosas, no relato de Ovídio, *Fast.*, 2, 609-610:

Duc, ait, ad Manes: locus ille silentibus aptus:
Nympha, sed infernae Nympha paludis erit.

– Leva-a, disse, para a mansão dos Manes: este é o local apropriado
para as silenciosas. Será ninfa, mas ninfa do paul infernal.

Na longa descida para o reino de Dite (v.), o deus psicopompo, impressionado com a beleza singular de Lara, tentou seduzi-la. A ninfa, não podendo falar, defendeu-se com gestos. Tudo inútil: violentada, foi mãe dos dois Lares, que, conforme Ovídio, guardam as encruzilhadas de Roma, onde Lara era cultuada com os epítetos de *Tacita* ou *Muta* (v.), Tácita ou Muta, divindade não apenas do silêncio, mas também de perigosos encantamentos.

LARVA - LARVAS

Larua, plural, ***Laruae***, *Larva, Larvas*, é como Lar e Lara (v.) certamente de origem etrusca.

Em princípio, espírito dos mortos, muito semelhante aos Lêmures (v.), que perseguia os vivos; espectro, fantasma, como atesta Plauto, *Capt.*, 528:

Iam deliramenta loquitur; laruae stimulant uirum.

– Já profere disparates: as Larvas se apossaram do homem.

Evoluíram, em seguida, para configurar as almas dos criminosos ou das pessoas que tiveram um fim trágico. Os romanos, como se observa no verso citado de Plauto, atribuíam-lhes a responsabilidade por certos transtornos psíquicos e "mentais" como a epilepsia. Para debelar semelhantes perturbações, empregavam certos exorcismos, recorrendo aos chamados *laruati*, "embruxados".

As Larvas eram imaginadas como esqueletos e fantasmas de expressão sinistra e não raro se lhes outorgava a função de torturadoras dos condenados nos Infernos.

Pelos fins da época republicana, todavia, parece ter-se operado uma acentuada mudança na concepção destes monstros. Os esqueletos que aparecem nos lampadários sepulcrais e nas lápides representam mortos de várias classes sociais, inclusive filósofos e personagens célebres. Sua atitude é dinâmica: ora dançam freneticamente, ora estão lutando, tocando um instrumento musical ou ainda prontos para falar ou discursar. A seu lado aparece, de quando em quando, uma borboleta, símbolo da alma, além de jarras de vinho, cornucópias, coroas e travessas com muita comida. Esquecendo ou fingindo esquecer sua função primitiva, as Larvas limitaram-se, em seguida, a ilustrar um tema característico da literatura da época, o *carpe diem* horaciano, exortando a todos, que ainda contemplavam a luz, a se embriagarem de prazer e aproveitar a juventude. Parece que até as Larvas se epicurizaram na austera Capital dos Césares...

Séculos mais tarde, na Idade Média, as Larvas recuperaram a memória e tornaram-se um antídoto, um memento contra a vaidade e a glória efêmera deste mundo, simbolizando esqueleticamente a própria morte.

LATINO

Latinus, *Latino*, é um derivado de *Latium*, Lácio, cuja etimologia se desconhece até o momento. O étimo apontado por Carnoy, *DEMG*., p. 109, na esteira de W.-Hofmann, I, 770, em que se propõe para *Latium* um hipotético **stlet-iom*, "região plana", com base no indo-europeu **stela*, "desenrolar, desdobrar" não é convincente.

Na conservadora tradição romana, Latino, rei dos Aborígenes (v.), a população mais antiga da Itália, era o herói epônimo dos latinos. Já conhecido de Hesíodo, *Teog*., 1011-1013, embora a passagem seja suspeita, seu mito foi, no entanto, desde muito cedo, helenizado e conectado ao ciclo troiano, quando da elaboração do mitologema romano de Enéias (v.). Os escritores latinos, todavia, e particularmente Vergílio, na *Eneida*, porfiaram em manter-lhe o caráter indígena, mas as duas tradições acabaram por fixar-se. Na grega, o herói é filho de Ulisses e Circe ou ainda de Telêmaco com a mágica da ilha de Eéia. Na latina, que jamais se impôs de todo, seus pais são o rei indígena Fauno e a deusa dos minturnos, no Lácio, Marica (*En*., 7, 47). Uma variante mais tardia se superpôs às duas anteriores. Em seu retorno da ilha de Eritia, aonde foi buscar os Bois de Gerião (v. *Dicionário Mítico-Etimológico da Mitologia Grega*, Vol. I, s.u. Héracles), Hércules passou pela Itália com uma jovem hiperbórea lindíssima, Palanto, que trouxera como refém. Grato pela hospitalidade recebida de Fauno, então rei dos Aborígenes, deu-lhe Palanto em casamento, tornando-se esta epônimo do Palatino ou de Palanteu, cidade fundada por Evandro (v.). Já grávida de Hércules, "a esposa de Fauno" foi mãe de Latino. Variantes outras atestam que este é filho do herói máximo com Marica ou Fauna, esposa de Fauno, ou ainda com uma das filhas deste último.

Se o nascimento do epônimo dos latinos é tão complicado, mas complexas ainda são suas aventuras e atitudes em relação a Enéias. Duas tradições se contrapõem: em uma delas o rei acolheu hospitaleiramente o herói troiano, quando este com seus Penates desembarcou no Lácio; na outra, o combate acirradamente. Conta-se que tão logo o filho de Vênus chegou à Itália, Latino concedeu-lhe espontaneamente uma pequena parte do reino, para que ele pudesse erguer uma cidade e o santuário dos Penates, além de dar-lhe em casamento a filha única, Lavínia. Não satisfeitos, porém, os troianos invadiram-lhe outras partes do território e Latino, unindo-se ao rei dos rútulos, Turno, moveu-lhes guerra cruenta. No decurso da batalha decisiva Turno e Latino pereceram. Enéias apossou-se da capital dos Aborígenes, *Laurolauinium*, Laurolavínio, e tornou-se rei dos troianos e itálicos, que ele habilmente conciliou, dando-lhes o nome único de latinos.

Numa segunda versão, dois anos após a destruição de Tróia, o filho de Vênus pisou o solo itálico e começou, de imediato, a construir uma cidade. Latino, já em guerra contra os rútulos, resolveu impedir que os troianos lhe invadissem o reino e, com um grande exército, apresentou-se para afastá-los do Lácio. Vendo, todavia, os adversários armados à maneira grega e dispostos em linha, prontos para a luta, adiou a batalha para o dia seguinte. À noite, porém, ocorreu um prodígio: uma divindade indígena advertiu-o em sonhos que seria útil uma aliança com os invasores. Enéias, por seu turno, é aconselhado por seus Penates a concertar um tratado de paz com o rei. Concluída pela manhã a aliança, os Aborígenes concordaram em ceder ao filho de Vênus uma porção de seu território e este comprometeu-se a lutar ao lado de seus novos aliados contra os rútulos. O herói troiano casa-se com Lavínia e deu à nova cidade o nome de *Lauinium*, Lavínio, em homenagem à esposa. Estas núpcias provocaram a guerra contra Turno, que, nesta variante, não era rei dos rútulos, mas um etrusco, sobrinho da rainha Amata, esposa de Latino e, mais que tudo, pretendente à mão de Lavínia. Na grande batalha que se seguiu, morreram Latino e Turno. Enéias, como marido de Lavínia, assumiu o governo: Aborígenes e troianos, como no relato anterior, passaram a chamar-se latinos.

Vergílio, na *Eneida*, a partir do canto sétimo, tenta harmonizar as duas versões. Enéias é bem acolhido pelo rei, a quem os adivinhos haviam aconselhado casar Lavínia com um estrangeiro. Quando os enviados do herói troiano chegaram à capital do reino, Latino compreendeu que o oráculo deveria cumprir-se e espontaneamente lhe ofereceu a mão da filha única. Antes, porém, que a aliança entre as duas partes fosse solenemente ajustada, um grave acidente suspendeu todas as negociações. É que Ascânio, filho único de Enéias com Creúsa, durante uma caçada matou uma corça domesticada, provocando escaramuças entre os pastores Aborígenes e a escolta de Ascânio. Amata, que desejava dar Lavínia em casamento a Turno, aproveitou o incidente, sem dúvida inspirada por Juno (v.), mas de qualquer forma respaldada por Turno, para pressionar o marido a declarar guerra a Enéias. Latino, bom orador, mas hesitante e inseguro, "incapaz de dominar as múltiplas dificuldades da situação ou de se decidir com energia entre os dois irreconciliáveis candidatos a genro", como escreve com propriedade M. Helena da Rocha Pereira, *op. cit.*, p. 260, simplesmente se refugiou no interior do palácio. Impaciente com as dilações, Juno, a eterna inimiga de Enéias e de seus troianos, abriu as portas do templo de Jano (v.). Era a guerra. Turno escalou a fortaleza e içou a bandeira vermelha, convocando todos os latinos para a cruenta seara do deus Marte. Durante as hostilidades, o rei tomou uma atitude de neutralidade, limitando-se a solicitar aos troianos tréguas para sepultar os mortos e esforçando-se por demover o rei dos rútulos do almejado combate singular com o filho de Vênus. Vencido e morto o bravo Turno (v.), Latino – o que está além da *Eneida* – conclui a paz com os troianos.

Uma variante, quiçá tardia, relata que o rei dos Aborígenes desapareceu durante um combate contra Mezêncio, o cruel tirano etrusco, rei de Cere. Tornara-se *Iuppiter Latialis*, o deus Júpiter Latino, celebrado pela Confederação Latina sobre a montanha a cavaleiro do lago de Nemi.

LATINO SÍLVIO

Latinus Siluius, *Latino Sílvio*. *Latinus*, Latino (v. Latino), provém de *Latium*, Lácio, cuja etimologia é desconhecida. Quanto a *Siluius*, Sílvio, é um derivado de *silua*, floresta, mata, donde Sílvio é o "silvestre, campesino". Vocábulo da língua rural, sem etimologia definida até o momento, *DIELL.*, p. 626, *LEW.*, s.u. *silua*.

Na extensa sucessão dos reis de Alba Longa, fundada por Ascânio (v.), Latino Sílvio foi, em algumas versões, o quarto monarca após o filho de Enéias com Creúsa. Era filho de Enéias Sílvio, neto de Póstumo Sílvio e bisneto de Ascânio. Ovídio, nas *Metamorfoses*, 14, 609-612, procura ordenar a confusa genealogia dos reis de Alba Longa:

Inde sub Ascanii dicione binominis Alba
Resque latina fuit. Succedit Siluius illi,
Quo satus antiquo tenuit repetita Latinus
Nomina cum sceptro.

– Em seguida, Alba e o Lácio ficaram sob o comando de Ascânio
de duplo nome (Iulo). Sucedeu-lhe Sílvio, cujo filho Latino recebeu
com o antigo cetro um nome que outro já possuía.

A genealogia inteira apresentada pelo poeta é a seguinte (*Met.*, 609-622): Enéias, Ascânio, Sílvio, Latino Sílvio, Alba, Egito, Cápis, Cápeto, Tiberino, Rêmulo, Agripa, Aventino, Procas e depois viria Numitor. Diga-se, de passagem, que a genealogia mítica apontada pelo poeta de Sulmona não está inteiramente de acordo com duas outras propostas por Dionísio de Halicarnasso e Eusébio.

Latino Sílvio teria reinado cinqüenta anos e fundou algumas cidades que figuravam na Confederação Latina.

LAUSO

Lausus, *Lauso*, não possui etimologia conhecida, até o momento. Entre os jovens heróicos que lutaram ao lado de Enéias pela conquista da Itália, ou de Turno, em defesa da mesma, destacaram-se, entre outros, Palante, Niso, Euríalo e Lauso. Filho de Mezêncio (v.), rei etrusco de Cere, e que é chamado por Vergílio, *En.*, 7, 648, *contemptor diuum*, o desprezador dos deuses, Lauso foi um bravo. O Cisne de

Mântua, *En.*, 7, 651-654, retrata-o como um jovem digno de usufruir dos pátrios domínios e de não ter por pai a Mezêncio, violento, cruel e tirano:

Lausus, equom domitor debellatorque ferarum,
ducit Agyllina nequiquam ex urbe secutos
mille uiros, dignus patriis qui laetior esset
imperiis et cui pater haud Mezentius esset.

– Lauso, domador de cavalos, caçador de feras selvagens,
trouxe, mas em vão, mil guerreiros, que o seguiram
da cidade de Agila. Ele merecia ser mais feliz
sob as ordens paternas e não ter por pai a Mezêncio.

Após salvar o pai de morte certa às mãos de Enéias, num dos mais belos episódios da *Eneida*, 10, 789-801, interpondo-se entre os dois adversários, permitindo a fuga de Mezêncio, o jovem destemido tomba, ferido mortalmente pelo filho de Vênus. Vergílio lhe soube colher o último suspiro, *En.*, 10, 819-820:

impleuitque sinum sanguis; tum uita per auras
concessit maesta ad Manis corpusque reliquit.

– o sangue enxarca-lhe o peito; então sua alma, deixando
o corpo, encaminha-se triste, pelos ares, para a morada dos Manes.

Turno, ao matar Palante (v.), pisou-lhe brutalmente o cadáver com o pé esquerdo, para arrancar o boldrié, Enéias, cavalheiramente num gesto de respeito pelo amor filial e denodo de tão jovem adversário, ergueu-lhe o corpo e deixou com ele todas as armas.

Um outro Lauso, digno igualmente de renome, por ter sido eliminado por Amúlio (v.), tirano usurpador, era filho de Numitor.

LAVERNA

Lauerna, *Laverna*, é certamente de origem etrusca. Consoante Alfred Ernout, *Philologica*. Paris, Klincksieck, 1946, p. 29, nota 3, há uma série de inscrições funerárias etruscas em que figura o nome próprio *lauelnás*, que corrobora a procedência etrusca da divindade.

Festo, 104, 28, s.u. *Lauerni*, fornece uma caracterização precisa da divindade em pauta: *lauerniones fures antiqui dicebant, quod sub tutela deae Lauernae essent, in cuius luco obscuro abditoque solitos furta praedamque inter se luere. Hinc et Lauernalis porta uocata est* – os antigos chamavam ladrões "os laverniões", porque estavam sob a tutela da deusa Laverna, em cujo bosque escuro e escondido costumavam dividir entre si seus roubos e furtos. Daí surgiu também a denominação de Porta de Laverna.

Antiga divindade latina do mundo ctônio, seu habitat primitivo era um bosque escuro e misterioso; penetrou, mais tarde, no Panteão Romano como deusa das florestas, dos bosques e dos ladrões. Dedicou-se-lhe um altar e depois um bosque sagrado junto ao monte Aventino, próximos da Porta de Laverna. Seus devotos (e certamente eram muitos) cultuavam-na e pediam-lhe auxílio em completo silêncio, para que ninguém lhes descobrisse os projetos.

Em Plauto, *Aul.*, 445-446, já é invocada pelo cozinheiro Congrião, cujas panelas estavam em poder do avarento Euclião:

Ita me bene amet Lauerna, uti te iam, nisi reddi
Mihi uasa iubes, pipulo te hic differam ante aedis.

– Por Laverna, minha protetora, se não ordenares já que me
sejam devolvidas as panelas, armarei um sarilho aqui diante de tua porta.

LAVÍNIA

Lauinia, *Lavínia*, não possui etimologia confirmada. As duas hipóteses de Carnoy, *DEMG*., p. 109, não convencem. Com efeito, o filólogo belga deriva *Lauinia*, Lavínia, epônimo da cidade de *Lauinium*, Lavínio, embora com certa cautela, da raiz **leu-*, "lamacento, lodoso", por isso que Lavínio teria sido construída num terreno pantanoso. Mencionado a N. B. Krahe, *Sprache der Illyrier*, I, 103, afirma que o autor citado prefere derivar Lavínia, Lavínio, do indo-europeu **leu-, *lau-*, "pedra", e Lavínio, de *pantanosa* passaria a *pedregosa*...

Filha única do rei Latino (v.) e Amata, estes acordaram em dá-la em casamento a Turno (v.), rei dos rútulos. Com a chegada de Enéias à Itália, Latino, a conselho dos adivinhos, prometeu-a a Enéias. Mas só após o suicídio de Amata e a derrota e morte de Turno às mãos de Enéias, é que realmente se ratificaram as futuras núpcias do herói troiano com Lavínia (Verg. *En*., 12, 937), quando, já agonizante, o grande paladino dos rútulos diz a Enéias (v.): *tua est Lauinia coniux* – Lavínia é tua esposa. Foi em honra desta esposa que o filho de Vênus deu à cidade por ele fundada o nome de Lavínio. Segundo uma variante tardia, desse enlace teria nascido Ascânio, mas, na *Eneida*, este é filho de Enéias com Creúsa e, portanto, apenas enteado da filha de Latino. O poema épico de Vergílio não menciona descendente algum do herói troiano com Lavínia, e nem poderia fazê-lo *illo tempore*... A *Eneida* termina com a afirmação de Turno de que Lavínia agora é de Enéias. Os mitógrafos, porém, afirmam que depois da apoteose do filho de Vênus, sua jovem esposa, que estava grávida, deu à luz um filho póstumo do herói, a que se deu o nome de Sílvio ou Sílvio Enéias, cujo nascimento, dadas as circunstâncias, provocou uma insurreição dos latinos contra Ascânio (v.). É que, nos últimos dias de gravidez, Lavínia, temendo que o enteado, já então rei de Lavínio, lhe matasse o nascituro, fugiu para a floresta e refugiou-se na cabana de um pastor, chamado Tirseno ou Tirreno, onde nasceu o príncipe. O pegureiro excitou os latinos contra o rei de Lavínio, mas este, sempre com o respaldo de Vênus, sua avó, sufocou a revolta. Para evitar novos conflitos e boatos, aliás infundados, entregou Lavínio a Sílvio e ergueu Alba Longa, onde reinou até a morte, tendo então o irmão consangüíneo assumido igualmente o cetro de Alba. Vergílio, *En.*, 6, 763-766, pelos lábios proféticos de Anquises, sintetiza o nascimento e o destino do filho de Lavínia:

Siluius, Albanum nomen, tua postuma proles,
quem tibi longaeuo serum Lauinia coniux
educet siluis regem regumque parentem,
unde genus Longa nostrum dominabitur Alba.

– Sílvio, de nome albano, teu último filho; a este tardio
rebento de tua velhice, tua esposa Lavínia criará nas florestas;
será rei e pai de reis. Através dele nossa família dominará sobre Alba Longa.

Uma variante tardia faz de Lavínia mãe de uma tal Emília, que, unida ao deus Marte, gerou o grande Rômulo (v.).

LÊMURES

Lemures, *Lêmures*, vocábulo certamente não indo-europeu, é aproximado com certas reservas de λάμιαι (lámiai), fantasmas, monstros femininos que furtavam crianças para beber-lhes o sangue, e de λαμυρός (lamyrós), ávido, guloso, voraz. Na definição de Porfírion, Ad Hor. Ep., 2, 2, 209, lêmures são *laruae nocturnae et terrificationes imaginum et bestiarum*, isto é, "fantasmas noturnos que aterrorizam por meio de espectros e animais ferozes".

Com o fito de apaziguá-los, celebravam-se em honra dos mesmos as *Lemuria* ou *Lemuralia*, Lemúrias ou Lemurálias. Durante os três dias em que se homenageavam e se conjuravam os Lêmures, 9, 11 e 13 de maio, datas, aliás, assinaladas no calendário como *dies nefasti*, dias nefastos e perigosos, os mortos retornavam a esta vida e visitavam as casas de seus descendentes. Eram almas insatisfeitas e, por isso mesmo, maléficas. Vagueavam, à noite, pelas ruas e lares para sugar sangue humano que lhes pudesse reanimar a pálida existência. Para aplacá-las e impedir que arrastassem para os Infernos alguns de seus consangüíneos, o *pater familias*, o chefe, o pai de família, levantava-se à meia-noite; percorria, descalço, os corredores da casa, dando estalos com os dedos, a fim de afugentar os espectros, e jogando para trás favas pretas, sem voltar a cabeça. Recolhiam-nas os Lêmures, poupando o sangue humano. Ao lançar as favas, o *pater familias* repetia nove vezes, segundo Ovídio, *Fast.*, 5, 437-438:

..................Haec ego mitto;
His, inquit, redimo meque meosque fabis.

– .... Lanço estas favas:
com elas resgato-me e aos meus.

Em seguida, após uma lustração com água sagrada, batia numa lâmina de bronze e exclamava outras nove vezes, Ov. *Fast.*, 5, 443:

Cum dixit nouies: Manes exite paterni

– Após ter dito nove vezes: espíritos de meus antepassados, afastai-vos daqui.

Com estas operações mágicas os Lêmures transformavam-se, ao menos por um ano, em *Manes*, os Bons, os Benevolentes.

Explica-se o uso da *fava* como agradável alimentação dos mortos, porque os antigos acreditavam que as mesmas nasciam do sangue humano. A repetição do número *nove* corresponde, tudo faz crer, aos nove dias em que permaneciam impuras a casa e a família, após o falecimento de um de seus membros.

LIBER – LÍBERA

Liber, -eri, *Liber*, e sua parceira ***Libera, -ae***, *Líbera*, provavelmente são traduções, com algum intermediário, do grego Ἐλεύθερος (Eleútheros), Ἐλευθέρα (Eleuthéra), "livre, independente, que prodigaliza a liberação", de resto comparável a *Iuppiter Liber* = Ζεὺς Ἐλευθέριος (Dzeùs Eleuthérios), Júpiter Liber, considerado como deus que libera a semente, a vegetação. O osco apresenta a forma *Lúvfreis* "Liberi", associado a *lúveis,* "Iouis". Liber foi assimilado a Baco como Libera o foi a Deméter e, às vezes, a Perséfone, *DIELL.*, p. 355, *LEW.*, s.u. Liber.

Antigo deus itálico, divindade rústica da vegetação, "aquele que assegura a germinação da semente e a seara", Liber foi identificado com Dioniso ou Baco, que, na Hélade, desempenhavam, entre outras, a mesma função (v. *Mitologia Grega*, Vol. II, p. 113sqq.). Citando a Varrão, S. Agostinho (*De Ciu. Dei.*, 8, 3 e 7, 9) assevera que a dupla Liber-Líbera favorecia a procriação e a fecundidade universais, libertando o sêmen no decurso da união sexual, projeção clara da semente que se planta no seio da Terra. Em certas parte da Itália, sobretudo no campo, as festas (v.) em honra do deus, denominadas *Liberalia*, Liberálias, celebradas a 17 de março, comportavam elementos "licenciosos", quer dizer, que visavam à procriação, como a procissão de um falo que as matronas romanas tinham que coroar publicamente.

Muito cedo, porém, a tríade latina Ceres, Liber, Líbera, a qual se consagrou um templo em Roma, em 493 a.C., foi assimilada ao trio grego Deméter, Dioniso ou Baco e Perséfone. A liberdade com que eram interpretados os mitos e a tentativa cada vez maior de um sincretismo greco-latino levaram certos poetas a buscar analogias e aproximações não raro muito distantes. Foi assim que acabaram por identificar Libera com Ariadne divinizada, pelo fato de a filha de Minos ter sido amada por Baco (Liber), como faz Ovídio, *Fast.*, 3, 510-511, passo em que Liber (Baco) procura consolar Ariadne:

Tu mihi iuncta toro, mihi iuncta uocabula sumes:
Iam tibi mutatae Libera nomen erit.

– Tu que partilhaste meu leito, partilharás meu nome:
Agora transformada, receberás o epíteto de Líbera.

LIBERDADE

Libertas*, *-atis, *Liberdade*, provém do adjetivo *liber, -a, -um,* "livre", termo mais amplo e psicologicamente mais forte que *ingenuus*, "que tem origem em, nativo, natural, nascido livre", como parece querer exemplificar Gaio, *Inst.*, 1, 10: *Rursus liberorum hominum alli ingenui sunt, alii libertini* – Ademais, dentre os homens livres uns são nascidos livres, outros são libertos (escravos a quem foi dada a liberdade e também filhos de libertos). Quando à etimologia, talvez *liber*, livre, seja como *Liber* (v.), nome de uma divindade itálica, tradução, com algum intermediário, do grego ἐλεύθερος (eleútheros), livre, independente, donde *Libertas* é "a condição ou estado de homem livre".

Divinizada, *Libertas* passou a ser, em Roma, a personificação da *Liberdade*. a Drª Maria Helena da Rocha Pereira, *op. cit.*, p. 338 e nota 65, explica com muita clareza o fenômeno da divinização das abstrações personificadas: "Por sua vez, a religião romana mostrou-se particularmente apta a receber entre os seus deuses abstrações personificadas (...) Sobre este costume v. J. Le Gall, *La Religion Romaine de l'Époque de Caton l'Ancien au Règne de l'Empereur Commode,* p. 27-28, que cita a famosa explicação de Cícero, *Da Natureza dos Deuses*, II.23.61:

E o templo de *Ops*? E o de *Salus*? E o da *Concordia*, da *Libertas*, da *Victoria*? É que de todas estas coisas a força era tal, que não podia ser governada senão por um deus, e por isso a própria coisa recebeu o nome dos deuses".

Libertas, Liberdade, possuía um templo no Aventino, onde estava associada a Júpiter. Freqüentemente representada em moedas com uma lança em uma das mãos e na outra um *pilleus* ou *pilleum*, barrete ou gorro de caráter ritual que colocavam os escravos, quando se lhes outorgava a liberdade.

Ovídio, *Fastos*, 4, 623-624, faz o encômio da deusa com vistas ao povo romano:

Hac quoque, ni fallor, populo dignissima nostro
Atria Libertas coepit habere sua.

– Neste dia (13 de abril) também, se não me engano, a Liberdade,
a divindade mais digna de nosso povo, começou a ter seu átrio.

LIBITINA

Libitina, *Libitina*, é aproximado por etimologia popular de *libet*, do verbo impessoal *libere*, "ter vontade de agradar, proporcionar prazer", daí as formas *Lubitina, Lubentina, Libentina* e, desse modo, os latinos confundiram-na com uma Vênus ctônia, infernal, como se pode atestar em Varrão, *L.1.*, 6, 47: *Ut dicebant olim: ab lubendo, libido, libidinosus ac Venus Libentina et Libitina* – De "agradar", como se dizia outrora, provêm "paixão, apaixonado", Vênus Libentina e Libitina. Trata-se, talvez, de divindade etrusca, cujo nome (Libitina) estaria relacionado com o tirreno *lupu (ce)*, que se traduz comumente por *mortuus est*, "morreu".

Deusa dos mortos e da morte, passou, em seguida, a designar poeticamente a própria Morte. Deusa romana, que preside os funerais e responsável pelas homenagens prestadas aos mortos, era no seu templo, localizado num bosque sagrado do Aventino, que se guardava o material das pompas fúnebres. Lá igualmente se reuniam os *libitinarii*, os agentes ou organizadores das cerimônias e pompas funerárias.

LINFAS

Lymphae, *Linfas*, e raramente no singular ***Lympha***, *Linfa*, é possivelmente, sob a forma antiga *lumpa, limpa*, de resto atestada, um antigo empréstimo popular ao grego νύμφη (nýmphe), "ninfa", com dissimilação da nasal inicial. Aliás, os antigos já haviam pressentido o fato, como Festo, 107, 17: *limphae dictae sunt a nymphis* – as *linfas* recebem seu nome de *ninfas*. Acrescente-se que *Nympha* e *Lympha* são, por vezes, empregadas indiferentemente, *CIL.*, III, 1395 e XIV, 3911.

Como as Ninfas (v. *DIMEG.*, Vol. II, s.u.), as Linfas, personificadas e divinizadas, são divindades das águas em geral e das fontes em particular, na mitologia popular romana.

O povo acreditava que as Linfas enlouqueciam para sempre a quem ousasse olhar para elas. As vítimas dessas terríveis divindades recebiam o nome de "linfáticos", no sentido de delirantes, com o juízo perturbado, como atesta Festo: *quos Graeci* νυμφολήπτους *uocant, Latini Lymphaticos apellant* – a estes (que olham para elas) os gregos chamam-nos de possuídos pelas Ninfas e os latinos os denominam "linfáticos".

Plauto, *Poen.*, 345, já emprega *lymphaticus* em sentido metafórico:

Sunt mihi intus nescioquot nummi aurei lymphatici

– Tenho lá em casa não sei quantas peças de ouro "doidas" para sair da algibeira.

LUNA

Luna, *Luna*, "a Luminosa", é o antigo feminino de um adjetivo em *-no-*, **leuk-s-na> *louksna> luna*, prenestino *losna*. Como em *cena*, "jantar", antigo *cesna*, de **kert-sna*, onde houve a evolução *-rsn-> -rn-> -n-*, o mesmo se observa em **louksna> *lousna> luna*, em que *-ksn-> -sn-> -n-*, *DIELL.*, p. 373. O epíteto, que, como o grego σελήνη (seléne), se aplica a uma força ativa, do gênero feminino, uma "mãe", substituiu o antigo nome masculino da lua, *Lunus*, adotado em Carras, cidade da Assíria, onde pereceu o triúnviro Crasso.

Divinizada, a deusa romana Luna possuía no monte Aventino um templo, que se incendiou à época de Nero. Apesar da alcunha pomposa, *Noctiluca*, "a que brilha durante a noite" (Hor. *Od.*, 4, 6, 38), Luna desempenhou papel secundário na religião romana. Assimilada muito cedo a Diana (v.), cujo santuário lhe era vizinho, a deusa não possui um mito próprio. Quando aparece, sobretudo na poesia, traduz, às mais das vezes, as funções de Selene (v. *Dicionário Mítico-Etimológico da Mitologia Grega*, Vol. II, s.u. Selene).

Perpetuou-se no mundo moderno, porque lhe foi consagrado um dia da semana (segunda-feira): *lunae dies*, dia da lua, e **lunis dies*, daí o francês *lundi*, italiano *lunedi*, espanhol *lunes*.

LUPERCOS

Lupercus, ***-i***, *Luperco;* ***Luperca***, ***-ae***, *Luperca*, e mais comumente no plural ***Luperci***, ***-orum***, *Lupercos*, o deus Lobo, a deusa Loba, não possui ainda uma etimologia definida. Há tão-somente hipóteses, segundo esclarece o *DIELL.*, p. 310. Uns vêem no vocábulo um composto de *lupus*, lobo e o verbo *arcere*, afastar, repelir, donde "o que repele os lobos", outros fazem-no provir de uma espécie de justaposição de *lupus*, lobo, e *hircus*, bode, um lobo-bode. Ambas as etimologias deixam muito a desejar. A realidade é que *Lupercus*, Luperco, apenas corresponde ao Ζεὺς Λυκαῖος (Dzeùs Lykaîos), ao "Zeus Lobo" dos gregos e está inserido entre os deuses teriomorfos.

O plural *Luperci*, Lupercos, designa uma confraria de sacerdotes, encarregados de celebrar o culto do deus Luperco Fauno, nas *Lupercalia*, Lupercálias (v. Festas). Os Lupercos, completamente despidos, contornavam o Palatino, todo dia 15 de fevereiro, flagelando com tiras de couro de uma cabra as mulheres que encontravam pelo caminho. Eram as *februa*, cerimônias expiatórias e catárticas. O rito visava a provocar ou prolongar-lhes a fecundidade. Antes da procissão, o mais graduado dos Lupercos, após imolar a cabra, tocava horizontalmente a testa dos demais sacerdotes da confraria com o punhal ensangüentado e, em seguida, limpava-a com um floco de lã embebido em leite. Neste momento, os Lupercos eram tomados de um acesso de riso, o que traduzia um rito iniciático. O sacrifício, aliás, completava-se com a oferta de um cão que era igualmente imolado.

Nos cumes do Palatino, berço de Roma, numa gruta sagrada, onde, segunda tradição, a Loba Luperca aleitou Rômulo e Remo, é que ficava o santuário de Fauno Luperco. O local era coberto pela sombra de uma gigantesca figueira, a *Ruminalis Ficus*, a Figueira Ruminal (T. Liv. *Ab Urb. cond.*, 1, 4), a cujos pés borbulhavam uma nascente. Augusto tentou reorganizar o culto dos Lupercos e restaurar a fonte sagrada.

Ovídio, *Fast.*, 2, 267-452, relata prolixamente, fundindo Roma com Grécia, o mito, o rito e a festa dos Lupercos.

LUA

Lua, ***-ae***, *Lua*, mais comumente denominada *Lua Saturni*, a Lua de Saturno, talvez seja de procedência etrusca, *DIELL.*, p. 367; *LEW.*, s.u.

Tito Lívio, *Ab Urb. cond.*, 8, 1, 6 e 45, 33, 1, deixa claro que Lua é uma antiqüíssima divindade romana associada a Saturno na fórmula de *deuotio*, vale dizer, de imprecação contra os despojos dos inimigos. Provavelmente deusa da peste ou, com mais precisão, de um miasma, mancha de caráter mágico que se desejava arruinasse os adversários. Invoca-se com encantamentos a Lua, prometendo-lhe os espólios dos inimigos.

M

MÃE MATUTA

Mater Matuta, *Mãe Matuta*. *Mater*, mãe, é o correspondente feminino de *pater*, pai, mas aplica-se tanto ao ser humano como aos animais (Varrão, *R.R.*, 2, 4) e até mesmo às plantas (Verg. *Gorg.*, 2, 23). Como *pater* expressa idéia de respeito, como *Vesta Mater*, *Terra Mater*, Mãe Vesta, Mãe Terra, sem que a maternidade seja necessariamente exigida. A ausência de um adjetivo **matrius*, que corresponderia a *patrius*, "pátrio, próprio do pai", explica-se pela impossibilidade de a mulher possuir e testar no antigo direito patriarcal. Termo indo-europeu simétrico a *pater*, está atestado nos osco-umbro, com valor religioso: osco *Maatreis*; umbro *Matrer* e falisco *mate*; grego dórico μάτηρ (máter), armênio *mayr*, sânscrito *matá*. *Matuta*, Matuta é o feminino de um antigo adjetivo **matu-to-s*. *Matuta* difere de *Maturus*, "que se produz em boa ocasião, produzido em boa hora, cedo, maduro, brando, suave", apenas pelo sufixo, mas ambos se reportam por intermédio de um abstrato em *-tu* – **matu-*, à raiz **ma-*, "bom, oportuno", daí *matutinus*, matutino, como se pode atestar em *manis*, "bom", donde *Matuta* é "a deusa da manhã", a que chega em boa hora, já que a noite, com seus sortilégios, é sempre perigosa, *DIELL.*, 391.

Mãe Matuta, antiga deusa itálica, identificada com Aurora (Luc. *De Rer. Nat.*, 5, 656), recebia um culto em Roma e suas festas, cognominadas *Matralia*, *Matris Matutae festa*, como lhes chama Festo, 113, 2, "Matrálias, festas da Mãe Matuta", celebravam-se a 11 de junho e só mulheres, cujos maridos estivessem vivos, poderiam participar das mesmas.

O templo da deusa "matutina" localizava-se no Fórum Boário, junto ao porto de Roma. Mais tarde, porém, o mito da Mãe Matuta se confundiu com o de Ino-Leucotéia (v. *DIMEG.*, Vol. II, s.u. Leucotéia), que, após suicidar-se e ser transformada em deusa marinha, chegou a Roma. Ovídio, nos *Fastos*, 6, 481-562, relata que Mãe Matuta ou Ino-Leucotéia, tendo-se encontrado com as Bacantes, que celebravam os ritos dionisíacos nos bosques sagrados de Estímula, identificada com

Sêmele, aproximou-se das eternas companheiras de Baco. Instigadas por Juno, que odiava Ino, por ter acolhido a Dioniso, filho dos amores de Júpiter com Sêmele, as acólitas do deus avançaram contra ela com toda a sua fúria costumeira. Alertado pelo gritos da vítima de Juno, Hércules, que se encontrava por perto, livrou-a da violência das Bacantes e entregou-a a Carmenta (v.), mãe de Evandro (v.). A piedosa profetisa anunciou que Mãe Matuta passaria a ter um culto em Roma em companhia do filho, que receberia o nome de Portunus, Portuno (v.).

MAMERCO

Mamercus, *Mamerco*, de **Mamerti-co-s*, é um derivado de *Mars, -tis,* Marte (v.).

Herói latino, há dois mitos que tentam explicar-lhe a origem e o destino. O primeiro atesta que Mamerco era filho do filósofo Pitágoras. Recebeu a alcunha de *Aemilius*, Emílio, que significaria o "Afável, o Cortês", em função de sua brandura e polidez. Dele procederia a *Gens Aemilia*, a família dos Emílios. Uma variante, porém, diz ter sido ele um filho de Numa, mas tão profundas teriam sido as ligações do rei de Roma com Pitágoras e o pitagoricismo que, por vezes, ambos se confundem.

Um segundo mito, relatado por Plutarco *Vid. Par.*, 26, é inteiramente calcado nas gestas e infortúnio de Meléagro (v. *DIMEG.*, Vol. II, s.u.). Marte, disfarçado num pastor, engravidou a esposa de Septímio Marcelo, Sílvia, entregando-lhe uma lança, à qual estava indissoluvelmente ligada a vida do nascituro. Tão logo veio ao mundo, recebeu o nome de *Mamers Mamercus*, Mamers Mamerco (v. Marte). Apaixonou-se pela filha de um certo Tuscino, mas este foi assassinado por Septímio, que certamente desejava para "o filho" uma esposa de família nobre. Tendo abatido, durante uma caçada, um gigantesco javali, monstro enviado contra ele por Ceres, o jovem ofereceu à namorada a cabeça do animal. Os dois irmãos de sua mãe, Címbrates e Mícias, que desejavam igualmente troféu tão precioso, arrancaram-nos das mãos da moça. Mamerco, ato contínuo, assassinou os tios. Para castigá-lo, Sílvia queimou a lança e Mamerco, de imediato, faleceu.

MAMÚRIO

Mamurius, *Mamúrio*, segundo Carnoy, *DEMG.*, p. 120, talvez seja antropônimo de origem etrusca.

Como penhor de suas vitórias, o rei Numa foi premiado pelos deuses, ou mais precisamente por Júpiter, com um escudo. Para impedir que alguém lhe furtasse o objeto sagrado, caído do céu, imaginou fabricar onze outros escudos idênticos e os colocou sob a vigilância e proteção dos Sálios (v.). Para missão tão importante quanto secreta, convocou o célebre ferreiro osco, Mamúrio, cognominado Vetúrio (v. Marte), que, como pagamento exigiu tão-somente figurar no canto dos Sálios, entoado na solene procissão dos ancilos, isto é, dos escudos sagrados. Numa concordou.

Nas festas denominadas *Mamuralia*, Mamurálias, celebradas no dia 14 de março, surrava-se com varas brancas um ancião, a quem se dava o nome de Mamúrio, que era, em seguida, expulso da cidade. Tratava-se, evidentemente, de um rito de purificação, cujo bode expiatório era o velho espancado, símbolo do Ano Velho substituído pelo Ano Novo (v. Marte). Com ele seguiam todos os azares e malefícios que poderiam recair sobre as armas e as legiões romanas.

Ovídio, Fastos, 3, 365-393, narra o milagre do escudo caído do céu e a solicitação de Mamúrio, que passou a ser invocado pelos Sálios.

MANES

***Manes (Di), -ium**, deuses Manes.* O nome, segundo Ernout-Meillet, *DIELL.*, p. 383, é interpretado como plural de *manis* e significaria "deuses benevolentes", epíteto com que se designavam, por eufemismo, o espírito dos mortos e, em especial, "os antepassados divinizados", *di parentes*. A noção de *Manes*, como "deuses benevolentes",a pouco e pouco, se atenuou e *Di Manes*, deuses Manes, tornou-se um estereótipo para designar não apenas os mortos, mas a mansão dos mesmos, isto é, os Infernos, como atesta Vergílio, *En.*, 4, 387:

Audiam et haec Manis ueniet mihi fama sub imos.

– Eu o saberei e esta novidade me chegará à habitação dos Manes.

Já os antigos, como Festo, 146, 174, derivavam *Manes* do verbo *manare*, "manar, sair de", quer dizer, do mundo de baixo para o de cima, dos infernos para a terra, como acontecia nas *Parentalia*, Parentálias, festas celebradas de 13 a 21 de fevereiro, em que a terra se povoava de mortos (v. Escatologia e Exéquias). Um texto de Festo, 115, 13, é taxativo a este respeito: *Manes, quos deos deasque putabant, quosque ab inferis ad superos emanare credebant* – Julgavam que os Manes fossem deuses e deusas e acreditavam que eles subiam (*emanare*) dos infernos para junto dos mortais. Assim os dois grandes filólogos supracitados julgam ser mais correto derivar *Manes* do verbo *manare*, "sair de" do que fazê-los provir do adjetivo *manis*, bom, benevolente.

Diga-se, além do mais, que só mesmo por eufemismo é que Manes podem significar "os bons, os benevolentes". A realidade é bem outra. Na *Eneida*, para citar apenas uma obra literária, os mortos, uma vez elevados à condição de Manes, também vão engrossar as fileiras dos carrascos de além-túmulo. O quadro não se traduz apenas por um cenário único no poema vergiliano: retratam-no traços múltiplos, dispersos e incisivos. Ouve-se à volta de Enéias, como de Gilgamex e de Ulisses, qual o eco da borrasca distante, o rosnar hostil dos Manes insatisfeitos, tocados pelo ódio cego do ressentimento. Não há dúvida de que *os mortos,* como se os vivos fossem culpados pela *morte* ou por não se conformarem com ela, vinham, de quando em quando, na sua imensa insatisfação, atormentar seus irmãos, que ainda viam a luz do dia. E surgiam queixosos até mesmo nos sonhos, como a *imago*, a imagem de Cíntia, falecida recentemente, veio perturbar o sono de seu amante Propércio, Eleg., 4, 7, 1-96.

Os Manes faziam jus a um culto escrupulosamente organizado e executado. Ofereciam-se-lhes mel, vinho, leite e muitas flores. Nas festas denominads *Rosaria* ou *Violaria*, respectivamente de *rosa*, rosa, e *viola*, violeta, seus túmulos eram atapetados de flores e nas *Parentalia* e *Lemuralia*, Parentálias e Lemurálias (v. Festas e Escatologia) buscava-se, a qualquer preço, acalmá-los e fazê-los retornar aos Infernos.

Conta-se que foi Enéias quem introduziu as Parentálias na Itália, para apaziguar a alma de seu pai Anquises, como recorda Vergílio no canto quinto da *Eneida*, embora a realidade seja outra: os romanos, no que tange à religião dos mortos, devem quase tudo aos etruscos. Relata-se ainda que em Roma foi negligenciada, certa feita, a celebração das Parentálias e Lemurálias: os mortos deixaram seu mundo ctônio e, indignados, invadiram a cidade. Somente se retiraram, quando lhes foram prestadas as homenangens de praxe.

Atribuía-se, por vezes, aos Manes uma ancestral comum ou mãe dos Manes, denominadas *Mānia*, Mânia, que talvez proceda de *Manes*. Trata-se de uma divindade de caráter indefinido e abstrato, um "gênio popular". Tributava-se-lhe um culto nas *Compitalia*, Compitálias, festas em honra dos Manes ou Lares das encruzilhadas (v. Festas).

MARICA

Marica, *Marica*, que Carnoy, *DEMG*., p. 121, deriva do indo-europeu **mori-*, "lago, charco", seria a deusa dos pântanos, na Campânia, mas a hipótese é controvertida.

Marica era uma ninfa de Minturnas, no Lácio, onde possuía um bosque sagrado, *Maricae Lucus*, o Bosque de Marica, relembrado pelo poeta M. Aneu Lucano (39-65 p.C.), *Fars*., 2, 424. Vergílio, *En*., 7, 47-48, diz ter sido ela esposa de Fauno (v.) e mãe de Latino (v.):

Hunc Fauno et nympha genitum Laurente Marica
accipimus.

– Ouvimos dizer que este (Latino) era filho de Fauno e de Marica,
ninfa de Laurento.

MARTE

Mars, -tis, *Marte*. Deus pan-itálico, seu nome aparece sob forma simples ou reduplicada: *Mauors, -tis,* forma antiga, conservada em poesia, Mavorte, Marte, contraído em *Maurs* (*C.I.L.*, I^2, 49) e depois *Mars*, que se generalizou; *Marmar*, osco *Mamers*, por dissimilação de **Marmart-s*, segundo comenta Festo, 116, 2, acerca de

Mamercus, Mamerco (v.) – *Mamercus: praenomen... Oscum ab eo quod hi Martem Mamertem dicunt* – Mamerco: prenome osco, por isso que os oscos chamam Marte de Mamerte, *DIELL.*, p. 388. Ernout, *Philologica*, II, p. 211sqq., deixa bem claro que o teônimo não possui etimologia indo-européia. Carnoy, *DEMG.*, p. 121, acha plausível a etimologia proposta por Walde-Hofmann, *LEW.*, II, 43-45, que aventou a hipótese de *Mars*, Marte, estar relacionado com o verbo grego μάρνεσθαι (márnesthai), "combater", armênio *mart*, "combate", mas a suposição não é convincente.

Embora identificada com Ares grego, Marte é muito antigo na religião romana e preexiste ao deus helênico em solo itálico. Como a religião dos latinos é antes do mais ritual, os mitos que cercam o deus são em sua maioria de procedência grega. Tito Lucrécio Caro, apesar de epicurista convicto, abre seu grandioso poema *De Rerum Natura*, Da Natureza, 1, 1.2, com *Aeneadum genetrix* (...) *alma Venus* – ó mãe dos Enéadas (...) Vênus criadora, e logo introduz Marte, que após as longas fadigas da guerra, reclina-se no seio da deusa, *aeterno deuictus uolnere amoris,* vencido pela eterna ferida do amor. Ora, o mito dos amores adúlteros do casal olímpico é uma adaptação do relato homérico sobre esta escandalosa aventura extraconjugal de Afrodite (v. *Mitologia Grega*, Vol. I, p. 217). Igualmente o relato do nascimento partenogênico de Ares, motivado pela vingança de Hera (v. *DIMEG.*, s.u. Hera), corresponde a fato idêntico no mito romano, em que, sem o concurso de Júpiter, Marte nasce de Juno. Aliás, Ovídio, numa variante curiosa, *Fast.*, 5, 249-258, relata que Flora (v.) foi a responsável pela estranha concepção do deus da guerra. Juno, profundamente magoada com "o parto" de Minerva, da cabeça de Júpiter, solicitou o concurso da deusa das flores, das sementes e do mel no sentido de dar à luz um filho sem participação do marido. Flora, um espécie de Circe itálica, prontamente lhe forneceu uma flor mágica, que, a um simples toque, provocava a gravidez. Foi assim que Juno, sem se unir ao marido, foi mãe de Mavorte.

Por vezes torna-se difícil separar os elementos gregos de seus correspondentes latinos no mito do amante de Vênus, mas, com certa atenção e discernimento, é possível estabelecer uma linha divisória entre ambos. O episódio burlesco, por exemplo, que o envolve com Ana Perena (v.), está certamente em conexão com o mito de *Mamurius Veturius* (em etimologia popular, um derivado de *uetus*, velho), o célebre ferreiro osco (v. Mamúrio). Mamúrio *Vetúrio*, por ser o *uetus*, o velho, personifica o Ano Velho, que era expulso por Marte, o Ano Novo, que, no antigo calendário romano, se iniciava exatamente no *Martius mensis*, no mês de março, consagrado ao deus, isto é, na primavera. Diga-se, de caminho, que Mamúrio Vetúrio, sob a forma de um velho, como se explicou (v. Mamúrio), após ser espancado, *no mês de março*, era banido da cidade, para que, entre outras finalidades rituais, se desse entrada ao Ano Novo. Ora, estes dois mitos são certamente de procedência itálica.

Em épocas mais remotas, embora haja quem faça restrições ao fato, Marte foi também uma divindade da vegetação. Suas festas (v. Festas) convergem não só para a purificação em geral, mas também para o incremento da safra, como *Equirria*, Equírrias, instituídas por Rômulo em honra do deus (Ovídio, *Fast.*, 2, 859), em que se sacrificava um dos cavalos, vencedor na corrida de biga; *Quinquatrus*, Quinquátrias, em que se purificavam as legiões antes de partirem para a guerra; *Armilustrium*, purificação das armas e sobretudo *Carmina Fratrum Arualium*, Cantos Encantatórios dos Irmãos Arvais. Estes sacerdotes, os doze Sábios Palatinos, executavam uma dança guerreira, ritmada por canções em que se pedia proteção para os campos e para os lavradores. Efetuavam-na os Sálios com escudos preparados, segundo se conta, por Mamúrio Vetúrio (v.), sob o modelo do "escudo divino" caído do céu, à época do rei Numa. Não há dúvida de que Marte assumiu, no princípio, um papel pelo menos igual ao de Júpiter Liber, Netuno e Saturno, de protetor do trabalho agrícola e de seus produtos. É a ele que se dirige a *lustratio*, "a cerimônia da purificação", por meio de uma procissão circular, seguida de um grande sacrifício, descrita por Catão, assim como a prece a que se refere em termos minuciosos: *De Re Rustica*, 141, 2: *Mars pater, te precor quaesoque uti sies uolens propitius mihi domo familiaeque nostrae (...) uti tu morbos uisos inuisosque, uiduertatem uastitudinemque, calamitates intemperiasque prohibessis defendas auerruncesque* – Pai Marte, eu te suplico e peço que sejas benevolente e propício a mim, à minha casa e família (...) que impeças, que repilas, que afastes as doenças visíveis e invisíveis, as más colheitas, a devastação, as calamidades e as intempéries. Ora, isto é discurso a um deus agrícola...

Na época clássica é que realmente o filho de Juno aparece como deus da guerra. Assim concebido, o era também da primavera, porque, findo o inverno, se reiniciavam as lutas. Deus outrossim da juventude, porquanto era esta que se consagrava primordialmente "à cruenta seara de Marte". A partida, na primavera, visava igualmente a outros objetivos em que se percebia e se sentia um cheiro de terra nova. Com efeito, os sabinos dedicavam a Marte a sua juventude e esta, tendo o deus por bússola, deixava a casa paterna e partia em busca de novas terras e riquezas e não de lutas e combates. Era o que se denominava *uer sacrum*, primavera sagrada. Curioso é que os jovens sabinos eram guiados em seu longo itinerário por animais consagrados ao deus da agricultura e da guerra: o picanço e o lobo. Alguns mitólogos associam tal fato à presença da *loba*, que amamentou os filhos de *Marte-Lobo*, Rômulo e Remo, nascidos de sua união com Réia Sílvia. Expostos no monte Palatino, encontrados logo depois por um pastor e aleitados por um animal, no caso, a loba, o mito latino repete o que acontecia em tantas culturas primitivas, em seus primórdios. Na Hélade, Egisto foi alimentado nas montanhas por uma cabra; Télefo, por uma corça; Alexandre ou Páris, por uma ursa. Segundo se comentou em *Mitologia Grega*, Vol. I, p. 89sq., a exposição num monte e o aleitamento por um animal são provas iniciáticas, que parecem ter origem longínqua nas denominadas *crenças zoolátricas*: prova-se que "o exposto" pertence ao clã, se o animal do clã pode aproximar-se dele, sem fazer-lhe mal. A criança sobrevive em condições em que normalmente deveria perecer; é reconhecida por um animal do clã e por meio dele ou diretamente pelo mesmo é alimentada. Ao sair dessa prova dupla, o exposto está destinado "a grandes feitos", como Rômulo, que fundou a "Capital do Mundo".

Em Roma, o mito dos gêmeos Rômulo e Remo tomou corpo em função de uma estátua antiqüíssima da Loba Sagrada, sob cujo ventre havia dois homens muito baixos, simbolizando duas raças: a latina e a sabina, os dois elementos étnicos da

Urbe primitiva ou ainda o povo romano e os habitantes da Campânia, após a aliança de Roma e de Cápua contra as populações itálicas interioranas.

Além dos romanos, os marsos, marrucinos e mamertinos, todos povos itálicos, contra os quais a nascente república romana lutou por longos anos, acreditavam-se, até mesmo etimologicamente, descendentes de Marte.

O deus da agricultura e da guerra era celebrado particularmente em Roma e na Úmbria. Na cidade de Rômulo, além de um templo no Palatino, possuía outros quatro: um na *Via Appia*, um segundo junto ao Arco Flamínio e dois que lhe foram construídos pelos imperador Augusto com o epíteto bélico de *Mars Victor*, Marte Vencedor (Ovid. *Fast.*, 5, 545sqq.). A seu culto se associaram as deusas *Vitória*, *Belona* (v.) ou Nério, que teria sido sua esposa ou irmã.

Marte perpetuou-se no mundo moderno, não apenas através de derivados cultos, Márcio, Márcia, Marciano, Marcial, mas sobretudo porque emprestou seu nome para designar *Martius mensis*, o mês de *março*, a princípio, o primeiro do calendário romano e ainda "terça-feira", em quase todas as línguas românicas: *Martis dies> mardi*, em francês; *martes*, em espanhol, e *martedì*, em italiano.

MEFÍTIS

Mephitis ou ***Mefitis***, *Mefítis*, exalação pestilenta. Trata-se de palavra não indo-européia. A variante gráfica *ph> f* é a mesma que se encontra em *sulphur-sulfur*, indicando uma helenização da forma. Talvez seja, como *sulphur*, termo pré-itálico, *DIELL.*, p. 394.

Personificada e divinizada, Mefítis tornou-se, em Roma e outras cidades do Sul da Itália, onde as emanações sulfurosas são tão freqüentes, a divindade feminina que as preside e procura contê-las, já que as mesmas passavam por ser portadoras de pestes e outras epidemias. Por vezes, Mefítis é apontada como deusa da própria peste.

Para pedir-lhe auxílio ou conjurá-la, ergueu-se-lhe um templo, em Roma no Esquilino.

MERCÚRIO

Mercurius, *Mercúrio*, procede certamente de *merx*, com as variantes gráficas *mers* e *merces*, gen. sing. *mercis*, "mercadoria, comestíveis" e também negócio. É bem possível que *merx* seja de origem etrusca e, neste caso, *Mercurius* (o sufixo reforça a hipótese, v. Mamúrio) também o seria, *LEW.*, s.u.; *DIELL.*, p. 400. *Mercurius* e as formas dialetais *Mirqurios, Mircurius*, Mercúrio, significa tanto "o deus do comércio, dos negócios",quanto "o planeta" e, na linguagem dos veterinários, "o garrote", quer dizer, agulha, cernelha, "a parte compreendida entre o dorso dos solípedes e o pescoço", como explica Vegécio na importante *Mulomedicina siue ars ueterinaria*, 2, 59.

Deus romano dos comerciantes e viajantes, seu culto só foi introduzido na Urbe lá pelo ano 495 a.C. ou um pouco antes, quando se lhe ergueu um templo, em cujas vizinhanças se edificou três anos depois o de Ceres. Ambos os monumentos foram construídos fora do *Pomoerium*, isto é, *extra muros*, fora do recinto sagrado de Roma, o que demonstra a origem estrangeira do deus, ao menos em relação a seu culto. O templo localizava-se nas encostas do Aventino, de frente para o *Circus Maximus*, Circo Máximo (v. Jogos), perto do porto de Roma, o centro comercial da cidade. O Senado já havia decidido que o cônsul encarregado da dedicação do monumento sagrado ao deus ficaria automaticamente com a incumbência de fiscalizar a distribuição de trigo ao povo e organizar o *Collegium Mercatorum*, a "Associação dos Comerciantes". Tudo leva a crer, pois, que o culto ao filho de Maia, era anterior a 495 a.C. e mais antigo do que se pensa. Estava certamente vinculado, a princípio, ao comércio do trigo. Sabe-se, de outro lado, que a "Confraria dos Mercuriais" era uma das mais antigas da cidade e serviu de modelo aos *Collegia Mercurialium*, Associações dos Mercuriais, que se espalharam paulatinamente por todo o Império. Em conclusão, o Mercúrio romano era, antes do mais, o deus do comércio e mentor dos que a ele se dedicavam, segundo atesta Festo, 124: *Mercurius a mercibus est dictus. Hunc etenim negotiorum omnium aestimabant esse deum* – O nome de Mercúrio provém de mercadoria. Julgavam, com efeito, ser ele o deus de todos os negócios. A festa do deus celebrava-se nos idos de maio, dia em que o templo lhe fora consagrado.

Helenizado, o deus etrusco-romano, sem perder seus atributos de origem, assumiu os caracteres, a indumentária e as funções do Hermes grego (v. *DIMEG*., Vol. I, p. 548sqq.) Era o mensageiro de Júpiter, sua missão primordial, desde a *Ilíada* e a *Odisséia*, prolongada na *Eneida*, como no passo lindíssimo 4, 222-278, em que o arauto do pai dos deuses e dos homens aparece com todas as suas características e indumentária. E é, exatamente, enquanto núncio do pai dos deuses e dos homens, que Mercúrio funciona também como medianeiro e protetor nas artimanhas amorosas de Júpiter, como se pode ver no *Anfritrião* de Plauto. Na engraçadíssima comédia em pauta, não satisfeito em fazer no Prólogo, a *captatio beneuolentiae*, a captação da benevolência do público à base de promessas mentirosas e ameaças jocosas, ainda serve de algoz do escravo Sósia, cujo nome toma para si (*Anf*., 1-152).

Numa pequena moeda do séc. IV a.C., o *aes graue*, "o bronze a peso", o deus aparece sob a efígie de um jovem, a cabeça está coberta com o pétaso, chapéu de abas largas, com duas pequenas asas apoiadas nos lados e no verso do *aes graue* a proa de uma nau. Esta representação do filho de Júpiter procede certamente da Grécia através dos mercados da Sicília ou da Magna Grécia, que abasteciam Roma de trigo. O retrato de Mercúrio de corpo inteiro segue igualmente os padrões helênicos: surge como um jovem, normalmente despido com seus atributos tradicionais, vale dizer, o caduceu, o pétaso, as sandálias aladas. De qualquer forma, a todas estas características soma-se um pormenor tipicamente romano: um saquinho para guardar dinheiro, símbolo dos ganhos proporcionados pelo comércio.

Como a maioria dos deuses romanos, Mercúrio não possui um mito próprio. Quando este aparece, é mera tradução do de Hermes, segundo se pode observar na variante que o faz pai de Evandro (v.). Por vezes, o sincretismo é tão acentuado, que o deus greco-etrusco-latino penetra em mitos que dificilmente se poderiam explicar de outra maneira, como aquele da violação de Lara (v. Juturna), em que se torna pai dos Lares (v.). É bem possível que semelhante deriva se explique pelo fato de os Lares (v.) e Mercúrio-Hermes serem deuses das encruzilhadas.

A helenização mais notória de Mercúrio observa-se particularmente na literatura, em que o deus dos comerciantes ainda dispõe de tempo suficiente para ser o mensageiro de Júpiter e condutor de almas para a outra vida.

Mercúrio continua seu itinerário até hoje, paraninfando *quarta-feira*, dia da semana que lhe é consagrado em quase todas as línguas românicas: *Mercuri (i) dies*, dia de Mercúrio, francês *mercredi*, italiano *mercoledì*, espanhol *miércoles*, romeno *miercurĭ*.

MEZÊNCIO

Mezentius, *Mezêncio*, não possui etimologia conhecida.

O mito do rei etrusco de Cere, Mezêncio, apresenta três versões bastante desiguais: duas mais "arcaicas" e uma terceira devida a Vergílio, que é propriamente simplificação das anteriores e uma espécie de complementação de ambas, no que tange à personalidade do herói itálico.

Na primeira delas, considerada a mais antiga, Mezêncio, rei etrusco de Cere, bravo e cruel, e aliciado por Turno (v.), "o Heitor itálico", após ter sido este derrotado uma primeira vez por Enéias, "o invasor da Itália", e seu aliado, o rei aborígene Latino (v.). Para contar com a espada do senhor de Cere, Turno prometeu-lhe a metade da safra de vinho de todo o Lácio. Enéias, tomando conhecimento da oferta do inimigo, fez idêntica promessa a Júpiter. O voto ao deus foi, claro está, mais eficaz e, travada uma grande e cruenta batalha, Turno e Mezêncio pereceram. Foi no fecho deste combate que o filho de Vênus desapareceu misteriosamente, arrebatado pelos deuses e Ascânio, embora muito jovem, assumiu o comando dos troianos. A promessa a Júpiter foi cumprida e assim se explicava a origem das festas denominadas *Vinalia*, Vinálias, celebradas anualmente e em cujo decurso se ofereciam ao deus as primícias da safra vinícola. Ovídio, *Fast.*, 4, 899-900, narra esta primeira interpretação do mito e a encerra com o seguinte dístico:

Dicta dies hinc est Vinalia: Iuppiter illam
uindicat et festis gaudet inesse suis.

– Desde então o dia se chamou o das Vinálias:
Júpiter o reclama e alegra-se em participar de suas festas.

A segunda variante está documentada em Dionísio de Halicarnasso, *Antiguidades Romanas*, 1, 64sqq.; 2, 5. Segundo o historiador, após casar-se com Lavínia, e construir a cidade de Lavínio, em honra da esposa, Enéias e seu sogro Latino empenharam-se em novos combates para repelir os rútulos comandados por Turno, sobrinho de Amata (v.). No primeiro embate, pereceram Turno e Latino. Os rútulos, desesperados, pediam auxílio a Mezêncio e aos etruscos, que temiam se organizasse um Estado bem próximo de suas fronteiras. Travou-se nova batalha. Finda esta, ao cair da noite, nenhum vencedor poderia ser apontado, mas algo de sério acontecera: Enéias desapareceu, escalando o Olimpo. Ascânio, como no relato anterior, assumiu o comando, mas, pela vez primeira, troianos e latinos viram-se a braços com graves dificuldades. Vendo-se perdido e ainda inexperiente, o filho de Enéias solicitou as condições de um armistício. Mezêncio exigiu a colheita inteira do vinho da região latina. Vênus, porém, estava vigilante e fez que o neto prometesse a vindima a Júpiter e aproveitando-se da lua nova avançasse contra os inimigos. O êxito da luta foi total. Lauso (v.), filho de Mezêncio, foi morto. Os etruscos retiraram-se da guerra desordenadamente e o tirano de Cere pediu o armistício. Ascânio, genorosamente, lhe permitiu retirar-se com as tropas e, a partir daquele momento, o violento Mezêncio se tornou aliado dos latinos.

Vergílio, em vários passos da *Eneida*, 7, 647-654; 8, 481-495; 9, 586-589; 10, 762, 908, reduziu o mito de Mezêncio ao mínimo necessário, realçando-lhe, todavia, a barbárie, o despotismo, a crueldade e a violência. Rei de Cere, foi banido pelos concidadãos, por causa de sua tirania. Refugiou-se na corte de Turno e com seu filho Lauso (v.) tomou parte em todas as batalhas contra os troianos, até serem mortos por Enéias. O grande vate latino não menciona a consagração do vinho do Lácio nem ao rei de Cere nem a Júpiter. Os etruscos, igualmente, não lutaram ao lado de Turno, mas, ao contrário, aliaram-se a Enéias. Talvez o Cisne de Mântua estivesse com os olhos fixos num dos mais íntimos colaboradores de Augusto e grande amigo do poeta, além de seu protetor, o culto Mecenas, cujos ancestrais reinaram nas cidades etruscas, como deixa claro Horácio, *Od.*, 1, 1, 1-2:

Maecenas atauis edite regibus,
o et praesidium et dulce decus meum.

– Ó Mecenas, descendente de reis antigos,
ó tu, meu apoio e doce glória minha.

O que mais chama a atenção de Vergílio relativamente a Mezêncio, talvez "a figura mais bem caracterizada da *Eneida*", é a tirania e a crueldade com que governava Cere (*En.*, 8, 478-493); o orgulho, a arrogância e a impiedade face aos deuses: ele é *contemptorque deum* (En., 8, 7) – o desprezador dos deuses; o insolente que teve a audácia de afirmar: *Dextra mihi deus* (*En.*, 10, 773) – Meu braço é o meu deus.

A morte do filho Lauso às mãos de Enéias, a despeito de não lhe ter diminuído a coragem, porquanto Mezêncio foi militarmente um grande herói, trouxe-lhe a amarga conscientização de seus crimes e atrocidades e um laivo de arrependimento, segundo suas próprias palavras, *En.*, 10, 851-856:

Idem ego, nate, tuom maculaui crimine nomen,
pulsus ob inuidiam solio sceptrisque paternis.
Debueram patriae poenas odiisque meorum:
Omnis per mortis animam sontem ipse dedissem!

Nunc uiuo neque adhuc homines lucemque relinquo.
Sed linquam.

– Eu mesmo, filho, maculei pelo crime teu nome,
pelo ódio fui banido do trono e perdi o cetro paterno.
Minha punição era devida à pátria e ao ódio dos meus.
Através de muitas mortes eu ofereceria minha vida culpada!
Continuo, porém, vivo e ainda não deixei os homens e a luz,
mas os deixarei.

MINERVA

Minerua, forma arcaica e dialetal ***Menerua*** = etrusco ***Menerua***, ***Menrua***, *Minerva*, é normalmente relacionada com a raiz **men-*, "pensar", de que procede *mens, mentis*, que designa, por oposição a *corpus*, corpo, "o princípio pensante, a inteligência", donde Minerva seria a deusa da inteligência, como afirma Festo, 109, 27: *Hanc enim pagani pro sapientia ponebant* – os rústicos tomavam-na pela própria sabedoria. O vocábulo, todavia, deve ser de origem etrusca, *DIELL.*, p. 404; *LEW.*, s.u.

A deusa Minerva, que possivelmente chegou a Roma através dos etruscos, presidia as artes manuais, a sabedoria e também a guerra, em seu aspecto técnico. Identificada muito cedo com Palas Atená dos helenos, não deve ter pertencido ao primitivo panteão romano, exatamente por não ser uma divindade de feição itálica. Vinda certamente do mundo etrusco, foi introduzida na chamada Tríade Capitolina, em que figuravam também Júpiter e Juno. Esta Tríade passou, à época dos Tarquínios, a representar a religião oficial da Urbe.

Quando os romanos se apossaram da cidade falisca de Falérios, na Etrúria, de lá trouxeram uma efígie da deusa que foi colocada em um de seus mais antigos templos de Roma, no monte Célio, onde, segundo o mito, se fixou o contingente etrusco, que veio em auxílio de Rômulo, sob o comando de Cele Vibena. Este templo denominava-se *Minerua Capta*, Minerva Cativa, para cuja origem e etimologia Ovídio, *Fast.*, 3, 835-848, apresenta várias hipóteses, entre as quais fala da procedência etrusca da divindade, *Fast.*, 3,843-844:

An quia perdomitis ad nos captiua Faliscis
Venit, et hoc ipsum littera prisca docet?

– Ou por que chegou até nós como Cativa, após a derrota dos faliscos?
Isto mesmo é o que estampa uma antiga inscrição.

Não se sabe com muita precisão se esta Minerva Cativa era uma divindade protetora dos artesãos ou, pelo contrário, uma deusa tutelar da cidade. De qualquer forma, a festa da Cativa celebrava-se no dia 19 de março, nas Quinquátrias (v. Festas), festas em honra de Marte, o que comprova a associação da deusa também da guerra com o deus que a personificava. Curioso é que os artesãos, esquecendo-se de tal fato, celebravam intensamente, neste dia, a sua protetora e os alunos ofereciam a seus mestres "um presente", denominado *minerual*, "minerval", que era, em princípio, o salário do professor, como explicita Varrão, num diálogo entre um discípulo e o mestre, *R. Rust.*, 3, 2, 18: *Axius, Merula mi, inquit, recipe me quaeso discipulum uillaticae pastionis.* Ille: *quin simulac promiseris minerual, incipiam, inquit.* – Meu querido Mérula, disse Áxio, peço que me recebas como aluno nesta chácara campestre. Respondeu Mérula: eu certamente começarei (a ministrar as aulas), tão logo prometas o *minerval.* Assim, nas Quinquátrias, Minerva reunia suas três funções básicas: deusa da inteligência, das artes manuais e, além do mais, da guerra, quando necessário.

Com a helenização de Roma, Minerva assumiu em definitivo os atributos de Atená, incorporando particularmente as funções de protetora da cidade e deusa guerreira, assimiliando-se a Belona (v.) e Nério (v.), companheiras de Marte.

Na época imperial, o culto de Minerva estendeu-se, a pouco e pouco, por quase todas as províncias dominadas por Roma, sendo venerada particularmente pelas corporações de artesãos e comerciantes, sufocando até mesmo divindades locais, que exerciam o mesmo ofício. Na própria metrópole, multiplicaram-se os templos a ela consagrados. Augusto ergueu-lhe um deles, chamado *Chalcidium*, Calcídio; Domiciano construi-lhe outro no Campo de Marte e logo depois um segundo no Palatino, iniciando um terceiro no *Forum Transitorium*, Fórum Transitório, que foi terminado por Nerva e, por fim, a corporação dos médicos romanos dedicou-lhe um templo ou santuário, denominado *Minerua Medica*, Minerva Médica, onde se descobriram ex-votos, agradecendo curas recebidas.

Minerva, como a maioria dos deuses vindos de fora, não possui um mito propriamente romano, exceto, em parte, nas ligações com Ana Perena (v.) e Nério (v.).

MÓDIO FABÍDIO

Modius Fabidius, *Módio Fabídio*. Se Fabídio não possui etimologia, até o momento, *Modius* é derivado de *modus*, cujo sentido inicial é "medida, dimensão", e daí "medida que não deve ser ultrapassada, moderação, meio-termo", o que os gregos denominavam μέτρον (métron). *Modus* e *modius* pertencem à mesma família etimológica do verbo *mederi*, da raiz **med-*, "pensar, refletir, medir, pesar, ponderar", donde Módio é "o prudente, o sensato".

Herói sabino, propriamente desconhecido entre os romanos, teve seu mito relatado por Dionísio de Halicarnasso, *Antiguidades Romanas*, 2, 48. Durante uma festa em honra de Quirino (v.), em Reate, à época ainda ocupada pelos Aborígenes (v.), uma jovem da nobreza local dançava com suas companheiras para homenagear o deus. Repentinamente, como que possuída por Quirino, penetrou-lhe no templo e ficou grávida. Deu à luz no tempo oportuno um menino que logo se destacou pela altura, coragem e prudência, recebendo, por isso, mesmo, o nome de *Módio* Fabídio.

Como todo herói, Módio deixou a casa materna e partiu com vários amigos para os confins do Lácio, onde fundou Cures, "a cidade dos sabinos". O nome da nova metrópole se chamou assim ou por causa do pai do herói, Quirino, *Quirinus*, daí *Quirites*, Quirites, propriamente "sabinos fundidos na população romana" e, depois, cidadãos romanos, ou porque "lança, dardo" se diz *curis* ou *quiris*, havendo, por vezes, hesitação em latim entre *cu-* e *qui-*. Acrescente-se, de passagem, que os latinos sempre julgaram que *curis* ou *quiris* era uma palavra sabina, embora se lhe desconheça a etimologia.

MONETA

Moneta, *Moneta*, "a que adverte, previne ou faz lembrar", provém, ao que tudo indica, do verbo *monere*, cuja raiz é **men*, "pensar, fazer pensar, lembrar" e, por extensão, "chamar a atenção para, advertir". Há os que opinam, todavia, que *Moneta* com o sentido de *moeda* (*moneta*> moeda), seria um empréstimo ao fenício, como a maior parte das palavras que designam "moeda", *as*, asse (unidade do sistema monetário romano), *libra*, libra, e *nummus*, moeda, dinheiro, e o parentesco etimológico com o verbo *monere* se deveria à etimologia popular. Outros julgam, mercê do sistema duodecimal tirreno, que a origem do vocábulo seria etrusca, o que é pouco provável, *DIELL.*, p. 50 e 412; *LEW.*, s.u.

Epíteto de Juno, como está em Cícero, *De Diuin.*, 1, 45, 101, Moneta foi empregado por Lívio Andronico, Prisciano, 679, para traduzir Μνημοσύνη (Mnemosýne), Mnemósina, a mãe das Musas, uma das quais, certamente Calíope, a inspiradora dos poetas épicos, é lembrada pelo mesmo L. Andronico: *Nam Diua Monetas filia me docuit* – Pois a filha divina de Moneta me ensinou. A alcunha se deve ao fato de Moneta ter salvo Roma, quando da invasão dos gauleses em 390 a.C. Os gansos que eram criados no recinto do santuário da deusa, no Capitólio, deram o alerta no momento em que o inimigo tentava tomar a colina numa sortida noturna, o que permitiu a Mânlio Capitolino repelir os invasores. O templo que se construiu, em seguida, a Juno Moneta localizava-se sobre os escombros da casa de Mânio (Ov. *Fast.*, 6, 185sqq.), que fora destruída, e o proprietário condenado à morte, porque, orgulhoso com a vitória sobre os gauleses, quis reimplantar a monarquia.

Era neste templo da Cidadela Capitolina, erguido em virtude de um voto de Camilo, que se cunhavam as *moedas*, estendendo-se depois o epíteto *Moneta* à Casa da Moeda (Cíc. *Át.*, 10, 11, 5); dinheiro cunhado (Ov. *Fast.*, 1, 222), "moeda".

Conta-se que, no decurso da guerra contra Pirro, temerosos de que lhes faltasse dinheiro, os romanos pediram conselho a Juno. A deusa respondeu-lhes que jamais careceriam de recursos, se conduzissem as guerras com justiça. Como agradecimento a juízo tão salutar, decidiu-se que as moedas seriam cunhadas sob os auspícios de *Iuno Moneta*, Juno Moneta.

MORTE

Mors, Mortis, Morte. A raiz é **mer-*, "extinguir, morrer". *Mors, Mortis* tem por base **mr̥ti-*, sem dúvida proveniente de um composto, isto é, da raiz supracitada e de um adjetivo em **-to-*, que aparece em *mor-tu -us*, "morto", grego βροτός (bro-tó-s), "mortal". O latim, todavia, apoiando-se no verbo *mori*, "morrer", presente *morior*, "eu morro", elaborou uma forma simples, como aconteceu com o sânscrito *mr̥tiḥ*, "morte".

Enquanto no grego a Morte é personificada e divinizada como gênio masculino, Θάνατος (Thánatos), Tânato (v. *DIMEG.*, V.II, s.u.), o latim conservou-lhe o gênero feminino, fazendo da deusa *Mors* uma simples abstração personificada, sem direito a um mito particular.

MÚCIO CÉVOLA

Mucius Scaeuola, *Múcio Cévola. Múcius*, Múcio, provém da raiz **muc/mucc-*, daí o verbo *mucere*, "cobrir-se de bolor", donde Múcio é "o bolorento"; *Scaeuola*, Cévola, procede do adjetivo *scaeuus, -a, -um,* "que está à esquerda ou vem da esquerda", daí *Scaeuola*, Cévola, significar, enquanto cognome, "o esquerdo, o canhoto", por haver mutilado a mão direita, segundo se verá. Já se pensou num empréstimo etrusco para *Scaeuola*, mas talvez a procedência seja grega, isto é, o latim *scaeuus*, "canhoto" teria a mesma formação que o grego σκαιός (skaiós), "esquerdo", ou o primeiro proviria do segundo, *DIELL.*, p. 598.

Porsena, rei etrusco, tão logo os Tarquínios foram expulsos de Roma, sitiou a cidade. O destemido patriota Múcio Cévola, decidido a matar o rei tirreno, infiltrou-se no campo inimigo e, por desconhecer o soberano etrusco, eliminou erradamente um outro adversário. Preso, foi levado à presença do rei, que, neste ínterim, se preparava para oferecer um sacrifício, tendo à sua frente um braseiro ardente. Múcio Cévola colocou a mão direita sobre fogo e deixou-a consumir. Estarrecido com a coragem e estoicismo do romano, Porsena mandou retirar o brasido e devolveu ao rival a espada que lhe havia tomado. Múcio jurou-lhe então, o que era falso, que outros trezentos romanos estavam preparados para executar a missão de que fora encarregado e fracassara, tendo sido ele o escolhido por sorteio, para uma primeira tentativa. Aterrorizado, Porsena concluiu apressadamente um armistício com Roma.

O epíteto *Scaeuola*, "canhoto", honrou-lhe para sempre a bravura e o amor à pátria.

N

NÊNIA

Nenia, *Nênia*. Vocábulo expressivo, talvez com reduplicação. É possível que se trate de um empréstimo. Cícero, *Leg.*, 2, 24, 62, deriva-o do grego νηνία (nenía), forma não atestada na língua de Homero. O grego possui, todavia, νηνίατον (neníaton), espécie de canto frígio, *DIELL.*, p. 437; *GEW.*, s.u.

Nênia é um treno ou melopéia, um canto fúnebre entoado durante as exéquias ou junto à pira funerária pelos parentes do falecido ou pelas *praeficae*, carpideiras, contratadas *ad hoc*, como explica G. S. Mestica, *DIUMI.*, p. 122. Festo, 157, 5, é claro a este respeito: *(Nenia) est carmen quod in funere laudandi gratia cantatur ad tibiam* – (Nênia) é um canto laudatório que se entoa com acompanhamento de flauta nos funerais (v. Exéquias). Personificada e divinizada, a deusa Nênia era presença obrigatória no hino e nas lágrimas dos parentes e amigos do morto.

Possuía um pequeno santuário do lado de fora da Porta Viminal, consoante o mesmo Festo, 157, 5: *Neniae deae sacellum extra portam Viminalem fuerat dedicatum* – À deusa Nênia se havia dedicado um pequeno santuário fora da Porta Viminal.

Do ponto de vista literário, consoante Massaud Moisés, *Dicionário de Termos Literários*. S. Paulo, Editora Cultrix, 1974, p. 357, "Variante da elegia, ou com ela por vezes identificada, a nênia consistia, na Roma antiga, numa ladainha plangente, executada por carpideiras assalariadas, a algum morto ilustre".

Na realidade, a nênia romana, canto lutuoso, entoado normalmente no cortejo fúnebre e junto à pira em que se cremava o cadáver, corresponde ao grego ἐπική-δειον (epikédeion), *epicédio*, e ϑρῆνος (thrênos), *treno*, ambos com a acepção de poesia ou canto fúnebre. Por extensão, nênia, epicédio e treno passaram a designar qualquer produção poética em memória de um morto ou até mesmo de animais domésticos, como os belos poemas 2 e 3 de Caio Valério Catulo, compostos para perpetuar o infortúnio da morte do "pardal" de sua bem-amada Lésbia.

Como observa o Prof. Paulo Sérgio de Vasconcellos, em sua precisa e corajosa tradução, com eruditos comentários, de *O Cancioneiro de Lésbia*. S. Paulo, Editora Hucitec, 1991, p. 84, "Na época helenística, tornou-se comum o epitáfio em versos a um animal; dentre os que praticaram o gênero, podemos citar Aulo Licínio Árquias, o poeta de Antioquia, que Cícero defendeu num discurso célebre".

Se o denominado período do "lirismo clássico feminino" da Hélade, com Safo, Corina, Telessila e Praxila, se fecha no século V a.C., a época helenística (320-30 a.C.) voltou a ouvir o som da lira com outras inspiradas poetisas, cujos fragmentos, alguns longos, chegaram até nós. Entre elas está Erina, da ilha de Tenos ou Lesbos, onde veio à luz provavelmente no século IV a.C.

Imitando o imediatismo emocional da lírica de Safo, Erina legou-nos um belo epicédio em homenagem a sua amiga Báucis, falecida logo após o casamento. Uma estrofe da longa nênia, em hexâmetros, atesta o talento poético de Erina:

Sou o túmulo de Báucis, a noiva.
Passando pela pranteada estela funerária,
diga a Hades ctônio: és cruel, Hades. Para os que olham,
as finas letras anunciarão o triste destino de Báucis:
como seu sogro lhe cremou o corpo com as mesmas
tochas com as quais se regozijou Himeneu
E tu, Himeneu, transformaste os cânticos
nupciais em lamentos fúnebres.

Em nossa língua portuguesa, a nênia foi cultivada "sobretudo pelos árcades, no século XVIII, mas com o artificialismo próprio do tempo (Cláudio Manuel da Costa, Filinto Elísio, José Agostinho de Macedo, Bocage e outros)".

Entre os poetas brasileiros, o fluminense Fagundes Varella (1841-1875) e o paulista de Santos, Vicente de Carvalho (1866-1924), deixaram-nos dois sentidos epicédios, em que celebram o filho, prematuramente morto. Vamos transcrever as duas primeiras estrofes do poema *Pequenino Morto*, do poeta paulista:

Tange o sino, tange, numa voz de choro,
Numa voz de choro... tão desconsolado...
No caixão dourado, como em berço de ouro,
Pequenino, levam-te dormindo... Acorda!
Olha que te levam para o mesmo lado
De onde o sino tange numa voz de choro...
    Pequenino, acorda!

Como o sono apaga o teu olhar inerte
Sob a luz da tarde tão macia e grata!
Pequenino, é pena que não possas ver-te...
Como vais bonito, de vestido novo

Todo azul celeste com debruns de prata!
Pequenino, acorda! E gostarás de ver-te
de vestido novo.

NÉRIO

Nerio, *-enis*, *Nério*. Para assinalar "o homem másculo, guerreiro", o indo-europeu possuía duas raízes: **wiro-*, donde *uir*, "o herói, o guerreiro", *o homem*, e seu derivado *uirtus*, "coragem, destemor, virtude", enquanto qualidade e mérito, e **ner-*, que designa "o homem másculo, forte". **Ner-* aparece no sânscrito *sunaraḥ*, "generoso" e *sunṛtra*, "generosidade"; no osco *niir*, "uir"; umbro *nerf* (ac. pl.), "os primeiros, os nobres". *Nero, -onis*, "Nero", cognome da Gens Claudia, da família dos Cláudios, e Nerio, -enis, "Nério", divindade guerreira, são formas alternadas, com base na raiz **ner-* e significam, respectivamente, "o másculo, o forte" e "a belicosa". Trata-se de dois vocábulos sabinos, *DIELL.*, p. 439sq.; *LEW.*, s.u.

Nério, a valente, a destemida, é a esposa ou irmã de Marte, identificando-se, por vezes, com Belona (v.). O culto de Nério-Belona teria sido introduzido em Roma pela *Gens Claudia*, de origem sabina, à qual pertencia o imperador Nero. A Nério, como a Marte e Vulcano, consagravam-se, por vezes, os depojosos dos inimigos. Identificou-se, mais tarde, também com Minerva (v.), deusa igualmente de índole guerreira. Para a fracassada tentativa da aventura amorosa de Marte com Minerva v. Ana Perena.

Já em Plauto, *Truc.*, 515, Nério aparece, embora num verso equívoco, como esposa do deus Marte:

Mars peregre aduenienis salutat Nerienem uxorem suam.

– Marte, vindo de locais distantes, saúda Nério, sua esposa.

NETUNO

Neptunus, *Netuno*, não possui ainda etimologia bem definida. Seria um empréstimo etrusco, a partir de *Nethuns*? Não se pode afirmá-lo com certeza. Tendo sido o grande deus greco-latino uma divindade essencialmente do *elemento úmido*, a aproximação com o avéstico *napta-*, "úmido", se bem que sedutora, é vaga. De outro lado, não se pode deixar de pensar na importância religiosa do indo-iraniano *apám nápat*, "originário da água", mas *Neptunus* não procede etimologicamente desta expressão, *DIELL.*, p. 438; *LEW.*, s.u. (v. Posídon no *Dicionário Mítico-Etimológico da Mitologia Grega*, Vol. II, s.u.).

Conforme se mostrou em *Mitologia Grega*, Vol. I, p. 333, os primeiros invasores indo-europeus gregos não conhecendo o *mar* e não possuindo um termo próprio para designá-lo, jamais poderiam ter trazido consigo *um deus do mar*. Veio com eles realmente "um outra divindade", o Posídon ctônio, senhor das águas subterrâneas, em seguida das águas "terrestres", nascentes, fontes e ribeiros. Só bem mais tarde, após a partilha do cosmo entre Hades, Zeus e Posídon, é que este, quando os gregos já haviam contraído núpcias indissolúveis com o mar, passou a dominar todas as águas, doces e salgadas. Ora, com o Netuno dos latinos aconteceu fato semelhante: o deus foi, em suas origens, ao que parece, tão-somente senhor do elemento líquido, mas sem relação alguma com o mar. Deus das nascentes, fontes e regatos, bem como dos lagos do norte da Itália, Panônia e África, só após incorporar o Posídon helênico é que se tornou também o rei do "pélago profundo".

Assimilado ao deus grego, certamente através da Magna Grécia, e assumindo o papel de senhor do mar, Netuno herdou os atributos de Posídon, mas, além do golfinho e do tridente, é sintomanticamente estampado com a *cornucópia*, símbolo da fecundidade da terra, o que lhe trai a origem de deus ctônio, de protetor das searas. Divindade do elemento úmido, o deus latino não possui um mito próprio, a não ser depois que assimilou o poderoso deus grego de todas as águas, ctônias e terrestres.

Sua festa principal, em Roma, *Neptunalia*, Netunálias (v. Festas), celebrava-se no período mais quente do verão, 23 de julho, e destinava-se a conjurar a seca e pedir proteção para a agricultura, segundo comenta Varrão a respeito das festas, *L.I.*, 6, 3, 19: *Neptualia a Neptuno; eius enim dei feriae* – As Netunálias originam-se do nome de Netuno; com efeito, são as festas do deus. Cultuado igualmente pelos navegantes, estes criaram em honra de seu protetor uma nova festa, *Ludi Neptunalici*, Jogos Netunianos, cujo ponto alto eram as naumaquias, representação ou simulação de um combate naval, além de corridas de barcos, *certamina classis*, como diz Vergílio na *Eneida*, 5, 66, canto em que se disputa uma animada corrida de naus em memória de Anquises, *En.*, 5,114-243.

O deus possuía um templo no vale do *Circus Maximus*, entre o Palatino e o Aventino. Na época imperial, Agripa consagrou-lhe um outro no Campo de Marte. Ao culto de Netuno estavam associadas as ninfas Salácia (v.) e Venília (v.).

Como o Posídon grego, o Netuno da *Eneida* é extremamente sensível e cioso em relação a seus domínios marítimos. Bastou que Éolo, a pedido de Juno, açulasse os Ventos e lhes ordenasse que submergissem os navios de Enéias (*En.*, 1, 66-124), para que o deus, *grauiter commotus,* gravemente irritado, convocasse os súditos de Éolo e, após repreendê-los energicamente, por lhe terem invadido o império, ameaçou-os com terríveis reticências. Apenas uma ponta do discurso do zeloso deus do mar (*En.*, 1, 132-135):

Tantane uos generis tenuit fiducia uestri?
Iam caelum terramque meo sine numine, uenti,
Miscere et tantas audetis tollere moles?
Quos ego...!

– Tamanha audácia demonstrais em função de vossa origem?
Já céu e terra ousais confundir, sem consentimento meu,
e erguer, ó ventos, tantas e tão pesadas ondas?
Eu vos...

Os Ventos recolheram-se à sua caverna; Éolo, à sua insignificância de sabujo de Juno; o mar intumescido baixou a crista salgada e o sol voltou a brilhar na abóbada celeste.

NIXOS

Nixi, -orum, *Nixos*, provém do verbo depoente *niti*, ind. presente *nitor*, perfeito *nixus*, "apoiar-se em, inclinar-se, dobrar-se com esforço, fazer esforço, está em trabalho de parto". A raiz do verbo é **kneig^{w}-*, donde a forma antiga *gnitor* por *nitor*, "fazer esforço para dar à luz", donde os deuses Nixos são os que ajudavam as parturientes no seu esforço para dar à luz.

Festo, 182, 23, define de maneira precisa a função dos *Nixi di*, dos "deuses Nixos" (e não deusas, como está, por equívoco, no *DIMG*., p. 318): *Nixi di: tria signa in Capitolio ante cellam Mineruae genibus nixa, uelut praesidentes parientium nixibus* – deuses Nixos: três estátuas ajoelhadas diante do santuário de Minerva, no Capitólio, como que presidindo os esforços das parturientes. Ovídio, *Met*., 9, 294, descrevendo o parto dificílimo de Alcmena, quando do nascimento de Hércules, traduz a angústia da princesa "tebana", que invoca Lucina e os Nixos:

Fessa malis tendensque ad caelum bracchia magno
Lucinam Nixosque patres clamore uocabam.

– Esgotada pelas dores, e, erguendo os braços para o céu,
eu invocava com grandes gritos a Lucina e os pais Nixos.

Nixos são três divindades masculinas (e não *femininas* como está na excelente edição das "Les Belles Lettres", *Métamorphoses*, texte établi et traduit par Georges Lafaye, Tome II, Paris, 1976, p. 102: *nixa, -ae*, em latim, é sinônimo de *coccymela*, isto é, "ameixa", sem dúvida uma corruptela de *myxa*, com o mesmo sentido, *DIELL*., p. 442). Estes deuses presidiam sobretudo os partos difíceis e complicados e ajudavam a mulher no "doloroso trabalho". Simbolizavam, na concepção popular, "os esforços" das parturientes.

NUMA POMPÍLIO

Numa Pompilius, *Numa Pompílio*, possui etimologia desconhecida. Segundo Carnoy, *DEMG*., p. 139, Numa talvez provenha do etrusco, uma vez que se encontram *numa, namu* entre os antropônimos tirrenos. O significado é desconhecido, mas comenta o supracitado filólogo que poderia haver uma aproximação com **nem*, "distribuir, administrar", ou ainda com o nome do rio *Numicius*. Como hidrônimo esta denominação se prenderia igualmente a **nem*, que passaria a significar "curvar, serpentear". *Pompilius* seria um nome itálico e corresponderia mais ou menos ao latim *quintilis*, "quinto", pois é conhecido o hábito romano de nomear os filhos com números ordinais. As hipóteses de Carnoy não são convincentes.

De origem sabina, Numa foi o segundo rei mítico de Roma, tendo nascido no mesmo dia em que esta fora fundada por Rômulo. Casou-se com Tácia, filha do rei Tito Tácio ou, segundo outros, com Lucrécia.

Eutrópio, *Breu. Hist. Rom.*, 1, 3-4, retrata este rei pacífico e verdadeiro semeador de cultos e de deuses: *Postea Numa Pompilius rex creatus est, qui nullum bellum gessit (...) Nam et leges Romanis moresque constituit (...) et annum discripsit in duodecim menses (...) et infinita Romae sacra ac templa constituit* – Em seguida (após a morte de Rômulo), Numa Pompílio foi eleito rei; nenhuma guerra fez. Organizou, no entanto, não apenas as leis, mas também morigerou os romanos. Dividiu o ano em doze meses, estabeleceu em Roma um sem-número de cerimônias do culto e construiu uma multiplicidade de templos. Voltado para as leis, para o calendário e sobretudo para a religião, a ele se atribuem a organização do culto aos deuses e a construção dos primeiros templos na cidade de Roma. Começou por tributar honras divinas a Rômulo, chamando-o Quirino (v. Rômulo). Criou a confraria dos Flâmines, dos Áugures, das Vestais, dos Sálios, dos Feciais, dos Pontífices e introduziu o culto de muitos deuses itálicos e "sabinos", como o de Júpiter Término e Elício (v. Júpiter), do Divino Fídio, da deusa Fidelidade e de outras muitas divindades. Diziam-no adepto da doutrina pitagórica e que sua política religiosa era inspirada nos conselhos e revelações da Ninfa Egéria (v.) com quem se encontrava todas as noites, numa gruta dedicada às Camenas (v.), junto a uma fonte sagrada. Teria sido igualmente o introdutor de um calendário lunar em que se estabeleciam os dias fastos e nefastos.

Era dotado de tais poderes mágicos que, certa feita, quando presidia um banquete, as mesas cobriram-se repentinamente de iguarias e de vinhos deliciosos. Em outra oportunidade, misturando mel e vinho numa fonte, onde se dessedentavam Pico e Fauno (v.), conseguiu aprisioná-los e fazê-los revelar todos os sortilégios contra os raios. A este respeito, aliás, conseguiu uma entrevista secreta com Júpiter, em que convenceu o deus a não lançar seus raios sobre Roma não mais em troca da oferenda de cabeças humanas, como era de praxe, mas de cabeças de cebola.

Foi pai de Pompo, Pino, Calpo e Mamerco, ancestrais de quatro grandes "famílias romanas". Com Tácia ou Lucrécia teve igualmente uma filha, Pompília, que, casada com o sabino Márcio, foi mãe de Anco Márcio, que teria sido o quarto rei de Roma.

Falecido em idade provecta, foi sepultado junto ao monte Janículo e, num esquife à parte, os livros sagrados escritos pelo próprio monarca. Cerca de quatrocentos anos mais tarde, no consulado de P. Cornélio e M. Bébio, uma tromba-d'água desenterrou os ataúdes. Fato prodigioso: o de Numa Pompílio foi encontrado vazio e o que continha os manuscritos foi queimado com os mesmos.

NUMITOR

Numitor, -oris, *Numitor,* proviria da raiz **nem*, "administrar", donde "o administrador", consoante Carnoy, *DEMG.*, p. 139.

Filho de Procas, rei de Alba Longa, Numitor teria sido o décimo sexto monarca da dinastia dos enéadas. Seu irmão mais jovem, Amúlio (v.), apossou-se do trono e expulsou-o do reino. Com receio de que um dia os filhos varões do irmão deposto pudessem vingar a afronta perpetrada contra o pai, o tirano mandou matá-los e enclausurou a única sobrinha, Réia Sílvia (v.), no templo das Vestais, para que não se casasse e desse à luz futuros pretendentes ao trono.

Todas estas precauções foram baldadas: o deus Marte uniu-se à jovem Vestal e fê-la mãe dos gêmeos Rômulo e Remo. Amúlio agiu com presteza: mandou colocá-los num cesto, que foi abandonado às margens do rio Tibre. O rio, porém, em cheia, os depositou suavemente no ponto mais elevado do Palatino. Recolhidos por Fástulo, tornaram-se, como ele, pastores, mas, dada sua condição de heróis, participavam freqüentemente de pilhagens e conflitos. Certa feita, por causa de uma rixa com os pastores de Amúlio, que lhe apascentavam igualmente o rebanho no Palatino, Remo foi preso e levado à presença do rei. O filho de Marte comportou-se com tal altivez, que despertou a suspeita do monarca, mas como o jovem ignorava a sua própria origem, o tirano nada conseguiu saber a respeito dele, por mais que o interrogasse. Rômulo, posto a par de sua filiação divina, reunindo-se a um grupo de pastores, invadiu o palácio de Amúlio, matou-o, libertou Remo e recolocou seu avô Numitor no trono de Alba.

Existe uma outra versão do mito bastante diferente, em que avulta o papel de Numitor, por ter salvo a vida dos netos e lhes proporcionado uma educação digna de heróis. Sabedor da gravidez da filha, esperou o nascimento dos netos, que foram escondidos no Palatino e providenciou dois outros meninos que os substituíssem e satisfizessem à fúria assassina e à insegurança de Amúlio. Fáustulo, como no relato anterior, cuidou dos filhos de Marte e a esposa do humilde pastor, chamada Larência (v.), os aleitou. Diga-se, de passagem, que esta Larência teria sido outrora uma cortesã, e, por isso mesmo, possuía a alcunha de *Lupa*, "Loba", nome que se dava às mulheres que vendiam seus encantos. Ainda pequenos, Rômulo e Remo foram enviados à cidade de Gábios, onde foram educados nas letras gregas. Retornando ao Palatino para junto de Fáustulo, que consideravam como seu verdadeiro pai, envolveram-se, por estratagema do avô, num grave conflito com os pastores locais. Numitor solicitou a Amúlio que pusesse termo à selvageria dos dois jovens indisciplinados e violentos, que, unidos a outros igualmente rebeldes e insubordinados, lhe devastavam o rebanho. Satisfeito com o pedido do irmão e sem a menor desconfiança, reuniu a todos em Alba Longa, a fim de mostrar sua autoridade e punir os culpados.

Após revelar aos netos sua verdadeira origem, Numitor associou-se a eles e aos demais pegureiros e facilmente venceu a Amúlio e reconquistou o trono. A Rômulo e Remo doou-lhes "as terras do Palatino", onde foram criados, para que construíssem uma cidade.

Algumas outras variantes do mito não possuem grande importância, a não ser aquela em que Procas aconselhou a Numitor e Amúlio governarem Alba como se fossem dois cônsules romanos, formando uma espécie de colegiado. Amúlio, todavia, repetindo o gesto de Etéocles, apossou-se do poder, obrigando o irmão a exilar-se.

NUME (S)

Numen, *-inis*, pl. *Numina*, *Nume, Numes*, provém do verbo *nuere*, "fazer um sinal com a cabeça, anuir, assentir". O verbo só aparece em compostos, glosas e nas formas *nuit; promisit, nutum dedit*, "fez sinal com a cabeça; concordou, aquiesceu". Trata-se de um termo religioso, como o define Festo, 178, 9: (*numen*), *quasi nutus dei et potestas dicitur* – nume denomina-se a vontade e autoridade do deus. Em conotação mais ampla, é "o poder divino", daí o sentido concreto de "divindade" com que o vocábulo se enriqueceu na época imperial, documentado no *CGL.*, V, 227, 10: *numentar (uel numentum) locus in quo numen consecrabatur pagani dicebant* – os aldeões denominavam "numentar" (ou "numento") o local consagrado ao nume (ao deus). E, por extensão, até mesmo o imperador passou a ter a força de um nume, como suplica Ovídio ao nume de Baco, para que aplaque "o nume de César": *Trist.*, 5, 3, 45-46:

Sunt dis inter se commercia: flectere tenta
Caesareum numen numine, Bacche, tuo.

– Os deuses têm uma ligação entre si: tenta, Baco,
mitigar com teu nume o nume de César.

O grego possui νεύειν (neúein), "fazer sinal com a cabeça" e o sânscrito *nauti*, *návate*, "ele se movimenta, volta-se", *DIELL.*, p. 452.

A. Aymard e J. Auboyer, *Roma e seu Império*, S. Paulo, Difusão Européia do Livro, 1956, p. 188sq., têm uma observação importante acerca do *numen*: "Os romanos reconheciam inúmeras 'forças' (*numina*) ou vontades e concediam-lhe um gesto de respeito, uma oferenda, algumas orações: um *numen* fazia com que uma criança pegasse o seio, e outros que ela bebesse e comesse; um *numen* intervinha no primeiro amanho da terra, e outros no segundo, na aradura, na replanta, na sachadura: um *numen* formava os nós da haste do trigo e outro dava ao grão seu envoltório. Esta disposição mental que nunca desapareceu, levou bem cedo à divinização de abstrações, atributos alegóricos de certos deuses". Os romanos possuíam destarte uma multiplicidade de "vontades divinas" (*numina*) que era mister conciliar, administrar cuidadosamente em circunstâncias e momentos precisos da existência e, para isto, os sacerdotes preparavam listas intermináveis de *numina*, denominadas *indigitamenta*, rituais em que se explicitavam as atribuições das divindades.

Em síntese, os *numina* não agiam como o *Fatum* (Fado): não predeterminam coisa alguma; atuavam, quando solicitados, de acordo com sua vontade divina, *hic et nunc*, aqui e agora.

O

OCRÍSIA

Ocrisia ou ***Ocresia***, *Ocrísia*, não possui etimologia conhecida.

Era filha do rei de Cornículo, no Lácio. Tão logo sua cidade natal caiu nas mãos dos romanos, foi levada a Roma como escrava de Tanaquil, esposa de Tarquínio Prisco. Na corte deu à luz um filho de forma misteriosa: quando levava ao deus Lar as oferendas rituais, viu um falo erguer-se das cinzas da lareira. Assustada, relatou o fenômeno à rainha. Tanaquil aconselhou-a a vestir-se de noiva e fechar-se no santuário do deus. À noite, como se fora o Eros de Psiqué, um noivo divino a engravidou. Desse estranho amor nasceu o rei Sérvio Túlio, o que justifica o comentário de Eutrópio, *Breu. ab Urb. cond.*, 1,7: *Post hunc Seruius Tullius suscepit imperium, genitus ex nobili femina, captiua tamen et famula* – Depois deste (Tarquínio Prisco), Sérvio Túlio, filho de mulher nobre, embora cativa e escrava, assumiu o governo.

Uma variante assevera que Ocrísia já fora grávida para Roma. Não era filha, mas esposa do rei de Cornículo. Outros afiançam que a princesa havia sido amante, na Urbe, não de um deus, mas de um cliente de Tarquínio.

Consoante Ovídio, *Fastos*, 6, 625-636, o noivo misterioso de Ocrísia foi Vulcano, que, para comprovar sua paternidade, envolveu em chamas a cabeça do recém-nascido Sérvio Túlio, *Fast.*, 6, 635-636:

Signa dedit genitor tum, cum caput igne corusco
contigit, inque coma flammeus arsit apex.

– O pai se deu a conhecer, quando lhe tocou a cabeça com chamas
flamejantes e seu cabelo ardeu como uma língua de fogo.

OPS

Ops, *Opis*, *Ops*. O nom. sing. *Ops* não é usado, a não ser sob a forma *Opis*, como se observa em Plauto, *Bacchid.*, 893, e em Festo, 203, 19: *Opis dicta est coniux Saturni per quam uoluerunt terram significare, quia omnes opes humano generi terra tribuit* – Ops foi chamada a esposa de Saturno; quiseram através dela designar a terra, porque esta distribui todos os bens ao gênero humano. A raiz *ops*, que designa "abundância, riqueza", a que se prende igualmente *opus*, "trabalho, obra", é muito empregada na linguagem religiosa para designar a atividade produtiva. Com o sufixo **-n-es-*, que traduz "bens, ganhos lucros", o sânscrito possui *ápnaḥ*, "bens, propriedade" e o hitita *happina-*, riqueza, *DIELL.*, p. 463-464; *LEW.*, s.u.

Deusa da abundância entre os romanos, é a companheira ou esposa de Saturno. Assim como este se identificou com o deus grego Crono, Ops assumia, por vezes, algumas características de Réia (v. *DIMEG.*, Vol. II, s.u.). Introduzida em Roma pelo rei Tito Tácio, esta divindade sabina tornou-se protetora da agricultura, fonte de fartura e de riquezas.

Associada ao deus Conso (v.), era celebrada com ele, a 21 de agosto e 15 de dezembro, nas *Consualia*, Consuálias, como dispensadores de boas colheitas.

Possuía um templo no Capitólio e nas moedas aparece sentada num trono, empunhando um cetro e, mais comumente, espigas de trigo.

ORCO

Orcus, *Orco*, não possui etimologia definida, embora não se possa afastar a hipótese de uma origem etrusca. A forma antiga *Uragus* é atestada por Festo, 222, 6: *Orcum quem dicimus, ait Verrius, ab antiquis dictum Uragum* – Diz Vérrio que os antigos denominavam "Úrago", o que chamamos Orco. Para Carnoy, *DEMG.*, p. 146, o topônimo proviria do indo-europeu **areq-*, **areg-*, "fechar, esconder, ocultar", donde mansão subterrânea dos mortos, mas a etimologia é posta em dúvida.

O conceito de Orco evoluiu: de *deus do mundo ctônio*, passou a significar *os infernos* e, em seguida, a própria *morte*. Com o sincretismo greco-latino, traduzia simplesmente Plutão ou *Dis Pater*, o Pai Dite (v.). Na crença popular romana, todavia, Orco era uma espécie de demônio da morte, confundindo-se freqüentemente com o próprio Inferno. Nas pinturas funerárias etruscas é estampado sob a forma de um gigante barbudo e hirsuto. Curioso é que, enquanto Plutão ou Dite era moeda corrente no mito erudito, Orco permaneceu vivo na linguagem familiar, como se expressa Varrão, *R. Rust.*, 1.4: *rationem cum Orco habere*, – afastar-se do perigo da morte, "compor-se com o Orco". Como topônimo, todavia, é muitas vezes empregado na alta poesia, segundo se pode observar em Vergílio, *En.*, 6, 273-274:

Vestibulum ante ipsum primis in faucibus Orci
Luctus et ultrices posuere cubilia Curae

– Ante o próprio vestíbulo, nas fauces estreitas do Orco
Têm sua morada o Luto e os vingadores Remorsos.

OSÍNIO

Osinius, *Osínio*. Carnoy, *DEMG*., p. 148, pergunta se o antropônimo não poderia provir do etrusco *husina*, "jovem", o que parece improvável.

Na *Eneida*, 10, 653-655, Vergílio fala a respeito deste herói:

Forte ratis celsi coniuncta crepidine saxi
expositis stabat scalis et ponte parato,
qua rex Clusinis aduectus Osinius oris.

– Por acaso, conservava-se junto à ponta de elevada
rocha, com as escadas e a ponte preparada, a nau
em que viera das regiões de Clúsio o rei Osínio.

Osínio era, pois, rei de Clúsio, e fazia parte do contingente etrusco enviado a Enéias por seu amigo, o poderoso Tárcon (*En*., 8, 506), para ajudar o filho de Vênus na luta contra Turno.

P

PALANTE

Pallas, -antis, *Palante,* segundo Carnoy, *DEMG.*, p. 150, significaria "jovem", e estaria relacionado com o grego πάλλαξ (pállaks), "moço" e com o avéstico *pairikā*, "sedutor". A etimologia não é comprovada.

No mito latino é mister distinguir Palante e Palas (v.). O primeiro é um herói "romano", um dos múltiplos epônimos do Palatino. Consoante Dionísio de Halicarnasso, *op. cit.*, 1, 32sqq., aquele teria sido filho de Hércules e Dina, filha de Evandro (v.). Faleceu jovem ainda e o avô mandou sepultá-lo no monte Palatino, a que Palante emprestou seu nome.

PALANTO

Palanto, -us, *Palanto*, consoante Walde-Hofmann, *LEW.*, s.u., talvez provenha do indo-europeu **pelā,* que designa "altura", estando, neste caso, relacionado com *pal-antia*, *pal-ata*, "planalto", o que lembraria *(West)phalen*, *anfali> Eifel.*

Filha de um hiperbóreo e trazida à Itália por Hércules, teria sido amada por este ou por Fauno, dando à luz o rei Latino (v.). Esta é a versão de Varrão, *L.l.*, 5, 8, 83, cujo escopo é explicar o nome do monte Palatino, dando-lhe mais um epônimo.

PALAS

Pallas, -antis, *Palas.* O antropônimo possui a mesma etimologia hipotética registrada em Palante (v.). É bem possível, aliás, que ambos constituam personagem idêntica e a diferença, que se há de observar no mito, seja devida a uma variante de Vergílio.

Com efeito, Vergílio, *En.*, 8, 102-591, faz um amplo relato do encontro de Enéias com o rei Evandro, que é apontado como pai de Palas; aliança de ambos e do envio do príncipe para a guerra contra os rútulos.

O jovem e destemido herói, no entanto, para desespero de Evandro (v.), é morto em combate por Turno, que lhe trata desrespeitosamente o cadáver, exatamente o oposto do que fez Enéias com o corpo de Lauso (v.), e ainda dirige uma mensagem brutal ao idoso e inconsolável pai do valente guerreiro, *En.*, 10, 491-492:

"Arcades, haec" inquit, "memores mea dicta referte
Euandro: qualem meruit, Pallanta remitto".

– Árcades, disse, lembrai-vos de minhas palavras e transmiti-as
a Evandro: envio-lhe Palas tal qual ele o mereceu.

Pisa, em seguida, com o pé esquerdo, o corpo inanimado do herói e arranca-lhe o boldrié. Este gesto violento de Turno decidirá o indeciso Enéias a dar o golpe de misericórdia no rei dos rútulos, revestido dos despojos de Palas, e caído a seus pés, *En.*, 12, 948-949:

... Pallas te hoc uolnere, Pallas
immolat et poenam scelerato ex sanguine sumit.

– ... É Palas, que, com este golpe, te imola,
é Palas que se vinga no sangue de tua brutalidade.

Esta variante lindíssima e comovente deve ter sido uma criação de Vergílio, porque antes dele corria a versão de que Palas sepultara o pai no monte Palatino, o que invalidaria, não fora a intemporalidade do mito, todo o relato do Cisne de Mântua.

PALES

Pales*, *-is*, *Pales, deve ser aproximada etimologicamente do segundo elemento de *opilio*, "pastor", *DIELL.*, p. 476. Com efeito, P. Festo, 248, 17, define-a como deusa dos pastores: *Pales dicebatur dea pastorum uel, ut alii uolunt, dicta Parilia, quod pro partu pecoris eidem sacra fiebant* – Pales era denominada a deusa dos pastores ou, como querem outros, é também chamada Parília, porque se sacrificava a ela em favor "do parto" do rebanho.

Pales é um gênio, ora masculino, ora feminino, cuja função era proteger os rebanhos. Em sua honra, celebravam-se, a 21 de abril, as festas (v.) denominadas *Palilia* ou *Parilia*, durante as quais os pastores punham fogo em montes de palha e gravetos e saltavam sobre os mesmos. Quanto à forma dupla *Palilia/Parilia*, o *r* se explica por uma dissimilação normal em latim, *DIELL.*, p. 476.

A festa das *Parilia* coincidia com a da fundação de Roma por Rômulo e identificava igualmente Pales como um epônimo do Palatino.

Simples *numen* (v.) da vida pastoril, Pales não possui um mito próprio.

Ovídio, *Fast.*, 4, 775-776, invoca a deusa como *domina pastorum*, a protetora dos pastores.

PALINURO

Palinurus, *Palinuro*, consoante Carnoy, *DEMG.*, p. 149, é mera transliteração do grego παλίνουρος (palínuros) e significaria ironicamente "um mau piloto", "o que olha para trás", antônimo de ἐπίουρος (epíuros), "vigilante, o que olha corretamente para frente".

Piloto de grande confiança de Enéias, morreu na travessia da Sicília para a Itália. Vênus prometeu ao filho que a viagem seria tranqüila, mas que um troiano pereceria para salvaguardar a vida dos demais, *En.*, 5, 815: *Unum pro multis dabitur caput* – Um só pagará com sua cabeça pela salvação de muitos, foram as palavras de Netuno a Vênus, que lhe solicitou ajuda, para que as naus troianas chegassem finalmente à Itália. O eleito pelo Fado foi o timoneiro Palinuro.

Vergílio, *En.*, 5, 835-861, relata como o deus Sono, leve e insinuante, sob forma hierofânica, isto é, tomando as feições de Forbas, procura convencer Palinuro a entregar-lhe o remo. Não o conseguindo, bateu-lhe nas têmporas com um ramo umedecido nas águas dos rio Lete e impregnado das forças do Estige, cerrando-lhe os olhos rebeldes. O deus tendo-o adormecido, investe-o, lançando-o nas ondas com o leme e parte da popa. Percebendo Enéias que a nau flutuava sem governo, deu pela falta do companheiro e não se lembrando das palavras de sua mãe Vênus, censurou-lhe levemente a conduta, pelo excesso de confiança na serenidade do céu e do mar. Tomou o leme e lamentou o mais triste dos destinos que poderia acontecer a um ser humano, ficar insepulto, *En.*, 5-870-871:

O nimium caelo et pelago confise sereno
nudus in ignota, Palinure, iacebis arena.

– Confiaste em demasia na serenidade do céu e do mar,
insepulto jazerás, Palinuro, em praia ignorada.

Felizmente para o fiel timoneiro, tal fato não aconteceria.

Quando Enéias, em companhia da Sibila de Cumas, desceu à outra vida, encontrou às margens do Estige e do Cocito uma multidão confusa de almas: de pé, na ribeira, imploravam a Caronte que as transportasse para a outra margem, para a mansão de Dite. A uma pergunta do filho de Vênus, a Sibila respondeu que eram almas cujos corpos jaziam insepultos. Teriam que vaguear cem anos até que o barqueiro as recebesse e conduzisse para o reino dos mortos (*En.*, 6, 325-330). Entre estes infelizes estavam o piloto Palinuro, que relatou a Enéias a verdadeira história de sua queda no mar e como, após ter sobrevivido três dias e três noites agarrado ao leme, quando já estava prestes a pisar terra da Itália, foi assassinado pelos ribeirinhos, que esperavam talvez ricos despojos. Suplica ao herói que lhe sepulte o corpo, que se encontra no porto Velino ou então que lhe dê a mão e o conduza para além das ondas infernais. A Sibila respondeu-lhe que era impossível vencer com súplicas os arestos dos deuses imortais e levar para a outra margem almas cujos corpos não houvessem recebido sepultura. Prometeu-lhe, no entanto, como profetisa, que os povos vizinhos, compelidos por demonstrações divinas, haveriam de lhe recolher os ossos, erguer-lhe um túmulo, prestar-lhe as devidas homenagens fúnebres e que dariam ao local o nome de Palinuro, *En.*, 6, 381:

aeternumque locus Palinuri nomen habebit

– o local terá para sempre o nome de Palinuro.

Trata-se do Cabo de Palinuro, na Lucânia, sul da Itália.

Estas palavras da Sibila o consolaram e a dor deixou de aferroar-lhe o coração entristecido. Afinal seu nome e sua memória se perpetuariam em terras da Itália.

PARCA (S)

Parca, *Parca* e sobretudo no plural ***Parcae***, *Parcas*, provém, ao que tudo indica, do verbo *parĕre*, presente *pario*, "gerar, dar à luz, pôr no mundo", mas o sentido primitivo deve ter sido o de "produzir" como se expressa Catão, *De Re Rust.*, 89, 1: *Gallinas teneras, quae primum parient, concludat* – Prenda as galinhas novas que puseram ovos pela primeira vez. Segundo Ernout-Meillet, *DIELL.*, p. 484, a noção de "pôr no mundo" não possui expressão conhecida no indo-europeu. *Gignere e nasci,* "engrendrar, gerar" e "nascer, vir ao mundo", têm uma acepção social e jurídica e não física. O significado geral de *parens, -ntis*, que se aplica tanto ao pai quanto à mãe, mostra que o sentido inicial de *parĕre* não era "o parto através da mãe", mas o de "produzir", como o grego τεκεῖν (tekeîn). As Parcas eram, pois, em princípio, as divindades que "produziam, provocavam o nascimento" e depois também "o casamento e a morte".

Em suas origens, na religião romana, as Parcas, com os nomes de *Nona, Decuma* (*Decima*) e *Morta,* Nona, Décima e Morta, eram as promotoras, as paraninfas do nascimento, do casamento e da morte: as duas primeiras que presidiam, de início, o nascimento, porque, sendo a religião romana essencialmente preventiva, a criança (o ano era lunar) nascia normalmente "no décimo mês", daí *Decuma* (ou *Decima*), Décima, mas poderia vir à luz um mês antes e, neste caso, teria *Nona*, Nona, para assitir a parturiente, e *Morta* ocupava-se da morte. Aulo Gélio, 3, 16, 10, parece comprovar a exata acepção de Décima: *Decuma* "a partus tempestiui tempore" – Décima provém "do tempo oportuno do parto". Esvaziou-se depois "o conteúdo etimológico": Nona encarregou-se do nascimento; Décima passou a patrocinar o casamento, que é, aliás, um começo, um nascimento apenas um pouco diferente, e *Morta*, que possui a mesma raiz de *Moira*, com influência de *mors*, continou a presidir a morte.

Com a influência grega, as Parcas identificaram-se com as Queres helênicas (v. *DIMEG.* s.u.), Cloto, Láquesis e Átropos, projeções da *Moira* (v. *DIMEG*, s.u.), quer dizer, emanações da própria Moira, as executoras do que foi por esta predeterminado. Converteram-se, pois, as Parcas em fiandeiras da vida e da morte: uma segura o fuso e puxa o fio da vida; a segunda enrola-o e sorteia o nome de quem deve deixar a luz e a terceira *corta-o inflexivelmente*. Não é em vão que se encontra, por vezes, em latim, *Parca* no singular como sinônimo de Moira, Destino, segundo se pode ver em Horácio, *Od.*, 2, 16, 37-40:

. . . . mihi parua rura et
spiritum Graiae tenuem Camenae
Parca nom mendax dedit et malignum
spernere uolgus

– . . . . a Parca não enganadora concedeu-me
um pequeno domínio, a delicada inspiração
da Musa grega e o desprezo
pelo vulgo invejoso.

No Fórum, as Parcas eram representadas por três estátuas, comumente denominadas *Tria Fata*, os Três Destinos.

PAZ

Pax, ***-cis***, *Paz*, origina-se da raiz **pak-*, "fixar por uma convenção, resolver por um acordo entre as duas partes". À mesma raiz pertecem as formas arcaicas *pacit, pacunt*, de um verbo *pacere*, que aparecem nas *Leges XII Tabularum*, 7, 11: *Si membrum rupsit, ni cum eo pacit, talio esto* – se alguém fere a outrem e não chega a um acordo com ele, sofra a pena de talião.

Abstração divinizada em Roma, Paz assemelha-se a Εἰρήνη (Eiréne) grega, a deusa Paz, como está em Eurípides, *Orest.*, 1683. Muito invocada no séc. I a.C., quando se incendiara a República com sucessivas e cruentas guerras civis, Augusto mandou erigir um altar à deusa Paz, para comemorar o restabelecimento da ordem pública. Mais tarde, Vespasiano construiu-lhe um templo denominado *Forum Pacis*, Fórum da Paz. A deusa era representada com um ramo de oliveira, símbolo da paz, o caduceu, tradução do comando, e o Corno da Abundância, configuração da prosperidade.

PENATES

Penates, ***-ium***, *Penates*, provém do neutro ***penus***, ***-oris***, ou ainda ***penum***, ***-i***, ***penus***, ***-i***, m. e ***penus***, ***-us***. f., "comestíveis, despensa", como o define Cícero, *Nat. deor.*, 2, 27, 8: *est enim omne quo uescuntur homines, penus* – "penus" é tudo que serve de alimentação ao homem e Festo, 231, 8: *penora dicuntur res necessariae ad uictum cotidianum* – "penora" se chamam as coisas indíspensáveis para a alimentação diária. *Penus,* no entanto, significava, a princípio, a parte interior da casa, onde as provisões eram guardadas, como atesta o vocabulário religioso conservado pelo mesmo Festo, 296, 12: *penus uocatur locus intimus in aede Vestae, tegetibus saeptus, qui certis diebus circa Vestalia aperitur* – é denominado "penus" o local mais recôndito do templo de Vesta, coberto por esteiras, que se abria em certos dias nas proximidades das Vestálias (festas em honra de Vesta). Conclui-se daí que os Penates eram, certamente, em seus primórdios, deuses que guardavam as provisões e cujas imagens se encontravam *no interior* da casa, no *tablinum*, na galeria, atrás do *atrium*, átrio. Apesar da aparência indo-européia, o vocábulo não possui etimologia conhecida, *DIELL.*, p. 496-497. Carnoy, *DEMG.*, p. 156, nas pegadas de Walde-Hofmann; *LEW.*, s.u., deriva-o, sem muita convicção, do verbo *penetrare*, penetrar, o que foneticamente seria impossível.

Os Penates, divindades tipicamente romanas, associadas à deusa Vesta, eram também protetoras da "lareira doméstica", mas, a princípio, se diferenciavam dos Lares (v.). Enquanto estes eram representados por estátuas, como se fossem deuses antropomorfizados, aqueles permaneceram por longo tempo forças invisíveis, meras abstrações. A pouco e pouco, no entanto, confundiram-se as duas categorias e os Penates, patronos do interior do lar e de sua lareira, passaram como os Lares, espíritos tutelares, almas dos antepassados, a ser como estes, espíritos dos mortos, que guardavam o lar dos seus descendentes e a própria cidade.

Enéias trouxe de Tróia incendiada os seus Penates, as efígies de seus antepassados ilustres. Sofreu muito em terra e no mar para transportar aqueles que seriam o embrião da raça latina, dos reis de Alba e das futuras muralhas de Roma, *En.*, 1, 5-7:

multa quoque et bello passus, dum conderet urbem
inferretque deos Latio, genus unde latinum
Albanique patres atque altae moenia Romae.

– Muito sofreu também Enéias na guerra, no intento de fundar a cidade,
transferir para o Lácio seus deuses (Penates), origem da raça latina,
dos pais albanos e das muralhas da altaneira Roma.

Os Penates de Roma, para os quais se havia construído um templo na *Via Sacra*, eram representados pelas estátuas de dois jovens sentados.

PICO

Picus, *Pico*, sem dúvida está relacionado com *Picumnus*, Picumno, (v. Pilumnus), cuja origem deve ser etrusca, *DIELL.*, p. 506; Ernout, *Philologica,* I, p. 33.

Antigo rei mítico do Lácio, governava os Aborígenes (v.), a primeira população da Itália. Foi pai de Fauno (v.) e avô de Latino (v.). Seu pai chama-se, por vezes, *Sterces*, Esterce ou *Sterculus*, Estérculo, divindade que presidia "os adubos da terra, esterco, estrume", para tornar as pastagens verdes e abundantes. Estérculo, para adquirir maior dignidade e projeção, foi relacionado ou até mesmo identificado com Saturno, e, em outras versões, torna-se filho deste deus.

Excelente adivinho, o rei mantinha junto de si o picanço, ave profética por excelência. Os mitógrafos julgam que este pássaro era versado na arte divinatória, por ser a metamorfose de Pico, operada por Circe, porque, apaixonada pelo soberano dos Aborígenes, este preferiu a ela sua esposa Pomona (v.) ou Canente. Neste verbete, diga-se, de caminho, narra-se o amor exaltado da bruxa da ilha de Eéia e sua vingança pelo desprezo de Pico.

O picanço, em latim *picus*, que se pode aproximar semanticamente do grego γρύψ (grýps), representava na tradição greco-latina o pássaro dotado de amplos poderes divinatórios. Ver ou ouvir o ruído provocado por esta ave miraculosa era considerado de bom augúrio. Plauto, *Asinária*, 259-261, num trocadilho jocoso e irônico, apesar de *picus* expressar um presságio feliz, coloca-o à esquerda, símbolo do azar:

Inpetritum, inauguratumst; quouis admittunt aues.
Picus et cornix [est] ab laena, coruos, parra ab dextera
Consuadent.

– Tomados os augúrios, consultados os presságios, qualquer direção
é permitida pelas aves. Picanço e gralha, à esquerda, corvo e
xofrango, à direita, nos encorajavam.

Pássaro profético, guiava os caçadores e viajantes. Tão logo nasceram Rômulo e Remo, voou para o local onde foram expostos, para levar-lhes alimento, convertendo-se, destarte, na ave predileta do deus Marte.

Símbolo de proteção e de segurança, o picanço traduz o renascimento, pelo fato de viver abrindo buracos nas árvores e paredes. J. Chevalier e A. Gheerbrant, *DIS.*, p. 762, citam Jung (334-335), para quem *picus* exprime o retorno ao útero materno, imagem liberadora do pensamento, desejo nato de introversão.

Ovídio, *Met.*, 14, 320-446, relata prolixamente o grande amor de Pico por Canente ou Pomona, a paixão de Circe pelo mesmo e a transformação do rei dos Aborígenes em picanço.

PIEDADE

Pietas*, *-atis, *Piedade,* provém de *pius, -a, -um*, “piedoso”, no sentido de cumprimento do dever para com os deuses, os pais e a pátria. Assim *pietas*, repetindo o que diz Maria Helena da Rocha Pereira, *Op. cit.*, p. 326sqq., “define-se habitualmente como um sentimento de obrigação para com aqueles a quem o homem está ligado por natureza (pais, filhos, parentes). Quer dizer, por conseguinte, que liga entre si membros da comunidade familiar, unidos sob a égide da *patria potestas*, e projetada no pretérito pelo culto dos antepassados. Está, pois, firmada nos sentimentos religiosos dos Romanos, que se sentiam protegidos pelos deuses Manes, Lares e Penates, e que pensavam que o dono da casa tinha o seu *genius* tutelar e que a esposa era protegida por Juno.

Estabelecendo assim um vínculo afetivo entre os membros de uma família, a *pietas* alargava-se à divindade, e acaba por compreender também as suas relações com o Estado." Donde se pode concluir que *pietas*, "piedade", é o exato cumprimento do dever para com a pátria, os deuses e a família, incluindo-se nesta os antepassados.

O herói da *Eneida* é o *pius Aeneas*, "o piedoso Enéias" e a *pietas* é um de seus traços fundamentais, sublinhado por seu pai Anquises, quando o filho desceu à outra vida para vê-lo, *En.*, 6, 687-689:

Venisti tandem, tuaque exspectata parenti
uicit iter durum pietas? datur ora tueri,
nate, tua, et notas audire et redere uoces?

– Vieste, enfim, e tua "piedade", tão aguardada por teu
pai, venceu a difícil caminhada? Posso, ó filho,
ver teu rosto, ouvir a conhecida voz e falar contigo?

Quanto à etimologia, dizem Ernout-Meillet, *DIELL.*, p. 511, que *pius* (donde *pietas*) é uma palavra itálica: osco *Piíhiúí*, "Pio"; umbro *pihaz*, "piātus", purificado; volsco *pihom*, "pium", piedoso.

Divinizada como simples abstração, *Pietas*, Piedade, não possui um mito próprio. Seu templo, que datava dos inícios do séc. II a.C., erguia-se nos sopés do Capitólio. Na época imperial, a deusa aparece com freqüência nas moedas e traduz os valores morais do imperador reinante.

PILUMNO

Pilumnus, Pilumno, teônimo de que se deve aproximar *Picumnus*, Picumno, (v. Pico), é certamente de origem etrusca, como indica a final, presente igualmente em *Vertumnus*, Vertumno; *Vitumnus*, Vitumno; V*olumn(i)us*, Volúmnio e outros, *DIELL.*, p. 506; Ernout, *Philologica* I, p. 33. Ernout-Meillet, *DIELL.*, p. 507, citando a Léjay, em nota ao canto 10, 76, da *Eneida*, repetem as palavras do comentarista: *Pilumnus*, Pilumno, forma com *Deuerra*, Deverra, e *Intercidona*, Intercidona, a tríade que protegia o recém-nascido contra os ataques de Silvano (v.), demônio da floresta. O ritual de amparo à parturiente é executado por três homens: um fere a soleira da porta do quarto da que está em trabalho de parto com um pilão (Pilumno); outro a varre e limpa (Deverra) e o terceiro rasga a soleira, abrindo-lhe um fresta com um machado (Intercidona). Segundo S. Agostinho, *DE Ciu. Dei*, 6, 1, citando a Varrão, estes três gestos devem ter gerado os três deuses, o que, diga-se, de caminho, é um método evemerista de interpretar o rito. Acrescente-se, que, por ser o inventor mítico do *pilum*, pilão, *Pilumnus*, Pilumno, foi, por etimologia popular, associado ao mesmo; *Deuerra*, Deverra, provém do verbo *deuerrĕre*, varrer, limpar, "purificar", e *Intercidona* é um derivado do verbo *intercidĕre*, cortar, abrir, fender.

Pilumno e Picumno, em conjunto, presidiam os ritos do casamento, como diz Nônio, 528, 11, citando a Varrão: *Pilumnus et Picumnus di praesides auspiciis coniugalibus deputantur* – Pilumno e Picumno são deuses encarregados de presidir os auspícios nupciais.

Pilumno era considerado igualmente como deus rústico, criador do pilão, cuja finalidade é descascar e triturar o grão. Com o epíteto de *Stercutius*, Estercúcio, palavra derivada de *stercus*, esterco, era tido como inventor do estrume para fertilizar a terra, o que era atribuído igualmente a Picumno. Uma versão diferente apresenta Pilumno como pai de Dauno e avô de Turno (*En.*, 9, 1-4), não mais como deus do pilão, mas como o senhor do dardo, que, em latim, se diz também *pilum*.

Pilão, machado e *vassoura*, cujo manuseio punha em fuga o perigoso Silvano, que vigiava os partos para furtar ou devorar os recém-nascidos, são três símbolos fortes: o primeiro exerce o papel de discriminação, porque separa a casca do grão, e, triturando-o, traduz, ambivalentemente, a vida e a morte; o machado, que fere, abre fendas e corta, é um símbolo de penetração espiritual até o centro do mistério, tanto quanto um instrumento de libertação; a vassoura, que limpa a sujeira, fere e afugenta hóspedes invisíveis e maléficos, purifica o local.

PISTOR

Pistor, *Pistor*, à letra, "padeiro", é, como se verá, um epíteto de Júpiter. *Pistor* provém do verbo *pinsĕre*, "moer, triturar o grão", daí a explicação de Varrão: *L.l.* 5, 138: *pilum quod eo far pisunt, a quo ubi id fit dicitur pistrinum* – pilão, porque nele se tritura o trigo, do qual de diz proceder o nome *pistrinum* (almofariz). A raiz é **peis-*, que se aplica à técnica de bater com o socador ou mão-de-pilão, diferente de "moer", que se expressa em latim pelo verbo *molere*. O sânscrito tem *pináṣṭi*, ele esmaga, *piṣṭáḥ*, esmagado. O grego possui o verbo πτίσσειν (ptíssein), esmagar com um pilão, pilar, πτισάνη (ptisáne), cevada descascada.

Com a invasão dos gauleses, faltou trigo em Roma e a fome começou a rondar a cidade. Júpiter, diz o mito, apareceu em sonho aos bravos defensores de sua cidadela e os aconselhou lançar ao inimigo o que tivessem de mais precioso. Os romanos cozeram pães com toda a farinha de que dispunham e lançaram-nos sobre os capacetes e escudos dos inimigos. Os gauleses, que esperavam a rendição dos sitiados pela fome, vendo-os tão abastecidos, levantaram o cerco e se retiraram.

Agradecidos, os quirites dedicaram um templo a *Juppiter Pistor*, a "Júpiter Padeiro".

POMPO

Pompo, *Pompo*, é mera transliteração do grego Πόμπων (Pómpōn), que talvez se possa relacionar com o verbo πέμπειν (pémpein), "enviar, conduzir, acompanhar" e, neste caso, o antropônimo significaria a "Enviada".

No mito latino, de confecção grega, como é relatado por Plutarco, *Numa*, 21, Pompo teria sido uma filha do rei Numa Pompílio e a grande ancestral da *Gens*

Pomponia, da "Família Pompônia". Uma versão, aliás, confere ao pai de Numa o nome de *Pompilius Pompo*, Pompílio Pompo.

POMONA

Pomona, *Pomona*, é um derivado do fem. *pomus, -i*, árvore frutífera ou do neutro *pomum, -i*, fruto. A etimologia é desconhecida, como o são normalmente os nomes de frutos em latim. Trata-se, talvez, de um empréstimo.

Ninfa romana, que velava sobre os frutos, Pomona possuía um bosque sagrado, denominado *Pomonal*, que, segundo Festo, 250, *est in agro Solonio*, "localiza-se na região de Solônio", vale dizer, na rota que liga Óstia a Roma. Uma flâmine encarregava-se do culto de divindade tão importante.

Como os frutos sazonados, Pomona era muito bela. Disputaram-lhe, por isso mesmo, o amor os deuses Pico, Silvano e Vertumno. Ovídio, *Met.*, 14, 642-770, relata a longa história da conquista da ninfa por este último, que, graças à capacidade de transformar-se, conseguiu vencer-lhe a resistência. Em outras versões, o grande triunfador foi Pico (v.). Amava-a tanto, que chegou mesmo a repelir a paixão louca da bruxa Circe, que, para vingar-se, transformou-o em picanço.

PORTUNO

Portunus, *Portuno*, provém de *portus*, cujo sentido inicial é de "passagem", mas como *porta*, proveniente do verbo *portare*, "fazer passar", possuía significação idêntica, o latim estabeleceu uma distinção entre os dois vocábulos: *porta* permaneceu como local de "passagem", porta, e *portus* passou a ter conotação de "entrada de porto, porto". Diga-se, de caminho, que daí procede *opportunus*, propriamente "que impele, empurra para o porto", epíteto do *vento*, claro está. Trata-se de um adjetivo da linguagem náutica que, na língua corrente, tomou o sentido de "o que vem a propósito, oportuno". Portuno é, pois, o deus dos portos. A raiz de *portus* é **per-*, "atravessar, passar através de", sânscrito *píparti*, "ele faz passar, salva", *pāráyati*, "ele faz atravessar", grego πείρειν (peírein), "atravessar de um lado a outro, traspassar", *DIELL.*, p. 525; *LEW.*, s.u.

Na região de Óstia, era identificado com Tiberino, mas as festas celebradas em honra de Portuno, na desembocadura do rio Tibre, dedicavam-se ao "gênio" que conduzia as naus até o porto e salvaguardava as mercadorias, sobretudo o trigo, nele depositados. Possuía, em Roma, o *Flamen Portunalis*, o Flâmine Portunal. Em homenagem ao deus se organizavam festas especiais no dia 17 de agosto, as *Portunalia*, Portunálias, como atesta Varrão, *L.1.*, 6, 19: *Portunalia dicta a Portuno cui eo die aedes in portu Tiberino facta et feriae institutae* – As Portunálias recebem este nome de Portuno, porque, neste dia (17 de agosto), se lhe ergueu um templo no porto Tiberino e instituíram-se festas.

Seu templo, de forma retangular, existe ainda no *Forum Boarium*, junto à Ponte Emília, nas vizinhanças do Porto de Roma.

Portuno foi assimilado, mais tarde, ao deus Palêmon (v. *DIMEG.*, Vol. II, s.u.), passando a ser filho de *Mater Matuta* (v.), que, por sua vez, foi identificada com Ino-Leucotéia (v. *DIMEG.*, Vol. II, s.u. Leucotéia).

PRESSÁGIO

Praesagium, *pressságio*, "predição, oráculo", provém de *prae*, "na frente, adiante de, antes de" e do verbo *sagire*, "farejar, ter olfato apurado", donde, em sentido figurado, "descobrir, saber por antecipação, profetizar". *Prae*, antigo *prai*, advérbio, prevérbio e preposição, insere-se no grupo em *pro*, mas não possui correspondente fora do itálico: osco *prai*, umbro *pre*. Quanto a *sagire*, tem por raiz **sag-*, *sĕg-*, irlandês *saigin*, "busco, acerco-me de"; grego dórico ἁγέομαι (haguéomai), ático ἡγοῦμαι (hegûmai), "conduzo, chefio"; hitita *šakiyah*, "pressagiar, predizer", *DIELL.*, p. 589.

Embora já se tenha abordado o processo divinatório nos verbetes Aruspicina (v.), Augúrio (v.) e Auspício (v.), mas não se desejando sobrecarregá-los com uma pletora de dados, reservaram-se para *Presságio* algumas informações complementares.

Consoante J. Bayet, *Histoire Politique et Psychologique de la Religion Romaine*. Paris, Payot, 1957, p. 51sqq., o romano, com seu pragmatismo e vocação de homem avisado e de jurista consumado, reagiu, desde muito cedo, contra as injuções do *Fatum*, do Fado (v.), a Fatalidade cega. Se os gregos, com seus Oráculos, tentaram desvelar o drama do porvir, até mesmo remoto, os descendentes de Rômulo, apoiados nos augúrios, preocuparam-se não propriamente com as inquietações do futuro, mas visaram a garantir uma ação próxima ou imediata, as mais das vezes, por tempo limitado.

Os sinais mânticos eram os mesmos: o involuntário (o pestanejar, o espirro) e o inacessível (o vôo dos pássaros, as entranhas das vítimas e os fenômenos celestes) considerados como mensagem divina. O desenvolvimento psicológico, no entanto, foi acentuadamente diverso entre os dois povos: os helenos, de modo mais ou menos pacífico, interrogavam o porvir e submetiam-se a ele; os latinos procuraram com energia e sagacidade conciliar o *Fatum*, fugindo-lhe ao determinismo cego. A incansável atividade do especializadíssimo Colégio dos Áugures (v.) garantia-lhes este desafio à Fatalidade. Suas armas, por sinal ambivalentes, para tão grande empresa, eram os próprios métodos divinatórios: os *auspicia*, auspícios (v.), isto é, vôo, movimentos e canto das aves; *omina*, abusivamente relacionado com *os*, *oris*, "boca, voz" e que significa "presságios eventuais emitidos pela voz"; *caelestia*, manifestações celestes, raios, relâmpagos e trovões; *dirae*, auspícios de mau agouro; *ostenta*, prodígios, e *exta*, exame das vísceras dos animais. Também estes últimos, diga-se de passagem, exerceram papel importante no processo latino de descobrir ou reinterpretar o futuro. Diz J. Bayet, *op. cit.*, p. 52, repetindo, em parte, a Cícero, *Nat.*

deor., 2, 160; *Diu.*, 1, 120, e a S. Agostinho, *De Ord.*, 2, 9, 27, que "os animais, cujo aparecimento repentino e comportamento traduziram, por muito tempo, poder, mistério e premonição, eram, de per si, determinantes do divino e do futuro". Assim é que Pompônia, esposa de Quinto Cícero, acreditou comprovar a presença de Júpiter sob forma de serpente. Semprônio reconheceu seu *nume* (v.) e o de sua mulher igualmente metamorfoseados em répteis. Germânico, filho adotivo de Tibério, observando o vôo das águias no céu, conclamou seu exército a seguir "estas divindades das legiões". O romano, quando saía de casa com algum projeto em mente ou preocupado com um sonho ou fenômeno, reagia à aparição deste ou daquele animal, em dependência do lado em que o mesmo fosse visto, isto é, esquerda (mau agouro), direita (bom presságio).

Todos os processos e "sinais" divinatórios supracitados podem ser divididos em duas modalidades: *oblatiua uel impetratiua*, "aleatórias ou provocadas", segundo a definição de Sérvio, *Verg. ad Eneid.*, 6, 190 – *Auguria aut oblatiua sunt, quae non poscuntur, aut impetratiua, quae aptata ueniunt* – as predições ou são aleatórias, porque não são solicitadas, ou são provocadas, porque surgem por desejo do consulente. Mas na realidade – e aqui está a grande novidade romana – *auguria oblatiua*, os presságios aleatórios, perdiam a eficácia em três circunstâncias: os auspícios não eram percebidos; deliberadamente não se lhes "dava atenção" (*obseruare*); mesmo percebendo os sinais, "eram os mesmos recusados" (*repudiare, refutare*). O cônsul M. Cláudio Marcelo, que exercia igualmente a função de Áugure, tomou a precaução de se fazer transportar numa liteira hermeticamente fechada, para escapar aos sinais que poderiam contrariar ou comprometer-lhe os planos. Era assim que os romanos resguardavam sua liberdade individual face à prepotência do Fado.

Omina são vozes que prognosticam o futuro ou mais precisamente: são palavras fortuitas, cujo poder ultrapassa a consciência de quem as profere. A matrona romana Cecília, sentada no interior de um templo, diz à sobrinha, de pé a seu lado: "toma meu lugar". Tendo morrido logo em seguida, a jovem se casou com o tio. Mais tarde, em Roma, sobretudo à época dos estóicos (séc. II-I a.C.), muitos se perguntavam se o determinismo cego não era devido à Providência, mas, na verdade, *a palavra tem poder por si mesma, particularmente se inicial ou final*. Nas eleições é "a proclamação do nome" (*nominatio*) que consagra e faz o magistrado. Quando as conquistas puseram no caminho das legiões cidades com "nomes perigosos", de som comprometedor ou de etimologia negativa (pouco importa se falsa ou verdadeira), estes eram, de imediato, substituídos: *Maleuentum,* "a cidade de ar pestilento", no Sâmnio, tornou-se *Beneuentum*, Benevento, "a salutar"; *Egesta*, "penúria", cidade grega da Sicília, recebeu a denominação de *Segesta*, "deusa da colheita". O cabo *Tormentório* de Camões (*Lus.*, 10, 37), em boa hora, voltando às raízes, transmutou-se em cabo da *Boa Esperança*...

Para resguardar a liberdade individual, pode-se, com muita atenção, cautela e ciência, aceitar ou "recusar" o *omen*, o enunciado eventual (*omen improbare, refutare*); "rejeitá-lo religiosamente" (*omen exsecrari, abominari*) ou ainda, o que é mais prático, desviá-lo, transformá-lo ou transferi-lo. Num diálogo com Júpiter Elício, "o que age por ardil e magia", o rei Numa Pompílio, chegando à conclusão de que o deus lhe pedia *cabeças* e, depois, *vidas*, habilmente desviou a ameaça de sacrifícios humanos, acrescentando após *cabeças* e *vidas* respectivamente as palavras *de alho* e *de peixinhos*. O deus aceitou a transferência... Lúcio Emílio Paulo, escolhido para conduzir a guerra contra Perseu, rei da Macedônia, acreditou no *omen* de sua filha, que lhe veio anunciar, chorando, a morte de sua cadelinha *Persa*. O famoso general avançou destemidamente contra o inimigo e o venceu na batalha de Pidna. O triúnviro Crasso, todavia, não obstante as imprecações do tribuno C. Ateio, marchou contra os partos, sem dar atenção à advertência de um vendedor de figos, que, anunciando sua mercadoria, gritava *cauneas* (de *cauneae, -arum*, figos secos de Cauno, cidade da Cária) e o aconselhava, sem dúvida, "a não ir", já que *cauneas* tem som semelhante a *caue ne eas*, "não vás", segundo o relato de Cícero, *Diu*., 2, 7. Crasso pereceu na batalha.

Claro está que tais atitudes e decisões pressupõem, da parte do interessado, conhecimento de palavras e expressões mágicas, herméticas, favoráveis ou desfavoráveis.

Há de se perguntar se, com tantos escapes e derivas, o processo divinatório não perdeu muito de sua credibilidade. Entre o povo não; os mais cultos e as próprias autoridades romanas tomaram, porém, suas precauções. O inquietante somatório de presságios e de interpretações, variáveis de acordo com os indivíduos, as famílias, os locais e as condições de guerra e de paz, demandou um limite e ordenamento que se impuseram gradativamente. A auguração, manipulada pela prudente aristocracia, foi ganhando terreno contra o vaticínio livre e arbitrário e, por fim, o Colégio dos Áugures, por volta de 300 a.C., se abriu para os plebeus.

De qualquer forma, os presságios ajudam a penetrar mais e melhor na psicologia dos romanos: para eles o mais importante era indubitavelmente o momento presente e a ação imediata.

PRÓCULO

Proculus, *Próculo*, é talvez de origem etrusca, mas os antigos que usavam e abusavam da etimologia popular, faziam-no provir de *procul*, "à distância, ao longe, de longe", segundo afirma Festo, 251, 14: *A procul Proculus: inter cognomina cum dicunt qui natus est patre peregrinante a patria procul* – Próculo provém de *procul*; figura entre os cognomes quando se referem ao que nasceu de um pai emigrante de uma pátria distante. Ernout-Meillet, *DIELL.*, p. 537sq., como que em dúvida a respeito da procedência etrusca do antropônimo, acham que talvez este possa representar um composto de *pro-* e de um antigo advérbio que se poderia aproximar do galês *pell*, "longe", grego τῆλε (têle), eólio πήλυι (pélyi), "distante", πάλαι (pálai), "outrora" e sânscrito *caramáh*, "o último", donde Próculo seria "o que veio de longe, o que chegou por último".

Júlio Próculo era um nobre de Alba Longa, que afirmava ter-lhe Rômulo aparecido depois da apoteose. O local da visão teria sido o Quirinal. O fundador de Roma comunicou a Próculo o desejo de ser cultuado com o nome de Quirino e de possuir um templo exatamente na colina em que se manifestou como divindade ao amigo.

Ovídio, *Fast.*, 2, 475-512, relata a apoteose de Rômulo, o aparecimento do novo deus a Júlio Próculo e a mensagem incisiva que enviou, por intermédio deste, ao povo romano, *Fast.*, 2, 505-508:

.... Prohibe lugere Quirites,
Nec uiolent lacrimis numina nostra suis.
Tura ferant, placentque nouum pia turba Quirinum:
Et patrias artes militiamque colant.

– .... Proíbe os quirites de chorar
e de ultrajar com suas lágrimas o nosso nume.
Que a multidão piedosa traga incenso e aplaque o novo Quirino:
cultive as artes pátrias e as artes bélicas.

PROSÉRPINA

Proserpina, *Prosérpina*, é um empréstimo ao grego Περσεφόνη (Persephóne), possivelmente com um intermediário etrusco, que possui as seguintes formas atestadas: *Phersipnai, Phersipnei* e *Prosepnai, DIELL.*, p. 540. Quanto ao grego *Persephóne*, v. *DIMEG.*, Vol. II, s.u.

Originariamente, divindade romana da agricultura, foi, desde muito cedo, assimilada a Perséfone grega, convertendo-se, mercê desta identificação, numa deusa infernal. Seu culto foi introduzido oficialmente na cidade de Rômulo, em 249 a.C., juntamente com o de seu esposo *Dis Pater*, Pai Dite (v.), versão latina de Hades ou Plutão helênico.

Ovídio, *Met.*, 5, 359-480, talvez com a intenção de romanizar o mito de Prosérpina, relata, de maneira vibrante, o rapto da filha de Ceres por Dite. O elemento novo, introduzido pelo poeta, a intervenção de Cupido, empresta à narrativa um tom mais comovente e mais humano. É que Vênus, sentindo-se desprezada num terço do rei no do mundo, os Infernos, resolveu conquistá-los. Já bastava, disse ela ao filho, a virgindade de Minerva e Diana, no Olimpo. Se não se tomassem providências enérgicas, ter-se-ia mais uma na lista, a filha de Ceres, que nutria esperança de imitar as tias, *Met.*, 5, 377: *nam spes affectat easdem* – pois que ela agasalha a mesma esperança. Como Plutão estivesse visitando a Sicília, ameaçada por constantes abalos sísmicos, provocados por Tifeu, Cupido preparou a mais certeira e "a mais acerada de suas flechas", *Met.*, 5, 381, *sed qua nec acutior ulla* e com ela *percussit cor Ditis*, "atravessou o coração de Dite". Louco de paixão, o deus raptou Prosérpina, conduziu-a para os Infernos, fê-la sua mulher e rainha do mundo dos mortos. O amor conquistara também as trevas. E a deusa ctônia tornou-se tão importante, que a poesia, por vezes, a toma pelo próprio reino de Dite, segundo se pode observar em Horácio, *Sat.*, 2, 5, 109-110:

................*Sed me*
Imperiosa trahit Proserpina: uiue, ualeque.

– .... Arrasta-me, porém,
a tirânica Prosérpina: vive, e adeus.

Em honra do casal ctônio celebravam-se os *Ludi Tarentini*, os Jogos de Tarento, que, no caso, não é a cidade da Magna Grécia, mas um local assim denominado no Campo de Marte. Acerca de Tarento havia um mito e um oráculo. Durante uma forte epidemia, os filhos de Valério foram contaminados pela doença. O pai aflito perguntou aos deuses como poderia salvá-los. Responderam-lhe os imortais que deveria descer o rio Tibre com os filhos até chegar a Tarento e que fizesse as crianças beber das águas do altar de Dite e Prosérpina. Pensando tratar-se da cidade grega do Sul da Itália, pôs-se a caminho e, à tarde, atingiu a embocadura do rio. No dia seguinte, pela manhã, perguntou aos habitantes da região como se chamava aquele local. Responderam denominar-se *Tarento*. Valério compreendeu então a mensagem do oráculo: deu a beber aos filhos das águas do rio Tibre e eles se curaram imediatamente. Como reconhecimento ao casal ctônio, resolveu erguer-lhe um templo ali mesmo. Iniciadas as escavações, encontrou uma pedra com uma inscrição em honra dos dois imortais: era o altar que o oráculo mencionara.

Ao que parece, nas três noites, em que se imolaram determinados animais aos deuses ctônios, nos *Ludi Saeculares* (v. Jogos), Jogos Seculares, mandados celebrar pelo imperador Augusto, no ano 17 a.C., este altar teria servido de suporte para o sacrifício sangrento às Parcas, a Ilítia e à Terra-Mãe.

Q

QUIRINO

Quirīnus, *Quirino*, provém de *quiris, quirītis*, usado, na época clássica, apenas no plural, *quirites*, como sinônimo de *ciues*, "cidadãos". A origem de *quiris* e de seu derivado *Quirīnus*, Quirino, é obscura, *DIELL.*, p. 559. Apoiando-se em G. Dumézil, *Jupiter Mars Quirinus, essai sur la conception indo-européene de la société et sur les origines de Rome,* Paris, Gallimard, 1941, Carnoy, *DEMG.*, p. 177, defende a etimologia já ultrapassada de uma formação **co-uiri > quirītes*, "comunidade de homens". Foneticamente seria muito difícil explicar semelhante evolução.

Uma das mais antigas divindades romanas, formava com Júpiter e Marte a primeira grande tríade capitolina, mais tarde suplantada por Júpiter, Juno e Minerva (v. Júpiter e Marte).

Baseando-se numa falsa etimologia, em que o nome do deus estaria vinculado à cidade sabina de *Cures* ou a *curis* (*quiris)*, "lança", os antigos são unânimes em considerá-lo um deus guerreiro de origem sabina. Seria ele, neste caso, o deus do *Quirinalis Collis*, do monte Quirinal, onde, segundo a tradição, havia uma espécie de acantonamento dos sabinos, como atesta Varrão, *L.1.*, 5, 51: *Collis Quirinalis ob Quirini fanum: sunt qui a Quiritibus, qui cum T. Tatio Curibus uenerunt Romam, quod ibi habuerunt castra* – O monte Quirino é assim chamado por causa do templo de Quirino: há os quc o fazem provir de *quirites*, que vieram com T. Tácio de Cures para Roma e porque neste local (M. Quirinal) estabeleceram um acampamento. E volta-se à idéia de que Quirino era um deus bélico.

Georges Dumézil, todavia, na obra supracitada, tendo constatado a existência de outras tríades na religião indo-européia, análogas à romana, e nas quais cada um dos deuses componentes estampa uma categoria social, chegou à seguinte conclusão: Júpiter ou seu equivalente traduz a classe sacerdotal; o análogo a Marte, a guerra, e a terceira divindade representa os campônios. Neste caso, se a hipótese é correta,

Quirino não foi, a princípio, um deus guerreiro, mas uma divindade da vegetação. De fato, o gramático Sérvio M. Honorato, comentando um passo de Vergílio, *En.*, 1, 292, observa que o deus Quirino é um "Marte tranqüilo". A isto acrescente-se que determinadas funções exercidas pelo flâmine do deus do Quirinal relacionavam-se com o culto de divindades agrárias (v. Conso).

É muito raro encontrar um mito que envolva Quirino. Os únicos que se podem mencionar é a fundação da cidade sabina de Cures por Módio Fabídio (v.), que era considerado filho do deus e a célebre aparição de Rômulo a Júlio Próculo (v.), em que o fundador de Roma, depois da apoteose, solicitava que se lhe erguesse um templo, onde seria cultuado com o nome de Quirino. A esposa do deus, Hersília (v.), recebeu igualmente o nome de *Hora Quirini*, a Juventude de Quirino.

Ovídio, *Fast.*, 2, 475-480, tenta explicar o teônimo *Quirinus* como proveniente de *curis*, lança, ou de Quirites ou ainda porque Rômulo reunira num só povo os romanos e os habitantes da cidade sabina de *Cures*.

R

RAMNES

Ramnes ou ***Rhamnes***, *Ramnes*, provém certamente do etrusco **ramne*, como *Tities* e *Luceres* procedem respectivamente de *titie* e *luχre*. Os ramnes eram uma tribo etrusca que, com os *Tities*, tícies, ou *Titienses*, ticienses, e os *Luceres*, lúceres, formaram a Roma primitiva, designando, em seguida, as três centúrias de cavaleiros estabelecidos por Rômulo, *DIELL.*, p. 563.

Ovídio, *Fast.*, 3, 131-132, relembra esta divisão estatuída pelo fundador de Roma:

Quin etiam partes totidem Titiensibus idem,
Quosque uocant Ramnes, Luceribusque dedit.

– Rômulo, além do mais, concedeu aos tícios, aos que se chamam
ramnes e aos lúceres número idêntico de seções.

O antropônimo Ramnes é apontado por Vergílio, *En.*, 9, 325-328, como áugure do exército de Turno. Orgulhoso de sua ciência e provocador, foi morto, dormindo, por Niso:

Sic memorat uocemque premit, simul ense superbum
Rhamnetem adgreditur, qui forte tapetibus altis
exstructus toto proflabat pectore somnum,
rex idem et regi Turno gratissimus augur,
sed non augurio potuit depellere pestem.

– Assim diz Niso e se cala; de imediato, empunhando a espada,
investe o orgulhoso Ramnes, que, sobre um monte de tapetes,
ressonava a plenos pulmões. Era igualmente rei e para Turno

o mais querido dos áugures, mas não pôde
com sua arte augural afastar a catástrofe.

RATUMENA

Ratumena, *Ratumena*, é antropônimo de origem etrusca, designativo da família homônima, que aparece na língua tirrena sob as formas *ratumsna* e *raϑumsna.*

Herói etrusco, Ratumena tornou-se personagem de um importante mito romano.

Antes de ser expulso de Roma, Tarquínio, o Soberbo, desejando ornamentar ritualmente o templo de Júpiter Capitolino, ainda em construção, encomendou aos ceramistas de Veios um carro em terracota. Acontece que, quando o puseram no forno para cozer, a argila em vez de minguar, como sempre acontece, dilatou-se tanto, que foi necessário quebrar o forno para retirar o carro. Consultados, os adivinhos declararam que o prodígio significava o poder e a prosperidade do povo e da cidade que possuísse tal objeto. Os etruscos de Veios, negaram-se, por isso mesmo, a entregá-lo aos romanos, uma vez que o carro fora confeccionado, argumentavam eles, a pedido de Tarquínio, que não mais reinava em Roma. Alguns dias depois, numa disputa de bigas, em Veios, o carro conduzido por Ratumena obteve a vitória e, enquanto se coroava o auriga, os cavalos, indômitos, dispararam com o vencedor em direção a Roma e atravessaram a porta, denominada, mais tarde, *Porta Ratumena.* O herói foi lançado para fora da biga e, envergonhado, se matou. Os fogosos corcéis continuaram a correr e só pararam diante da estátua de Júpiter Tonante, no Capitólio. Aterrorizados com o novo portento, os veientanos entregaram o carro de terracota aos romanos e compreenderam que ele seria o paládio e o garante da grandeza da cidade de Rômulo.

RECÁRANO

Recaranus, *Recárano,* é interpretado por Carnoy, *DEMG.*, p. 177, por *recuperator*, "aquele que reconduz, traz de volta, recupera".

Chamado igualmente de Gárano ou Cárano, Recárano é considerado no mito como um herói de origem grega, dotado de força prodigiosa. No episódio de Caco (v.), substitui a Hércules, numa versão certamente tardia. Tendo cruzado a região de Roma com uma boiada, à época de Evandro, Caco, que nesta variante aparece como escravo do fundador da cidade de Palanteu, roubou-lhe a manada. Cansado de procurar os animais e já prestes a abandonar a busca, foi auxiliado por Evandro. Conhecendo bem os maus hábitos e a perversidade de seu escravo, o velho monarca obrigou-o a devolver os bois a seu legítimo dono. Recárano, feliz com a descoberta dos animais, teria erguido, no Aventino, um altar a *Iuppiter Recuperator*, Júpiter Recuperador. O altar, nesta interpretação do mito, estaria substituindo a *Ara Maxima*, o Altar Máximo, que Evandro dedicara a Hércules.

Recárano sacrificou a Júpiter Recuperador um décimo de seus bois e desse gesto de gratidão teria nascido o costume de se oferecer a Hércules a mesma proporção das vítimas que se imolavam na *Ara Maxima*.

RÉIA SÍLVIA

Rea Silvia, *Réia Sílvia*. Como existe na língua religiosa a expressão *uoti reus*, "aquele cujo interesse está em causa por causa de um voto, comprometido, devedor de um voto"; alguns filólogos, entre os quais Carnoy, *DEMG.*, p. 177, acham que *Rea* poderia originar-se de *uoti rea*, "a devedora de um voto, a consagrada aos deuses". Quanto a *Silvia*, v. Sílvio.

O mito de Réia Sílvia, também chamada Ília (v.), é diversamente relatado, o que o tornou bastante complexo. Duas tradições procuram explicar a origem e o destino da Vestal. Em uma delas, a princesa é filha de Enéias (v.); em outra, descende do filho de Vênus, mas séculos depois da chegada do herói à Itália. Nesta última variante, Réia é filha de Numitor (v.), rei de Alba Longa. Em ambas, todavia, ela foi amada clandestinamente pelo deus Marte, que lhe deu os gêmeos Rômulo (v.) e Remo (v.). Alguns mitógrafos, no entanto, atribuem a paternidade dos meninos a um amante carnal ou até mesmo ao tio de Réia, Amúlio (v.), que destronara ao irmão Numitor. Quando o perverso Amúlio percebeu a gravidez da sobrinha, mandou encarcerá-la. A Vestal, porém, escapou da prisão, graças à sua prima Anto, filha de Amúlio. Algumas variantes explicam, de maneira diversa, o destino da amante do deus Marte. Teria sido covardemente assassinada pelo tio, logo após o parto; teria sucumbido graças aos maus tratos recebidos, enquanto esteve presa, ou fora libertada pelos próprios filhos, que se vingaram do tio usurpador, matando-o (v. Numitor).

Na versão em que é assassinada por Amúlio, Réia foi lançada no Tibre, ou no Ânio, segundo outros, mas o deus-rio, inflando-se, acolheu-a suavemente em seus braços úmidos, promoveu-lhe a apoteose e com ela se casou.

Existe, no mito, uma segunda Réia, que era sacerdotisa. Quando Hércules (v.) passou pela Itália, de retorno de seu "décimo trabalho", a busca do rebanho de Gerião, uniu-se a ela e deu-lhe um filho, Aventino, epônimo da colina homônima.

Ovídio, *Fast.*, 3, 11-70, relata a paixão de Marte por Réia Sílvia, o nascimento dos gêmeos, o lançamento de ambos no Tibre, a salvação dos meninos e a morte de Amúlio às mãos de Rômulo (v.), que recolocou no trono a seu avô Numitor, *Fast.*, 3, 67-68:

Romuleoque cadit traiectus Amulius ense:
Regnaque longaeuo restituuntur auo.

– Amúlio tombou trespassado pela espada de Rômulo,
e seu idoso avô recuperou o reino.

REMO

Remus, *Remo*, transcrito *Rhômos* por alguns autores gregos, como Plutarco, *Rom.*, 2, parece forjado sobre *Romulus* (v.), Rômulo, que, por sua vez, procederia de *Roma* (v.), *OCLAD.*, s.u. *Romulus*.

Filho do deus Marte e de Réia Sílvia, Remo é o irmão gêmeo de Rômulo. Alguns mitógrafos afirmam que o nome teria sido dado ao herói por ter sido ele, desde criança, muito *lento*, tendo sido sobrepujado em tudo por Rômulo. Apesar de gêmeos, dos quais sempre se esperam conflitos, por vezes ainda no seio materno, os filhos de Marte mantiveram na infância e adolescência uma sólida amizade e compreensão. Já homens feitos, os dois pastores do monte Palatino entraram em luta com os pegureiros de Amúlio, e Remo foi preso e levado para a corte do usurpador do trono de Alba Longa. Rômulo, posto a par de sua origem divina pelo avô Numitor, unindo-se a este e aos pastores, seus amigos, matou Amúlio, libertou Remo e devolveu o trono ao avô. Este deu aos netos como recompensa, para que lá fundassem uma cidade, o monte Palatino, a terra em que foram criados pelo pastor Fáustulo. Para determinar o local exato, em que deveriam construir a metrópole, resolveram, por sugestão de Numitor, consultar os presságios. Para tanto, Rômulo postou-se no monte Palatino, e Remo, no Aventino. Este viu seis abutres, enquanto o irmão avistou doze. Os deuses haviam escolhido o Palatino para sede da nova fortaleza. Rômulo, expedito e ágil, começou a traçar, de imediato, com uma charrua, puxada por dois bois, o perímetro da cidade, um círculo demarcado por um sulco pouco profundo. Remo, sentido-se ludibriado pelos deuses, pulou a pequena vala, penetrando no recinto sagrado, que seu irmão acabara de dedicar aos imortais. Furioso com tamanho sacrilégio, Rômulo o traspassou com sua espada. Desesperado com o fratricídio, o fundador de Roma pensou até em suicidar-se. Sepultou o irmão no Aventino, num local que recebeu o nome de *Remoria*, ou *Remuria*, isto é, pico do Aventino, onde Remo consultara as aves.

Com base no mito de Remo é que se explicava que, até a época do imperador Cláudio, 49 p.C., o monte Aventino ficava fora do *pomoerium*, isto é, do espaço consagrado no recinto da cidade de Roma. À morte de Remo se atribui igualmente a origem da grande festa consagrada aos mortos, *Lemuria* ou *Lemuralia*, Lemúrias ou Lemurais (v. Festas e Exéquias).

Uma versão atesta que Rômulo não assassinou a Remo, mas que os gêmeos governaram em conjunto a nova cidade, como mais tarde fariam os dois cônsules anualmente eleitos.

Uma outra curiosa variante, devida a Dionísio de Cálcis, atesta que foi Remo o fundador de Roma. Este Remo teria sido filho de Ascânio ou de Ítalo com Electra, filha de Latino (v.) e não de Marte com Réia Sílvia.

ROBIGO

Robigo, ***-inis***, fem., "ferrugem do trigo, dos metais" e ***Robigus***, ***-i***, masc., "o deus-ferrugem, Robigo", a alforra personificada e divinizada, que combate a ferrugem, como se fora *similia similibus curantur* – os semelhantes curam-se com os semelhantes. *Robigo* ou *Robigus* é um derivado do adjetivo *robus, -a, -um*, "vermelho, de coloração avermelhada". Trata-se de um vocábulo da linguagem rústica, usado para denominar, em princípio, o pêlo dos bois. *Robus* está etimologicamente relacionado com *ruber*, "vermelho", mas, enquanto este é um vocábulo autenticamente romano, *robus* tem a marca dialetal, porque pressupõe a redução do ditongo *ou*> *o* , donde **roubos*> *robus*. O latim *ruber*, diga-se, de caminho, corresponde ao grego ἐρυθρός (erythrós), eslavo antigo *rudru*, sânscrito *rudhiráh*, todos com o sentido de "vermelho", *DIELL.*, p. 579.

Robigus, Robigo, presidia a cultura do trigo e agia para que *robigo*, "a ferrugem", não o destruísse. Com esta finalidade celebrava-se no dia 25 de abril, quando o trigal estava florido, um ritual de caráter apotropaico e propiciatório, que remontaria à época de Numa Pompílio. A festa (v. Festas) denominava-se *Robigalia*, Robigálias, como atesta Festo, 325, 7: *dies festus septimo Kalendas Maias, quo Robigo deo suo, quem putabant robiginem auertere, sacrificabant.* O sétimo dia das calendas de maio era festivo, porque (os camponeses) sacrificavam a seu deus Robigo, pois acreditavam que ele repelia a alforra. Nesta data, uma procissão, tendo à frente o *Flamen Quirinalis*, o sacerdote de Quirino (v.), saía de Roma pela *Via Clodia*, e percorria cinco milhas até o bosque sagrado do deus, onde lhe eram imolados uma ovelha e um cão. Os campônios lutavam entre si e emprestavam à festa de Robigo um caráter assaz licencioso, típico das celebrações primaveris. Afinal, as sementes estavam germinando.

A festa das Robigálias é descrita por Ovídio, *Fast.*, 4, 905-942, mas o poeta dá ênfase à prece do sacerdote, para que Robigo proteja e não destrua o que pertence à grande deusa Ceres, isto é, o trigo, *Fast.*, 4, 923-924:

Nec teneras segetes, sed durum contere ferrum:
Quodque potest alios perdere, perde prior.

– Não destruas, Robigo, as tenras searas; corrói, antes, o duro ferro:
destrói de preferência o que pode destruir os outros.

Quanto ao estranho sacrifício de um cão, o poeta explica que se trata da constelação de Mera, que abrasa e seca a terra. Para apaziguá-la, imolava-se-lhe um cão. O mito do fiel cão Mera, que foi transformado por Júpiter em constelação, por haver descoberto o cadáver de Icário, pode ser visto no *Dicionário Mítico-Etimológico da Mitologia Grega*, Vol. I, p. 351, s.u. Erígone.

ROMA

Roma, *Roma*, nome da capital do Lácio, é talvez de origem etrusca, mas se lhe desconhece o sentido, *DIELL.*, p. 576. Carnoy, todavia, *DEMG.*, p. 179, propõe várias hipóteses para se desvendar o mistério da etimologia da *Urbs* e entre elas parece inclinar-se para aquela em que Roma proviria do etrusco *Rumon*, um dos nomes do rio Tibre e, neste caso, o topônimo significaria "a rápida, a tumultuosa", mas a hipótese é contestada.

Roma, também grafada *Rhome* por autores gregos, pois que ῥώμη (rhóme) significa "força física, vigor", é mitologicamente a heroína epônima da cidade homônima. A identidade da "fundadora" varia de um mitógrafo para outro. A versão certamente mais antiga assegura tratar-se de uma cativa troiana, que acompanhava Ulisses e Enéias, que o destino fizera chegar juntos à embocadura do Tibre, depois de uma longa e penosa viagem desde a região dos molossos, isto é, da Ilíria. Uma tempestade os havia arrastado até a Itália. As cativas troianas, bem como as mulheres que acompanhavam Enéias, cansadas de errar no bojo líquido de Netuno, deixaram-se facilmente convencer por Roma, que passou a liderá-las, e incendiaram os navios gregos e troianos, pondo fim a uma extenuante peregrinação. Os imigrantes estabeleceram-se no Palatino, onde fundaram uma cidade, que progrediu tanto, que se resolveu dar à metrópole o nome da rebelde heroína.

Uma tradição inteiramente diversa relata que *Rhome* era filha de Ascânio e, por conseguinte, neta de Enéias. Quando os troianos, sob o comando do filho de Vênus, conquistaram o Lácio, *Rhome* construiu um templo à deusa *Fides*, Fidelidade, no Palatino, sede da futura Roma, assim chamada em homenagem à neta de Enéias. Uma variante bastante estranha assevera que a heroína não era filha, mas esposa de Ascânio ou até mesmo de Enéias: neste último caso seria filha de Télefo (v. *DIMEG*., s.u.) e neta de Hércules. Outros mitógrafos julgam que ela teria sido uma filha de Telêmaco e irmã de Latino (v.). Uma versão independente do mito troiano fala de uma Roma, filha do rei Evandro (v.) ou ainda de Ítalo com Leucária (v. *DIMEG*., s.u.). Para fechar tantas versões e variantes, alguns autores afiançam que Roma era apenas uma adivinha, uma espécie de Sibila, que aconselhou o rei Evandro a escolher o monte Palatino para sede da cidade de Palanteu, núcleo da poderosa Roma.

O número tão acentuado de tradições mostra a importância que se dava à futura capital do mundo. Quanto maior o interesse que desperta o mito, mais numerosas se tornam as versões e as variantes.

Mais tarde, Roma tornou-se alegoria da cidade homônima, que passou a receber um culto nas cidades gregas conquistadas pelas legiões romanas. Depois da apoteose de Augusto, no ano 14 p.C., esse culto se tornou oficial em todas as províncias do Império, dedicado simultaneamente a Roma e ao imperador. Adriano instituiu na própria capital o culto a *Dea Roma*, deusa Roma, e a *Roma Aeterna,* quer dizer, ao Estado divinizado, mandando erguer na *Via Sacra* o templo de Roma e Vênus.

RÔMIS

Rhomis, *Rômis*, é mera transliteração do grego Ῥῶμις (Rhômis) e certamente um derivado de Ῥώμη (Rhome), donde significar o antropônimo "o forte, o vigoroso".

Segundo Plutarco, *Rom.*, 2, Rômis foi um antigo rei dos latinos. Após expulsar do Lácio os imigrantes etruscos vindos da Tessália através da Lídia, fundou a cidade de Roma e deu-lhe seu próprio nome com ligeira alteração.

ROMO

Romus, *Romo*, deve ser também um derivado de Roma (v.).

Em quase todos os mitos, de origem tardia, diga-se logo, Romo é o fundador e epônimo da cidade de Roma. As fontes básicas sobretudo para a genealogia do herói encontram-se em Plutarco, *Rom.* 2, e Dionísio de Halicarnasso, *Ant. Rom.*, 1, 72. "O fundador de Roma" teria sido um filho de Emátion, o gigante filho de Eos e Titono, que fora enviado de Tróia por Diomedes ou Ascânio. Uma variante afiança ser ele filho de Ascânio e, portanto, neto de Enéias ou ainda filho de Ulisses e de Circe. Seus irmãos, Árdeas e Âncias, teriam sido os heróis epônimos respectivamente das cidades de Árdea, capital dos rútulos (v.) e Âncio, ambas no Lácio. Uma tradição, certamente tardia, apresenta Romo como filho de Roma, esposa de Latino (v.). Seus irmãos, neste caso, chamar-se-iam Rômulo e Telégono.

RÔMULO

Romulus, *Rômulo*, procede, ao que parece, de Roma, e, neste caso, seria de origem etrusca (v. Remo e Roma).

No mito tradicional, Rômulo, fundador e epônimo da cidade de Roma, é, como seu irmão gêmeo Remo, filho do deus Marte e da Vestal Réia Sílvia ou de Ília (v.). Numa versão diferente, e há várias outras, os gêmeos são filhos de Enéias e de Dexítea, filha de Forbas. Ainda crianças, foram levados para a Itália e somente a nau em que viajavam se salvou de uma violenta tempestade, tendo chegado ao local, onde se ergueria a futura Roma. Uma tradição, de cunho tardio, dá-lhes por pai a Latino, neste caso filho de Telêmaco, e por mãe a Emília, filha de Enéias e Lavínia.

Na chamada versão canônica, Marte seduzira Réia Sílvia, quando esta fora a uma fonte sagrada buscar água para um sacrifício que as Vestais deveriam oferecer. Outros mitógrafos afirmam que a jovem havia sido violentada pelo deus, enquanto dormia. Quando Amúlio, que havia destronado a seu irmão Numitor, pai de Réia, soube que a sobrinha estava grávida, a encarcerou. Nascidos os meninos, o tirano mandou expô-los às margens do Tibre nos sopés do monte Palatino. O servidor do monarca, todavia, colocou-os num cesto e lançou-o no rio. Este, no entanto, em cheia, levou-os para o Germal, pico noroeste do Palatino, onde o cesto, que lhes servia de berço, foi suavemente depositado pelas águas, à sombra de uma figueira, a figueira *Ruminal*, que, mais tarde, recebeu um culto específico. Uma loba, animal consagrado a Marte, os aleitou, e um picanço, igualmente denominado a ave do deus da guerra, lhes trazia diariamente alimentação sólida. Inspirado pelos deuses, o pastor Fáustulo passou pelo local e, percebendo que os meninos sobreviviam miraculosamente, recolheu-os e os entregou à sua esposa Aca Larência, para que os criasse. Alguns mitógrafos, adotando a teoria evemerista, afirmam que a pretensa loba, que salvou os meninos, era a própria Aca Larência, que, por sua conduta irregular, recebera o epíteto de *Lupa*, Loba, vocábulo que possui também em latim a conotação de "prostituta", como escreve Cícero a respeito do cortejo de depravados que sempre acompanhava Clódio, assassinado por Milão: *Pro Mil.* 55: *Ille qui semper secum scorta, semper exoletos, semper lupas duceret* – Aquele (Clódio) levava sempre em sua companhia as cortesãs, os dissolutos e as prostitutas.

Fáustulo ou, segundo outros, Numitor, enviou os meninos para se aprimorarem nas letras gregas e latinas, à cidade de Gábios, o centro cultural do Lácio, à época, segundo se relata. De retorno ao Palatino, os dois jovens pastores, segundo é de praxe no mito dos heróis, envolveram-se em desordens, rixas, extorsões e concussões. Certa feita, na ausência do irmão, Remo com seus companheiros atacou os pastores de Amúlio. Preso, foi levado à presença do rei. Após interrogá-lo, o tirano de Alba Longa o encarcerou. Rômulo, posto a par de sua origem divina por seu pai adotivo Fáustulo ou por seu avô Numitor, unindo-se a este e aos pastores, seus amigos, invadiu Alba, matou Amúlio, libertou Remo e devolveu o trono ao avô. Numitor deu aos netos como recompensa, para que lá fundassem uma cidade, o monte Palatino. Para determinar o local exato em que deveriam construir a metrópole, resolveram, por sugestão do avô, consultar os presságios. Rômulo postou-se no monte Palatino, e Remo, no Aventino. Este viu seis abutres, enquanto o irmão avistou doze. Os imortais haviam eleito o Palatino para sede da nova fortaleza. Rômulo, expedito e ágil, começou logo a traçar com uma charrua, atrelada a dois bois, o perímetro da cidade, um círculo demarcado por um sulco pouco profundo. Remo, magoado e sentindo-se ludibriado pelos deuses, pulou a pequena vala, penetrando no recinto sagrado, que seu irmão acabara de consagrar aos imortais. Furioso com tamanho sacrilégio, Rômulo o matou de um só golpe. Desesperado com o fratricídio, o fundador de Roma pensou até em suicidar-se. Sepultou ritualmente o irmão no Aventino, num local que passou a chamar-se *Remoria* ou *Remuria*, quer dizer, pico do Aventino, onde Remo consultara as aves.

A fundação mítica de Roma foi no dia 21 de abril, data das festas de Palília ou Parília (v. Festas) do ano 754-752 ou, segundo uma outra cronologia, do ano 772 a.C.

A extensão da *Urbs* primitiva é muito discutida pelos mitógrafos. Uns acham que ela se limitava, inicialmente, apenas à colina do Palatino, mas vários episódios do mito de Rômulo pressupõem que a cidade ocuparia também o Capitólio e a parte baixa do Fórum, incluindo-se o *mundus*, o centro augural de Roma, ao norte do mesmo Fórum.

Fundada a capital, o filho de Marte chegou à conclusão de que o número de habitantes da mesma era diminuto. Para ampliar-lhe rapidamente a população, criou no Capitólio um local apropriado, entre dois bosques sagrados, denominado *Arx*, a Cidadela. Colocou-o à disposição de quantos desejassem habitá-lo: exilados, escravos fugitivos, devedores insolventes e até assassinos. Eis aí, miticamente, o núcleo da primeira população de Roma. Mas, se havia homens em grande quantidade, faltavam mulheres. Fácil para um herói resolver o problema: o rei não duvidou em planejar o rapto das sabinas. Organizou jogos (v. Jogos), constantes sobretudo de corridas de carros, por ocasião das festas de Conso (v.), cuja celebração se fazia no dia 25 de agosto. Para a magna solenidade convidou todos os habitantes do Lácio. A disputa se realizou no *Circus Maximus*, localizado num vale entre os montes Palatino e Aventino. Os vizinhos, particularmente os sabinos, compareceram em massa com suas esposas e filhos. A um sinal combinado, os companheiros de Rômulo, cognominados *latrones et semibarbari*, salteadores e semibárbaros, raptaram todas as jovens solteiras presentes e apenas uma casada, Hersília. O número oferecido pelos mitógrafos é fantástico: varia de 30 passando por 527 e chegando a 683. Revoltados, os latinos congregaram-se em torno do rei sabino Tito Tácio e marcharam contra Roma. Contando com a traição de Tarpéia (v.), o comandante sabino logrou penetrar na fortaleza do Capitólio e cercou as tropas romanas. Não fora a intervenção do deus Jano, que fez brotar uma fonte de água fervente diante do inimigo, a vitória teria sido certa e imediata. Tito Tácio, no entanto, continuou a avançar em outra direção e a pressionar os romanos. Vendo-se perdido e desorientado, Rômulo implorou o auxílio de Júpiter, prometendo erguer-lhe um templo no local em que o sabinos fossem contidos. O deus ouviu-lhe a prece e, com o avanço rápido dos romanos, os adversários recuaram. O filho de Marte cumpriu a promessa e consagrou a *Iuppiter Stato*r, Júpiter Estator, isto é, "que detém, que faz parar", um grande templo, localizado entre o Palatino e a extremidade do Fórum.

A partir de então, romanos e sabinos assinaram um tratado de paz e de aliança, unindo num só os dois povos. Conta-se que foram as próprias jovens sabinas raptadas que, postando-se entre seus pais, seus irmãos e seus esposos romanos, pediram se pusesse termo a uma luta inútil e sacrílega. Com a unificação dos dois povos, Rômulo e Tácio reinaram em conjunto. Morto este último, o filho de Réia Sílvia assumiu sozinho o poder. O primeiro soberano de Roma habitava o Palatino, na parte mais elevada dos *Scalae Caci*, dos degraus de Caco (v.), que ligavam o monte ao *Circus Maximus*. No topo dos degraus encontrava-se uma árvore sagrada: um abrunheiro gigantesco, que nascera de um dardo lançado pelo filho de Marte, com tanta força, que do Aventino atingira o Palatino. Ao lado do abrunheiro ficava uma simples choupana, onde residia o fundador de Roma.

Rômulo reinou trinta e três anos. Fez muitas guerras para consolidar a independência de sua cidade. Deu ao povo, que já o adorava, em vida, leis e sólidos preceitos civis e religiosos. Foi o primeiro, por isso mesmo, a receber o título de *Pater Patriae*, o Pai da Pátria.

O filho de Marte e Réia Sílvia terminou sua peregrinação terrestre de maneira misteriosa, aos cinqüenta e quatro anos, no dia sete de julho. Quando passava em revista suas tropas, no Campo de Marte, junto a um alagadiço, chamado *Pallus Caprae*, Pântano da Cabra, repentinamente desabou uma grande tempestade, seguida de um eclipse do sol. As trevas cobriram todo o Lácio. Terminada a borrasca, ao deixarem seus abrigos, os soldados não mais viram o seu rei: os deuses haviam-no arrebatado.

Um nobre de Alba Longa, Júlio Próculo (v.) afirmou ter-lhe Rômulo aparecido depois da apoteose. O local da visão teria sido o Quirinal. O novo deus comunicou a Próculo o desejo de ser cultuado com o nome de Quirino (v.) e de possuir um templo exatamente na colina em que se manifestara como divindade. Mitógrafos posteriores, sempre na rota de Evêmero, afirmam que, na realidade, o fundador de Roma, por ser extremamente popular, fora assassinado a mando do Senado. O mito da apoteose havia sido engendrado como um meio eficaz de tranqüilizar a plebe, que ameaçava tumultuar a cidade com o desaparecimento de seu rei (v. Filótis).

O mito de Rômulo reflete certas peculiaridades da vida romana e de outras culturas. A morte de Remo traduz o caráter sagrado das muralhas da cidade; o rapto das sabinas patenteia o matrimônio por seqüestro, comum ao mito dos heróis; a divisão do governo com Tito Tácio mostra que certas magistraturas romanas eram exercidas por duas pessoas; a divinização de Rômulo, além de introduzir outra divindade bélica ao lado de Marte, é o prêmio concedido a vários heróis, filhos de deuses ou de deusa, como Hércules e Enéias.

RÚTULOS

Rutuli*, *-orum, *rútulos*, consoante Ernout-Meillet, *DIELL.*, p. 579, é vocábulo de origem etrusca, sem nenhuma relação etimológica com *Rufuli*, derivado do adjetivo *rufus*, *-a, -um,* "ruivo, avermelhado".

Trata-se de um povo da Itália central, cuja capital era Árdea, no Lácio. Seu rei, Turno, o engajou na guerra cruenta contra Enéias e seus troianos. Soldados destemidos, lutaram até o fim contra "os invasores" de sua pátria.

Vergílio, *En.*, 7, 471-474, fala do entusiasmo dos rútulos por seu rei Turno:

Haec ubi dicta dedit diuosque in uota uocauit,
certatim sese Rutuli exhortantur in arma.
Hunc decus egregium formae mouet atque iuuentae,
hunc ataui reges, hunc claris dextera factis.

– Depois que (Turno) deu tais ordens, invocando o auxílio dos deuses,
os rútulos por sua parte exortam-se mutuamente para a guerra:
a uns move a beleza rara e a juventude do herói,
a outros, sua descendência real; aos demais, sua destra ilustre pelas façanhas.

S

SABO

Sabus, *Sabo*, parece estar relacionado etimologicamente com *Sabini*, sabinos, segundo o *DIELL.*, p. 585. Consoante Carnoy, todavia, *DEMG.*, p. 180, o antropônimo teria por base o indo-europeu **swebhos*, "de nossa natureza, de nossa raça", donde o alemão *Sippe*, "tribo, clã", germânico *Sweba*> *Suebi*, "suevos".

Para Dionísio de Halicarnasso, *Ant. Rom.*, 2, 49, Sabo era filho do deus romano *Sancus* (v.) e herói epônimo dos sabinos. Este caráter autóctone do herói é ignorado por outras versões, que atribuem a ele e àqueles procedência lacedemônia, talvez para justificar os hábitos austeros, rudes e belicosos dos samnitas ou sabinos. Sabo, neste caso, teria sido um espartano, quiçá de origem persa, que se estabelecera na região de Reate, cidade dos sabinos.

SALÁCIA

Salacia, *Salácia*, é um derivado do verbo *salire*, "saltar, pular", e cujo nome caracteriza o movimento e a agitação das ondas do mar ou dos rios. O presente *salio*, "eu salto, pulo" tem por correspondente apenas o grego ἅλλομαι (hállomai), com o mesmo sentido, *DIELL.*, p. 590; *LEW.*, s.u. Em sentido translato pode significar o próprio mar como no fragmento XLVII de Pacúvio:

. . . . hinc saeuitiam Salaciae
fugimus

– . . . . daqui fugimos da fúria
do mar.

Divindade romana do mar, estava associada no culto ao deus Netuno (v.), aparecendo, por vezes, como esposa do mesmo. Personificava a água salgada, diferente de Venília, que representava não as ondas do alto mar, mas a água que banha as margens e as praias. É bem possível que Salácia tenha sido incialmente o nume (v.) dos mananciais.

SÁLIO

Salius, *Sálio*, é mera transliteração do grego Σάλιος (Sálios). Sálio, como está em Plutarco, *Num.*, 13, teria sido, por falsa etimologia, o mestre dos *Salii* (Sálios). Festo, 438, 27, atesta, conquanto meio dubitativamente, a confusão etimológica e a origem mítica da personagem: *salios a saliendo et saltando dictos esse quamuis dubitare non debeat, tamen Polemon ait Arcada quendam fuisse, nomine Salium, quem Aeneas a Mantinea in Italiam deduxerit, qui iuuenes Italicos* ἐνόπλιον *saltationem docuerit* – Embora não se deva pôr em dúvida que os *sálios* são assim chamados pelo fato de provirem de *saliendo* (saltar, pular) e de *saltando* (dançar), contudo, afirma Pólemon que houve um certo árcade, chamado Sálio, que Enéias teria trazido de Mantinéia para a Itália. Ele teria ensinado aos jovens itálicos a dançar com armas. Na realidade, se desconhece a etimologia do antropônimo grego *Sálios*. Carnoy, *DEMG.*, p. 181, apoiando-se na raiz indo-européia **sal-*, que seria a base do verbo *salire*, "saltar, pular, dançar", tenta explicar o grego *Sálios* como o suposto introdutor da "dança armada" dos sacerdotes Sálios em Roma. É muita criatividade etimológica!

Sálio é um companheiro de Enéias. Ter-se-ia unido ao herói troiano, quando este passou pela Samotrácia, Mantinéia, Arcádia ou mais precisamente pela cidade de Tégea.

Vergílio, *En.*, 5, 293-361, ao descrever os Jogos Fúnebres, em memória de Anquises, referindo-se à prova de corrida, menciona os nomes dos heróis que participariam da mesma. Arrola logo depois de Niso, Euríalo e Diores, o arcádio Sálio, que acabou por ser reconhecido vencedor do certame, *En.*, 5, 294-299:

Nisus et Euryalus primi
Euryalus forma insignis uiridique iuuenta,
Nisus amore pio pueri; quos deinde secutus
regius egregia Priami de stirpe Diores;
hunc Salius simul et Patron, quorum alter Arcanan,
alter ab Arcadio Tegeaeae sanguine gentis.

– Niso e Euríalo são os primeiros,
Euríalo insigne pela beleza e exuberante juventude,
Niso, pelo piedoso afeto com que o ama; a eles seguem
o príncipe Diores, da egrégia estirpe de Príamo,
depois Sálio e com ele Pátron, dos quais um é da Acarnânia
e o outro da Arcádia, descendente de uma família de Tégea.

É a este Sálio, que, por falsa etimologia, se atribui a introdução em Roma da dança e cânticos dos Sálios (v.).

SÁLIOS

***Salii*, *-orum*,** *Sálios*, como já observaram os antigos, provêm do verbo *salire*, "saltar, pular, dançar". O presente *salio*, "pulo, salto, danço", tem apenas por correspondente o grego ἅλλομαι (hállomai), com a mesma acepção, *DIELL.*, p. 590 (v. Salácia), sem nenhuma relação com o antropônimo Sálio (v.). Festo, 438, 27, já citado, é taxativo a esse respeito: *salios a saliendo et saltando dictos esse quamuis dubitari non debeat* – embora não se deva pôr em dúvida que os Sálios são assim chamados pelo fato de provirem de *saliendo* (saltar, pular) e de *saltando* (dançar)...

Os Sálios eram sacerdotes do deus Marte. A corporação dos "doze sacerdotes", segundo a tradição, fora insituída pelo rei Numa Pompílio, com a finalidade de guardar os escudos sagrados do deus. Anualmente, no mês de março, consagrado a Marte (v.), os Sálios saíam em procissão até o Palatino, quando dançavam, carregando os escudos, acompanhando-se com *carmina*, isto é, com "cantos mágicos", verdadeiros hinos de litanias e invocações rituais. São os denominados *Carmina Saliorum*, "Cânticos de caráter mágico dos Sálios", de que se possuem três fragmentos, transmitidos por Varrão, pelo gramático Terêncio Escauro, séc. II p.C., no *De Orthographia*, e por um seu contemporâneo, o também gramático Vélio Longo. Esses *cantica* eram privativos da liturgia dos doze Sálios: cada sacerdote transportava um dos *ancilia*, quer dizer, um dos escudos sagrados do deus, dançando e cantando processionalmente. Segundo o mito, um dos escudos caíra do céu, simbolizando a perpétua proteção de Marte, pai de Rômulo, sobre as armas romanas. Por ordem do rei Numa Pompílio, o grande artista osco, Mamúrio Vetúrio (v. Mamúrio) fabricara outros onze, idênticos ao miraculoso, para evitar que este fosse reconhecido e roubado.

SALVAÇÃO (Saúde)

***Salus*, *-utis*,** "salvação, conservação, saúde", provém do adjetivo *Saluus* (*saluos*), *-a*, *-um*, "inteiro, intacta" e, em seguida, "são, salvo, são e salvo", como na fala de Euclião, na *Aululária*, de Plauto:

Di me seruant, salua res est: saluum est, si quid non perit.

– Os deuses me protegem, tudo está salvo: está salvo o que não está perdido.

No latim eclesiástico passou a significar "salvo do Maligno, salvo do mal por Cristo". *Salus* é, pois, no latim clássico, "o estado do que se encontra com boa disposição, salvaguarda, conservação"; personificado e divinizado, "Salvação". **Saluus** lembra o sânscrito *sárvah*, "inteiro, intacto, total", tanto quanto o grego ὅλϜος (hólwos), homérico οὖλος (húlos), ático ὅλος (hólos), todos com o mesmo sentido.

Personificação divinizada da "conservação e da saúde", *Salus*, Salvação, possuía um templo no Quirinal. Como simples abstração, não possui a deusa um mito próprio. A partir dos fins do séc. II a.C., *Salus* assimilou-se à deusa helênica da Saúde, Higiia, filha do grande médico Asclépio (v. *DIMEG.*, p. 563).

SANCO

Sancus, *Sanco*,é aproximado indevidamente de *sacer*, "sagrado, inviolável", e de *sanctus*, "santo, augusto, sancionado pelo divino", como se a base etimológica geral fosse o verbo *sancire*, "tornar sagrado ou inviolável, consagrar", mas, segundo Ernout-Meillet, *DIELL.*, p. 529, trata-se, talvez, de uma antiga divindade indígena, cujo culto se eclipsou juntamente com sua procedência etimológica. O umbro possui *Sansio-*, epíteto dos deuses **Fiso* (*Fidius*), *Fisofio-* e *Vesticio-*, de sentido desconhecido.

Antiqüíssima divindade romana, apresenta-se normalmente sob a foma de *Semo Sancus* (ou *Sancius*), Semo Sanco (ou Sâncio), identificando-se, por isso mesmo, com *Dius Fidius*, "o divino Fídio, o deus que sanciona", correspondente a Ζεὺς πίστιος (Dzeùs pístios), que possui a mesma acepção. Ovídio, *Fast.* 6, 213-216, reúne os três nomes, Sanco, Fídio e Semo, que, para o próprio deus, eram sinônimos:

Quaerebam Nonas Sanco Fidione referrem,
An tibi, Semo pater; cum mihi Sancus ait:
Cuicumque ex illis dederis, ego munus habebo,
Nomina trina fero; sic uoluere Cures.

– Eu me perguntava se deveria dedicar o dia cinco de junho
a Sanco ou a Fídio ou a ti, pai Semo, quando Sanco respondeu:
A qualquer um deles a quem o consagrares, a honra será minha,
possuo os três nomes, assim o desejaram os cures (sabinos).

Segundo a tradição, o culto do deus foi introduzido em Roma pelos sabinos, sendo, por isso mesmo, considerado por vezes como o pai do herói Sabo (v.), epônimo dos mesmos sabinos.

Sanco não possui um mito próprio, mas é comumente invocado como protetor dos juramentos e de seu cumprimento.

SATURNO

Saturnus, *Saturno*, grafado, por vezes, *Saeturnus*, como está no *CIL* I², é relacionado, por etimologia popular, com *satus*, particípio do verbo *serere*, "plantar, semear", para justificar ter sido ele, em Roma, o deus das "sementeiras", como esposo de *Ops Consiua*, "a prodigalizadora da Abundância". Assim o define Festo, 432, 17: *qui deus in Saliaribus Sat(e)urnus (Saeturnus?) nominatur, uidelicet a sationibus* – este deus nos cantos dos Sálios (v.) é chamado Saturno, como derivado, claro está, de sementeiras. Na realidade, o teônimo talvez seja de origem etrusca, *DIELL.*, p. 596; *LEW*, s.u.

Antigo deus itálico, Saturno foi muito cedo assimilado ao deus grego Crono (v. *DIMEG.*, s.u.). Teria emigrado da Hélade para a Itália depois que Zeus (em latim Júpiter), vencendo os Titãs, comandados por Crono (Saturno), o destronou e expulsou do Olimpo. Na Itália, o deus se "escondeu" no Lácio, *Latium*, que a etimologia popular faz provir do verbo *latere*, "estar escondido". Ovídio, *Fast.*, 1, 235-238, recorda os fatos:

Hac ego Saturnum memini tellure receptum,
Caelitibus regnis ab Ioue pulsus erat.
Inde diu genti mansit Saturnia nomen,
Dicta quoque est Latium terra, latente deo.

– Recordo que nesta terra foi acolhido Saturno,
Tangido por Júpiter do reino celeste, daí o nome
de povo satúrnio, conservado por muito tempo por nossa gente,
também sua terra chamou-se *Lácio*, porque aí se *escondeu* o deus.

Instalando-se no Capitólio, berço da futura Roma, fundou uma cidade fortificada que, em algumas versões, recebeu o nome de *Saturnia*. Acolheu-o neste local um deus bem mais antigo, na Itália, Jano (v.), igualmente vindo da Grécia, conforme uma variante. As duas divindades dividiram pacificamente o poder no Lácio: este governava uma cidade que construíra no Janículo; aquele, a fortaleza de *Saturnia*. A vinda de Saturno para a Itália provocou em sua nova pátria a eclosão da *aetas aurea*, da idade de ouro, quando, segundo Ovídio, *Metamorfoses,* 1, 107-108:

Ver erat aeternum, placidique tepentibus auris
Mulcebant Zephyri natos sine semine flores

– a primavera era eterna e os meigos zéfiros
com seu hálito suave acariciavam as flores nascidas sem semente.

Corriam ora rios de leite, ora rios de néctar e a terra tudo produzia sem o suor dos camponeses. Tudo era de todos e reinava uma paz profunda, como diz Vergílio, *Geórg.*, 2, 538-540:

aureus hanc uitam in terris Saturnus agebat;
necdum etiam audierant inflari classica, necdum
impositos duris crepitare incudibus ensis

– era esta a vida na terra, quando reinava o áureo
Saturno. Não se tinha ouvido ainda o som da trombeta bélica
nem o retinir das espadas nas duras bigornas.

O artífice da idade de ouro continuou a obra civilizadora de Jano e transmitiu aos Aborígenes (v.) da Itália as técnicas do cultivo da terra, dando-lhes ao mesmo tempo leis justas e humanas.

Saturno era representado empunhando uma foice, o instrumento que "corta as sementes", mas também "castra e mutila", como ele fizera com seu pai Úrano (Céu), decepando-lhe os testículos (v. Céu e Úrano, *DIMEG.*, s.u.). Com semelhante instrumento o deus converteu-se no inventor ou ao menos no divulgador da cultura e da poda da videira.

Com o sincrestismo greco-latino, em que o deus itálico, sob certos ângulos, se identificou com Crono, tornar-se difícil reconstruir as características do Saturno latino. De qualquer forma, este não possuía o cunho sinistro que marcava seu êmulo grego. Se a relação etimológica de *Saturno* com *satus*, como se mostrou, é de origem popular, o fato de o deus romano ser estampado com a foice, não apenas o identifica com o deus helênico castrador, mas igualmente o converte no grande *lavrador divino*, numa polaridade realmente significativa. O cruel e o perverso, capaz de decepar um ato de amor, torna-se, em Roma, o deus da primavera eterna, da abundância e da paz.

Seu templo, segundo a tradição, foi iniciado por Tarquínio, o Soberbo, a sudoeste do Fórum e consagrado pelos dois cônsules, em 497 a.C. Durante a República, com a multiplicidade de "deuses da vegetação", Saturno perdeu muito de sua importância inicial. Seu grande Santuário tornou-se apenas o depósito do *aerarium publicum*, erário público. No interior do mesmo guardava-se uma estátua do deus, cujo pedestal estava permanentemente envolvido por uma tira de lã com as pontas amarradas, a fim de que não fugisse da cidade, levando consigo as riquezas e a prosperidade da mesma.

O culto do deus, ao qual se associaram outras divindades como Lua, não teve qualquer projeção nas províncias do Império, exceto na África, onde não coincidia nem com o Crono grego nem tampouco com o Saturno latino, tendo como atributos o disco solar, a lua e uma estrela, o que o identificava com o deus púnico Baal.

A grande homenagem romana a Saturno eram as *Saturnalia*, Saturnais, que, de início, duravam um só dia; César acrescentou-lhes mais dois; Augusto e Calígula, mais um dia cada um e finalmente Domiciano prolongou-as por sete dias, de 17 a 23 de dezembro, fazendo-as coincidir com as *Sigillaria*, isto é, "festas das imagens".

Para comemorar a longínqua e esquecida *aetas aurea*, a idade de ouro, esse antigo estado paradisíaco, introduzido por Saturno na Itália é que se celebravam as *Saturnalia*, reminiscência da paz, abundância, igualdade e liberdade. Através delas se visava a obter igualmente as boas graças e a proteção do deus sobre a vegetação e as sementes lançadas no seio da terra.

A tão esperada solenidade iniciava-se, em Roma, pela manhã. Após se retirar a faixa de lã que cobria, durante todo o ano, o pedestal da estátua de Saturno, realizava-se um pouco mais tarde um banquete público, cujo término era marcado pelo grito da distensão: *Io Saturnalia!* Viva as Saturnais! Tudo parava: o senado, as escolas, o trabalho, os tribunais. As execuções dos condenados à morte eram adiadas. Concedia-se liberdade a alguns presos, que depositavam suas algemas como oferenda no templo do deus. Jogos de azar, expressamente proibidos pelas leis romanas, eram inteiramente liberados. Afinal era um retorno ao *Paraíso Perdido*, onde todos os homens eram justos, pacíficos e livres, inexistindo o cárcere, a escravidão e a morte. Sangue havia, mas era uma efusão ritual: o da vítima imolada ao deus e o dos gladiadores no Circo, cujo escopo era atrair o favor de Saturno sobre as colheitas e a cidade (v. Jogos).

Trajando as mais ricas indumentárias de seus senhores, os escravos sentavam à mesa ou inclinados em leitos, como era de hábito nas refeições, faziam-se servir pelos patrões, aos quais, não raro, insultavam, lançando-lhes em rosto os vícios, torpezas e crueldades. Reinavam a alegria, a orgia e a liberdade. Eliminavam-se interditos de toda ordem. Quebrava-se a hierarquização da orgulhosa sociedade romana.

Se as Saturnais, com toda a sua liberação, talvez possam ser interpretadas como reminiscênciaa da Idade de Ouro, não poderiam simbolizar também, como no Complexo de Édipo, a supressão do deus, do pai e do chefe? Se Crono (Saturno) destronou a seu pai Úrano, mutilando-o, e se, por sua vez, foi destronado pelo filho Zeus (Júpiter), o povo e particularmente os escravos, durante o período de festas tão inéditas no mundo romano, não estariam fazendo que seus chefes e senhores, às mais das vezes, prepotentes, recebessem "a retribuição" do que haviam feito a seus pais, à imitação do ato de Crono (Saturno) para com Úrano (Céu) e de Zeus (Júpiter) com relação a Crono (Saturno)? Assim, possivelmente, se explica por que nas *Saturnalia* se elegia anualmente um *Saturnalicius Princeps*, o rei das Saturnais, como entre nós, *mutatis mutandis*, o Rei Momo. Em épocas recuadas, esse rei, após presidir os banquetes, as festas e orgias, era, no final das mesmas, *sacrificado a Saturno*.

É bem possível que os latinos, de um ponto de vista simbólico, vissem o *Saturni stella*, "o planeta Saturno", como diz Cícero, *Nat. deo*r., 2, 20, 52, como o deus que encarna o princípio da concentração, da fixação, da condensação e da inércia. Tratar-se-ia de uma pessoa que tende a cristalizar, a fixar na rigidez as coisas existentes, opondo-se a qualquer tranformação. Se é denominado o *Grande Maléfico*, na expressão de J. Chevalier e A. Gheerbrant, *DIS*., p. 848sq., é porque ele traduz os obstáculos de toda ordem, as interrupções, a carência, a impotência. De outro lado, na sua polaridade, confere uma profunda penetração, à força de longos e diuturnos esforços, e reflete, destarte, a fidelidade, a constância, a ciência, a renúncia, a castidade e a religião.

SERGESTO

Sergestus, *Sergesto*, é antropônimo sem etimologia definida. Uma aproximação com **Sergestes*, abonado em Carnoy, *DEMG*., p. 183, que seria o ancestral da *Gens Sergia*, da família Sérgia, teria um correspondente no lituano *sargas*, "guarda", *sargùs*, "atento, expedito", alemão *Sorge*, "cuidado, preocupação", não parece convincente.

Como Seresto (v.), Sergesto comandava uma das naus da frota de Enéias e como seu companheiro foi separado do herói por uma tempestade, reunindo-se logo depois a ele em Cartago, *En*., 1, 510-512:

Anthea Sergestumque uidet fortemque Cloanthum
Teucrorum alios, ater quos aequore turbo
dispulerat penitusque alias auexerat oras.

– Enéias vê aproximarem-se Anteu, Sergesto, o bravo Cloanto
e outros troianos que o negro turbilhão havia dispersado
sobre o mar e arrojado para outras praias distantes.

Encarregou-se igualmente com Seresto (v.) dos preparativos para uma saída secreta de Cartago e tomou parte no assalto final contra os rútulos de Turno (En., 12, 561-573).

No canto quinto do poema vergiliano, nos Jogos Fúnebres (v. Jogos) em memória de Anquises, Sergesto participou da corrida de naus, pilotando "a Centauro", *En.*, 5, 121-122:

Sergestusque, domus tenet a quo Sergia nomen
Centauro inuehitur magna.

– E Sergesto, donde provém o nome da família Sérgia
comanda a grande nau Centauro.

Embora não tenha vencido a disputa, recebeu de Enéias como presente uma escrava, oriunda de Creta, de nome Fóloe, prendada com as artes de Minerva (*En.*, 5, 282-285).

SERESTO

Serestus, *Seresto*, é antropônimo de etimologia desconhecida.

Em vários passos da *Eneida*, Seresto, citado, as mais das vezes, ao lado de Sergesto, é um dos bravos companheiros do filho de Vênus. Comandante de um dos navios troianos, tanto ele quanto Sergesto (v.), separados de Enéias por uma terrível borrasca, a ele se reúnem novamente em Cartago. Pessoa de absoluta confiança do herói troiano, recebe, com outros chefes, a delicada missão de preparar a frota em absoluto segredo, para que o filho de Anquises possa sair de Cartago, sem que Dido o perceba, *En.*, 4, 288-291:

Mnesthea Sergestumque uocat fortemque Serestum,
classem aptent taciti sociosque ad litora cogant,
arma parent et quae rebus sit causa nouandis
dissimulent.

– Enéias convoca Mnesteu, Sergesto e o destemido Seresto:
que aparelhem secretamente a frota, reúnam os companheiros na praia,
preparem as armas e dissimulem o motivo desses novos
movimentos.

Normalmente chamado de *acer Serestus*, impetuoso Seresto, é um dos encarregados do comando do exército troiano na ausência de Enéias (*En.*, 9, 171-173). E é sobretudo nele que o filho de Vênus se apóia para romper o cerco dos rútulos aos bravos companheiros do herói de Ílion (*En.*, 12, 548-553).

SÉRVIO TÚLIO

Seruius Tullius, *Sérvio Túlio*. *Seruius* provém do adjetivo *seruus*, *-a*, *-um*, "escravo", cuja raiz é **swer-*, com a variante **ser-*, "preservar, vigiar, proteger", mas o fator preciso que marca a passagem de "protetor, guarda" para "escravo" só se explica de fato, mas as circunstâncias são desconhecidas. Talvez, por isso mesmo, B. Benveniste, *Revue des Études Latines*, 10, 1932, p. 429sqq., contesta a etimologia supracitada. Para ele *seruus* seria um empréstimo ao etrusco: *Seruius Tullius*, argumenta o filólogo, era de origem etrusca, em cuja língua se chamava *Mastarna*. Além do mais, prossegue, o etrusco possui os nomes próprios *Serui*, *Serue*, e a escravidão teria uma origem mediterrânea e não indo-européia. Já que se desconhece a evolução precisa da escravidão, não se pode determinar com rigor a etimologia de *Seruius*, embora Ernout, *Philologica*, I, p. 225, ateste a antiguidade *seruitus*, "escravidão", donde *seruus*, "escravo" deve pertencer a um estágio antigo da língua latina, *DIELL.*, p. 620sq. Quanto a *Tullius*, Túlio, é possivelmente de procedência etrusca.

Sérvio Túlio é o sexto rei de Roma, mas seu mito é uma colcha de retalhos, tornando-se difícil estabelecer alguma ordem nesse emaranhado de tradições e variantes. O nascimento do futuro rei já é sumamente misterioso. Numa primeira versão, Sérvio seria filho do deus Lar, que, sob a forma de um falo de cinzas, se unira a uma escrava (*serua*) de Tarquínio Prisco, daí seu nome de *Seruius*, "escravo". Uma variante assevera que seu pai se chamava igualmente Sérvio Túlio e reinava em Cornículo, cidade do Lácio, que foi sitiada e tomada por Tarquínio, tendo perecido na luta o rei de Cornículo. Ainda grávida de Sérvio, a rainha foi levada para Roma como cativa do rei vencedor. Foi na corte que nasceu o futuro monarca. Um dia, enquanto o menino dormia, sua cabeça foi envolvida por chamas. A rainha Tanaquil, esposa de Tarquínio, não permitiu que se despertasse a criança, mas que se procurasse, de algum, modo extinguir o fogo. Não foi necessário: tão logo o menino acordou, as chamas desapareceram. Tanaquil interpretou o fenômeno como um presságio de glória. As labaredas simbolizavam a futura coroa real. Criado como verdadeiro príncipe, Sérvio, ao completar a idade legal, se casou com a filha dos reis de Roma, passando a ser apresentado ostensivamente como sucessor de Tarquínio. Assassinado este pelos filhos de Anco Márcio, a quem sucedera, Tanaquil tomou astutamente todas as providências, encobrindo durante alguns dias a morte do esposo, para que o genro assumisse o poder. Democraticamente, Sérvio fez que sua ascenção ao trono fosse ratificada mais tarde por uma eleição popular.

Eutrópio, *Breu. Hist. Rom.*, 1, 7, nos deixou uma síntese da origem, dos feitos e do fim trágico de Sérvio Túlio: *Post hunc Seruius Tullius suscepit imperium, genitus ex nobili femina, captiua tamen et famula...* Após este (Tarquínio Prisco), tomou o poder Sérvio Túlio, filho de nobre mulher, cativa porém e reduzida à condição de escrava... Rei belicoso e grande administrador, subjugou os sabinos, ampliou a cidade de Roma, acrescentando-lhe três montes e organizou o primeiro censo do império. Após reinar 45 anos, foi assassinado por seu genro Tarquínio, filho do rei a quem ele mesmo havia sucedido.

Sérvio Túlio foi um rei moderado e prudente: apaziguou os ânimos do povo, a princípio descontente com seu acesso ao trono. Procurou aumentar a força militar de Roma, cingiu a cidade de poderosa muralha e concedeu o título de cidadão aos plebeus, a fim de acrescer o número de soldados.

SIBILA

Sibylla, *Sibila*, é a transliteração do grego Σίβυλλα (Síbylla), cuja etimologia é desconhecida. Confiável bibliografia, a este respeito, foi reunida por Frisk, *GEW.*, s.u. As hipóteses de Carnoy, *DEMG.*, p. 183-184, como se comentou no *DIMEG.*, Vol. II, p. 380, não são aceitáveis.

Segundo a Drª Maria Helena da Rocha Pereira, *Verbo Enciclopédia Luso-Brasileira de Cultura,* 2º Vol., nº 17, Lisboa, Verbo, 1975, p. 38, Heráclito (séc. VI a.C.), fr. 92 Diels, foi o primeiro a se referir à Sibila, "atribuindo-lhe inspiração divina". O fragmento em apreço chegou até nós graças a Plutarco, *De Pyth. Or.*, 6, 397A, e a tradução que segue é da lavra de Carlos Alberto Louro Fonseca (*Os Filósofos Pré-Socráticos*, Lisboa, Calouste Gulbenkian, 1982, p. 215): "A Sibila, que, segundo Heráclito, profere, com a boca possessa, palavras sombrias, sem adornos e sem perfume, atinge com a sua voz mil anos, graças ao deus".

Seja qual for, no entanto, a etimologia e a antiguidade relativa do vocábulo, o fato é que este se tornou sinônimo de Pitonisa, sem a projeção desta última, mercê da importância do Oráculo de Delfos. Sibila é, pois, a denominação de uma sacerdotisa encarregada de transmitir os oráculos de Febo Apolo. O mundo grego, todavia, em função de muitas variantes do mito e pelo fato de a Pítia apolínea, a princípio uma só, ter-se multiplicado, exercendo suas funções em várias partes do Oriente e do Ocidente helenizados, recebeu nomes diferentes, em dependência dos lugares em que profetizava. Assim é que, no século I a.C., se nomeavam dez Pitonisas ou Sibilas: *Ciméria*, da região brumosa do Quersoneso Táurico; *Cumana*, da cidade de Cumas, no Sul da Itália; *Délfica*, de Delfos, a cidade de Apolo, no monte Parnasso; *Eritréia*, de Éritas, na Lídia; *Frígia*, da Frígia, na Ásia Menor; *Helespôntica*, do Helesponto, entre Europa e Ásia; *Líbica*, da Líbia, na África Setentrional; *Pérsica*, da antiga Pérsia, na Ásia; *Sâmia*, da ilha de Samos, na Ásia Menor; *Tiburtina*, de Tíbur, cidade vizinha de Roma.

Consoante algumas tradições, a primeira das Pitonisas foi uma jovem denominada *Sibila*, filha do troiano Dárdano e de Neso, filha de Teucro, o fundador da dinastia de Ílion. Com o respaldo de Apolo, deus eminentemente troiano, *Sibila* adquiriu tão grande reputação na arte mântica, que todas as demais profetisas adotaram-lhe o nome.

Reza uma variante que, cronologicamente, a primeira inspirada de Febo não foi a Pitonisa de Tróada, mas a da Líbia, filha de Zeus e de Lâmia e que o epíteto lhe fora outorgado pelos habitantes do país. A terceira teria sido a célebre Herófila, originária de Marpesso, também em território teucro. Como nascera antes da guerra entre aqueus e troianos, predisse que Ílion seria destruída pela falta de uma espartana (Helena).

Herófila viveu muitos anos na ilha de Samos, mas proferiu oráculos igualmente em Claros, cidade da Jônia; na ilha de Delos e até mesmo em Delfos. Levava sempre consigo uma *pedra* (símbolo fálico de sua possessão física e mental por Apolo) e era sentada sobre a mesma que profetizava. Faleceu em Tróia, mas a pedra sagrada teria sido transportada para Delfos.

A quarta e mais famosa das Sibilas helênicas (exceção feita à Pitonisa de Delfos) foi a de Éritras, na Lídia. Nasceu numa gruta (ponto de partida do rito iniciático) do monte Córico e, tão logo veio ao mundo, começou a vaticinar em versos. Viveu novecentos e noventa anos. De acordo com uma versão muito difundida, a Pitonisa de Éritras se identificaria com a Sibila de Cumas. Esta, que desempenhou papel singular no mito latino, era conhecida com as alcunhas de Amaltéia, Demófila, Deífobe e até mesmo Herófila. Seus oráculos se proferiam numa gruta tenebrosa e Vergílio, *Eneida*, 6, 42-51, debucha um retrato da possessão de Deífobe por Apolo:

Excisum Euboicae latus ingens rupis in antrum,
quo lati ducunt aditus centum, ostia centum,
unde ruont totidem uoces, responsa Sibyllae.
Ventum erat ad limen, cum uirgo "Poscere fata
tempus" ait; "deus ecce deus!" Cui talia fanti
ante fores subito non uoltus, non color unus,
non comptae mansere comae; sed pectus anhelum,
et rabie fera corda tument, maiorque uideri
nec mortale sonans, adflata est numine quando
iam propiore dei.

– O flanco da rocha eubóica está escavado em forma
de imenso antro, a que cem amplos caminhos e cem portas
dão acesso; por ali saem outras tantas vozes, respostas da Sibila.
Os troianos haviam chegado ao limiar, quando ela exclamou:
"É tempo de interrogar os fados. O deus, eis o deus!" Ao proferir
tais palavras diante da porta, transtornou-se-lhe o semblante,
mudou de cor, seus cabelos se eriçaram, o peito se tornou
ofegante e o furor lhe penetrou no coração; pareceu crescer
de estatura e sua voz perdeu a entonação humana.
Quando se sentiu possuída do deus, vociferou...

A Sibila de Cumas, em estado de "entusiasmo", após predizer a Enéias os perigos e os longos sofrimentos que o aguardavam na conquista da Itália (*En.*, 6, 83-97), se dispôs a acompanhá-lo na penosa descida aos Infernos (v. Enéias).

De conformidade com o mito latino, a Cumana foi a Roma, no reinado de Tarquínio Prisco ou, segundo outros, de Tarquínio, o Soberbo, e tentou vender-lhe nove coleções de oráculos. Como o rei achasse o preço muito elevado, a cada recusa do soberano a sacerdotisa de Apolo queimava três. Por fim, Tarquínio resolveu pagar a quantia estipulada para a terceira e última coleção e depositou-a no templo de Júpiter Capitolino.

Se o encontro da Sibila de Cumas com o rei de Roma é fantasioso, a existência dos *Libri Sibyllini*, Livros Sibilinos, é rigorosamente histórica e comprovada desde o século V a.C. Destruídos no incêndio do Capitólio, em 83 a.C., foram substituídos por outros, cujas fontes devem ter sido particularmente Éritras e Samos. Estavam sob a guarda dos *Quindecimuiri Sacris Faciundis*, Quindecênviros, quinze magistrados responsáveis pelos ritos públicos, e só podiam ser consultados com permissão do Senado. Augusto guardou-os no tempo de Apolo, no Palatino. Foram utilizados até o século IV de nossa era, quando Estilicão, general vândalo, mas amigo dos romanos, e sogro do imperador Honório, mandou queimá-los. Diga-se, de passagem, que o príncipe, coadjuvado por Estilicão, seguiu à risca a política religiosa de seu pai Teodósio: em vez de cuidar das fronteiras do Império, ameaçadas pelos bárbaros, preocupou-se em destruir obras e edifícios erguidos pelos "pagãos".

Os livros Sibilinos exerceram grande influência sobre a religião romana, particularmente no que tange ao ritual. Eram compulsados nos momentos de calamidade pública, de algum acontecimento extraordinário e nas prescrições religiosas, sobretudo quando da introdução de um novo culto e de sacrifícios expiatórios.

Quanto às Pitonisas, não houve martelos e marretas que as destruíssem. Bem mais tarde, aquietados os ânimos, com o triunfo completo do cristianismo, a possessa de Apolo, dessacralizada, reapareceu como reminiscência cultural nas artes e nas letras.

Assim é que, como anota Maria Helena da Rocha Pereira, no artigo supracitado da *Verbo Enciclopédia Luso-Brasileira de Cultura*, a Sibila pôde figurar ao lado dos profetas no teto da Capela Sistina, por obra de Michelangelo. Gil Vicente, no *Auto da Sibila Cassandra*, escrito em castelhano, reúne a Salomão, Isaías, Moisés e Abraão nada menos que quatro Pitonisas: Cassandra, embora a esta faltasse a credibilidade (v. *DIMEG*., Vol. I, p. 188sqq., s.u. Cassandra), Eritréia, Pérsica e Ciméria, grafadas respectivamente Erutea, Peresica, Cimeria.

As Sibilas vicentinas, "cristianizadas", são conhecedoras da Sagrada Escritura e quase no fecho do Auto, encenado nas matinas do Natal, entoam um hino de louvor a Maria, que dera à luz o filho de Deus. Vale a pena transcrever-lhes a litania:

Cas. Señor, yo, de ya perdida
nesta vida,
no te oso pedir nada,
porque nunca dí pasada
concertada;
ni debiera ser nascida.
Vírgen y madre de Dios,
á vos, á vos,
corona de las mugeres,

por vuestros siete placeres,
que quieras rogar por nos.

Cim. Espejo de generaciones
y naciones,
de Dios hija, madre y esposa,
alta Reina gloriosa,
especiosa,
cumbre de las perfecciones!
oh estrada en campos llanos
de humanos
sospiros á tí corrientes,
oidora de las gentes,
encomiéndome en tus manos!

Per. Oh clima de nuestro polo!
un bien solo,
planeta de nuestra gloria,
influencia de vitoria:
por memoria
nuestro sino laureolo.

Eru. Ave, *stella matutina*,
bella y dina!
ave, rosa, blanca flor!
tú pariste el Redentor,
y tu color,
del parto quedó mas fina.

A Sibila, no entanto, não esgotou suas energias no *Auto* de Gil Vicente. Prosseguiu, ao contrário, sua caminhada cultural nos séculos posteriores, iluminando vates e artistas. Gilberto Mendonça Teles recordou-a recentemente num poema inspirado e polissêmico:

Álibis

Quando desejo fortemente
uma mulher iniludível,
ouço primeiro alguns conselhos
do Opó-rapá-cupú-lopó.

Depois invento um assobio
sibilino,
como um psiu:
logo uma virgem me acompanha
ao fundo da linguagem.

Noutro lugar não haveria
tempo para os meus álibis,
nem a mulher irresistível
se deitaria assim num anagrama.

SILVANO

Siluanus, *Silvano*, é um derivado de *silua*, "bosque, mata, floresta", donde Silvano é "o deus das florestas". *Silua* é termo da língua rural, e todas as etimologias propostas não são convincentes e, mais que isto, forçadas, *DIELL.*, p. 626; *LEW.*, s.u. A aproximação tentada por Carnoy, com base em Boisacq, *DIELG.*, p. 679, derivando *silua* do indo-europeu **ksewel*, grego ξύλον (ksýlon), "bosque", carece de sentido, porque seria impossível foneticamente.

Divindade romana que presidia os arvoredos e bosques, confundia-se, por vezes, com Fauno e, com o sincretismo greco-latino, assimilou-se rapidamente, no panteão romano helenizado, ao deus Pã.

Não possui um mito próprio. Deve ter sido, desde os primórdios, o protetor das selvas, bosques e terrenos não cultivados, uma vez que a ele se consagravam os limites de separação entre os campos. Não possuía festa oficial no calendário romano e nem tampouco se ergueram templos em sua honra. Seu santuário eram os bosques, onde se construía um altar e se lhe faziam oferendas de produtos agrícolas.

Já à época de Plauto, o deus guardava os bosques. Na *Aululária*, 673-676, o avaro Euclião resolveu mudar o esconderijo de sua panela cheia de ouro, do altar da deusa Fidelidade, para um local bem mais seguro, um bosque de Silvano:

Nunc hoc ubi abstrudam cogito solum locum.
Siluani lucus extra murumst auius,
Crebro salicto oppletus: ibi sumam locum.
Certumst, Siluano potius credam quam Fide.

– Agora penso apenas num local onde possa esconder o dinheiro.
Há, fora das muralhas, um bosque de Silvano, desviado da estrada,
e cheio de um espaçoso salgueiral. É este local que escolherei.
Está decidido: confio mais em Silvano do que em Fidelidade.

Retratava-se o deus como um homem idoso, de vasta cabeleira e barba hirsuta, com um cão a seus pés, mas era dotado de uma força hercúlea.

Um curioso episódio que se passa com outras divindades latinas é atribuído também a Silvano. Quando Tarquínio foi banido da Cidade, as tropas romanas e etruscas empenharam-se num sangrento combate e as perdas haviam sido tão grandes de ambas as partes, que o dia se encerrou sem que se soubesse qual dos dois exércitos poderia ser proclamado vitorioso. Alta noite, porém, ouviu-se uma voz divina que proclamava o triunfo dos romanos, por terem perdido um soldado a menos. Apavorados, os etruscos fugiram, deixando o campo de batalha à mercê dos adversários. No dia seguinte, contados os soldados, verificou-se que a voz misteriosa, que, na realidade, era de Silvano, revelara a verdade.

SÍLVIO

Siluius, *Sílvio*: para a etimologia v. Latino Sílvio e Silvano.

A genealogia deste herói é bastante complexa. Tradicionalmente é um filho póstumo de Enéias com Lavínia. O nascimento do menino foi complicado, como se explicou no verbete acerca de Lavínia (v.). Para evitar quaisquer outras suspeitas infundadas de sua nacionalidade ou a inveja de seu irmão consangüíneo, Ascânio cedeu-lhe pacificamente a cidade de Lavínio e partiu para fundar Alba Longa.

Após reinar trinta e oito anos em Alba, o filho de Creúsa legou igualmente sua cidade a Sílvio. Este governou-a por trinta e nove anos, sendo substituído no trono por seu filho Enéias, homônimo do avô. Segundo uma versão, que aparece não raro alterada, em dependência do mitógrafo, os monarcas da dinastia que reinaram em Alba Longa, após o segundo Enéias, foram os seguintes: Latino, Alba, Cápeto Sílvio, Cápis, Cálpeto Sílvio, Tiberino, Agripa, Álades, Aventino, Procas, Amúlio e Numitor, durante cujo reinado foi fundada Roma.

Em outras variantes, Sílvio é filho de Ascânio, que, por sua vez, tinha por pais a Enéias e Lavínia. Numa versão tardia, Sílvio é apresentado como filho de Enéias e de Sílvia, viúva de Latino, com a qual se casara o filho de Vênus (v. Enéias).

SOL

Sol, *Sol*, cuja raiz indo-européia talvez seja **swol-*, "brilhar". É difícil, segundo Ernout-Meillet, *DIELL.*, p. 632sq., determinar com rigor a relação de *Sol* com os outros nomes indo-europeus que o designam, porquanto os que nomeiam o astro, considerado como *coisa*, são do gênero neutro e os que o mencionam como *pessoa ativa e divina* pertencem ao gênero masculino. Como pessoa agente, o *Sol* é denominado em védico *suryaḥ* (masc.); grego homérico ἠέλιος (heélios), ático ἥλιος (hélios), ambos masculinos, mas o derivado do antigo eslavo, *slunice*, é neutro. De qualquer forma, em qualquer gênero, ele sempre brilha e ilumina.

Divindade sabina, seu culto, bem como o de Luna, foram introduzidos em Roma, segundo a tradição, por Tito Tácio (v. Rômulo). Nos primórdios, seu culto foi modesto, por ser, antes do mais, um deus tutelar dos agricultores. No dia nove de agosto se lhe oferecia um sacrifício público. O culto ao deus Sol, porém, tomou vulto com a influência das religiões orientais sobretudo à época do imperador Heliogábalo, "o depravado", que pretendeu impor ao Império o Sol como deus único, repetindo muitos séculos depois a málograda tentativa do faraó Akhnaton. Ao ser assassinado em 222 p.C., o senado condenou-o a *damnatio memoriae,* isto é, outorgou-lhe o título de *infame*. Alguns anos mais tarde, Aureliano voltou a incentivar o culto ao Sol, sem, no entanto, proclamá-lo deus único. A ele foi dedicado, a partir do séc. III p.C., um templo gigantesco no *Campus Agrippae*, Campo de Agripa. A grande festa ao deus da luz celebrava-se no dia 25 de dezembro, data de seu nascimento. Era o *Sol Inuictus*, até que o verdadeiro Sol, o realmente Invicto, o suplantou para sempre.

Alguns mitos protagonizados pelo deus Sol foram tomados de empréstimo à divindade helênica Hélio (v. *DIMEG.*, Vol. I, p. 508sq.).

SUMANO

Summanus, *Sumano*, costuma ser interpretado como *sub-manus*, isto é, *sub*, "sob", e o adjetivo arcaico *manus*, "matinal", daí "(o deus) da luz matinal", como epíteto de Júpiter, mas é bem possível que o teônimo seja de origem etrusca, *DIELL.*, p. 666; *LEW.*, s.u.

Talvez introduzido em Roma por Tito Tácio, entre outras divindades sabinas, Sumano foi logo assimilado a uma das manifestações de Júpiter: o deus dos relâmpagos noturnos.

Conta-se que o deus partilhava com Júpiter o templo deste último no Capitólio, quando no ano 278 a.C., um raio decepou a cabeça de Sumano, lançando-a ao rio Tibre. Os sacerdotes interpretaram o prodígio como o desejo do deus de possuir um templo em separado. Foi-lhe, por isso mesmo, construído um no *Circus Maximus*, Circo Máximo e, de imediato, se notou que os raios começaram a cair fora do perímetro urbano.

Em honra de Sumano celebravam-se a 20 de julho as *Summanalia*, Sumanálias, em que se oferecia ao deus um bolo sob forma de uma roda, ou seja, de disco solar, por ser ele "o deus da luz matinal". Festo, 275, 7, documentou o fato: *Summanalia: liba farinacea in modum rotae ficta* – Nas Sumanálias (se ofereciam a Sumano) bolos de farinha de trigo confeccionados sob a forma de um disco solar.

T

TÁBUAS EXECRATÓRIAS

1 - ***Tabellae Defixionum***, *Tábuas Execratórias*. *Tabella*, "tabuinha, pequena lâmina de chumbo ou bronze" é um derivado de *tabula*, "tábua, tabela". Segundo Ernout-Meillet, *DIELL.*, p. 672sq., trata-se de termo técnico, sem etimologia definida, certamente um empréstimo. *Defixio*, *-onis* (palavra que só se encontra em Glossários, por ser de formação posterior) é um derivado do verbo *figo*, perf. *fixi*, sup. *fictum*, depois *fixum,* inf. *figere*, "fixar, pregar, gravar". As únicas aproximações possíveis são com o umbro *fiktu*, "crava", *afiktu*, "fixa" e com o lituano *dýgstu*, *dýgti*, "fazer ponta, dar forma de ponta", donde *stricto sensu, tabella defixionis*, é "uma tabuinha de cera, bronze ou chumbo com inscrições". Mas, como o verbo *figere*, "gravar, fixar", tomou o sentido de "execrar, amaldiçoar, perder, entregar a cabeça de alguém, pedir a destruição de uma pessoa às divindades infernais", mercê do conteúdo das inscrições, *Tabellae Defixionum* passaram a ter a conotação particular, sobretudo na magia e na bruxaria, de *Tábuas Execratórias*, isto é, de fórmulas de maldição e imprecação.

O saudoso Prof. Serafim da Silva Neto, em *História do Latim Vulgar*. Rio de Janeiro, Ao Livro Técnico, 1977, p. 105sqq., nas pegadas de Maurice Jeanneret, *La Langue des tablettes d'exécration latines*. Paris, Neuchâtel, 1918, observa: "Para o conhecimento do latim vulgar, têm a mais alta importância as chamadas tábuas execratórias (*tabellae defixionum*). São elas, como se sabc, mensagens anônimas, endereçadas a divindades malfazejas, com o fim de obter, em detrimento de qualquer adversário e fora dos meios naturais, vantagens improváveis ou ilícitas". Aliás, diga-se de passagem, nem sempre são anônimas, como se verá.

Trata-se, pois, de atividades e sentimentos peculiares a indivíduos das mais ínfimas classes sociais. São escravos, libertos, gladiadores.

As práticas da magia negra, em grande parte provindas do Oriente, particularmente do Egito, difundiram-se na Hélade, no decurso dos séculos V e IV a.C., conforme demonstrou, em obra recente, André Bernand, *Sorciers Grecs*. Paris, Fayard, 1991, p. 16sqq. Na Magna Grécia penetraram a partir do séc. III a.C.; em Roma, no séc. I a.C., espalhando-se, a seguir, por todo o vasto Império dos descendentes de Rômulo.

Embora as imprecações tenham múltiplas finalidades, Jeanneret, *op. cit.*, p. 5, aponta quatro motivos principais para uma divisão globalizante das *Tabellae*:

a) *amatoriae* – o amor sem esperança de retorno, o ciúme exasperado e o despeito amoroso provocam o desejo de consagrar às divindades ctônias a esposa infiel, o amante rebelde, o rival mais afortunado ou todos eles ou ainda pedir-lhes com veemência a fidelidade, o retorno ou a posse imediata da pessoa amada;

b) *iudiciariae* – o medo de perder um processo ou o ressentimento por tê-lo perdido levam o litigante a desejar todas as desgraças possíveis ao adversário;

c) *in fures* – o desejo de vingança apela para a magia, para que sejam atingidos e punidos os inimigos;

d) *ludicrae* – os *Ludi Circenses*, os Jogos Circenses (v. Jogos) se constituíam numa das maiores paixões dos romanos, levando-os, por isso mesmo, a pedir e suplicar às divindades infernais a morte de tal gladiador ou de tal auriga ou ainda a derrota da facção rival.

As Tábuas Execratórias que se conhecem, até o momento, são poucas: as publicadas por Audollent, em 1904 e 1930, e por W. Sherwood Fox, em 1912.

A "alta importância" das Tábuas Execratórias não se restringe, porém, ao conhecimento do impropriamente denominado latim vulgar, mas são elas também de suma relevância para a compreensão de uma das facetas da religião popular (será que era só popular?) romana: a magia negra e a crendice das classes sociais menos cultas.

Já se mencionou a publicação de W. Sherwood Fox. O título exato da mesma é o seguinte: The John Hopkins University tabellae defixionum. In: *American Journal of Philology*, apêndice, 1º fascículo do volume XXXIII, Baltimore, 1912. Trata-se de cinco *tabellae*, as quais, na realidade, são quase idênticas: as ligeiras divergências resumem-se em omissão, adição, deslocamento de palavras ou alterações gráficas. A diferença essencial está no nome do destinatário, a que visa a imprecação.

Alfred Ernout, *Recueil de Textes Latins Archaiques*. Paris, Klincksieck, 1947, p. 100-104, transcreve uma delas com alguns comentários acerca das variantes em relação às outras quatro Tábuas. Talvez a que se vai apresentar aqui, a segunda na ordem do editor, provenha de Roma, apesar dos provincianismos. A data da redação, por indícios da escrita e da ortografia, leva a situá-la entre 75 e 50 a.C., ou seja, na época republicana, segundo o eminente latinista e filólogo francês.

A tradução, que se vai apresentar, uma vez transcrito o texto latino, é quanto possível literal, sem fugir às repetições, por se constituírem estas em poderoso auxiliar da eficácia mágica deste tipo de ritual negro de execração.

A

[B]ona pul[chra P]roserpina, Plutoni[s
u]xsor, seiue [me Saluiam] deicere oportet,
eripias salu[tem], corp[us], colorem, uires,
uiturdes Au[on]ia[es]. T[r]adas Plutoni
uiro tuo. [Ni possit cogitati]onibus s[ueis hoc]
quicqui[d] uit[are. Protinus tradas illanc]
Febri quart[an]ae, t[ertianae, cottidianae],
quas cum illa [l]ucten[t, deluctent; illanc]
euincant, uincan[t, usque dum animam]
eius eripiant. [Qu]are hanc uictimam
[tibi] trado, [Proserpin]a, seiue me
[Pros]erpina, se[iue me Ach]eruosiam dicere
[opo]rtet. Me m[ittas a]rcessitum cane[m
tricepi]te[m, qui Auoniae]s cor eripiat.
[Polliciarus illi te dat]urum tres uictim[as],
palmas, carica[s, porcum ni]grum-hoc sei
perfecerit an[te mensem] Martium. Haec,
[Salu]ia, tibi dabo, cu[m] compotem feceris.
Do tibi caput [A]uon[iae]s. Pr[ose]rpina Saluia, d[o]
tibi frontem Auonia[es. Pr]oserpina Saluia,
do tibi supercilia [Auoni]aes, Proserpina
[Sa]luia, do tibi palpe[tra]s Auoniaes, Proserpi[na
S]alu[i]a, do [ti]bi pupillas [Au]onia[e]s, [Proserpina
Sal]uia, do t[ibi] oricula[s, la]bra, [nares], nasum,
[de]ntes, liguam Auon[iaes, ni dice]re possit
[Auo]nia quid s[i]bi [dol]eat; [collum, umero]s
[br]acchia, digito[s, ni] possit ali[quit]
se adiutare; pec[tus, ioci]nera, cor,
pulmones, ni [possit] quit sentire
quit sibi dolea[t; intest]ina, uenter,
umblicus, scapul[as], latera, ni po[ssit]
dormi[i]re: uiscum sac[r]um, ni possi[t]
urinam f[ace]re: [nati]s, femina
anum, gen[ua, crur]a, tibias, pedes,
talos, [p]la[ntas, digi]tos, ungis, ni
[po]ssit [stare] su[a uirtu]te. Seiue
plus, [seiu]e p[ar]uum [scri]ptum
fuerit, quomodo quicqui[t legiti]me
scripsit, mandau[it, s]eic ego [Auo]niam
tibi trado, man[do], ut tradas [illanc

m]ensi Februario. [Male perdat, male e]xs[et],
male disperd[at. Ma]nd[es, tr]adas
nei po[s]s[i]t ampli[us] ull[um]
men[s]em aspicere, ui[dere],
contemplare.

– Bondosa e bela Prosérpina, esposa de Plutão, talvez seja conveniente que eu te chame Sálvia. Destrói a saúde, o corpo, a tez, as forças, as energias de Avônia. Entrega-a a Plutão, teu esposo. Que ela não possa evitar nada disto com a força de seu pensamento. Arruína-a, de imediato, com a Febre-quartã, terçã, quotidiana, as quais lutem e relutem com ela, que a vençam e subjuguem completamente, até que lhe arranquem a alma. Para tanto eu te ofereço esta vítima, Prosérpina, ou talvez seja conveniente que eu diga Prosérpina, ou Aquerôntica. Que me envies o cão tricéfalo, muito solicitado, para que arranque o coração de Avônia. Prometas que hás de oferecer-lhe três vítimas, tâmaras, figos e um porco preto, caso ele execute isto antes do mês de março. Dar-te-ei estas coisas, Sálvia, quando me atenderes. Entrego-te a cabeça de Avônia, Prosérpina Sálvia; voto-te a fronte de Avônia, Prosérpina Sálvia; dedico-te os supercílios de Avônia, Prosérpina Sálvia; consagro-te as pálpebras de Avônia, Prosérpina Sálvia, cedo-te as pupilas de Avônia, Prosérpina Sálvia; ofereço-te as orelhas, os lábios, as narinas, o nariz, os dentes, a língua de Avônia, para que Avônia não possa dizer o que lhe dói; dou-te o pescoço, os ombros, os braços, os dedos, para que em nada se possa ajudar; o peito, o fígado, o coração, os pulmões, para que ignore onde lhe dói; os intestinos, o ventre, o umbigo, as costas, os flancos, a fim de que não possa dormir; a bexiga, para que não possa urinar; as nádegas, as coxas, o ânus, os joelhos, as pernas, as tíbias, os pés, os calcanhares, as solas do pé, os dedos, as unhas, para que não possa, por suas próprias forças, permanecer em pé. Quer seja muito, quer seja pouco o que foi escrito, legitimamente se escreveu e se ordenou. Assim eu te entrego e devoto Avônia, a fim de que a percas no mês de fevereiro. Que ela se arruíne, se desgrace e se destrua completamente. Que ordenes e a entregues para que não possa mais olhar, ver, contemplar nenhum mês.

Diga-se, de caminho, que a *Tabella Execrationis*, a Tábua Execratória, era, de preferência, colocada sub-repticiamente no túmulo de alguém recém-falecido, para que a mensagem chegasse com mais rapidez ao mundo infernal...

As Tábuas Execratórias, de "procedência oriental", que, passando pela Grécia, se difundiram pelo Império Romano, continuam até nossos dias com outra indumentária, mas, no fundo, com a mesma essência. Na realidade, elas não pertenciam ao Oriente, ao Egito, à Grécia, a Roma ou a qualquer outra nação; constituem um patrimônio comum a todas as culturas religiosas de todos os tempos, obedecendo, as mais das vezes, à mesma estrutura. A magia não se altera substancialmente, apesar da distância no tempo e da diversidade cultural. O fio mágico que as trouxe *ab origine* até os tempos modernos é o Inconsciente Coletivo. A ponte que liga o telúrico ao ctônio sempre foi, nas culturas primitivas e em algumas das atuais, bem mais sólida do que a escada que levava e leva ao Olimpo.

A título de complementação, vamos transcrever uma pequena tábua execratória "moderna". Trata-se de uma *amatoria*: alguém perdeu para outra o marido e deseja para o infiel o que "inzisti di mais ruin neste mundo":

> *Larô Exu Cambalarô Exu, Amojuba seu Zé Pilintra. Dexo na sua mão o distino de R.M. Ele recebi o que mi deu. Quero ve ele viciado em tudo que inziste di mais ruin no mundo. O dinheiro dele vai imbora na bibida e no jogo. Nada mais vai da certo pra ele degora em dante. Bebi inté cai duenti do figo e do estomo. Seu Zé Pilintra faiz ele ficá sem paiz briga no trabaio e perda o imprego. Um duenti bebo e pobre que vira mindingo. Contu com o sinhô e quando eu ve o resurtado trago mais marafo e carne seca.*

2 - Por falta de uma bibliografia adequada e de textos confiáveis, que nos esclarecessem suficientemente acerca da μαγεία (magueía), da magia ou da γοητεία (goeteía), fórmula de imprecação, de fonte grega, não nos foi possível transcrever uma *tabella defixionis* helênica em nossos dois volumes do *Dicionário Mítico-Etimológico da Mitologia Grega*. Petrópolis, Vozes, 1991-1992.

Dispondo, agora, de uma fartura de Tábuas Execratórias, procedentes de regiões helenizadas, ou romanizadas, sobretudo da época helenística e romana, vamos estampar a tradução, quanto possível literal, de duas *amatoriae*, que, segundo se explicou, podem expressar também pedidos angustiantes de posse da pessoa amada, como nos casos em pauta. "As mensagens", que se vão apresentar, provêm de locais diferentes: a primeira foi encontrada em Hadrumeto, na África, e, embora de conteúdo latino, está "camuflada" com caracteres gregos, conforme se explicará; a segunda, inteiramente grega, é originária de Hauará, no Egito.

Algumas observações preliminares, no entanto, se fazem necessárias. De início, é conveniente reiterar que as *Tabellae Defixionum* são, em sua maioria, de cunho popular. É que a magia é a linguagem dos marginais, de pessoas que viviam alijadas do social. Em se tratando particularmente da Hélade e sobretudo de Atenas, é mister levar em conta que a *pólis* foi organizada com base na exclusão. Exclusão da mulher, dos metecos, dos escravos e até mesmo dos adolescentes. Além do mais, na religião grega o sagrado estava atrelado ao poder: o sacerdote agia em nome da *pólis*, a magia agregava-se à pulsão, à vontade individual, que, de certa forma, afrontava o Estado. O fato é que estamos muito habituados a ver a Hélade da épica, do lirismo, do teatro e da filosofia, quer dizer, uma Grécia maquiada... A religião reflete a cultura; a magia, a natureza. A religião invoca os deuses, a magia os provoca, uma vez que esta última é um desafio ao divino e uma corajosa transgressão das leis naturais.

Em segundo lugar, nota-se nas *goeteîai* traduzidas uma terrível mistura de deuses: o Deus hebraico, divindades egípcias e gregas. Observe-se que, historicamente, à época em que foram redigidas "as mensagens", entre os séculos II e III p.C., uma vasta parcela do Oriente, havia séculos, estava helenizada e a grande sede da magia foi o Egito, onde viviam milhares de gregos e judeus, principalmente após a fundação de Alexandria. De outro lado, a invocação do Deus dos judeus é significativa: traduz a importância e o poder que se lhe atribuíam. Psicologicamente, a fusão e a invocação de vários deuses dão força e energia à imprecação. Nomes ininteligíveis, verdadeiras fórmulas secretas, bem como a sonoridade desconsertante das palavras (efeito mágico que se perde na tradução) e as repetições fazem parte do processo. Propriamente não se pede, mas se constrangem com ameaças os deuses e, não raro, o morto invocado, para que atendam e defiram ταχύ, ταχύ (takhý, takhý), "rapidamente, rapidamente", a solicitação formulada. Outro ponto curioso é a menção tão-somente do registro matronímico. Os nomes do suplicante e do suplicado são obrigatoriamente seguidos do nome de suas respectivas mães: em magia não pode haver engano... Sabe-se, com certeza, a identidade da mãe e não precisamente a do pai: *mater certa, pater autem incertus*, vale dizer, a mãe é natural, o pai é uma aquisição social.

Normalmente as *goeteĩai*, as fórmulas de imprecações do mundo grego aparecem gravadas em chumbo. A escolha do metal não é aleatória. Se, de um lado, o chumbo, além de ser indestrutível, símbolo da posse para sempre da pessoa a quem se deseja conquistar, de outro, é também maleável, o que facilita a gravação e torna "flexível" a vontade do destinatário. A isso se acresce a coloração acinzentada do metal, fato que traduz a morte, consoante Plínio, o Velho (*Hist. Nat.*, 11, 114). De amor entendem os mortos e os deuses, particularmente os do mundo ctônio...

A execração grega, como já se mencionou em relação à *Tabella Defixionis* latina supracitada, era depositada num túmulo, mas, normalmente, era acompanhada de uma estatueta com os traços de quem se almejava "ligar, prender, conquistar", a fim de que não houvesse possibilidade de erro de pessoa. As estatuetas, não raro, eram cravadas de agulhas, particularmente nas partes pudendas e eróticas do corpo, a fim de impedir a traição ou o acesso de rivais... O grego em que estão vazadas "as mensagens" é um despautério morfológico e sintático, o que comprova o baixo nível cultural dos redatores.

A primeira "missiva", um candente sortilégio amoroso, provém da África, mais precisamente de Hadrumeto, cidade marítima entre Cartago e Léptis. Data mais ou menos do séc. II p.C. Trata-se, na realidade, de uma imprecação latina transliterada em grego. Basta substituir as letras gregas por latinas e o texto surge inteiro na língua de Petrônio. É que o grego, segundo a crença popular, emprestava aos textos mágicos um cunho enigmático e, por conseguinte, uma eficácia maior... A mensagem, alicerçada no mito egípcio, complementa-se com elementos caldaicos, judaicos e gregos.

Séptima, loucamente apaixonada por Sextílio, ameaça até mesmo lançar a múmia de Osíris, cujo corpo fora recomposto por Ísis, no rio Nilo – e seria pela segunda vez –, se não lhe fosse dado afogar nos braços do amante o furor que lhe consumia as entranhas.

Eis a *goeteía*:

– Eu te conjuro... em nome do grande deus, dos Ânteros, daquele que tem um gavião sobre a cabeça, das Sete Estrelas, eu te conjuro, para que Sextílio, filho de Dionísia, no exato momento em que eu depositar este sortilégio, não mais possa dormir; que ele se inflame, se consuma e delire; que ele não possa dormir, nem sentar-se; que ele não mais possa falar, mas que sonhe comigo, Séptima, filha de Amena; que ele delire e se consuma de amor e de desejo por mim; que a alma e o coração de Sextílio, filho de Dionísia, se inflamem de amor e de desejo por mim, Séptima, filha de Amena. E tu, Abar Barbarie Eloe Sbaot Pachnufi Pitipemi, faze que Sextílio, filho de Dionísia, não possa conciliar o sono, mas que se inflame de amor e de desejo por mim; que sua alma e seu coração se consumam e mais ainda todos os membros do corpo inteiro de Sextílio, filho de Dionísia. Caso contrário, descendo ao santuário inviolável de Osíris, quebrar-lhe-ei o ataúde e o lançarei nas águas para que o rio o arraste. Eu, na verdade, sou o grande decano do grande deus Acramachalalá.

O texto, objeto da magia, está cheio de repetições para reforçar a mensagem dirigida ao morto e forçar os deuses invocados a recebê-la e fazê-la cumprir imediatamente... Logo no início do sortilégio falta o nome do morto a quem se dirige a apaixonada, mas o restante está completo e merece alguns comentários.

Sextílio, identificado pelo nome da mãe, Dionísia, deve ser um liberto e Séptima, uma escrava. Neste caso, a operação mágica visa a abolir a distância social entre ambos.

A invocação às divindades é uma fusão de vários panteões. O grande deus é certamente Osíris, pois que, à época romana, como senhor dos mortos, no Egito, possuía um gavião sobre a cabeça. A ele se dirige Séptima com grande violência, ameaçando invadir-lhe o santuário, quebrar-lhe o sarcófago e lançar-lhe a múmia no rio Nilo, caso não fosse antendida. Apresentando-se no fecho da imprecação como um dos decanos, que guardam o sarcófago do deus, ela pretende provar às outras divindades interpeladas que tem poder para obrigá-las a atendê-la. A súplica desesperada estende-se ainda aos deuses egípcios Pachnufi e Pitipemi.

Deixando o panteão dos faraós, Séptima recorre também aos Ânteros, espécie de Cupidos, cuja função era vingar os amantes desamparados e desprezados. Normalmente, diga-se de caminho, os nomes citados aparecem no singular, Ântero, Cupido. As Sete Estrelas, no início da mensagem, fazem parte da magia caldaica, onde a astrologia desempenhava função preponderante. Por fim, invocam-se os epítetos do poderoso Deus hebraico Javé.

O sortilégio de amor de Séptima, como outros do gênero, estampa uma paixão alucinante, brutal, sôfrega, incontrolável e obsessiva. A chama devoradora deve consumir a alma e o coração, asserção que é retomada em quiasmo. Sextílio, objeto da paixão devastadora, caso não sonhe e não se abrase em desejos por Séptima, será vítima de calamidades psicológicas e físicas: insônia, alucinações, instabilidade, mutismo, paralisia de todos os membros...

O segundo texto de sedução mágica data possivelmente do séc. II p.C.

A lâmina de chumbo encontrada em Hauará e conservada no Museu do Cairo (inventariada sob nº 48217) é um arrebatado sortilégio de amor. Fala-se no amante que procura inflamar o coração da amada. Possidônio, filho de Tsenubástis, almeja suscitar o amor de Herono, filha de Ptolemais, e invoca o espírito de um morto, em cujo túmulo fez introduzir uma mensagem dirigida às divindades infernais. Eis o texto deste documento de Hauará:

– A vós confio [este sortilégio], a vós, deuses subterrâneos e deusas subterrâneas, a Plutão Uesmigadot, Core Erosquigal e Adonai, também chamado Barbarita, a Hermes ctônio, Tot e Anúbis, ao poderoso Pseriftá – ao que tem as chaves do Hades – e a vós, espíritos subterrâneos, jovens prematuramente mortos, rapazes e moças, ano após ano, mês após mês, dia após dia, noite após noite, hora após hora. Adjuro a todos os espíritos que se acham neste local: auxiliai este espírito que aqui está. Desperta por mim, ó espírito do morto, sejas tu quem fores, homem ou mulher, e vai a cada lugar, a cada bairro, a cada casa e amarra Herono, gerada por Ptolemais, para mim, Possidônio, que foi gerado por Tsenubástis, para que ela não conheça nem coito vaginal, nem coito anal, nem cunilíngua, nem obtenha prazer algum com outro homem, a não ser unicamente comigo, Possidônio, de tal forma que Herono não possa comer, beber, amar, resistir, permanecer tranqüila nem pôr-se a dormir quando longe de mim, Possidônio. Por meio dele, pois, ao soar de seu nome, fende-se a terra; ao soar de seu nome, tremem de pavor os espíritos; ao soar de seu nome, tremem de pavor os rios e os mares; ao soar de seu nome, rebentam as pedras; eu te conjuro, ó espírito do morto, sejas tu quem fores, homem ou mulher, por Barbaramquelumbra, por Barucambra Adoneu, por Abratabrásax Sesengenbarfaragés, por Iaoloa Paqueptot Paquebraot Sabarbariot Marei, o famoso, e por Marmaraiot e por Marmaraot Marmaracta Amarza Marcibaiot. Não me desobedeças, ó espírito do morto, sejas tu quem fores, e vai a cada lugar, a cada bairro, a cada casa e traze-me Herono, gerada por Ptolemais, e impede-a de comer e de beber. Não deixes Herono conhecer outro homem a não ser a mim próprio, Possidônio, gerado por Tsenubástis, e arrasta Herono pelos cabelos e por suas entranhas, para perto de mim, Possidônio, o ano inteiro, a todas as horas da noite ou do dia, até que ela venha a mim, Possidônio, e faze de tal sorte que ela não me abandone até a morte; e que eu a possua, a ela, Herono, gerada por Ptolemais, e que se submeta a mim, Possidônio, gerado por Tsenubástis, enquanto me for dado viver, agora e depressa, muito depressa. Se isto alcançares por mim, eu te libertarei.

O esquema geral deste discurso, consoante Bernand, *op.cit.*, p. 290, conforma-se ao andamento mágico típico. Principia por um apelo às divindades às quais se vai confiar a realização do sortilégio de amor gravado na tabuinha. Certas divindades, como Plutão, Core, Perséfone, Hermes ctônio, designam-se por seus nomes ordinários. Aparecem alguns deuses estrangeiros, tais como Adonai, deus dos hebreus, Tot e Anúbis, deuses dos egípcios. Às vezes apõem-se nomes mágicos aos nomes comuns, consoante a prática nesse gênero de textos. Em segundo lugar vem o apelo aos "espíritos" (*daímones* para os gregos), isto é, aos defuntos – homens ou mulheres – dos quais se informa a morte prematura. Segue-se uma ordem ao espírito do morto abrigado no túmulo em que foram depositados o sortilégio e a estatueta ou as estatuetas votivas que o acompanham. O espírito do morto deve favorecer os votos amorosos de Possidônio, impedindo Herono de ter comércio carnal com outro homem e fazendo-a adoecer quanto afastada do jovem que a deseja. Passa-se à invocação aos demônios e à enunciação de nomes mágicos: o operador interpela assim o morto encarregado de executar o encantamento. Por fim, repete-se a ordem dada ao espírito do morto: cumpre-lhe ir buscar a mulher amada e trazê-la, ainda que à força, para junto do apaixonado.

O operador diz as coisas com crueza, até mesmo de modo grosseiro, não hesitando em designar nominalmente os atos carnais, nem a precisar a violência a decorrer das hesitações da mulher. Fala de maneira peremptória e deseja ser obedecido incontinenti. Da execução de tal ordem depende a libertação do espírito, tratado como verdadeiro escravo.

Note-se, por fim, que "amarrar, atar", o espírito do morto, em grego καταδεῖν (katadeîn), em cujo túmulo se coloca o sortilégio, é impedir-lhe a alma de alcançar a outra vida e o repouso. A operação contrária, "libertar, desatar" o espírito, em grego λύειν (lýein), é permitir-lhe a viagem para o mundo dos mortos.

Acerca do efeito mágico dos *nós* e do *atar* e *desatar*, fizemos um longo comentário em *Mitologia Grega*, Vol. II, 5ª ed., revisada e ampliada, Petrópolis, Editora Vozes, 1992, p. 48sqq.

TAGES

Tages, *Tages*, é explicado por Carnoy, *DEMG.*, p. 191, como vocábulo de possível procedência do etrusco **thak*, "sulco", **tecam*, "terra". A hipótese não é confirmada.

Ovídio, *Met.*, 15, 557-559, narra o prodígio acontecido a um lavrador etrusco. Quando, certa feita, arava um campo, viu no sulco aberto um torrão erguer-se e transformar-se em um menino, dotado de grande saber e detentor de arte divinatória, *Met.*, 15, 557-559:

Oraque uenturis aperire recentia fatis;
Indigenae dixere Tagen, qui primus Etruscam
Edocuit gentem casus aperire futuros.

– Abriu a boca tão novinha para anunciar o futuro:
os indígenas chamaram-no Tages. Foi ele o primeiro
a ensinar aos etruscos a arte de desvendar o porvir.

Viveu apenas o tempo suficiente para que os camponeses atingissem o local onde nascera e lhes transmitisse as técnicas da aruspicina. Em seguida, morreu. Cícero, *De Diu.*, 2, 23, confirma a existência desta tradição entre os habitantes da cidade tirrena de Tarquínios, os quais haviam recolhido as revelações do menino miraculoso nos denominados *Tagetici Libri* e *Praecepta Tagetica*, "Livros de Tages e Preceitos Tagéticos". Consta nestes ensinamentos que Tages se apresentava como filho de *Genius Iouialis*, Gênio de Júpiter (v. Gênio).

TALÁSSIO

Talassio, Talasio, Talasius, *Talássio*: a grafia com *th-, Thalas(s)io*, é helenizante, talvez por analogia com ϑάλαμος (thálamos), leito nupcial. Consoante Ernout-Meillet, *DIELL.*, p. 673, o sentido e o emprego do vocábulo se obliteraram na época histórica. O que realmente se sabe é que Talássio era uma divindade invocada nas cerimônias do casamento (v.). Para Carnoy, *DEMG.*, p. 191, o deus é de origem etrusca: *talitha*, jovem núbil, *thalna*, juvenil e faz uma aproximação com o grego ϑάλλειν (thállein), "florir, estar cheio de força juvenil". A hipótese não é convincente.

Talássio é essencialmente um grito ritual, que era proferido por ocasião da solenidade das núpcias. Quando os noivos, após alegre e barulhento cortejo, chegavam a seu novo lar, a noiva era erguida para transpor o umbral, sem tocar nele. Neste momento é que todos repetiam o grito, que era uma invocação, entoado durante a procissão: *O Talasi, Talasi, o Hymen Hymenaee* – ó Talássio, Talássio, ó Hímen, Himeneu. Consulte-se, a este respeito, o poema 61 de Catulo, que, embora imitado de Safo, é um cântico nupcial, que celebra precisamente a *deductio in domum mariti*, o cortejo que conduz a jovem esposa até o seu novo lar.

Relata-se que deste grito e invocação é que teria se originado o mito de um certo Talássio, companheiro predileto de Rômulo. Quando do rapto da sabinas, os pastores romanos apossaram-se de uma jovem lindíssima e, para evitar que alguém mais atrevido a arrebatasse deles, começaram a gritar: *Talasio*, "ela pertence a Talássio". Tendo sido muito feliz a união do amigo de Rômulo com a jovem sabina, este grito de bom augúrio se incorporou ao ritual do casamento. Uma variante explica o fato de maneira diferente, relacionando Talássio com o grego ταλασία (talasía), a saber, "trabalho com a lã". Ficou estipulado entre romanos e sabinos, que as mulheres, que haviam sido raptadas, não seriam, em hipótese alguma, submetidas a trabalhos servis, mas teriam apenas por dever "fiar a lã". Foi esse compromisso que teria dado origem do grito de *Talássio.*

TÁRCON

Tarchon ou *Tarcho, -onis*, *Tárcon*, segundo Carnoy, *DEMG.*, p. 192, teria a mesma formação etimológica que Tarquécio (v.), isto é, o antropônimo significaria "princípe, rei" e poderia se relacionar com o lício *trqqa*, etrusco *tarchu* e o radical hitita *tarh-*, "dominar".

Herói etrusco, teria sido o fundador da cidade de Tarquínios, de Mântua, Cortona e outras. Há mitólogos que o consideram filho de Télefo (v. *DIMEG.*, Vol. II, s.u.) e, por conseguinte, irmão de Tirreno, herói epônimo da Etrúria. Nascera, segundo uma variante do mito, de cabelos brancos, símbolo de um destino privilegiado.

Tárcon teria conduzido seus irmãos, os imigrantes etruscos, da Lídia para a Itália.

Vergílio, na *Eneida*, 8, 499-507, mostra como Evandro, após receber a coroa e o cetro de Tárcon, em sinal de obediência e aliança, o aproxima de Enéias, de quem será um forte aliado na luta contra os rútulos de Turno. Um pouco mais tarde, *En.*, 10, 153-155, já se encontra o herói pronto para entrar na guerra com seus etruscos, que passam a confiar seu destino a um chefe estrangeiro, o filho de Vênus:

.... haud fit mora, Tarchon
iungit opes foedusque ferit.

–............ não há mais dilação, Tárcon
firma aliança com Enéias e reúne suas tropas às dele.

TARPÉIA

Tarpeia, *Tarpéia*, segundo Carnoy, *DEMG.*, p. 192sq., talvez seja um vocábulo itálico e representaria uma forma osco-umbra do nome dos *Tarquinii*, tarquínios.

Com muitas variantes em que se procura inocentar a traidora, Tarpéia se tornou a heroína epônima do *Mons Tarpeius*, Monte Tarpéio, designação do Capitólio, relembrando a perfídia da "heroína", como está em Tito Lívio, *Ab Urb. cond.*, 1, 55, 1, donde, por restrição de sentido, *Saxum Tarpeium*, Rocha Tarpéia, ponto culminante do Monte, de onde eram lançados os perjuros e outros criminosos que atentavam contra a República.

Tarpéia era filha do bravo Tarpéio, a quem Rômulo confiara a guarda da importante fortaleza do Capitólio, após o rapto das sabinas. Como Tito Tácio, para vingar ofensa tão grave, invadira Roma e acampara nos sopés do Capitólio, a jovem, tendo visto o comandante sabino, apaixonara-se por ele. Valendo-se da cumplicidade de sua ama ou de uma escrava, mandou prometer a Tito Tácio que lhe entregaria a fortaleza, desde que ele a tomasse por esposa. O rei simulou aceitar a condição imposta e foi introduzido com o exército na fortaleza. Mas, em lugar de casar-se com ela, ordenou a seus soldados que a massacrassem com seus escudos. Uma versão diferente afirma que a traidora solicitou como recompensa tudo quanto os sabinos traziam no braço esquerdo, isto é, todas as suas pulseiras de ouro. Tito Tácio fingiu compreender que ela pedia os escudos, que, na realidade, os soldados traziam no braço esquerdo, e sufucou-a sob o peso dos mesmos. Outros afiançam que os sabinos a mataram, para que uma traição não lhes ofuscasse o mérito da conquista do monte.

Os mitógrafos romanos, no entanto, procuram inocentar Tarpéia, que, inclusive, recebia um culto no Capitólio. A heroína seria filha de Tito Tácio e, portanto, uma das sabinas raptadas. Sua atitude fora uma vingança contra Rômulo e a violência de seus soldados. Só não se compreende bem, neste caso, por que os sabinos a mataram...

Uma outra versão explica o castigo da jovem pela obstinação da mesma em não revelar aos sabinos a tática de guerra arquitetada por Rômulo.

Mitógrafos posteriores vão mais longe: Tarpéia fora uma patriota. Fingiu trair Rômulo, para derrotar a Tito Tácio. Exigindo tudo quanto as tropas sabinas possuíam no braço esquerdo, que eram os escudos, a grande proteção dos soldados, ficariam os mesmos à mercê de Rômulo. Foi, todavia, traída por seu ou sua mensageira, e quando a jovem exigiu os escudos, os sabinos, já admoestados por seu rei, massacram-na com eles.

Uma tradição, de resto bem moderna, desloca-lhe a insídia para a época da invasão dos gauleses.

Ovídio, *Fastos*, 1, 261-262, falando da fonte de água fervendo, que Jano fez brotar da terra para cortar o avanço das tropas do invasor no Capitólio, chama simplesmente Tarpéia de traidora:

Utque leuis custos, armilis capta Sabinis,
Ad summae Tatium duxerit arcis iter.

– E como a frívola guardiã, cativada pelas pulseiras sabinas,
abriu caminho para Tácio até o píncaro da fortaleza.

Nas *Metamorfoses*, 14, 775-777, o mesmo poeta fala do justo castigo da filha de Tarpéio sob os escudos, o que comprova a opinião vigente ainda no séc. I a.C. de que Tarpéia foi, na realidade, uma falsa heroína romana. Propércio, *Eleg.*, 4, 4, *passim*, traça um retrato de corpo inteiro da desleal Tarpéia e de sua punição.

TARQUÉCIO

Tarchetius, *Tarquécio*, é simples transliteração do grego Ταρχέτιος (Tarkhétios) e, segundo Carnoy, *DEMG.*, p. 192, significaria "príncipe, rei", como o lício *trqqa*, etrusco *tarchu* e o radical hitita *tarh-*, "dominar".

O mito de personagem tão estranha é uma adaptação bastarda e tardia de uma variante do nascimento de Rômulo e Remo, elaborada por Plutarco, *Rom.*, 2. Tarquécio era rei de Alba Longa, em cuja casa surgiu, certa vez, um falo, que saiu a pouco e pouco da terra. O soberano pergunou a Tétis qual a providência a tomar. Respondeu-lhe a deusa oracular que uma jovem deveria unir-se, de imediato, ao falo: quem nascesse dessa conjunção estava destinado a uma vida próspera e gloriosa. Tarquécio chamou uma de suas filhas e ordenou-lhe cumprisse tão grata missão. A princesa, no entanto, por excesso de pudor, fez-se substituir por uma escrava. Tomando conhecimento da farsa, resolveu matar a ambas, mas a deusa Vesta, aparecendo-lhe em sonho, impediu gesto tão desumano. Não deixou, porém, de castigá-las: amarrou as duas num tamborete de fiandeiras e impôs-lhe uma penosa tarefa. Prometeu libertá-las, tão logo terminassem o trabalho. À noite, entretanto, quando dormiam, mandava desfazer o que fora confeccionado na jornada diária, repetindo-se o estratagema de Penélope. A escrava que se unira ao falo, decorrido o tempo normal de gestação, deu à luz gêmeos. O rei pretendia eliminá-los, mas a serva os entregou a um conhecido, chamado Terácio, que os expôs à margem de um rio. Uma loba os aleitou e os meninos cresceram fortes e destemidos. Destronaram mais tarde a Tarquécio e o mataram, assumindo o governo da cidade.

TERRA

Tellus, *Terra*. A etimologia de *Tellus* oferece dificuldade. O vocábulo, segundo Ernout-Meillet, *DIELL.*, p. 679, talvez seja um antigo neutro, como *Venus*, *-eris*, a qual, personificada e divinizada, passou a ser do gênero feminino, "a deusa do amor", como seu filho *Cupido*, Cupido, que, de feminino, *cupido*, *-inis*, "desejo", passou a masculino, quando personificado e divinizado, enquanto "deus do amor". O mesmo teria acontecido com *Tellus*, *-uris*, que se tornou a *Terra Mater*, a deusa Terra, a Terra-Mãe. A dificuldade etimológica consiste na manutenção do *u*, por ser o único exemplo deste tipo de flexão em latim, uma vez que o *u* de *rus*, *ruris*, campo, pode resultar de uma contração. Talvez se trate de um termo itálico, que teria sido tomado como empréstimo pelo etrusco e, após alterações, retomado pelo latim. A *Tellus*, Terra, corresponde o masculino *Tellumo*, *-onis* e *Tellurus*, Telumão e Teluro. Varrão, consoante S. Agostinho, *De Ciu. Dei*, 7, 23, afirma que "uma só e mesma terra possui uma dupla energia: é masculina, porque produz as sementes e feminina porque as recebe e desenvolve", e acrescenta: *Inde a ui feminina dictam Tellurem, a masculina Tellumonem* – daí ser chamada Terra pela energia feminina e Telumão, pela masculina.

Deusa romana, *Tellus*, Terra, apesar de ter-se assimilado às deusas gregas *Géia*, Terra cosmogônica, e *Deméter*, a Terra cultivada, conservou bem nítidas algumas de suas características de origem. Personificando a Terra cultivada, identificava-se com Ceres, a deusa das sementeiras. Ovídio chama-as de "mães do cultivo da terra", querendo dizer que uma é o receptáculo e a outra faz germinar. A ação conjunta de ambas prodigaliza o milagre das colheitas. Tal fato explica que as festas de *Ceres*, denominadas, *Cerealia*, Cereálias, celebravam-se logo depois das de Terra, chamadas *Fordicidia*, Fordicídias (v. Festas) e que as *Feriae Sementiuae*, as Festas das Sementeiras (v. Festas), na segunda metade de janeiro, congregavam novamente as duas importantíssimas divindades. E ambas reapareciam juntas em determinadas oferendas que faziam as jovens antes do casamento, assim como no ritual em homenagem a um morto, cujo corpo havia ficado insepulto. Neste caso, a família, para purificar-se, sacrificava uma porca às duas deusas.

O templo de *Tellus*, construído em 268 a.C., localizava-se no Aventino, mas certamente em substituição a um outro mais antigo.

As Festas da deusa, *Fordicidia*, Fordicídias, em que se imolava uma vaca prenhe, realizavam-se no dia 15 de abril. A origem mítica desse ritual remonta à época de Numa Pompílio. Conta-se que houve uma estiagem tão grande, que, além de se perderem todas a plantações, também os animais, por falta de pastagem, morriam sem reproduzir-se. Numa consultou o deus Fauno e obteve a seguinte resposta: "aplaca *Tellus* com a morte de duas vacas, mas sacrifica apenas uma e que esta te proporcione duas vidas". Egéria (v.) explicou o oráculo: a exigência era que se imolasse uma vaca prenhe. O rei assim o fez e a terra bem como os rebanhos voltaram a ser fecundos.

Este tipo de sacrifício estava subordinado a um ritual complexo e, embora os animais pejados não fossem vítimas propiciatórias entre os povos indo-europeus, encontra um paralelismo na antiga região hindu, em que se imolava, em condições idênticas, uma *vaca de oito patas*. Em ambos os casos o que se pede é a proteção divina para as terras e os animais, mas, como umas e outros estão pejados, a vítima escolhida deve ser uma fêmea prenhe.

TIBERINO

Tiberinus, *Tiberino*, é um derivado de *Tiberis*, *-is*, o rio Tibre. Para Carnoy, *DEMG.*, p. 201, o nome do rio proviria de **ti-bh-*, **tabh-*, forma ampliada do indo-europeu **tai*, **ti*, "estar úmido, o abundante em água", mas a hipótese é contestada.

No mito romano, Tiberino aparece com duas versões. Na primeira, é uma abstração e funciona como deus do rio Tibre; na segunda, é o décimo rei de Alba Longa, como descendente de Enéias. Morreu lutando às margens do rio até então chamado Álbula e que passou a denominar-se Tibre, em homenagem ao herói.

Enéias, *En.*, 8, 31-65, recebe, durante o sono, a visita do deus Tiberino, que lhe prediz a fixação dos Lares troianos nas terras da Itália e a fundação de Alba Longa por Ascânio. Aconselha-o a fazer aliança com Evandro e a invocar Juno, para vencer-lhe a ira e as ameaças. Despedindo-se, declara ser o rio Tibre, identificando-se assim com o próprio Tiberino, *En.*, 8, 62-64:

. . . *Ego sum, pleno quem flumine cernis*
stringentem ripas et pinguia culta secantem,
caeruleus Thybris, caelo gratissimus amnis.

– . . . Eu sou o cerúleo Tibre, o rio mais querido no céu.
É a mim que vês correndo com águas intumescidas,
inundando as margens e cortando férteis lavouras.

Uma variante apresenta-o como herói epônimo do Tibre, mas de origem divina e não mais um descendente de Enéias. Tiberino seria, neste caso, filho do deus Fauno e da ninfa Camasena. Tendo-se afogado no rio, este recebeu-lhe o nome.

O deus-rio possuía um santuário na ilha Tiberina e, em sua honra, celebravam-se festas denominadas *Tiberinalia*, Tiberinálias.

Tiberino é apresentado como um ancião barbudo, empunhando o Corno da Abundância. A seus pés, a Loba com Rômulo e Remo.

TIBURNO

Tiburnus, *Tiburno*, provém de *Tibur, -uris*, Tíbur, cidade vizinha de Roma, a qual se tornou célebre por suas minas de pedra. Tiburno seria o epônimo de Tíbur. Quanto à etimologia, Carnoy, *DEMG.*, p. 201, aventa a hipótese de ser o antropônimo um derivado de *tifa*, "montanha pedregosa".

Catilo (v.), filho do herói argivo Anfiarau, emigrou para a Itália, onde foi pai de três filhos: Tiburno, Coras e Catilo, o jovem. O primeiro fundou Tíbur, tornando-se o herói epônimo da cidade. Em outra versão, Tiburno, Coras e Catilo são filhos de Anfiarau.

Após a morte, Tiburno foi honrado com um altar no templo de Hércules.

TIRRO

Tyrrhus, *Tirro*, não possui etimologia conhecida, até o momento.

Pastor do rei Latino, chefiou seus colegas e camponeses contra Ascânio (v.), ameaçando-o seriamente, quando o filho de Enéias, caçando nas florestas do Lácio, matara um veado domesticado, consoante o relato de Vergílio, *En.*, 7, 475-562.

Mais tarde, com a apoteose de Enéias, foi junto ao pastor Tirro que se refugiou Lavínia (v.), grávida de Sílvio (v.). A viúva do herói troiano temia alguma forma de violência por parte de seu enteado Iulo ou Ascânio.

TITO TÁCIO

Titus Tatius, *Tito Tácio. Titus*, Tito, enquanto substantivo comum, *titus, -i*, significa "pomba silvestre", como diz o Escoliasta de Pérsio, 1, 20: *titi sunt columbae agrestes* – "titos" são pombas silvestres. Como *turtur*, "rola, pomba-rola", parece ter sido empregado *sensu obsceno*, em sentido chulo, com o significado de "pênis e vulva", como ainda o é na linguagem popular brasileira. No mesmo passo do Escoliasta supracitado, lê-se: *aut certe a membri uirilis magnitudine dicti titi* – ou foram certamente denominados "titos" pelo volume do membro viril. O prenome *Titus*, Tito, possui, sem dúvida, a mesma conotação. Trata-se, certamente, de vocábulo com reduplicação expressiva, a exemplo de *Tutunus* ou *Tutinus*, Tutuno ou Tutino, divindade priápica. O grego possui a forma τῦλος (tŷlos), "volumoso, grosso, pênis". A origem do prenome poderá ser etrusca, *DIELL.*, p. 462. Quando a *Tatius*, Tácio, talvez proceda da linguagem infantil *tatta, tata*, grego τατᾶ (tatâ), "papai", *DIELL.*, p. 677.

Rei tarquínio da cidade de Cures, Tito Tácio foi designado pela confederação dos sabinos para vingar-lhes o rapto das mulheres e sufocar o rápido progresso de

Roma recém-fundada. Com a traição de Tarpéia (v.), o rei se apossou da fortaleza do Capitólio e, apesar da intervenção de Jano (v.) para barrar-lhe o avanço, o rei desviou seus soldados da "fonte fervente" do deus de duas faces contrapostas e atacou em outra direção, pressionando perigosamente os romanos. Vendo-se perdido e desorientado, Rômulo (v.), implorou o auxílio de Júpiter (v.), prometendo erguer-lhe um templo no local em que os adversários fossem contidos. O deus ouviu-lhe a prece e, com o deslocamento rápido das tropas romanas, os sabinos recuaram. A luta, no entanto, iria prosseguir, não fora a intervenção de Hersília (v.), à frente das jovens sabinas raptadas, que, postando-se entre seus pais, seus irmãos e seus esposos romanos, pediram se pusesse termo a uma guerra inútil e sacrílega.

Assinado um tratado de paz e aliança, unindo num só os dois povos, Rômulo e Tácio passaram a reinar em conjunto. Roma conservou o nome de seu fundador, mas os habitantes da *Urbs* receberam o nome de *Quirites*, quirites, em homenagem à cidade de origem de Tito Tácio, *Cures*, que a etimologia popular relacionava com *curis* ou *quiris*, lança (v. Quirino).

O governo conjunto durou pacificamente cinco anos: Tácio habitava a fortaleza do Capitólio e Rômulo, o monte Palatino. Mas exatamente no quinto ano de reinado surgiu um incidente grave. Os habitantes da cidade de Laurento, que vieram em embaixada a Roma, foram atacados pelos sabinos. Após tentar roubar-lhes os bens, os mataram. Rômulo tentou punir tão grave atentado contra o direito dos povos, mas Tácio, habilmente, conseguiu salvar seus compatriotas. Dias após, todavia, quando os dois reis de Roma ofereciam um sacrifício em Lavínio, os parentes das vítimas assassinaram Tito Tácio, mas nada fizeram contra Rômulo. Ao contrário, escoltaram-no até Roma e elogiaram-lhe o espírito de justiça. O filho de Marte organizou suntuosos funerais em honra de seu colega e sepultou-o no Aventino, junto ao *Armilustrium,* Armilústrio, local onde se fazia a purificação das armas (v. Festas).

Rômulo, todavia, não tomou medida alguma contra os assassinos de Tito Tácio, alegando que a justiça havia sido feita.

TRIUNFO

Triumphus (*Triumpus), Triunfo*. A forma sem aspiração *triumpe*, segundo Ernout-Meillet, *DIELL*., p. 703sq., aparece cinco vezes no fecho dos *Carmina Fratrum Arualium*, Cânticos mágicos dos Irmãos Arvais (v. Arvais). Cícero, em sua juventude, usava a grafia *triumpus* igualmente sem aspiração. A forma aspirada *triumphus*, ainda consoante o *DIELL*., p. 703, deve ter sido uma inovação dos intelectuais romanos. *Triumpus* é provavelmente um empréstimo ao grego θρίαμβος (thríambos), com um intermediário etrusco, como atestaria o *p* correspondente à sonora β (b) de *thríambos.*

Varrão, *L.l*., 6, 68, define Triunfo: *sic triumphare appellatum, quod cum imperatore milites redeuntes clamitant per Urbem in Capitolio eunti: Io triumphe! Id a* θριάμβῳ *ac Graeco Liberi cognomento potest dictum* – "triunfar foi assim denominado, porque os soldados, retornando com seu general, gritam repetidas vezes através de Roma, enquanto este se dirige ao Capitólio: Viva o triunfo! Esta palavra pode ter-se originado de *thriámbo* e do epíteto grego de Liber". Quer dizer, de Baco, uma vez que *thríambos* era um hino entoado nas festas deste deus, que foi assimilado ao deus *Liber* romano (v. Liber).

O Triunfo era um rito religioso, uma forma de agradecer aos deuses, através do general agraciado, uma vitória de grande importância sobre inimigos externos. Havia certas condições para se obter honraria tão expressiva. O interessado a requeria ao senado, que deliberava se deveria ou não concedê-la. Exigia-se do homenageado a investidura do *imperium maius*, do comando militar supremo e a chefia efetiva das legiões. No caso de serem dois os generais vencedores, o Triunfo cabia àquele que, no dia da vitória, exercera a autoridade suprema. Só se outorgava o Triunfo, quando a vitória era alcançada sobre inimigos externos, não, por conseguinte, nas guerras civis. Impunha-se, além do mais, que numa só batalha houvessem sido mortos ou aprisionados pelo menos cinco mil inimigos e que o resultado fosse completo e decisivo. O triunfador aguardava no Campo de Marte até que se terminassem os preparativos da festa, e dali era levado em soleníssimo cortejo até o templo de Júpiter Capitolino, o verdadeiro arquiteto da vitória.

A procissão religioso-militar que conduzia o vencedor, após transpor a *porta triumphalis*, dirigia-se através da *Via Sacra* e do Fórum para o Capitólio. À frente caminhavam os senadores. Seguiam-nos os *tubicines*, os trombeteiros, que precediam a um fila de carros com os despojos tomados ao adversário. Vinham, em seguida, os *tibicines*, os flautistas, diante de um touro branco, que deveria ser imolado. Atrás da vítima, os sacerdotes encarregados de oferecê-lo em holocausto aos deuses. Imediatamente depois surgiam as bandeiras conquistadas, os prisioneiros de guerra e os litores com seus *fasces* ("feixes de varas" presas por uma correia, com uma machadinha no meio, símbolo do poder conferido aos primeiros magistrados de condenarem à morte). Mais atrás, o general triunfador, adornado com um manto de púrpura, coroa de louros, cetro de marfim, sobre um carro puxado por uma quadriga. Fechavam o cortejo os oficiais, *legati*, legados, *tribuni*, tribunos, *equites*, cavaleiros, e *legiones*, as vitoriosas legiões. No templo de Júpiter Capitolino, o general depunha sua coroa aos pés da estátua do deus e oferecia-lhe sacrifícios pelo bom êxito da campanha. Ao longo do percurso se levantavam arcos-de-triunfo que, se nos primórdios, eram de madeira, ornados com ramos e flores, depois foram construídos de mármore e pedra, dos quais se possuem belos exemplares em Roma e nas antigas províncias.

À época imperial, os Imperadores reservavam-se as honras do Triunfo, por serem eles os deuses vivos aqui na terra. Aos generais vencedores se concediam as *triumphalia*, as insígnias: manto de púrpura, coroa de louros e cetro de marfim.

TURNO

Turnus, *Turno*. Carnoy, *DEMG*., p. 204, tenta aproximar o nome do herói itálico, *Turnus*, do grego τύραννος (týrannos), "senhor absoluto". Argumenta que *týrannos*, com o sentido de "rei", encontra-se no etrusco como epíteto de Afrodite (v. *DIMEG.*, Vol I, p. 29sqq.): *turann-*, "a rainha". A hipótese carece de fundamento.

Não é fácil apontar a origem deste herói, possivelmente de procedência etrusca, mas que, na luta contra Enéias, se transformou no paladino da Itália. Há os que julgam inclusive tratar-se de um *numen* local (v. Nume) ou de um antigo herói epônimo dos colonos etruscos, estabelecidos no Lácio. De qualquer forma, aparece no mito como rei dos rútulos (v. Rútulos), que ocupavam o sul do Lácio e cuja capital era a cidade de Árdea, segundo Vergílio, *En.*, 7, 411-414. Era filho do rei Dauno (v.) e da ninfa Venília.

Como no mito do rei Latino (v.) e nas gestas de Enéias na Itália são muitas as versões acerca de Turno, não se podendo mesmo apontar qual delas seria a mais antiga.

Segundo uma tradição, que possivelmente remonta à obra de Catão, *Origines*, "As Origens", o herói era aliado dos latinos, mesmo após as núpcias de Enéias com Lavínia, filha de Latino. Este solicitara a aliança de Turno, quando os troianos, não satisfeitos com a terra que receberam, começaram a invadir o reino do sogro de Enéias. Na primeira batalha, Latino pereceu e Turno se refugiou na corte de Mezêncio, em Cere, conseguindo-lhe o apoio contra os invasores da Itália. Travou-se uma segunda refrega, em que, desta feita, pereceu Turno.

Uma variante atesta que Latino e Enéias se haviam aliado contra o rei dos rútulos, mas, num encontro sangrento, Turno e Latino foram mortos, assumindo o herói troiano o governo do Lácio.

Vergílio, com uma arte extraordinária, encaminhou o mito em outra direção. O rei dos rútulos, filho de Dauno, era irmão da divina Juturna (v.). Seu ódio e hostilidade contra Enéias eram de ordem pessoal, por ser noivo de Lavínia, agora prometida em casamento ao filho de Vênus, por instabilidade e fraqueza de Latino, e de ordem política, por não admitir a invasão da Itália central. Ele próprio, contrariando os desejos de Latino, mas empurrado por Amata (v.), esposa deste último, deflagrou uma luta cruenta e sem tréguas contra o herói troiano.

O Heitor da Itália, no entanto, pereceu em combate singular às mãos de Enéias, no grande episódio em que se fecha a *Eneida*, 12, 930-952.

A figura do destemido protagonista da oposição aos invasores de sua pátria é magnificamente retratada por Vergílio. A Drª Maria Helena da Rocha Pereira, *Op. cit.*, p. 258sq., destacou através dos sétimos últimos cantos do poema vergiliano os traços que melhor o caracterizam. "Ele é, logo na primeira aparição, o mais belo de todos, Turno, cujo poder vem de avós e bisavós (VII, 55-56). É formoso, jovem, de sangue real, e com estas qualidades atrai os outros (VII, 473-474). A audácia (IX, 3; IX, 126; X, 276), a violência (XI, 276; XII, 45) caracterizam seu modo de ser; os fados não o atemorizam (IX, 133). É dele a famosa máxima: 'a fortuna secunda os audazes' (*audentis Fortuna iuvat* – X, 284). (...) Talvez a descrição mais completa de seu temperamento e das coordenadas morais que o norteiam seja esta (*Eneida*, XII, 665-668):"

Confuso pela variedade de dados desta imagem,
Turno fica imóvel, e manteve-se em silêncio. Fervem
no seu coração a um tempo o ingente sentido da honra, a insânia
a que a dor se mistura, o amor agitado pelas Fúrias, a consciência do seu valor.

O texto, no entanto, em que o antagonista de Enéias estampa todo o seu heroísmo, sua indignação por ter sido salvo graças a um estratagema da deusa Juno e "sua determinação de ir até o fim" é o que se segue igualmente citado pela helenista e latinista portuguesa, *En.*, 12, 645-649:

Terga dabo et Turnum fugientem haec terra uidebit?
Usque adeone mori miserum est? Vos o mihi, Manes,
este boni, quoniam superis auersa uoluntas.
Sancta ad nos anima atque istius inscia culpae
descendam, magnorum haud umquam indignus auorum.

– Voltarei as costas e esta terra verá um Turno fugitivo?
Por ventura é tamanha desgraça morrer? Vós, ó Manes, sede-me
propícios, pois que a vontade dos deuses superiores me é adversa.
Para junto de vós descerei, alma pura e isenta desta culpa:
jamais serei indigno de meus ilustres antepassados.

V

VACUNA

Vacuna, *Vacuna*, Carnoy, *DEMG.*, p. 206, sem mencionar-lhe a etimologia, lembra tão-somente que o etrusco *vac-* significa "oferenda, oblação". A aproximação com o verbo *uacare*, "estar livre, estar desocupado, ter vagar para", donde "consagrar-se a", feita por Varrão, segundo Ácron, que a identifica com *Victoria*, Vitória, tentando explicá-la através de um trocadilho, *quod ea maxime hi gaudent qui sapientiae uacent* – porque aqueles que se consagram à cultura alegram-se muito com ela, não possui valor algum do ponto de vista etimológico.

Ovídio, *Fast.*, 6, 307-308, fala de uma Vacuna de antanho, durante cujas festas, que o poeta não explica, se permanecia de pé ou sentado, diante da lareira:

Nunc quoque, cum fiunt antiquae sacra Vacunae,
Ante Vacunales stantque sedentque focos

– Ainda agora, quando se celebram as cerimônias da antiga
Vacuna, diante das lareiras vacunais, fica-se de pé ou sentado.

Ao que tudo indica, Vacuna era uma antiqüíssima divindade rural Sabina, durante cujas festas os camponeses não trabalhavam, "permanecendo ociosos, livres de quaisquer tarefas". Em honra da deusa, que lhes protegia o sono, os agricultores celebravam as *Vacunalia,* Vacunálias, nos inícios do inverno.

Possuía "um santuário já em ruínas", *fanum putre*, perto da quinta de Horácio, segundo afirmação do próprio poeta, *Ep.*, 1, 10, 49-50.

Os mitógrafos identificam-na ora como Vitória ou ainda com Minerva, Diana e Belona (v.).

VALÉRIA

Valeria, *Valéria*, possivelmente é um derivado do verbo *ualere*, "ser forte, vigoroso, passar bem, ter saúde", donde Valéria é "a que proporciona saúde, bem-estar". A base do latim *uale-* é a raiz **wole-*, "ter poder sobre"; irlandês *flaith*, soberania; tocariano *wäl*, *walo,* príncipe, chefe; gótico *waldan*, dominar.

Uma grande epidemia, relata Plutarco, *Par. Men.*, 35, assolava a cidade etrusca de Falérios. Consultado o oráculo, este ordenou, para que a peste desaparecesse, o sacrífício anual de uma virgem à deusa Juno. Quando chegou a vez de Valéria Luperca, a jovem não esperou pelo sacerdote. Empunhou a espada junto ao altar da deusa e no momento em que ia matar-se, uma águia misteriosa arrebatou-lhe a arma das mãos e deixou cair sobre o altar um bastão exatamente ao lado do martelo ritual. Afastando-se rapidamente, a ave fez a espada tombar sobre uma novilha, que pastava nas vizinhanças. Valéria compreendeu, de imediato, a mensagem oracular: sacrificou a vitela. Tomando, em seguida, o martelo, começou a tocar com ele os doentes, que ficaram instantaneamente curados.

VATICANO

Vaticanus, *Vaticano*, é aproximado, por etimologia popular, de *uates*, "adivinho, profeta, oráculo" e, como as profecias eram normalmente ritmadas, *uates* passou a significar "poeta". *Vaticanus*, Vaticano, deve ser de origem etrusca. A forma *Vagitanus* é simplesmente uma tentativa popular de aproximar o vocábulo do verbo *uagire*, vagir, "soltar vagidos", muito de acordo com as funções do *deus Vaticanus*.

Mons ou *Collis Vaticanus*, Monte ou Colina do Vaticano, era o local consagrado ao deus Vaticano, cuja função limitava-se a presidir o aprendizado da fala pelas crianças, as primeiras palavras por elas emitidas, ensinando-as a pronunciá-las corretamente.

VÉJOVIS

Veiouis, Véjovis, é formado pela partícula *ue* -<**we*, que figura em alguns compostos com sentido privativo ou pejorativo, como *uescus*, mal alimentado, magro; *uesanus*, doente, louco, furioso; *uegrandis,* pequeno, magro, franzino, e pelo gen. de "Iuppiter", *Iouis* (para a etimologia v. Júpiter), donde *Veiouis*, também grafado *Vediouis, Vedius, Vidius,* Véjovis, é "o contrário de Júpiter", isto é, enquanto este é "deus da luz, do dia luminoso", aquele é o das trevas, "o Júpiter subterrâneo".

Antigo deus romano, era cultuado num templo da ilha Tiberina e em outro do Capitólio. Suas festas celebravam-se no dia 21 de maio. Parece tratar-se de uma divindade infernal. Para conjurar as epidemias, sacrificava-se-lhe, na primavera, uma cabra, animal que lhe era consagrado. Presidia, além do mais, em épocas arcaicas, os pântanos e as manifestações vulcânicas.

Véjovis se associou tardiamente a Asclépio e depois foi identificado com Apolo, convertendo-se no deus gentílico dos *Iulii*, da família Júlia.

O fato de a cabra lhe ser consagrada trai a primitiva aproximação de Véjovis com Júpiter, uma vez que o animal em pauta simboliza o raio, arma predileta do pai dos deuses e dos homens. A estrela da *Cabra*, na *Constelação do Cocheiro*, anuncia a tempestade e a chuva, assim como a *Cabra* Amaltéia, nutriz de Zeus, o Júpiter dos romanos.

VENÍLIA

Venilia, *Venília*, não possui etimologia comprovada. As informações devidas a Varrão talvez pertençam à etimologia popular: *L.1.*, 5, 72: *Venilia unda est quae ad litus uenit* – Venília é a onda que chega ao litoral; S. Agostinho, *De Ciu. Dei.*, 7, 22 e *Thes. Gloss.*, s.u., repetindo Varrão: *uenilia maris aestuatio quae ad litus uenit, salacia quae ad mare uenit* – venília é agitação do mar, que atinge o litoral, a onda que retorna ao mar (v. Salácia).

Divindade marinha, que Varrão, *L.1.*, 5, 72, insiste em aproximar do verbo *uenire*, "vir", *a ueniendo ac uento*, "que se origina de vir e de vento", estava associada, em Roma, a Netuno. Os mitógrafos faziam-na mãe de Turno (v.), enquanto mulher de Dauno (v.), e de Canente, como esposa de Jano (v.).

VÊNUS

Venus, ***-eris***, *Vênus*, enquanto substantivo comum, significa "amor físico, instinto, apetite sexual"; em seguida, as qualidades que excitam o amor, "graça, sedução". Antigo substantivo neutro, uma vez personificado e divinizado, tornou-se feminino, a deusa Vênus, a deusa do amor, na medida em que passou a traduzir e assimilar-se a Ἀφροδίτη (Aphrodíte). Afrodite. O mesmo aconteceu, diga-se de caminho, ao substantivo feminino *cupido*, "desejo, paixão"; tornou-se masculino, *Cupido*, o deus Cupido, quando foi personificado e divinizado para traduzir Ἔρως (Éros), o Amor, filho de Afrodite, enquanto Cupido se transformou no filho de Vênus. A raiz indo-européia do vocábulo é **wen*, desejar, sânscrito *vánaḥ*, desejo, *vánati, vanóti*, ele deseja; alemão antigo *wunskan*, desejar; gótico *wunan*, alegrar-se, rejubilar-se. Acrescente-se que *uenenum*, que representa um antigo **uenes-no-m*, "encanto, graça, sedução" e que traduz o grego φάρμακον (phármakon), com sentido idêntico, pertence à mesma família etimológica que *Venus*. O significado primeiro de *uenenum* como "graça, sedução" pode ser atestado no fragmento do poeta Afrânio (séc. II a.C.), R^3 380sqq.:

aetas et corpus tenerum et morigeratio
haec sunt uenena formosarum mulierum

– a idade, a beleza física, a simpatia pessoal,
eis aí o poder de sedução das mulheres bonitas.

Muito cedo, porém, recebeu sentido pejorativo como φάρμακον (phármakon) e passou a designar "veneno", embora o duplicidade da acepção se tenha mantido e os autores recomendassem o emprego do adjetivo *bonum* ou *malum* para evitar ambiguidade, como está no *Dig*., 50,.16, 236: *qui uenenum dicit, adicere debet utrum malum an bonum; nam et medicamenta uenena sunt* – quem diz "veneno" deve especificar se é "bom" ou "mau", pois que as drogas são também "venenos", *DIELL*., p. 721sq; *LEW*., s.u.

Antiga divindade romana, Vênus possuía atribuições agrárias, mas protegia, em princípio, jardins e pomares, como deixa claro Varrão, *L.1*., 6, 20: *Vinalia rustica dicuntur ante diem XII Kalendas Septembres quod tum Veneri dedicata aedes et orti ei deae dicantur ac tum sunt feriati olitores* – No dia dezenove de agosto, as Vinálias rústicas (festas da vindima) são assim denominadas, porque então se dedicou um templo a Vênus, deusa à qual estão consagrados os jardins e nesta data os jardineiros estão em festa.

Ovídio, *Fast*., 4, 865-868, vivendo uma outra época, aconselha as jovens livres que, nas festas das Vinálias, ofereçam incenso a Vênus e peçam-lhe a beleza, o favor popular, a arte das carícias e palavras excitantes:

Numina, uulgares, Veneris celebrate, puellae:
Multa professarum quaestibus apta Venus.
Poscite ture dato formam, populique fauorem,
Poscite blanditias, digna uerba ioco.

– Jovens livres, celebrai a divindade Vênus, deusa
que proporciona muitos ganhos às que se dedicam à profissão.
Oferecei-lhe incenso, pedindo-lhe beleza e o favor popular;
solicitai-lhe a arte das carícias e palavras excitantes.

Embora distante da Vênus primitiva, o poeta sabe muito bem que "o vinho nas Vinálias" era um excelente condimento para despertar o amor. Aliás, nas suas *Sátiras Menipéias*, 154, Varrão já conjuga o vinho com o apetite sexual: *plenus uini et ueneris* – cheio de vinho e de desejo.

Vênus não fazia parte, a princípio, das grandes divindades romanas, apesar de possuir um templo muito antigo na cidade de Árdea, no Lácio, construído antes da fundação de Roma. Somente a partir do séc. II a.C., após identificar-se com Afrodite, é que a antiga deusa dos jardins e dos pomares passou realmente a fazer jus à etimologia de seu nome e assumir um lugar de honra no panteão latino, convertendo-se na ancestral da *Gens Iulia*, da Família dos Júlios, através de Iulo (v.), neto da deusa, por ser filho de Enéias (v.), fundador do império romano.

Com efeito, foi durante a Segunda Guerra Púnica que os romanos tiveram um contato mais direto com o culto dedicado a Afrodite no famoso santuário do monte Érix, na Sicília. De imediato, se ergueram em Roma dois templos, em que se instituíram os hábitos da Afrodite ericina: as meretrizes imitando as célebres *hierodulas* helências, as impropriamente denominadas "prostitutas sagradas" (v. *DIMEG*., s.u. Afrodite), tiveram um papel importante no culto e nas festas em honra da mãe de Cupido, como sugere Ovídio no passo supracitado dos *Fastos*. A devoção a Vênus helenizada estendeu-se por todo o Império com denominações diversas. O ditador Lúcio Cornélio Sila venerava-a com o nome de *Venus Felix*, a dispensadora da felicidade e da sorte, e mandou colocar-lhe a imagem no templo que a deusa possuía em Pompéia. *Venus Victrix*, Vênus Vencedora, foi a preferida de Cneu Pompeu, que lhe dedicou um templo. A despeito, porém, destes cultos de procedência estrangeira, a deusa do amor acabou por adquirir um caráter autenticamente nacional sob a denominação de *Venus Genetrix*, A Mãe Vênus, protetora da cidade e do povo romano, símbolo de sua origem nobre, como mãe de Enéias, pai de Iulo, semente da aristocrática *Gens Iulia*, como já se assinalou. De outro lado, a união de Vênus e Marte, transposição do casal Afrodite e Ares, fez que a deusa da Dinastia Juliana e o pai de Rômulo formassem uma dupla poderosíssima, que presidia os destinos do Estado. Honras idênticas lhes eram tributadas no templo de *Venus Genetrix*, construído por César, e no de *Mars Ultor*, Marte Vingador, consagrado por Augusto. César, na inauguração do templo de *Venus Genetrix*, organizou festas e ofereceu Jogos, que permaneceram até a época de Augusto com o nome de *Ludi Victoriae Caesaris*, Jogos da Vitória de César. Adriano mandou erguer o famoso *Templum Urbis*, Templo de Roma, onde eram cultuadas Vênus e a deusa Roma.

Vergílio, na *Eneida*, *passim*, apresenta Vênus, a mãe de Enéias e sua protetora inconteste, como a grande antagonista de Juno, uma luta que remontava à *Ilíada* de Homero. Como bússola do filho, a deusa tudo faz para que o herói troiano e seus Penates, apesar de todo o rancor e estratagemas de Juno, atinjam a Itália, onde nascerá a nova Tróia latina, cujo "império não terá fim".

Para a douta Maria Helena da Rocha Pereira, *op. cit.*, p. 264, a Vênus da *Eneida* se apresenta como uma figura acentuadamente humanizada. Contrapondo Juno a Vênus, diz a Drª Maria Helena: "Outro tanto se passa com Vênus, no campo oposto. Esta, apresentada sempre como uma visão radiosa de beleza, humaniza-se como mãe do herói. As suas diversas actuações (intervenção junto do deus supremo, após o naufrágio de Enéias, aparição a este para lhe indicar o caminho e substituição de Ascânio por Cupido, no canto I; pacto com Juno, no IV; pedido a Vulcano de execução das armas de Enéias, e sua entrega, no VIII; queixas na assembléia dos deuses, no X; cura de Enéias ferido em combate, no XII) decorrem dessa condição, em que o humano e o divino se confundem".

A disputa entre as duas grandes divindades, afinal, chegou a seu termo no fecho do poema com a vitória de Vênus, mas sem humilhação alguma para Juno (v.), como lhe prometera Júpiter. Ambas serão o esteio da família romana: uma incendiará os corações e a outra os unirá em núpcias legítimas. Cumpriu-se, *mutatis mutandis*, o que já anunciara Júpiter, dois cantos antes do término do poema vergiliano, *En.*, 10, 113:

Fata uiam inuenient – os destinos encontrarão seu caminho.

VERTUMNO

Vertumnus, *Vertumno*, grafado por Varrão *Vortumnus*, é, ao que parece, de origem etrusca, e Varrão o confirma, *L.1.*, 5, 46: *deus Etruriae princeps*, – principal deus da Etrúria. É provável que a forma latina seja uma deformação do etrusco *Voltumna* e *Veltune*, em função da etimologia popular que o aproximou do verbo *uertere*, "voltar, virar, mudar, transformar-se", convertendo-o no deus das mudanças das estações, *DIELL.*, p. 727.

Vertumno personifica a idéia de transformação, sendo, por isso mesmo, em princípio, a divindade que preside as mudanças operadas na natureza com a sucessão das estações. De outro lado, é o protetor das árvores frutíferas, da vegetação e das colheitas, fato que explica seus amores com Pomona (v.) e seu vínculo com Ceres. Ovídio narra longamente a grande paixão do deus por Pomona, *Met.*, 14, 622-697.

Existem, no entanto, traços vários na composição da figura de Vertumno. Ora é apresentado como uma divindade capaz de quaisquer metamorfoses, adotando a aparência que bem lhe convier: ceifeiro, soldado, caçacor, pescador, comerciante, pastor, ora é o protetor das árvores e dos bosques e se confunde com Silvano; outras vezes é um deus exclusivo da fertilidade, esposo de Pomona, como no passo supracitado de Ovídio.

Em Roma, o deus do metamorfismo possuía uma estátua no *Vicus Tuscus*, no bairro etrusco, uma espécie de quarteirão de comerciantes, onde lhe ofereciam sacrifícios no dia 13 de agosto.

VESTA

Vesta, *Vesta*, não possui, segundo Ernout-Meillet, etimologia clara e definida, como, aliás, acrescentam eles, a maioria das divindades, em se tratando do latim. Talvez Vesta seja um nome étnico. A aproximação possível com o irlandês *feiss*, "morada, mansão, permanência"; gótico *wisan*, "estar", *was*, "estava"; sânscrito *vásati*, "ele reside, permanece", e com o grupo da raiz **au*, como o grego αὐλή (aulé), "espaço ao ar livre, residência", não explicam o sentido religioso do teônimo. Vesta tem sido aproximada do grego ἑστία (hestía), "lareira", mas a ausência do *F* (digama) inicial no substantivo comum e nas inscrições dialetais eliminaria a hipótese. O *F* parece atestado no antropônimo arcádio Ϝιστίας (Wistías). Em síntese: a presença ou ausência do *F* é condição *sine qua non* para explicar o parentesco etimológico entre *Vesta* e ἑστια (hestía), *DIELL.*, p. 729. Veja-se, a propósito, a discussão do problema em H. Frisk, *Griechisches Etymologisches Wörterbuch (GEW),* s.u. Vesta, e no *Dicionário Mítico-Etimológico da Mitologia Grega*, Vol. I, p. 556sq., em que se segue a hipótese de P. Chantraine, *DELG.*, p. 379.

Deusa romana de cunho muito arcaico, Vesta, como a Héstia helênica, era a própria *lareira* em sentido estritamente religioso, ou mais precisamente, era a personificação da *lareira*, colocada no centro do altar; depois, sucessivamente, da *lareira* localizada no meio da habitação e da *lareira* da cidade de Roma.

Protetora do fogo sagrado, sendo ela a personificação do próprio fogo, pertencia ao grupo dos doze grandes deuses. Seu culto era orientado diretamente pelo *Pontifex Maximus*, o Sumo Pontífice, assistido das seis ou dez Vestais (v.), sobre as quais exercia autoridade total. Vesta teria sido introduzida na Itália por Enéias, que a levou para Lavínio, de onde Ascânio a transferiu para Alba e dali passou a Roma, onde Numa lhe ergueu um templo, em cujo interior não havia estátua alguma da deusa, mas tão-somente o fogo perene e inextinguível que a representava, como diz Ovídio, *Fast.*, 6, 295-298. Outros mitógrafos julgam que foi Rômulo o introdutor em sua cidade do culto da deusa, o que provoca certas dificuldades. É que o templo da filha de Saturno, de forma redonda, como o eram as mais antigas choupanas do Lácio, erguia-se fora da cidade palatina, no Fórum, quer dizer, na parte exterior da *Urbs*, atribuída ao filho de Marte.

De qualquer forma, o caráter arcaico da grande divindade está atestado pelo animal sagrado que lhe era dedicado, o asno, cujo origem é mediterrânea, ao contrário do cavalo, de procedência indo-européia. Na grande festa das *Vestalia*, Vestálias, nos meados de junho, os asnos eram coroados de flores e não trabalhavam. Uma variante tardia, repetida por Ovídio, *Fast.*, 6, 335-348, tenta explicar que o asno é consagrado à deusa virgem, porque com seus zurros a salvou do estupro, numa investida amorosa do insaciável Priapo (v. *DIMEG.*, s.u.).

Cortejada por muitos deuses, sobretudo por Apolo e Netuno, obteve, no entanto, de Júpiter, a prerrogativa de guardar para sempre a virgindade. Foi ininterruptamente cumulada de honras excepcionais por todos os imortais, tornando-se a única deusa, sob a forma do fogo sagrado, a receber um culto em todos os lares e nos templos de todos os deuses.

Enquanto seus irmãos divinos viviam num vaivém constante, Vesta manteve-se sedentária no Olimpo. Assim como o fogo doméstico é o centro do lar dos homens, a deusa virgem é o centro religioso do lar dos deuses. Essa imobilidade, todavia, fez que ela não desempenhasse papel algum no mito, permanecendo mais como um princípio abstrato, a *Idéia da Lareira*, do que como divindade pessoal. Tal fato explica não ter sido necessariamente representada por imagem, já que o fogo era suficiente para simbolizá-la.

Personificação do fogo sagrado, a filha de Saturno preside a conclusão de qualquer ato ou empreendimento. Ávida de pureza, assegura a vida nutriente, sem ser ela própria fecundante. Vesta e suas Vestais, como a Héstia dos gregos, talvez traduzam o sacrifício permanente, através do qual uma perpétua inocência serve de elemento substitutivo ou até mesmo de escudo contra as faltas perpétuas dos homens, granjeando-lhes êxito e proteção (v. *DIMEG.*, p. 556sq.).

VESTAIS

Vestales, *Vestais*, para a etimologia, v. Vesta.

Embora as Vestais sejam personagens históricas, é conveniente lembrar que eram sacerdotisas da mítica deusa Vesta e exerciam uma função relevante na religião romana como mantenedoras do fogo sagrado, garante do povo e do Império romano.

Segundo acentua Fustel de Coulanges, *A Cidade Antiga*, Lisboa, Livraria Clássica Editora, 1971, p. 107, se o altar doméstico agrupava em torno de si a família, o altar da cidade, isto é, "o templo de Vesta", congregava os cidadãos, como se fora "o lar sagrado da cidade", na expressão lapidar de M. Túlio Cícero, *De Leg*., 2, 12: *Vesta quasi focus urbis*. Pois bem, este lar sacrossanto, onde crepitava o fogo perene, símbolo da vida e da permanência do Estado, era cuidadosamente guardado pelas seis Vestais, ou dez, segundo outros. Sua função é também relembrada pelo mesmo Cícero, *De Leg*., 2, 8: *Virgines Vestales custodiunto ignem foci publici sempiternum* – Compete às virgens Vestais proteger a chama inextinguível do lar público. *Virgines sanctae*, virgens sagradas, chama-lhes Horácio, *Od*., 1, 2, 27 e sua missão era "um sacerdócio sacratíssimo", *sanctissimum sacerdotium*, no dizer de Cícero, *Dom*.,53.

O mito fixa a criação do colégio das Vestais num período que antecede a fundação de Roma, uma vez que Amúlio (v.) obrigara sua sobrinha Réia Sílvia, a futura mãe de Rômulo e Remo, a tornar-se sacerdotisa da deusa do fogo sagrado, mas uma variante outorga ao rei Numa a honra de haver introduzido na Urbe o culto à chama que não podia extinguir-se.

As Vestais estavam vinculadas ao colégio pontifical e eram escolhidas nas famílias patrícias pelo *Pontifex Maximus*, Pontífice Máximo, entre os seis e dez anos de idade e ordenadas por um período de trinta anos. Ao que parece, este longo espaço de consagração à deusa era dividido em três etapas: nos primeiros dez anos dedicavam-se à aprendizagem dos ritos; nos dez seguintes prestavam serviços como sacerdotisas e, nos dez últimos, instruíam as mais novas. Finda a missão, podiam retornar à vida normal e casar-se, mas poucas o faziam.

Protegiam o povo romano, alimentando o fogo da cidade. Sua força religiosa dependia da virgindade: se uma vestal incorresse em falta contra a castidade, era enterrada viva no *Campus Scerelatus*, Campos dos Criminosos, junto à Porta Colina, e seu cúmplice era supliciado.

Honradas e respeitadas, viviam no *Atrium Vestae*, Átrio de Vesta, sob a autoridade da *Virgo Vestalis Maxima*, A Virgem Vestal Máxima. Saíam de seu elegante e confortável "convento" apenas em circunstâncias especiais, sobretudo em grandes solenidades. Trajavam, para tanto, uma túnica branca, debruada de púrpura e a cabeça estava coberta com um véu, *suffibulum*, que lhes caía até os ombros.

Por ocasião de suas festas, *Vestalia*, Vestálias, no dia 9 de junho, e nas *Lupercalia*, Lupercálias, 15 de fevereiro (v. Festas), encarregavam-se de preparar *mola salsa*, uma espécie de "bolo sagrado", que era oferecido aos deuses. Parte do sangue e as cinzas do *October Equus* (cavalo de outubro) lhes eram enviadas, para as lustrações dos meses restantes do ano (v. Festas).

Se a Héstia grega, com seu culto doméstico, perdeu, a pouco e pouco, o prestígio diante da beleza inimitável das estátuas e da liturgia de seus pares imortais, dos templos suntuosos, que se lhes ergueram, da riqueza de seus mitos e particularmente da religião apolínea, Roma, ao revés, sempre concedeu a Vesta e às suas Vestais um lugar de honra no culto público e privado. "Os romanos nunca perderam a convicção de terem o destino da cidade ligado ao lar que representava os seus deuses. O respeito demonstrado pelos antigos às Vestais é prova da importância de seu sacerdócio", acentua F. de Coulanges, *op. cit.*, p.176. Tito Lívio, *Ab Urb. cond.*, 26, 27, 14, deixa claro o que a grande deusa representava com seu fogo sagrado para os descendentes de Rômulo: *conditum in penetrali fatale pignus romani imperii* – escondido no santuário de Vesta está o penhor concedido pelo destino ao império romano. Cícero, *Fil.*, 11, 10, é taxativo: *Quo saluo, salui sumus futuri* – Salvo o templo de Vesta com seu fogo sagrado, nós estaremos salvos.

A impressão que fica é de que os gregos cultuaram a *pólis*, os romanos cultuaram o *lar*.

VÍRBIO

Virbius, *Vírbio* é vocábulo sem etimologia definida, até o momento, a não ser pela imaginação popular, que o fazia provir de *uir*, homem, herói, e *bis*, duas vezes, isto é, "o que foi feito pelo homem duas vezes", como se verá mais abaixo.

Vírbio era um demônio, cujo culto estava intimamente associado ao de Diana (v.), num bosque sagrado, o *Nemus* de Arícia, aldeia perto de Roma. Relata-se que a deusa (na Grécia com o nome de Ártemis), que sempre protegeu o filho de Teseu, Hipólito, despedaçado por obra de Posídon (Netuno), tomou-o sob sua guarda, após ter sido ressuscitado por Asclépio, o Esculápio dos latinos. Levou-o para Arícia, onde o escondeu em seu bosque sagrado; mudou-lhe o nome e fê-lo seu acólito. No templo de Ártemis – Diana, no *Nemus*, Hipólito passou a chamar-se Vírbio, que se interpretava como "duas vezes homem" ou "o que viveu duas vezes".

De outro lado, um sério tabu cercava o local: nenhum cavalo podia sequer aproximar-se do "bosque sagrado". Tal proibição se explicava pelo fato de o filho de Teseu ter sido despedaçado, quando os cavalos, que lhe conduziam o carro, assustados com o monstro enviado por Posídon (Netuno), o terem lançado por terra, provocando-lhe a morte.

Ovídio, *Met.*, 15, 492-546, narra a morte, a ressurreição e a transformação de Hipólito em Vírbio pelos lábios do próprio herói. O fecho do relato é a mudança de nome e a nova função do filho de Teseu, *Met.*, 15, 542-546:

Hic posuit nomenque simul, quod possit equorum
admonuisse, iubet deponere: "qui" que "fuisti
Hippolytus", dixit "nunc idem Virbius esto".
Hoc nemus inde colo de disque minoribus unus
Numine sub dominae lateo atque accenseor illi.

– Então Diana quis que eu mudasse um nome que pudesse
despertar a recordação de meus cavalos: tu que foste Hipólito,

disse ela, sê agora Vírbio. Desde então habito este bosque.
Sou um dos deuses menores e, escondido
sob a proteção de minha senhora, eu lhe sirvo de acólito.

VITÓRIA

Victoria, *Vitória*, é um derivado do verbo *uincere*, ser vencedor, vencer. A raiz indo-européia é **woik*-, combater. O presente *uinco*, com nasal infixada, traduz o termo de um processo, donde o sentido de "vencer"; irlandês *fichim*, eu luto; alemão antigo *ubarwehan*, vencer; gótico *weihan*, combater; inglês antigo *wigan*, lutar, *DIELL*., p. 736sq; *LEW*., s.u.

Em Roma, personificada e divinizada, a deusa Vitória foi assimilada a Νίκη (Níke), a deusa-Vitória da Hélade (v. DIMEG., Vol. II, s.u.). Associou-se em seu culto a Júpiter e sobretudo a Marte. Era adorada pelas legiões e posteriormente pelos Imperadores. Seu templo mais famoso ficava no Palatino.

Representavam-na com asas e, na Cidade de Rômulo, adornava, dos dois lados, os arcos de triunfo (v.).

Plauto, *Anfitrião,* 41-45, pergunta ao público, pelos lábios de Mercúrio, se é necessário relembrar os benefícios recebidos por intermédio, entre outros deuses, de Netuno, Virtude, Vitória, Marte, Belona, que teriam figurado em tragédias. Se estes tanto fizeram pelo povo, que não fará Júpiter, que será o ator principal na comédia em pauta? É bastante que se preste atenção à peça...

Ovídio, Met., 8, 12-13, usa Vitória num sentido mais metafórico, como termômetro de uma batalha:

Et pendebat adhuc belli fortuna diuque
Inter utrumque uolat dubiis Victoria pennis.

– O desfecho da guerra ainda estava em suspenso e já,
há muito templo, a Vitória voava hesitante entre as duas facções.

VOLTURNO

Volturnus, *Volturno*, é o adjetivo *uolturnus, -a, -um*, derivado de *Voltur*, Vúlture, nome de uma montanha da Campânia, usado, porém, com mais freqüência na expressão *Volturnus uentus*, Vento do sudoeste. É bem possível que *Volturnus*, Volturno, que foi personificado e divinizado, provenha do etrusco *velϑurna*, *DIELL*., p. 751; *LEW*., s.u.

Sob o nome de Volturno os mitógrafos reuniram três facetas de uma só e mesma divindade. Era invocado, desde épocas remotas, como o deus-vento do sudoeste, que, no outono, erguia verdadeiras tempestades de pó. Dado o caráter violento de Volturno e suas conseqüências, foi o mesmo relacionado, por etimologia popular, com o verbo *uoluere*, "rolar, fazer rolar, revolver".

Era igualmente cultuado como deus-rio da Campânia, em cuja honra se organizavam cerimônias religiosas duas vezes por ano, em datas não fixas.

Sua distinção maior, todavia, foi ter sido um antiquíssimo deus romano, que a tradição fazia pai da ninfa Juturna (v.). Possuía, em Roma, um sacerdote próprio, o *Flamen Volturnalis*, Flâmine Volturnal. Em honra do deus, realizavam-se a 27 de agosto, as *Volturnalia*, Volturnálias, de que fala Varrão, *L.1.*, 6, 21: *Volturnalia a deo Volturno, cuius feriae tum* – Volturnálias provêm do deus Volturno, cujas festas celebravam-se então.

VULCANO

Volcanus (Vulcanus), *Vulcano*, não possui ainda etimologia definida. Talvez provenha do etrusco, onde se encontram gentílicos como *Velχa, Volca, DIELL.*, p. 749. É possível que tenha sido empregado como substantivo comum, segundo se pode ver em Plauto, *Amph.*, 341, a não ser que o poeta o tenha usado como metonímia:

Quo ambulas tu, que Vulcanum in cornu conclusum geris?

– Aonde vais, tu que levas o fogo metido num chifre?

Divindade antiga de Roma, teria sido introduzido na cidade pelo rei Tito Tácio (v.) ou pelo próprio Rômulo, que lhe erguera um santuário, onde foram guardados os espólios dos inimigos, após mais uma vitória do filho de Marte.

Vulcano, deus do fogo, possuía um flâmine próprio e, em sua honra, celebravam-se, no dia 23 de agosto, as *Vulcanalia*, Vulcanálias, segundo Varrão, *L.1.*, 6, 20: *Volcanalia a Volcano, quod ei tum feriae et quod eo die populus pro se in ignem animalia mittit* – As Vulcanálias procedem de Vulcano, já que se celebram então suas festa e porque, neste dia, o povo lança no fogo animais vivos em favor de sua própria conservação. Este hábito curioso e, evidentemente cruel, relembra o φαρμακός (pharmakós) grego, "a vítima substituta", o bode expiatório, existente em todas as culturas. No caso em pauta, significa que, em outros tempos, sacrificavam-se a Vulcano vítimas humanas. Aliás, Festo, 276, 3, falando da cerimônia supracitada, diz claramente que os animais lançados às chamas o eram *pro animis humanis*, "em lugar de seres humanos".

Assimilado ao deus grego Hefesto, o deus do fogo e das forjas não possui, em Roma, um mito próprio. Vergílio, no entanto, *En.*, 7, 678-681, afirma ter sido ele pai do herói Céculo (v.). Ovídio, *Fast.*, 6, 625-628, atribui-lhe um filho ainda mais importante, o rei Sérvio Túlio (v.), cujo pai é tradicionalmente o deus lar. Finalmente, o bandido Caco (v.) passa por um de seus filhos (*En.*, 7, 198).

Na *Eneida*, 8, 626-728, o papel de Vulcano é "politicamente" importante. O grande artista coxo, fabricará, a pedido de sua esposa Vênus, aliás sempre ausente e distante, o escudo de Enéias (v.). Nesta obra-de-arte estão gravadas as gestas gloriosas da futura Roma, com a batalha de Ácio ao centro, diferentemente do escudo de

Aquiles, também executado pelo mesmo ourives divino, mas neste o herói, filho de Tétis, não aparece.

Curioso, por não ser comum no poeta de Mântua, é o encontro e a súplica de Vênus ao esposo, para que confeccione o escudo do filho. A cena é incandescente, como convém a um local onde funciona uma forja, e permeada de um erotismo digno de uma deusa do amor. Após instar com o marido para criar e forjar as armas de Enéias, Vênus, percebendo-o hesitante, lança-lhe os braços em torno do pescoço e o queima num incêndio de amor. A relutância terminara, *En.*, 8, 387-393:

Dixerat et niueis hinc atque hinc diua lacertis
cunctantem amplexu molli fouet. Ille repente
accepit solitam flammam notusque medullas
intrauit calor et labefacta per ossa cucurrit,
non secus atque olim tonitru cum rupta corusco
ignea rima micans percurrit lumine nimbos.
Sensit laeta dolis et formae consica coniux.

– A deusa cessara sua fala, mas sentido-o hesitante
com seus níveos braços o envolve num terno
abraço. Ele se sente repentinamente penetrado pela costumeira
chama; conhecido calor penetra-lhe as entranhas
e escorre pelos membros enlanguescidos, assim como quando
ronca o trovão, um sulco inflamado pelo raio percorre
as nuvens com sua luz coruscante. Ela percebe, feliz
os efeitos de sua sagacidade, cônscia de sua beleza.

Índice Onomástico

Observação: Aparecem em grifo as obras, palavras ou expressões latinas. Os números em negrito indicam páginas em que o verbete é principal.

B

C

Índice Analítico